Cyfres y Cymoedd

Cwm Cynon

Golygydd
Hywel Teifi Edwards

Argraffiad cyntaf—1997

ISBN 1 85902 507 2

Dymuna'r cyhoeddwyr gydnabod cymorth
Adrannau Cyngor Llyfrau Cymru

Argraffwyd gan
Wasg Gomer, Llandysul, Ceredigion

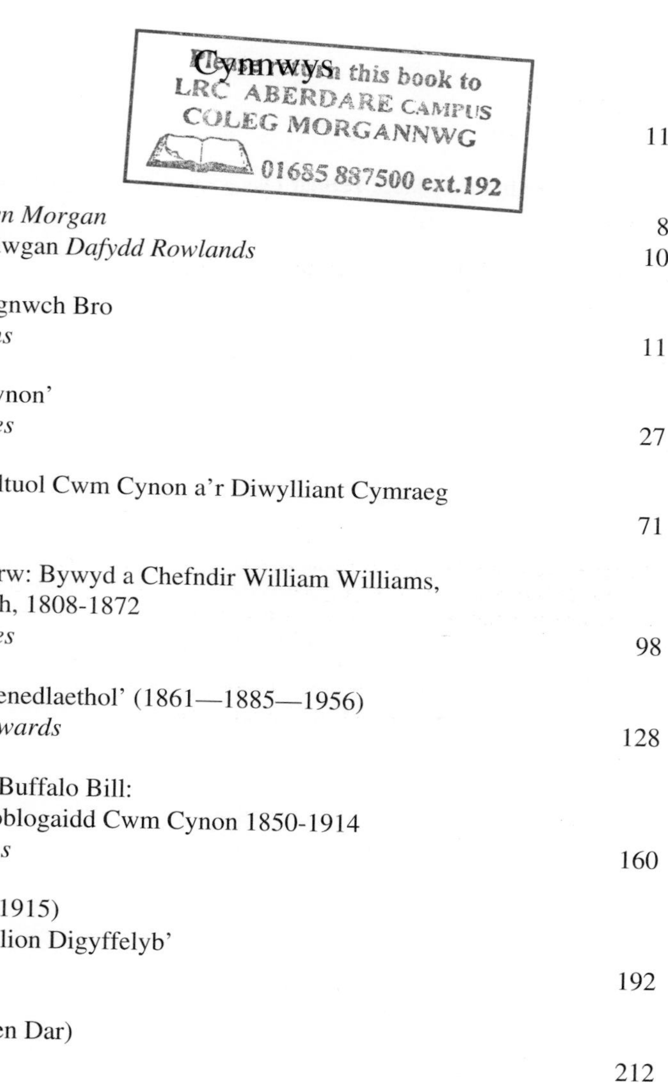

Cynnwys

Cyflwyniad

Fel y nodaf yn fy erthygl yn y gyfrol hon, yn 1956 yr ymwelais gyntaf â Chwm Cynon. Ar ôl dechrau dysgu ym Mhontycymer yn 1959 yr oeddwn yn ddigon agos i'r cwm i ddod i'w adnabod yn well ac i ddechrau gwerthfawrogi ei ddiwylliant, a bu'r ymweliadau â Rhydwen Williams yn ystod y blynyddoedd diweddar yn gyfle i atgofioni a chwedleua am 'sweet Aberdâr'. Y mae cerdd Dafydd Rowlands yn deyrnged i fardd a nofelydd di-ildio a oedd o ran ei greadigrwydd a'i ynni mor deilwng o'r cwm a fu'n gartref i gynifer o gymwynaswyr y bywyd Cymraeg yno dros flynyddoedd lawer—ac y mae eu tebyg yno o hyd.

Gallaf eleni eto ddweud yr hyn a ddywedwyd eisoes am gymoedd eraill, sef fod deunydd cyfrolau yn niwylliant Cymraeg Cwm Cynon. Y mae cymaint heb ei ddweud, petai'n unig am y ddrama sy'n dal i aros am rywun i adrodd ei stori'n llawn. Ond y mae'r hyn sydd rhwng y cloriau hyn yn ddigon i brofi mai ar awr wan iawn y siaradodd Kate Roberts mor ddibrisiol am Gymreictod Aberdâr. Mawr yw fy niolch i'r cyfranwyr i gyd am dderbyn fy ngwahoddiad i ysgrifennu a sicrhau y bydd gan ddarllenwyr y gyfrol hon olwg ehangach ar degwch Cwm Cynon o hyn ymlaen.

Y mae'n bleser cael diolch eto eleni i Mrs. Gaynor Miles am ei help i baratoi cyfraniadau ar gyfer y wasg ac i Dyfed Elis-Gruffydd am ei ofal arferol ar ran Gwasg Gomer. Y mae'n dda gennyf gael diolch, hefyd, i'r cyfaill Leslie Davies am ei gefnogaeth ymarferol i'r gyfrol yn ychwanegol i'w gyfraniad ac i'r Llyfrgell Genedlaethol, Llyfrgelloedd Rhondda Cynon Taf, a Llyfrgell Prifysgol Cymru, Abertawe am fy helpu i gasglu defnyddiau ar ei chyfer.

Y golygydd piau'r beiau a'r cyfranwyr piau'r clod.

Hywel Teifi Edwards
Awst 1997

Y DERI

(Cyflwynedig i dri o ddewrion Cwm Cynon. Y diweddar Phyllis Butler, arweinydd y Mudiad Meithrin ym Mhenrhiw-ceibr; y diweddar Idwal Rees, prifathro cyntaf Ysgol Gymraeg Ynys-lwyd a'r diweddar Brychan Watkins, diacon yn Ramoth, Eglwys y Bedyddwyr, Hirwaun).

I

Gwelaf o ben Craig y Mynach,
dirlun amgenach,
a Chefn Rhos Gwawr,
Y Dillas,
Mynydd Merthyr,
a Choed y Dyffryn yn y tes.
Oddi tanaf mae'r Cynon yn llinell arian, loyw,
a'r llynnoedd yn glaerwynion;
hawdd dychmygu'r Goruchaf yn sboncio ar gledrau'r dâr,
yn gegrwth ger y llif gwydr,
yn gwylio'r byd hynod drwy len aneglur y dŵr,
yn gwirioni mewn salm ar ei greadigaeth.

II

Daeth y seirff a chwalu'r chwedlau,
dinoethwyd ein diniweidrwydd,
a phlannu egin chwant a chynaeafu cyni yn ei sgil.
Codwyd llan,
gwelwyd y corryn cyfalafol
yn gwau ei we o gylch cnul y clych,
a thair castanwydden groeshoeliedig bêr
i dyfu'n wyrgam yn eu canol.

Mae'r glowr?
Mae'r tyddynnwr?
Mae'r merlod?

Dysgwyd iaith Yr Hwren Fawr
a chowtowio i'r drefn ysgarlad,
llenwi llys â phytiau *ffags* ein dyddiau,
a dychwelyd i unigedd y nodwyddau
i droi a thindroi o gylch ein pethau,
fel cŵn yn ffeindio cwts.

III

Er mor hagr yw'r Hwren,
dyma Eden i mi,
man fy Mabinogi, man fy ngeni.
Mynnaf gip drachefn
a gwelaf rym y Gwanwynau'n gwthio,
y blodau heyrn yn ffrwydro
a'r petalau yn ystyfnigo yn y gwres.
Heddiw, mae cenedlaethau yn llygadu plu'r gweunydd,
a llafn y wennol yn hollti'r glas,
mae ŵyn bach yn sugno maeth ar dir cors a gwaun,
yn troi pen ar ruthr y plu
sy'n dod i'w hoed ar ben Craig y Mynach,
a Chefn Rhos Gwawr,
Y Dillas,
Mynydd Merthyr,
hyd Goed y Dyffryn.

Gwyn Morgan

’STAFELL GADWGAN

Nid hynny mo’i henw ’chwaith.
I’r sawl a gâi fynediad—yn fardd, a llenor, a glöwr,
ysgolhaig, a nyrs, marchog, ‘home-help’, a meddyg—
’stafell Rhydwen oedd.
Un mlynedd ddewr ar bymtheg o ’stafell.
O ran ei maint, hyd a lled y meini, mor gyfyng oedd,
mor greulon gaethiwus,
ond o fewn gwythïen ei modfeddi—
di-ffin, diorwel yr ehangder.

O drymlwyth gwâr y silffoedd crog rhwng nenfwd a llawr—
rhwng nefoedd, yn hytrach, a daear—
tasgai perorasiynau hen bregethau anarchaidd ei ffydd.
Ni châi llwch, lleiddiad llyfrau a llofrudd ysgyfaint,
setlo’n angheuol ar gyfrolau anadl ei einioes
am fod dagrau cariadlon ei ddicter
yn dyfrhau tudalennau’r dyddiau,
a throi’r diffeithwch yn winllan.

Ein braint, o bryd i’w gilydd, oedd mynd yno,
a heb yn wybod i ni fe âi’r ymweliad yn bererindod.
Dygem ein hoffrwm—yn llyfr, a photel, a sgwrs—
ac wedi offrymu, gwrando. Atgof, jôc, a bendith ei chwerthiniad.
Ac yna, y brechdanau. Rhyw dorri bara,
ac yn y briwsion—yr adnabod.
Wedyn, yr ymadael, a’n calon yn llosgi ynom.

Heddiw: ’stafell Rhydwen—heb wên, heb wely.
A’r dwst yn setlo ar y silffoedd.

Dafydd Rowlands
Awst 1997

Bwrlwm a Dygnwch Bro

R. Wallis Evans

Un o atgofion cynharaf fy mebyd oedd sŵn hwteri'r pyllau glo yn croesawu'r flwyddyn newydd, ac mae'r sŵn 'yn mynnu canu'n y co'. Rhaid fy mod tua phedair oed yr adeg honno oblegid fe'm ganwyd ar 13 Ionawr 1910—nid ar ddydd Gwener chwaith, ond ar fore Iau—yn ddigon ifanc ac eto'n ddigon hen i gofio cyhoeddi dechrau'r Rhyfel Byd Cyntaf a'r Arglwydd Gray o Falloden, yr Ysgrifennydd Tramor, yn darogan fod goleuadau Ewrop yn diffodd y naill ar ôl y llall ac nas gwyddid ba awr neu ddydd y dôi'r goleuni yn ôl.

Y dasg gyntaf oedd trin y tir a chynhyrchu bwyd i'n diwallu dros yr argyfwng. Bychan oedd y pentref y'm ganwyd ynddo—dim ond rhyw bedair rhes o dai. Fe'i galwyd gynt yn Gapcoch, fel y tystia'r ysgol plant bach a'r ysgol plant iau yn swyddogol hyd y dydd heddiw. Abercwmboi y gelwir y pentref mwyach—enw hollol ddiystyr canys pwy a glywodd am aber cwm?

Roedd felly ddigonedd o dir ac fe'i trefnwyd yn ddognau—degau ar ddegau ohonynt a'u galw yn 'allotments'. Yr oedd, hefyd, ddigon o ddynion a meibion i'w trin am mai glowyr oeddynt heb eu galw i'r byddinoedd oblegid yr oedd angen cyflenwad o lo i borthi'r llynges a'r trenau stêm. Codwyd pob math o lysiau—tatws a moron, wnionod a'r planhigyn rhyfedd hwnnw, yr 'artichoke', a ddaeth i gymaint o fri. Cymry cefn gwlad oedd llawer o'r glowyr, a daethant â'u harferion i'w canlyn, sef codi twlc ar eu llain o dir a magu mochyn. Braf oedd blas y sbarib a gâi'r rhai a roddai sbarion i borthi'r mochyn, pan ddôi ei ddydd i ben.

Daeth mudiad y *Co-operative*s neu'r *Co-ops* i fod a thyrrai pawb bron iddynt oblegid ceid *dividend* neu'r *divi* ganddynt ddiwedd tymor, sef rhyw gymaint o dâl yn ôl ar y prynu. Un o'r *Co-ops* cyntaf oedd *Co-op Cwmbach-Aberaman* oedd â changen yn Abercwmboi. Ni chofiaf lyfrau bach dogni fel y ceid yn ystod yr Ail Ryfel Byd, ond yr oedd gennym lyfrau fel llyfrau copi ysgol trwchus ac aed â hwnnw gennym i brynu bwyd. Ym mhob siop yr oedd bocs pren hirsgwar wedi ei osod ar i fyny a gosodwyd y llyfrau yn rhestr ynddo, y naill ar

Yr awdur yn 8 oed, Margaret ei chwaer yn 6 oed a John ei frawd yn 5 oed.

ben y llall, a thynnu'r un gwaelod yn ei dro. Yn siop y *Co-op* y prynid tocyns, sef tocyn gwyn am fara a thocyn melyn am laeth, gan roi'r rhain i'r gwerthwr llaeth pan ddôi o gwmpas â'i 'float' ac am fara pan ddôi'r fan fara heibio. Ceffyl a throl oedd yr unig gludiad ar gael yn y cyfnod hwnnw. Ei throedio hi oeddem i le bynnag yr aem.

Gen i oedd cyrchu'r siopau gan fod mam yn brysur efo'r teulu. Yn Saesneg oedd yr ordor bob amser a thybiaf, felly, mai Saesneg oedd iaith y cartref a Saesnes oedd fy chwaer i bob pwrpas. Dysgais i fy Nghymraeg yn Rhydargaeau, Sir Gaerfyrddin lle roedd cartref 'nhad, a mam-gu yn Gymraes uniaith. Ganed 'nhad yn Alltwalis, ac i'w dad ef—y crefftwr medrus, diwylliedig—y darllenwr deallus, yr ysgrythurwr da, y gŵr hynaws a oedd mor hoff o blant—y mae arnaf ddyled na ellir ei phrisio. Ychydig o ysgol a gafodd fy nhad-cu erioed, wythnos yn unig, os cofiaf yn iawn, oblegid bu bron iddo foddi ar ei ffordd i'r ysgol un diwrnod, ac ni chafodd byth fynd wedyn gan ei rieni. Ond darllenai'n ddi-baid, Cymraeg a Saesneg gyda'r gorau, ac ysgrifennai'r ddwy iaith yn wirioneddol dda—y Gymraeg yn union fel y siaradai hi, heb boeni am nac orgraff na sbelian. Iaith y Beibl oedd ei iaith, ac yr oedd yn llawn o ymadroddion a chymariaethau prydferth. Soniai'n fynych iawn am 'blant prydferth'—ac nid plant hardd a glân yr olwg a olygai, ond plant bonheddig eu hymarweddiad. A gŵr prydferth yn yr ystyr hwn oedd yntau, un 'bonheddig ei ymarweddiad'. Un â'i gwreiddiau yn y Gelli Gandryll oedd fy mam ond bod y teulu wedi symud i Aberpennar a hithau'n blentyn.

Ar wahân i'r dogni bwyd, y prinder ffrwythau a'r bara heb fod yn rhy wyn, a'r newyddion drwg a ddôi o'r rhyfel a ninnau heb radio na theledu, ychydig o wir bryder oedd yn bod ar wahân i ddamweiniau yn y pyllau glo, ac yr oedd y rheini'n bur aml. A thrist oedd gweld gorymdaith fechan yn cario'r gŵr a anafwyd ar 'stretcher' i'w gartref—weithiau'n fyw ac weithiau'n farw. Unwaith yn unig y gwelais angladd milwrol a saethu uwchben y bedd, ond yr oedd yr angladdau at ei gilydd yn gofiadwy—pob llen yn y pentref wedi ei thynnu, pobl yn hel at ei gilydd fel yn Iwerddon, gosgordd yn ffurfio, trefnu i bedwar gario'r elor yn eu tro, y gweinidog a threfnydd yr angladd yn arwain y dorf a chanu emynau o'r codi i'r claddu.

Tybed a oes rhywun, bellach, yn cofio'r gair *ersatz*, gair Almaeneg a therm cyffredin ar ddechrau'r Rhyfel Byd Cyntaf i ddynodi sothach a ddyfeisiwyd i'n porthi pan aeth pethau'n brin ac anodd eu cael. Ni pharodd y gair yn hir cyn cael ei ddisodli gan y term *substitute*, e.e. 'butter substitute'. Felly y bu ar y teulu brenhinol! Diflannodd y *Saxe Coburgs* a mabwysiadwyd *Y Windsors* a throes teulu'r *Battenburgs* yn *Mountbattens*. Rhaid oedd dileu pob cysgod Almaenig o'r wlad.

Nid oedd moddion propaganda gennym fel sydd gennym heddiw. Rhaid oedd camddefnyddio'r wasg trwy beidio â chyhoeddi newyddion drwg a galw'r Almaenwyr yn Huns. Yr oedd y tacla yn gwneud pob math o erchyllterau ac yr oedd Duw, druan, ar eu hochr hwy a'n hochr ni. Bu trin ar rigwm a chân, megis—

Kaiser Bill went up the hill
To see if the war was over,
Bill came down and broke his crown . . .

ond nid oes gennyf syniad beth ddigwyddodd iddo wedyn. Aeth hynny y tu hwnt i'r cof. Dysgem, hefyd,

> We will fight with all our might
> To conquer Germany.

Pob gair yn Saesneg. Go brin fod gan y Gymraeg adnoddau i ddiawlio hyd y gwelwn i. *British* oedd y gair er nad oedd *British* fel cenedl yn bod. Saeson oedd yn rheoli popeth.

Rwy'n cofio gweld llong awyr—'airship'—yn hwylio'n dalog i fyny'r cwm a minnau'n ysu am ei saethu i lawr petai gennyf ddryll. Ni ddaeth yr un ffoadur i'r pentref, ond clywais gan fy ngwraig a oedd tua'r un oed â mi fod llawer wedi dod o wlad Belg, ffoaduriaid Ffrangeg eu hiaith, a bod ei thad a fedrai'r Ffrangeg, fel hithau, wedi ei benodi ynghyd â phrifathro'r Ysgol Ramadeg i'w derbyn a'u croesawu a threfnu llety iddynt.

Roedd pyllau glo bob pen i'r pentref—pwll Abercwmboi a phwll Aberaman. Roedd pwll Abercwmboi wedi ei gau ond defnyddiwyd y siafft at ddibenion awyru ac i ollwng gwŷr i fyny ac i lawr i drwsio a diogelu'r gwaith. Codwyd y glo i gyd yn Aberaman. Cymydog i ni oedd Dafis Pen Pwll, y peiriannydd a weithiai'r caets. A bûm gydag ef droeon pan âi ar brynhawn i godi'r gweithwyr a gweld y drymiau mawr yn troi wedi i'r gong daro.

Roedd Capcoch yn bentre amgaeëdig fel petai 'run dim yn ei gysylltu'n uniongyrchol â'r cymydau eraill yn Aberaman ac Aberpennar, a dôi lluoedd o ddynion o gefn gwlad iddo i weithio a byw ynghyd. Adwaenid hwy wrth roi enw'r lle ar ôl eu henwau, megis Joni Cwm-twrch ac Ifan Cardi—cyfle i bawb ohonom ddysgu rhyw gymaint o ddaearyddiaeth. Dôi rhai o'r Gogledd, o Sir Gaernarfon, ond nid 'Gogs' oeddynt, ond Northmyn, a phawb yn hawlio ei fod yn ganwr penillion a'r canu bob amser i'r un alaw, sef 'Llwyn Onn'. Dôi pawb hefyd â'i iaith neu ei dafodiaith a'i arferion gydag ef. Roedd iaith neu dafodiaith wreiddiol y fro a'i chaledu yn dal i fod—*blota* am flodau, gwŷr o'r *wlêd*, Guto Nyth *Brên*, a *nê* am na. Roedd cymydog inni yn siarad felly ymhell yn y tridegau. Babel o ieithoedd, meddech chi, ond yr oedd pawb yn deall ei gilydd. Roedd rhai geiriau'n diflannu, eraill yn dod i fod, ac yr oedd gan y glowyr eu termau eu hunain am eu gwaith, megis *ffas* a'r *bocs cwrlo* a'u tebyg. Roedd y

Gymraeg yn bur gadarn yr adeg honno. Enwau Cymraeg oedd i'r pyllau glo, fel Llety Siencyn, Lefel-yr-afon, Pwll Brown, Pwll Morris, Pwll Powell a'u tebyg. Ailenwyd y ddau bwll olaf, heb ildio'r Gymraeg, yn Bwll Fforchaman a Phwll Cwmaman.

Ysgolion cymysg oedd yr ysgolion, slatiau a phensil oedd yr arfau a Saesneg oedd y cyfrwng er bod mwyafrif yr athrawon yn Gymry-glân-gloyw. Fe siaradent Gymraeg benigamp â'i gilydd yn yr ysgol fach ac efo ni'r plant yn achlysurol. Enw'r brifathrawes ar yr ysgol fach oedd Miss Jones ond fe'i gelwid yn 'governess', a chan fod Miss Jones ei hun yn fach, 'little Miss Jones the Governess' y gelwid hi gan bawb. Gwnâi hi'n fawr o Ddydd Gŵyl Dewi bob amser a chofiaf imi chwarae rhan crydd gyda'r offer priodol mewn drama fechan ar y crefftwyr. George Jenkins oedd prifathro'r Ysgol Iau ond yr oedd yr ysgol honno yn fwy Seisnigaidd. Un o'r athrawesau oedd Miss Anderson a chofiaf hi a rhai o'i chyd-athrawon yn chwarae tennis adeg yr ysbaid chwarae. Wedi i'r rhyfel ddarfod bu cynnydd mawr yn nifer y plant a chodwyd ysgol arbennig i'r bechgyn iau mewn cytiau ar dir cyfagos. Pennaeth yr ysgol hon oedd W.W. Price a thrôdd yr ysgol a naws yr ysgol yn fwy Cymraeg. Daeth *Cymru'r Plant* yn llyfr darllen a bu dylanwad O.M. Edwards fel Prif Arolygwr yn treiddio bob yn dipyn iddi.

Ni welais yr un o'r giwdod awdurdodol honno, y 'School Inspectors', yn yr Ysgol Iau nac yn yr Ysgol Ramadeg am wn i—a thra awdurdodol oedd rhai ohonynt pan own i yn dysgu nes dyfod gŵr hardd, anawdurdodol a chwrtais, gŵr a chanddo ddiddordeb mewn plant ac athrawon heibio—neb llai na Syr Owen M. Edwards—a siaradai Gymraeg. Doedd y 'Welsh Not' ddim yn ei fyd ef. Gwnaeth argraff ar yr ysgol. Efe oedd fy mhatrwm i o arolygwr. Athro yn Abertawe a ddywedodd wrthyf ymhen blynyddoedd ychydig wedi i mi ymweld â'i ysgol: '*I shall never forget your visit to my school. You gave me confidence and I have never looked back. You were courteous, interested in what I was trying to do and kind*'. Dyna un o'r pethau hyfrytaf a glywais erioed.

Dyfeisio'n chwarae ein hunain fyddem yn ein horiau hamdden. Weithiau chwarae siop neu bregeth—pob math o ddyfeisiadau. Gartref byddem yn chwarae marblis gyda'n gilydd ac yn gweiddi 'Popeth bar Cwins' bob hyn a hyn, er na wn hyd heddiw beth oedd ystyr yr ymadrodd ond ei fod yn rhoi hawl i ni symud y farblen fawr i le manteisiol. Roedd bri ar 'Cowboys and Indians' a hop-sgotch a phethau tebyg ac nid oedd pall ar ddyfeisio rhyw chwarae neu'i gilydd. Weithiau bwriem 'sleepers' y rheilffordd ynghyd i wneud rafft a'i llywio â pholion. Dro arall, mentrem ar y bwcedi a gludai fudreddi o'r pwll glo i ben y mynydd i greu tipiau ond gwae ni pe digwyddai ein rhieni ein gweld neu glywed ein bod yn gwneud y fath anfadwaith.

Roedd ein cartref ni ym mhen eithaf plwyf Aberdâr ac ar y ffin â phlwyf Llanwynno, ac yn ymyl yr oedd caeau Bruce a rheilffyrdd y GWR a'r TVR yn cyd-redeg trwy'r caeau y naill yn ei blaen i Gwm Nedd a'r llall yn cydio Aberdâr a'r pyllau glo â dociau Caerdydd. Rhedai'r rheilffyrdd ochr yn ochr ac yr oedd arhosfa i bob un i godi teithwyr. Roedd un o'r gynnau mawr a gymerwyd oddi wrth yr Almaenwyr yn sefyll mewn un cae a byddem yn chwarae gryn dipyn arno. Daeth un o'r tanciau newydd i Aberdâr i roi hwb i'r War Savings Certificates bondigrybwyll a cheisio denu dynion i'r rhyfel. Gwelais weinidog un o'r capeli yn sefyll arno ac yn annog pobl i ymuno.

Roedd plant yn fonheddig hyd yn oed yn eu direidi. Dysgem yr ABC a'r Tonic Sol-ffa, a storïau'r Beibl o'r Testament Newydd a'r Hen Destament ac yn yr Ysgol Sul byddem yn gwneud sling yn debyg i un Dafydd pan laddodd Goliath. I ba gyfeiriad yr âi'r cerrig, Duw a ŵyr, ond gofalem fod yn yr awyr agored ymhell o bob man. Byw yr oeddem yn sŵn Cymraeg grymus, godidog Beibl William Morgan ac yn ei lyncu heb yn wybod i ni.

Un o'r pethau mwyaf gwerthfawr a diddorol oedd codi Neuaddau'r Gweithwyr. Cofiaf godi'r neuadd yn Abercwmboi a'r drams siâp V a allai fwrw eu pwn i'r 'de neu aswy law' yn ôl y galw. Yn ystafelloedd gwaelod y neuadd roedd lle i chwarae 'billiards'—dim sôn am 'snooker'—a llyfrgell benigamp. Rwy'n cofio i mi fenthyca holl waith Thomas Hardy yn ddeuddeg oed—ac mae Egdon Heath yn dal yn ddychryn yn y co' hyd heddiw—er bod gennym lyfrgell o rai cannoedd o lyfrau a chylchgronau yn y tŷ. Er na threuliodd 'nhad ond blwyddyn yn Ysgol y Frenhines Elisabeth cyn mynd i weithio yn Llundain, yr oedd ganddo lyfrgell breifat o rai cannoedd o lyfrau Cymraeg a Saesneg. Derbyniai'r *Cymru Coch*, *Y Genhinen*, *Y Llenor*, *Y Traethodydd*, *Y Darian* a'r *Carmarthen Journal* a phrynai lyfrau'n gyson. Ganddo ef y cefais fy nghopi—copi Gregynog—o waith T. Gwynn Jones.

Dyma'r cyfnod y daeth y ffilmiau i'r neuadd—ffrwyth amrwd

America—ffilmiau'r Gorllewin Gwyllt gyda William Duncan a William S. Hart a Perl White a'i thebyg—rhai ohonynt yn gyfresi a'r gwron mewn peryg ar ddiwedd pob pennod i'n denu'n ôl ymhen yr wythnos. Cawsom, hefyd, y 'Keystone Comedies' gyda Charlie Chaplin a Mary Pickford, Buster Keaton a Chester Conklin. Y 'matinees' ddydd Sadwrn am ddwy geiniog y pen oedd rhan bwysig o'n bywyd. Ymgollem yn llwyr yn y pictiwrs ac yr oedd gennym ein harwyr y byddem yn rhoi cyngor iddynt yn y fan a'r lle ar sut i ddianc rhag y drwgweithredwyr. Cyflwynid dramâu yn y neuadd, hefyd, rhai gan y capeli megis 'Snow White'—y canu i gyd yn Saesneg. Ynddi, hefyd, y cynhelid cyfarfodydd lecsiwn—yr areithiau y tyrrai pawb i'w gwrando gan ganmol neu wfftio. Cofiaf Niclas y Glais a C.B. Stanton wrthi—Stanton enillodd y tro hwnnw ond Llafur aeth â hi bob cynnig wedyn.

Y 'Cosy Cinema' yn Aberdâr.

Roedd ffynhonnell ein diwylliant bron yn ddiball, yn enwedig pan ddaeth yr Urdd i fod, a'r capeli oedd y mannau cyfarfod. Yno y dysgais yr ABC yn yr Ysgol Sul. Troem i Aberpennar am uchelfannau'r gân, gyda'r 'organ recitals' a'r cymanfaoedd adeg y Pasg a'r Sulgwyn, ac i Aberdâr am ein diwylliant llenyddol a chenedlaethol. Byddem yn dra ffyddlon i'r Cymrodorion lle caem gyfle i chwarae mewn dramâu megis *Gwraig y Ffermwr* a gwrando ar rai o'n prif lenorion yn traethu eu llên.

Cul oedd y cwm yng Nghapcoch a dwy reilffordd ac afon a ffordd yn cyd-redeg trwy'r culni, ac nid oedd yr un darn o dir gwastad i chwarae na phêl droed na chriced. Troi am Aberdâr a wnaem i ymddifyrru mewn pethau felly a hynny ar ein deudroed am nad oedd trafnidiaeth ar gael. Awn yno i'r parc lle yr oedd digon o le i chwarae a chyfle i gydgyfarfod â ffrindiau o gymydau eraill. Hoffem fynd ar y sgiffs gan ymryson fel pebaem ar Dafwys yn cynrychioli'r hen brifysgolion, neu'n ddarpar-forwyr. Rhad sydd ar ein tadau am ddiogelu lleoedd prydferth fel yna.

Dôi syrcas 'Bostock and Wombell' i'r fro yn ei dro ac yr oedd yr orymdaith o geir a cheits anifeiliaid gwylltion gydag eliffantod yn ymlwybro ar ei blaen yn werth ei gweld. Gosodent eu pebyll i lawr mewn maes arbennig yn Aberdâr gan aros yno am bythefnos a mwy. Yr oedd campau'r clowniaid a'r ceffylau a gwŷr y 'big top' yn rhyfeddod i ni a byddwn yn ymweld â'r sioe fwy nag unwaith. A ninnau yn Aberdâr awn brynhawngwaith i sinema Haggar lle y caem weld ffilmiau amgenach. Adeilad hirsgwar oedd y 'venue' yn llawn haeddu'r enw 'Cosy Cinema'. 'Wyddwn i ddim bryd hynny am gyfraniad pwysig William Haggar i fyd y ffilm a sut y bu iddo ddylanwadu ar y 'Keystone Kops'. Yr oedd yn byw yn Aberdâr ac yno fe'i claddwyd.

Rhyw bererindod o chwilfrydedd oedd ein bywyd ni. Mynd rhagom i'r Rhigos heb ddeall ystyr yr enw, i Benderyn a chyffiniau Brycheiniog a Merthyr a'r cronfeydd dŵr ben ucha'r cwm. Dro arall awn o Gapcoch i gyfeiriad Llanwynno i weld bedd Guto a dod yn ifanc ac yn llawn brwdfrydedd at lyn enfawr a chastell, debygwn i, yn ei ganol. Dyna'n sicr 'wlad yr hud' os nad 'El Dorado' yn dwyn i gof gampau'r brenin Arthur. Ymhen blynyddoedd deuthum i wybod mai cronfa ddŵr oedd y cyfan.

Rhyw gasgliad o gymunedau oedd Cwm Cynon ar y gorau—ac felly y deil o hyd—Abercwmboi, Aberdâr, Cwm-bach, Aberaman, Cwmaman, Godreaman, Cwmdâr, Heol-y-Felin a'u tebyg. Ychydig o gyfathrach fu rhyngddynt nes i'r trams a thrafnidiaeth ddod i'r fro. Aberdâr oedd y pennaf ohonynt ac yno y byddem yn ei throedio hi am ein diwylliant. Bach iawn fu'r gyfathrach rhwng Abercwmboi a Chwm-bach, er enghraifft, er bod y ddwy gymuned dros y ffordd i'w gilydd. Yr oedd llawer iawn o ddiwylliant yng Nghwm-bach am fod prifathro'r ysgol yno yn byw yn y fro ac yn gyfrwng llawer iawn o weithgareddau. Nid oedd un prifathro yn byw yn Abercwmboi ac yr oedd y gymuned gymaint â hynny'n dlotach. Roedd gan Gwm-bach yn Telynog fardd o bwys i ymffrostio ynddo a chôr safonol a oedd yn adnabyddus trwy'r bröydd. Nid oedd *rhaid* i Gwm-bach fynd i Aberdâr—ond mynd a wnaeth a chyfoethogi Aberdâr yn y broses.

Roedd bywyd y capel, sef Bethesda, capel y Bedyddwyr—bellach yr unig gapel yn y pentre—a'r byd oddi allan yn un gymdeithas gref, a'r un oedd eu gwerthoedd. Yr oedd yn hollol werinol, a'r aelodau heb fod yn gul nac yn hir eu hwynebau. Un tro aeth braidd yn orwerinol trwy benodi arweinydd lleol yn lle'r arweinydd gwâdd o fri a oedd y dewis arferol i'r Gymanfa. Trodd y Gymanfa yn rihyrsal. Dyna'r tro olaf yr aed yn orwerinol. Byddid, weithiau, yn gosod planciau ar draws ochrau'r fedyddfa a pherfformio dramâu crefyddol arnynt fel y byddai'r Pabyddion yn yr Oesoedd Canol fel rhan o'r offeren, nes i'r ddrama feddiannu'r offeren a bu'n rhaid rhoi'r gorau iddi.

Roedd mynd ar fabolgampau ar faes cyfagos lle yr oedd rhedeg ras ac ambell ddawns a difyrrwch yn gyffredinol. Yr oedd Dydd Calan yn ddiwrnod arbennig; caem geiniog goch loyw ac oren yr un gan y gweinidog. Yr oedd budd arbennig yn yr oren ac y mae'n rhyfedd gen i fod yr arfer wedi dal trwy'r Rhyfel Byd Cyntaf. Os oedd dogni yn bod, roedd pawb yn rhoi ei oren i'r plant.

Cerdded oedd ein pethau ni ac os aem dros y mynydd i Ynys-y-bŵl âi'r llwybr â ni drwy glos ffarm ac ar dalcen un o'r tai allan gwelech blac ac yn ysgrifenedig arno—

Lives there a man with soul so dead
Who never to himself hath said
This is my own, my native land . . .

Dyna lle'r oedd 'Marmion' Syr Walter Scott ym mherfedd y mynydd, ac y mae'r pennill wedi aros yn fy nghof hyd heddiw.

Soniwyd eisoes am y papurau bob dydd a ddechreuodd ddod i'r fro—'poor stuff' gellid clywed Philip Jones, Porth-cawl yn dweud. Mawr oedd y diddordeb yng nghampau Dai Losin a'i gymar Ianto Full-pelt a barhaodd am flynyddoedd yn y *South Wales Echo*. Ond deuai'r wythnosolion hwythau—*Y Darian* anfarwol a'r *Aberdare Leader* a dieithriaid fel *Titbits* a *Pearson's Weekly*, ac yn bennaf, *John Bull,* wedi ei olygu gan Horatio Bottomley. Atyniad hwn oedd y 'Bullets', rhyw fath o gampau ar eiriau yr oedd ciprys am y gorau ymhob rhifyn. Bu mynd arno am flynyddoedd ac yna stopiodd yn sydyn. Roedd Horatio wedi gwneud rhyw fistimanars a gorfu iddo dreulio peth amser yn un o blasau'r brenin. Nid oedd taw ar *John Bull*: ymhen y rhawg atgyfododd ar ei newydd wedd fel *John Blunt*. Ni chafodd 'Blunt' yr un radd o fri â 'Bull' ac aeth bob yn dipyn yn ôl i'w fedd—a Bottomley nid oedd mwyach.

Yn 1922 daeth Urdd Cymru Fach i fod dan nawdd Syr Ifan ab Owen Edwards ac yr oedd aelwydydd yn cael eu sefydlu ymhob man—y gyntaf gan R.E. Griffith, mi dybiaf, yn Abercynon. Dyna fi, felly, a'r Parchedig Morgan Price, yn penderfynu sefydlu aelwyd yn festri Bethesda gyda chefnogaeth frwd y capel. Syniad Morgan oedd dysgu a fedrai o 'ganeuon gwerin' i'r plant. Doedd ganddo ddim llais melodaidd iawn a dyma ddaeth allan:

Ar lan afon fawr Ewffrates
Gwelais lyffant mwya' 'rioed
Llyffant melyn mawr cymalog
Ag oedd iddo bymtheg troed.

Gwelais hefyd lyffant arall
Tlawd a gwelw oedd ei wedd
A'i dad a'i fam yn crïo'n arw
Fel pe'n crïo uwch ei fedd.

Dwn i ddim beth oedd y bobl yn meddwl wedi i'r plant ddod allan o'r festri dan ganu'r tipyn pennill. Ni chlywais y pennill wedyn am flynyddoedd nes iddo godi ei ben mewn rhaglen radio reit barchus yn Y Bala. Roedd hyd yn oed denor a chôr iddo fel hyn:

Tenor: Ar lan afon fawr Ewffrates
Côr: fawr Ewffrates
Tenor: Gwelais lyffant mwya' 'rioed
Côr: mwya' 'rioed
Tenor: Llyffant melyn mawr cymalog
Côr: mawr cymalog
Tenor: Ag oedd iddo bymtheg troed
Côr: bymtheg troed

Synnwn i ddim na ofynnwyd am *encore*. Ta beth, ni wyddwn i na Morgan Price na'r tenor na'r côr ddim am y pymtheg troed.

Lle chwerthinog oedd Capcoch ac mae'r hiwmor difalais yn dal i'm goglais. Gŵr, er enghraifft, tipyn o froliwr yn honni fod tram gwag yn y pwll wedi rhedeg trosto; fe'i hadwaenid o hynny allan fel Dai Bola Caled. Neu'r llanc ifanc a âi â'r papurau dyddiol o gwmpas—yr oedd mor ara deg nes ei alw yn Sami Letric. Bu gennym ein Wil bach Magi a Dai Shallots ac un arall heb fod mor gwrtais efallai, sef y weddw a dorrai dipyn o gýt ac a elwid 'The Merry Widow'. Sut oeddent yn cael yr enwau hyn o fyd yr opera, tybed? Dyna un eneth a elwid yn 'Carmen' ac un arall a elwid—nid Patricia—ond Daisy Patricia o Ynys-y-bŵl. Fel petai'n Lady Mountbatten o Burma!

Roedd Teras Bronallt lle roeddwn i'n byw yn ddwy ran. Un ar y naill law ar y dde ac yn gorffen tua'r hen bwll lle na ellid mynd ymhellach, a'r llall dros y ffordd ac i lawr. Bron yn ein hatgoffa am 'Upper' a 'Lower' Cwm-twrch. Codwyd y tai trwy ffurfio Clwb a thalu am yr ail dŷ o bres y cyntaf ac yn y blaen nes gorffen y rhes. Yn un pen iddo yr oedd tŷ mawr hardd lle trigai gweinidog yr Annibynwyr. Mae'n sicr ei fod wedi prynu'r tŷ oblegid nid oedd ym meddiant ei olynydd, y Parchedig Morgan Price. Yr oedd tŷ mawr godidog y pen arall i'r pentre lle trigai'r Doctor—Andrew Wilson—Sgotyn cryf ei acen. Etholwyd ef gan y glowyr fel oedd yr arfer bryd hynny, a byddent yn ei dalu o'u cyflog bob wythnos. Gŵr medrus a hoffus ydoedd ac yr oedd llawer i 'wee child' yn y pentre y dyddiau hynny. Ni chlywais i'r un sôn am arbenigwr. Tybed ai'r Doctor (nid oedd G.P. yn bod yr adeg honno) oedd yn gwneud pob triniaeth yn yr ysbyty yn Aberdâr—hen Dŷ Fothergill, tŷ helaeth wedi ei addasu at y pwrpas? Os felly, gwnaeth wyrth ar 'nhad a gludwyd yno o'n gwyliau ym Mhorth-cawl yn dioddef poen peritonitis. Daeth yn iach trwy'r cystudd mawr a byw tan oedd yn 86 oed.

Roedd beirdd o'n cwmpas hefyd—yn brin ond yn ddiddorol. Roedd Telynog, awdur 'Blodeuyn bach wyf i mewn gardd', wedi bod yng Nghwm-bach. Bu farw yn 1855 o'r diciâu ond clywid ôl ei droed. Morgan Price yn Abercwmboi, anaml ei gân ac yn y mesurau caeth yn unig. Dewi Aeron yn Aberaman ond ei wyneb i gyfeiriad Aberdâr. J.M. Edwards yn galw yn fynych yn Abercwmboi lle'r oedd teulu iddo yn preswylio. Go brin y byddent yn dod ynghyd i drafod eu crefft. Casgliad o wŷr a gwragedd diwylliedig—darllenwyr yn gwybod faint o'r gloch oedd hi yn llenyddiaeth Gymraeg oedd trigolion y Cap—ceidwaid diwylliant a chof cenedl.

Tipyn o 'foi' oedd Morgan Price, 'rough diamond' o foi nad oedd newid amserau yn ei boeni—poeni pobl arall a wnâi'r rheini. Byddai Morgan yn cyrraedd drysau'r capel awr yn hwyr neu awr yn fuan yn rheolaidd pan ddôi'n bryd newid amserau'r clociau. Roedd ganddo ddarlith i oleuo ei gyd-ddynion—'Dyn mewn pedair ffrâm'—ac aeth â hi i Gymdeithas Gymraeg Coleg y Brifysgol, Caerdydd—gŵr o'r wlad, neu'n hytrach o bentre bach gweithfaol, yng nghanol Academia. Ymadawodd y rhan fwyaf o aelodau Capel Annibynnol Capcoch â Morgan cyn diwedd y daith, ond arhosodd yr ychydig ffyddlon. Gwelwn 'J.M.' yn weddol aml a melys oedd y sgwrs. Dewi Aeron a welwn yn y Cymrodorion yn Aberdâr, ond sylwch mai 'dynion dŵad' oedd y tri. Daethant ill tri â'u diwylliant boreol a'u pethau efo nhw, a siawns nad o'r diwylliant hwnnw y tarddai ambell englyn carlamus, megis hwn i Jack Wilcox a weithiai yn nociau Abertawe ac a werthai bysgod a chocos—

Perorydd y dydd o'r docs—Handel sweet
Mendelsson Jack Wilcox;
Hayden yn gwerthu hadocs
A Mosart y cart a'r cocs.

Roedd ambell 'gymeriad' yn byw yn y pentref. Gŵr fel Isaac y Crydd a enillai'r pos geiriol yn *Tywysydd y Plant* yn ddifeth, gŵr a werthai 'cloves', y pethau bach hynny a osodid mewn lwmp o ham. Ni wn pa berthynas oedd rhwng lledr a 'cloves' ond aem ni blant ato i brynu 'cloves' am ein bod yn hoffi eu blas. Isaac y Crydd oedd Isaac;

a gallai lunio esgidiau hardd, nid jyst tapio a wnâi—dod ag esgid i fod oedd ei gamp ef. Gwrthodai fod yn gobler—hanner crefftwr oedd hwnnw—a ninnau'n dal i ganu 'Y cobler du bach at yr esgid'—rhag ein cywilydd.

A dyna hwythau'r brodyr Perrot. Gwŷr o bant yn wreiddiol ond wedi troi yn Gymry gwaed-coch-cyfan. Siopwyr oeddynt ac yn hael eu cymwynas â'u cwsmeriaid pan fyddai'n fain arnynt adeg streic. Byddai pobl yn eu bendithio. Mae'n werth nodi enwau pobl—'pobl ddŵad' i gyd ac eto pobl oedd wedi ymsefydlu'n iawn ac wedi dysgu Cymraeg. Dyma nhw—Pardoe, Kennedy, Hodges, Perrot, Stonelake, Mabel, Brackstone, de la Casa—i gyd wedi dysgu Cymraeg ac yn rhodio'n hapus yn ein plith. Rhai hyfryd oedd y de la Casiaid. Roedd swyn yn yr enw yn enwedig os gwyddem ryw gymaint o Ladin a Ffrangeg—gwŷr yr hufen iâ, a lleoedd bwyta a'r siopau 'chips'. Daeth y de la Casiaid a'u teuluoedd a'u plant ac ymsefydlu'n Gymry gloyw. Roedd mynd ar y siopau coffi ac yr oedd y Gymraeg yn ddigon cadarn i lyncu'r cyfan.

O'r diwedd daeth y trams i lawr i waelod Aberaman a 'brakes' oddi yno i'r Cap, ond ei throedio hi a wnaem i Aberaman o hyd. Rhyfedd meddwl, ni welais i yr un eneth yn anelu am yr Ysgol Ramadeg a oedd yn ddigon pell o'n hysgol ni'r bechgyn tra fûm yn yr ysgol honno. Ond roedd merched yn yr ysgol oblegid roedd parêd bob bore Llun o fechgyn a oedd wedi bod yn tresmasu o gwmpas Ysgol y Merched yr wythnos flaenorol, a hi Miss Cook wedi cwyno wrth Mr Cox. Ond chwarae teg iddo, yr oedd yr hen Gox yn cofio ei fod yntau wedi bod yn hogyn ysgol unwaith.

Wedyn daeth y trams i lawr i waelod caeau Bruce ac roedd stop wrth waelod ein stryd ni. Gogyfer â'r stop yr oedd Elinor Williams yn byw—yr oedd hi a mam yn bennaf ffrindiau a mam yn un o'r harddaf a'r godidocaf o wragedd—yn dal a gosgeiddig a'r hoffusaf o famau. Ei cholli hi wnaethom yn 45 oed a ninnau yn ein harddegau cynnar, ond gofalai Elinor Williams amdanom—roedd hi ar ben drws pob bore â darn o darten falau i mi bob dydd. Roedd hi gyda'r orau o wragedd a'r hoffusaf ond fe ddaeth angau rhyngddi hithau a'i mawr garedigrwydd. Gwraig dlos eto, ac o Gwm-ann y tu allan i Lanbedr Pont Steffan. Mae'r cof amdani yn aros yn felys o hyd. Aeth y teulu yn ôl i'r wlad wedyn, a chadw cysylltiad ac ymweled oedd hi bellach. Daeth diwedd ar ddydd y trams—y bysiau piau hi bellach—ac fe drowyd pencadlys y trams yn Theatr Fach gampus yn 1935.

Bwriodd streic 1926 ei gysgod du dros yr holl fro. Yr oedd glöwr yn byw yn ein stryd ni wedi penderfynu dal i weithio a byddai tua 30 o blismyn o Plymouth yn ei hebrwng yn ôl ac ymlaen i'r gwaith fore a phrynhawn. Ni bu helynt na bwlio na dial ar y teulu. Roedd prinder arian a phrinder bwyd a phlant yn llwgu ac yr oedd mesur o gydymdeimlad tuag ato. Byddai ceginau cawl wedi eu trefnu ac yno yr aem ni'r plant â'n basn ddwywaith y dydd a minnau yn eu plith er nad oedd hawl gen i fynd am nad oedd 'nhad yn löwr—ond plant ydyw plant ac yr oedd pawb yn groesawus.

Ffurfiai'r streicwyr orymdeithiau lliwgar trwy'r pentref. Cofiaf yn arbennig yr orymdaith Cheineaidd—pawb wedi ymwisgo'n Cheineaidd ac yn canu 'I'm Chu Chin Chow of China' i sŵn—ie sŵn nid sain—rhyw ugain o bisŵcs—math o offeryn cerdd chwythu yn debyg ei lun i 'submarine'—sŵn amhersain, amhersain i'r glust. Cafwyd cyngerdd 'mawreddog' yn Neuadd y Gweithwyr—y cyfan yn Saesneg—a'r unig beth a gofiaf oedd cytgan a âi fel hyn:

So we chucked him thrw the window
The window, the window
We chucked him thrw the window
The window, the window
We chucked him thrw the window. . .

Ni wn pwy oedd yr 'him' ac nid oes gennyf syniad beth oedd ei drosedd na'i dramgwydd—ond yr oedd hwyl ddihafal ar ganu 'We chucked him thrw the window'. Roedd hi'n rhyfedd heb na thram na thrên na cherbyd o unrhyw fath a bu rhaid inni ei throedio hi y pedair milltir i'r Ysgolion Gramadeg yn Aberdâr—Ysgol y Bechgyn yn y Gadlys wrth waelod y parc ac Ysgol y Merched ar y ffordd i Gwm-bach—ei heidio hi y byddem, ferched a bechgyn, a chael hwyl fawr wrth ei throedio hi yn ôl a blaen. Ni ddaeth na bwli na bwlio i dywyllu'n bywyd. Rhywbeth i'r Ysgol Fonedd a *Tom Brown's Schooldays* oedd hynny. Gwae o petai'n codi ei ben. Roedd dyddiau ysgol, felly, yn hapus a difyr. Roedd y gymdeithas yn un glòs, gynnes, amddiffyngar. Daeth y rhialtwch i ben a'r glowyr heb fod ar eu hennill. Ond ni allai hyd yn oed adfyd ddifa bwrlwm bywyd. Yng nghanol y dyddiau tywyll y daeth yr antur fawr.

Yn 1924 cynhaliwyd y *British Empire Exhibition*, jambori ola'r Ymerodraeth Brydeinig. Codwyd Stadiwm Wembley yn arbennig ar ei chyfer hi, neu'n hytrach ar gyfer rhai o'u gweithgareddau. Anogwyd holl ysgolion uwchradd y deyrnas i ymweld â hi, ac yr oedd ysgoloriaethau ar gyfer hynny i'w cael i rai ohonom ni. Wele brofi a gweld wythnos gyfan heb ei hail o liw a llawenydd, o helaethu'n gwybodaeth o'r byd a'i bethau.

Cydgychwyn, rhyw ddeg ar hugain ohonom a thri o athrawon i ofalu amdanom, o orsaf rheilffordd Aberdâr ar ddiwrnod braf o haf. O Aberdâr i Gaerdydd efo trên: ni fûm gynt na chwedyn ar y daith honno a gweld y cymydau y gwyddwn yn iawn amdanynt o ffenestr trên—mae amryw o'r gorsafoedd, bellach, wedi diflannu. Cyrraedd Caerdydd lle roedd un o'r trenau mawr hardd ei lifrai yn ein disgwyl ni, ymarllwys iddo ac i ffwrdd â ni. Sefyll yn y coridor bob cam i Lundain i gael golwg ar y wlad.

Twnnel bach i Gasnewydd, yna'r twnnel mawr dan afon Hafren—profiad hollol newydd—goleuni, tywyllwch, goleuni. Yna ar hyd y gwastadeddau nes cyrraedd Swindon, pencadlys y Great Western lle lluniwyd y peiriannau hudolus—nifer o rai newydd sbon y tu allan i'r siediau yn disgleirio yn eu gogoniant. Toc, dyma dyrrau gwych Wembley yn ymwthio i'r awyr yn y pellter, a thoc clywn y trên yn arafu ac yn llithro'n ddi-stŵr hyd un o orsafoedd Paddington—anferth o stesion i mi yn llanc ifanc.

Roedd amryw o fysiau yn ein disgwyl ni yn y cyntedd i'n cyrchu i'n man aros, sef rhes o gytiau armi yn Wimbledon a rhyw RSM urddasol digon i ddychryn neb yno i'n croesawu a'n derbyn. Gwelyau cysurus ond 'sheets' o 'disposable paper'—pethau braidd yn ddiafael. Ar ôl ymolchi a chael pryd o fwyd dyma ymosod ar y ddinas—enfawr oedd y gair a gellid gosod Capcoch mewn un stryd. Cip yn unig a gawsom ar Blasau Buckingham a St. James, y Mall a Pharc St. James ac yn ôl. Yfory fyddai'r diwrnod!

Wedi noson o gwsg afreolus dyma gyrchu'r Jambori—pobl o bob rhan o'r byd ac o bob lliw a llun—ac yr oedd brenhines yn eu plith, sef brenhines Tonga, ynys fechan ym môr y De—hithau'n gyfuwch â brenhines Lloegr ac yn cael ei chydnabod felly ac yn treulio'i dyddiau ym Mhlas Buckingham. Roedd yno frodorion o bob gwlad a phob ynys bron ar draws y byd—ni fachludai'r haul ar y fath ymerodraeth.

Pobl dywyll eu lliw, tal ac urddasol, eraill yn llai eu maint ac yn byrlymu o frwdfrydedd—pawb, fel petai, yn ei 'filltir sgwâr', ynghanol ei bethau a'i ddiddordebau ac yn barod i lefaru amdanynt, a'r lliwiau, onibai eu bod nhw yno, 'allan o'r byd hwn.' A'r gwisgoedd,—ni welwyd eu tebyg. Llwyd a gwelw oedd ein dillad ni!

Yng nghanol y cyfan yr oedd ffair na welwyd ei thebyg mewn lliw na llun ac yr oedd y ffigwr 8 yn anferth. Trefnwyd i ni roi tro arni. Ys truan o un o'n hathrawon, gŵr byr a chanddo fwstash. Nid wyf yn cofio ei enw, ond yr enw anwes arno oedd 'Fritz', a bu mor annoeth â gwisgo bowler. Cydio'n dynn yn honno fu ei hanes ar y ffigwr 8 a phrin y cafodd eiliad o ryddhad. Ffrangeg oedd ei bwnc a chofiaf imi gael 50 o linellau am siarad yn y wers gyntaf yn yr ysgol. Wyddwn i ddim beth oedd 'lines' a gorfu imi ofyn iddo beth oeddynt. Y llinell a gefais i gopïo hanner canwaith oedd y llinell Ladin:

Timeo Danaos et dona ferentes,

llinell o rybudd ynglŷn â brwydr Caer Droea a'r ceffyl pren. Doedd gen i'r un syniad am ystyr arbennig *et* ond fe'i cefais droeon mewn arholiadau Lladin wedyn a minnau'n hen awdurdod ar y gyfrinach.

Un prynhawn aethom i weld Rodeo ar y maes yn Wembley—gwŷr o Ganada—cowbois yn trin 'lariats' a 'lassoes' ac yn dal anifeiliaid gwyllt oddi ar gefnau ceffylau cyflym. Dyna i chi grefft! Prynhawn hynod gofiadwy.

Wrth ymweld â phlas Hampton Court ar ôl taith ar yr afon i weld Tŵr Llundain aethom bawb i'r Maze—hawdd mynd iddo, nid mor hawdd dod ohono. Goresgynwyd yr anawsterau; daethom bawb at ein gilydd a dychwelyd i'n canolfan.

Daeth yr wythnos i ben yn rhy fuan o lawer. Dylaswn fod wedi mynd droeon wedyn ond nid oedd na thocyn na llety i'w cael na'r arian chwaith. Ond mi roedd yn brofiad cofiadwy.

'Coed Glyn Cynon'

Christine James

Ni bu amlder erioed yn arwydd o ansawdd, na swmp yn warant o safon: y mae hyn mor amlwg wir yn achos llenyddiaeth ag unrhyw faes arall. Wrth drafod y toreth mawr o gwndidau (neu gerddi rhydd) a oroesodd o Forgannwg yn y cyfnod modern cynnar, dyfarniad cignoeth G. J. Williams amdanynt oedd, 'ni pherthyn iddynt odid ddim gwerth prydyddol',[1] ac aeth yn ei flaen i ddatgan ei farn 'mai yn y cwndidau y gwelir peth o'r farddoniaeth salaf a ysgrifennwyd yn Gymraeg yn yr unfed ganrif ar bymtheg.'[2] Ond da cael ynys mewn môr mawr meddai'r ddihareb, a gallai G. J. Williams yntau gyfeirio at un ynys fach dra dymunol yng nghanol eigion cyffredinedd y cwndidau—yr unig gerdd yn ei dyb ef 'a gyfansoddwyd ym Morgannwg yn yr oes honno sydd yn haeddu ei lle mewn blodeugerdd o ganu rhydd cynnar'.[3] 'Coed Glyn Cynon' yw'r gerdd honno, a go brin y byddai unrhyw gyfrol a amcanai ymweld â'r mannau heulog yn nhraddodiad llenyddol a diwylliannol Cwm Cynon, yn gyflawn heb oedi gyda'r gerdd hyfryd hon.

Y mae 'Coed Glyn Cynon' yn gerdd drawiadol ar sawl cyfrif. Ond er y rhinweddau llenyddol amlwg a enillodd iddi le cwbl haeddiannol mewn sawl blodeugerdd yn ystod y ganrif hon, ac er iddi fod am gyfnod yn rhan o faes llafur Cymraeg Safon Uwch, ychydig ddigon o sylw beirniadol estynedig a gafodd mewn gwirionedd, ar wahân i'r symposiwm a gynhaliwyd rai blynyddoedd yn ôl ar dudalennau *Barn*.[4] Dyma fanteisio ar y cyfle a estynnir gan gyhoeddi'r gyfrol hon i achub ychydig ar y cam, fel petai: yn ogystal â chrynhoi prif bwyntiau ymdriniaethau symposiwm *Barn*, cynigir yma rai ystyriaethau pellach a chyflwynir dau destun newydd o'r gerdd, y naill yn atgynhyrchiad ffyddlon o'r llawysgrif wreiddiol a'r llall yn destun golygedig mewn orgraff ddiweddar.

*   *   *

Y mae ein gwybodaeth am 'Coed Glyn Cynon' yn dibynnu'n gyfan gwbl ar un copi llawysgrif ohoni, a gedwir bellach yn Llyfrgell

Ganolog Dinas Caerdydd, yn llsgr. Caerdydd 2.6, tt.75-6.[5] Casgliad o ddeunydd amrywiol iawn sydd yn y llawysgrif fach hon, yn cynnwys 'trioedd, cywyddau, englynion, etc., a chryn nifer o gerddi rhydd o bob math.'[6] Y mae'r gyfrol yn gynnyrch nifer o lawiau gwahanol, ond copïwyd y rhan fwyaf o'r cynnwys gan un Siôn Tomas Gruffydd (neu Griffith) yn 1609-10,[7] ac er nad y gwrda hwnnw a gopïodd gerdd 'Coed Glyn Cynon', ar sail dull ei law gellir bod yn bur sicr bod yr ysgrifydd anhysbys a wnaeth hynny yn gyfoes ag ef.[8] Nid oes teitl i'r gerdd yn y llawysgrif, ond yn y gofod a adawyd gan yr ysgrifydd ar frig y ddalen uwchben y gerdd (t.75) ychwanegodd llaw ddiweddarach (o tua chanol y ddeunawfed ganrif) y feirniadaeth lenyddol gynharaf i oroesi mewn perthynas â'r testun hwn, sef 'Hen Gerdd go dda', ac anodd anghytuno â'i chymeradwyaeth gryno.[9]

Ynddi ceir bardd anhysbys yn canu'n gofiadwy alaethus ei ymateb i ddinistr un o adnoddau naturiol harddaf y fro. Yr unig wybodaeth sicr sydd gennym am y bardd yw'r hyn a ddywed amdano'i hun ym mhennill olaf ei gerdd, sef ei fod yn ddyn 'a fy gynt yn kadw oed / dan forest koed glynkynon' (llau.51-52 yn y testun isod); ond y mae ei frogarwch tanbaid, ynghyd â'r ing personol y gellir ymdeimlo ag ef yn ei gerdd, yn ddigon i awgrymu'n gryf ei fod yn frodor o'r cwm. Gallwn gasglu hefyd fod y bardd yn gyfarwydd â llawer iawn o gonfensiynau'r canu rhydd; ond ei wewyr ef ei hun yn anad dim arall sydd yn rhoi min ar ei awen, gan sicrhau lle diogel i 'Coed Glyn Cynon' ymhlith trysorau barddol pennaf Morgannwg.

Un o'r gwahaniaethau mwyaf diddorol ac arwyddocaol rhwng y canu rhydd cynnar sydd yn brigo i'r wyneb ar ffurf ysgrifenedig am y tro cyntaf yn llawysgrifau'r unfed ganrif ar bymtheg, a'r canu caeth sydd yn dominyddu'r traddodiad barddol Cymraeg hyd hynny, yw'r ffaith fod y canu rhydd yn ganu cymdeithasol yng ngwir ystyr y gair.[10] Lle'r oedd y canu caeth wedi'i lunio bron yn ddieithriad er diddanu cynulleidfa soffistigedig, fonheddig ac uchelwrol, a mawl a marwnad yn themâu goruwchlywodraethol ynddo, y mae pynciau'r canu rhydd ar y llaw arall yn ymwneud â bron pob agwedd y gellir ei henwi ar fywyd dynion o bob gradd, gan gynnwys materion moesol, crefyddol, gwleidyddol, hanesiol a hanesyddol, i enwi ond rhai. Nid diddanu yw'r unig nod bellach, ond hefyd dysgu, rhybuddio a mynegi barn croyw ar y byd a'i bethau. Y mae 'Coed Glyn Cynon' yn ei hanfod yn

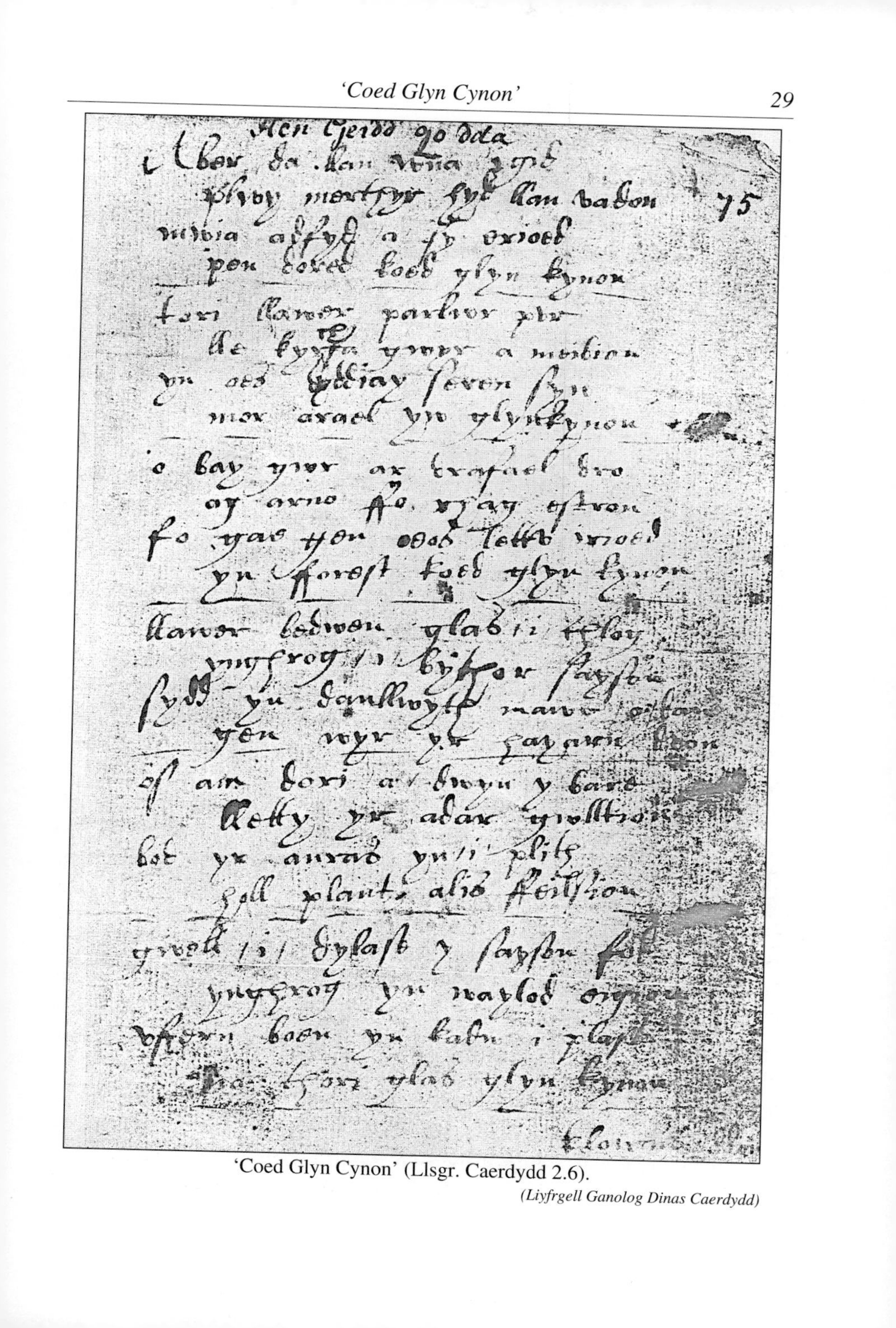

'Coed Glyn Cynon' (Llsgr. Caerdydd 2.6).

(Llyfrgell Ganolog Dinas Caerdydd)

gerdd gymdeithasol, yn perthyn i ddosbarth o gerddi 'protest' a ganwyd yn ail hanner yr unfed ganrif ar bymtheg, yn fynegiant clir ac uniongyrchol o anfodlonrwydd dwfn y bobl gyffredin yn wyneb y gwasgu mawr a fu arnynt yn sgil amrywiaeth o ffactorau cymdeithasol ac economaidd, ac yn bennaf efallai'r wasgedd a ddaeth yn sgil cynnydd mawr a sydyn ym mhoblogaeth y wlad, a'r codiad cyfochrog yng ngraddfa chwyddiant.[11] Yn yr hinsawdd economaidd a oedd ohoni, tueddai'r bobl gyffredin i amau dulliau a chymhellion rhai mwy llwyddiannus na hwy eu hunain, a'u cyhuddo o fod yn galed a gwancus.

Cwyno'n chwerw a wna bardd 'Coed Glyn Cynon' am y modd y cwympid coedwigoedd prydferth y cwm i'w troi'n siarcol ar gyfer y diwydiant haearn, a oedd yn prysur ddatblygu yn y cylch yn ystod ail hanner yr unfed ganrif ar bymtheg. Ar un olwg, gellid rhyfeddu fod bardd wedi'i gyffroi i'r fath raddau gan beth felly, a chynifer o faterion cyfoes pwysfawr—tlodi a newyn yn sgil cyfres o gynaeafau gwael, y pla, rhyfeloedd gwaedlyd, er enghraifft—yn mynd â bryd beirdd eraill y cyfnod.[12] Fodd bynnag, nid digwyddiad dibwys a syml mo cwympo'r coed ym meddwl y bardd hwn. Fe'i gwelai'n weithred amlweddog a phellgyrhaeddol ei heffeithiau, ac un nodwedd ddiddorol ar 'Coed Glyn Cynon' yw'r amrywiol agweddau ar y dinistr a'r golled sydd yn cael eu nodi: wrth gwympo'r coed, difawyd man cyfarfod poblogaidd i hen ac ifainc (ll.6), noddfa gyfleus i ffoaduriaid rhag erlidwyr (llau.9-12), cynefin amrywiaeth cyfoethog o greaduriaid gwyllt (llau.11, 18, 26, 29-33, 46-47), maes hela (llau.29-36), ffynhonnell cyflenwadau o bren i ddibenion adeiladu (llau.41-44), a man cyfarfod tra dymunol ar gyfer cariadon (llau.37-40). Yn wir, yr agwedd olaf hon sydd uchaf ym meddwl y bardd wrth iddo ddwyn ei gerdd i'w therfyn (llau.51-52); dyma'r fan lle y mae dinistr y coed yn cyffwrdd ag ef yn fwyaf uniongyrchol, ac y mae'n fan dyner iawn, y mae'n amlwg.

Ar wahân i golli'r defnydd ymarferol ac amrywiol hwn ar y coed, y mae'r bardd hefyd yn ymwybodol fod rhyw harddwch neilltuol yn diflannu o'r fro: sonia yn hiraethus am '[d]ori llawer parlwr *pvr*' (ll.5), gan ebychu 'mor *arael* yw glynkynon' (ll.8), ac eto tua diwedd ei gerdd dywed, '*teg* oedd i lle i neythyr oed' (ll.39). Ond crisielir maint dinistr yr harddwch naturiol hwn yn fwyaf effeithiol yn y pedwerydd pennill (llau.13-16), yn y cyferbyniad trawiadol rhwng y disgrifiad trosiadol, 'llawer bedwen *glas* i chlog' yn llinell gyntaf y pennill, a'r disgrifiad diriaethol o'r irder hwnnw yn 'danllwyth mawr o dan' yn yr ail hanner—newid a gyflawnwyd 'gen wyr yr hayarn *dvon*'.

Ar ddechrau ei gerdd, tristáu a gofidio a wna'r bardd yn wyneb y sefyllfa: y mae torri'r coed yn 'adfyd' (ll.3), ac onid hiraeth sydd i'w glywed yn bennaf yn ei eiriau yn llau.7-8:

> yn oes dyddiay seren syw
> mor arael yw glynkynon.

Fodd bynnag erbyn y pedwerydd pennill, y mae'r agwedd oddefol hon wedi troi'n ddicter tanbaid a chasineb gweithredol, a dymuniad penboeth y bardd yw crogi'r dieithriaid—y Saeson—sydd wedi rheibio harddwch y cwm (ll.14); yn wir, y mae'r anfadwaith gymaint yn waeth yn ei olwg am iddo gael ei gyflawni gan estroniaid, er eu helw personol, heb ystyried effaith eu gweithredoedd ar neb na dim arall. Y mae'r awydd hwn i grogi'r Saeson—ac nid y rhai yn unig a fu'n ymarferol gyfrifol am dorri'r coed, sylwer, ond y genedl gyfan (ll.20)—yn thema sydd yn brigo i'r wyneb sawl gwaith (llau.14, 21-24, 45-48), gan roi dimensiwn cryf o genedlgarwch i'r gerdd.

Ateb y bardd i'r erchylltra y bu'n dyst iddo yw ceisio cyfiawnder y gyfraith (ll.45), gan ddychanu o bosibl y ffordd y byddai boneddigion y cyfnod mor barod i droi at gyfraith Loegr (a ddaethai er Deddfau Uno 1536-43 yn gyfraith dros Gymru hefyd) er penderfynu pob math o anghydfodau, mawr a mân. Nodir y drosedd a osodir yn erbyn y Saeson yn glir yn ll.17, '[t]ori a dwyn y bare', ond yn y pennill olaf ond un (llau.45-48) datblygir ymhellach y syniad o gynnal achos cyfreithiol. Yr adar, trigolion cyffredin y goedwig, a benodir gan y bardd i ddadlau'r achos, ond mewn gwirionedd y mae'r bardd ei hun eisoes wedi penderfynu ar y ddedfryd cyn clywed gair o blaid neu yn erbyn yr amddiffynblaid; y mae'r Saeson yn euog, ac wrth alw ar y dylluan i weithredu fel 'hangmon' (llau.47-48), y mae'n glir mai crogi yw'r gosb y mae am ei gweinyddu arnynt—syniad sydd wedi bod yn cyniwair yn ei feddwl, fel y gwelsom, er ll.14.

Y mae motîff llys yr adar yn un sydd yn digwydd mewn mannau eraill yn llenyddiaeth Cymru a'r cyfandir yn yr Oesoedd Canol a'r cyfnod modern cynnar, ac fe'i cysylltir yn fwyaf arbennig â'r traddodiad llenyddol poblogaidd.[13] Ceir enghreifftiau cynnar (o tua

1200 ymlaen) mewn cerddi Ffrangeg ac Eingl-Normaneg o gyplysu'r motîff hwn â motîff llys serch, lle y mae'r adar yn dadlau ai clerc ai marchog yw'r carwr gorau; ac er nad dyna gyd-destun yr enghraifft hon o'r motîff fel y cyfryw, nid amherthnasol yw cofio'r sylw arbennig a rydd y bardd yn y rhan hon o'i gerdd i bwysigrwydd y goedwig fel cyrchfan ar gyfer cariadon (llau.37-40, 51-52). Dafydd ap Gwilym, yn anad neb arall, yw bardd serch-yn-y-goedwig y traddodiad Cymraeg, ac y mae ei ddefnydd ef o adar fel llateion (neu negeswyr serch) yn ddigon cyfarwydd. Ond y mae Dafydd yn hoff iawn yn ogystal o bersonoli adar fel swyddogion eglwysig a chyfreithiol. Y mae ei gywydd i'r 'Ceiliog Bronfraith', sydd yn cyflwyno'r aderyn trwy gyfrwng delweddaeth o fyd y gyfraith—y mae'n 'siryf' (ll.9), 'ustus gwiw' (ll.11), 'ystiwart llys dyrys dail' (ll.12) ac 'ynad' (ll.49), sydd yn canu 'drwy gyfraith' (ll.6)[14]—yn cynnig cyfochreb ddiddorol â motîff llys yr adar, er na cheir enghraifft benodol o'r motîff hwnnw yn unman arall yng ngwaith Dafydd.[15] Fodd bynnag, mewn cywydd gan gyfoeswr i'n bardd anhysbys, sef Thomas Prys o Blas Iolyn (1564?-1634),[16] ceir enghraifft o'r motîff hwn sydd yn cyfateb yn agos mewn sawl ffordd i'r fersiwn ohono a gadwyd yn 'Coed Glyn Cynon'. Fel yn achos yr enghreifftiau cyfandirol cynharaf, y mae cywydd Thomas Prys 'i gynnal Sessiwn ar Eiddig dan y gwydd am guro ei Wraig heb achos drwy haeru arni garu',[17] yn cyfuno motîff llys yr adar â motîff llys serch. Y term a ddefnyddir yn y naill gerdd fel y llall i ddynodi'r achos llys yw 'cwest', tylluan a benodir yn 'hangmon', a phwysleisir addasrwydd yr adar ar gyfer y gwaith o benderfynu'r achos: lle'r oedd adar 'Coed Glyn Cynon' yn rhai 'onest ddigon' (ll.46), y mae rhai Thomas Prys yn 'gall' ac yn 'gyfion'. Y mae'r cywydd hwn yn llawer iawn mwy manwl ei ymdriniaeth o fotîff llys yr adar na 'Coed Glyn Cynon', gan ei fod yn rhoi swyddi penodol yng ngwrandawiad yr achos i amryw o adar gwahanol; eto i gyd, ar ddiwedd y gerdd, yr un yn union yw'r dyfarniad a dedfrydir Eiddig euog i farw trwy grogi.[18]

Er bod amryw elfennau yn 'Coed Glyn Cynon' yn dwyn i gof agweddau ar waith Dafydd ap Gwilym[19]—nodwedd sydd i'w dehongli, y mae'n bur sicr, yn nhermau dylanwad cyffredinol y traddodiad poblogaidd ar y naill fardd fel y llall—y mae un gwahaniaeth pwysig rhwng canfyddiad Dafydd o fyd natur a'r goedwig ar y naill law, ac eiddo bardd 'Coed Glyn Cynon' ar y llall.

Swyddogaeth byd natur i Ddafydd yw fel cefnlen i fyd dynion; yn fwy penodol, gweithreda'r goedwig fel drych i fywyd y gymdeithas uchelwrol, wâr yr oedd Dafydd ei hun yn rhan ohoni: dyfais lenyddol ydyw, consêt barddol. Yng ngeiriau Helen Fulton:

> The whole point about Dafydd's portrayal of nature is that it is not 'natural'. Instead, it is the world of nature interpreted through the value-system of a sophisticated courtly culture. What are valued in the woodland are not the inherent qualities of the natural world itself—wildness, varieties of vegetation and animal life, the ecological system, food-producing land—but the things which have a particular cultural value, such as beauty, tranquility, symmetry, colour, music, richness of texture.[20]

Ar y llaw arall, gorwedd diddordeb bardd 'Coed Glyn Cynon' yn yr union bethau hynny a ddiystyrir gan Dafydd ap Gwilym; y mae'n llawn werthfawrogi'r amrywiol agweddau ar werth cynhenid y goedwig, ac yn galaru wrth weld y pethau hynny'n mynd heibio. Loes calon iddo yw colli'r gwylltni naturiol a roddai ddiogelwch i ddyn ac anifail rhag eu herlidwyr, gofidia wrth weld rhywogaethau yn prinhau a diflannu, ac y mae'n boenus o ymwybodol o effaith torri'r coed ar gylch byw a bod dynion. Nid rhan o gonsêt barddol felly mo'r sôn am y coed fel 'lletty yr adar gwlltion' (ll.18), ond datganiad trosiadol o ffaith. Yn yr un modd, nid rhan o ddyfais helaethach mo'r personoli sydd yn ymhlyg yn y disgrifiad o'r 'llawer bedwen glas i chlog' (ll.13), ond yn hytrach trosiad effeithiol o syml sydd yn cyfleu irder cyfoethog, a droir yn ddüwch diwydiannol erbyn diwedd yr un pennill. Creadigaeth lenyddol yw coed a chreaduriaid Dafydd ap Gwilym; rhan o'r greadigaeth fawr ei hun—rhan dan fygythiad—sydd yng ngherdd 'Coed Glyn Cynon'.

Dywedwyd mai 'ystrydebol a chonfensiynol ar y cyfan ydyw ffurf a chynllun cyffredinol y cerddi rhydd',[21] ond medrai bardd anhysbys 'Coed Glyn Cynon' ddefnyddio'r confensiynau hynny'n greadigol, a'u troi'n gelfydd i'w ddiben ei hun. Dewisodd ganu ei gerdd ar un o fesurau hynaf y Gymraeg, sef yr awdl-gywydd.[22] Hanfod y mesur hwn yw dwy linell, seithsill bob un, a diwedd y llinell gyntaf yn odli'n gyrch â gorffwysfa naturiol yng nghanol yr ail. Trwy gyfuno deubar neu ddau glymiad o'r llinellau hyn, crëir pennill pedair llinell, a diwedd yr ail linell ym mhob clymiad yn cynnal prifodl y pennill.[23] Yr oedd yr awdl-gywydd yn un o hoff fesurau beirdd canu rhydd yr unfed ganrif ar bymtheg, hyd y gellir barnu ar sail y cerddi a oroesodd, ac yn hynny o beth gellid dadlau nad oes dim arbennig yn y ffaith fod 'Coed Glyn Cynon' wedi'i llunio ar y mesur hwn. Fodd bynnag, trinnir y mesur gyda chryn ddeheurwydd yn y gerdd hon. Trwy gynnal yr un brifodl, *-on*, ar hyd pob un o'i thri phennill ar ddeg, gan ailadrodd yr enw-lle 'Glyn Cynon' ar ddiwedd cynifer â naw ohonynt, llwyddodd y bardd i greu rhyw soniarusrwydd anghyffredin sydd nid yn unig yn boddhau'r glust,[24] ond hefyd yn cyffwrdd â'r galon â chanu cnul ei ergydion cyson, gan greu awyrgylch nid annhebyg i'r un a grewyd gan fardd anhysbys arall, cynharach o lawer, trwy ailadrodd y geiriau 'Stafell Cynddylan' wrth bortreadu Heledd amddifad yn galaru dinistr llys Pengwern.[25]

Yr oedd gan feirdd y canu rhydd nifer o hoff ddulliau ac ymadroddion a ddefnyddid yn gyffredin wrth agor a chau eu cerddi. Un ffordd boblogaidd o agor cerdd oedd trwy gyfarch y gynulleidfa'n uniongyrchol ag anogaeth i wrando: 'Gwrandewch arnai yn treithy cwyn . . .', 'Gwrandewch arna i pob dy[n] . . .', etc.,[26] ac amrywiad ar hyn oedd enwi'r gynulleidfa wrth ei chyfarch: 'Kymry a lloeger tyrnas glyd . . .', 'Vannwyl blwyf . . .', 'Gwir genedyl brittania gweddillion gwaed Troia / trigolion gwlad Cambria trwyddi . . .', etc.[27] Ar yr olwg gyntaf, gellid tybio bod 'Coed Glyn Cynon' yn dilyn y patrwm hwn, a bod y bardd yn cyfarch ei gynulleidfa yn y mannau hynny wrth iddo restru 'Aber da. llan wna i gid / plwy merthyr hyd llan vadon' (llau.1-2). Wrth i'r pennill ddatblygu, fodd bynnag, gwelir nad felly y mae o gwbl; y mae'r bardd wedi defnyddio'r confensiwn, neu ei ddynwared, er mwyn gosod y llwyfan a diffinio cyd-destun daearyddol ei gerdd, gan nodi pedwar plwyf cyfagos a anharddwyd gan weithfeydd haearn y Saeson. Arwain hyn yn ei dro i esgynneb yng ngosodiad ysgubol dwy linell olaf y pennill: er y bu dinistr ar y coed yn yr holl fannau hyn a restrwyd ganddo, 'mwia adfyd a fy erioed / pen dored koed glyn kynon' (llau.3-4).

Un arall o ystrydebau mwyaf cyffredin y cerddi rhydd o ran eu ffurf oedd gorffen cerdd â chwestiwn anuniongyrchol ynghylch ei hawduraeth: 'O gyfynir pwy ai canodd . . .', 'O daw gofyn pwy ai gwnai . . . ', etc.,[28] ac yn aml byddai'r bardd yn ei enwi ei hun wrth gloi. Awgrymwyd mai arwydd o ddiffyg crefft, yn y pen draw, oedd gorffen cerdd fel hyn, ac nad oedd gan feirdd y traddodiad rhydd y gallu artistig i ddiweddu eu cyfansoddiadau mewn ffordd 'ddeheuig a thrawiadol';[29] ond gellid dadlau fel arall yma, mai rhan o gryfder artistig 'Coed Glyn Cynon' yw defnyddio'r confensiwn hwnnw yn ei phennill olaf. Trwy gyfrwng yr ystrydeb, y mae'r bardd yn rhoi cyd-destun allweddol i'w gŵyn am ddinistr y coed, ac yn diriaethu ei alar. Nid ei enw sydd yn bwysig; yr hyn sydd yn wir arwyddocaol yw ei fod yn un sydd yn bersonol brofiadol o fwyniannau'r goedwig, a bod y rheini bellach wedi darfod: un ydyw '*a fy gynt* yn kadw oed / dan forest koed glynkynon' (llau.51-52).

* * *

Gellir dyddio cyfansoddi 'Coed Glyn Cynon' yn bur ddiogel i ail hanner yr unfed ganrif ar bymtheg. Hyd yn oed pe na byddai gennym nodiadau Siôn Tomas Gruffydd i'n galluogi i ddyddio'r copi o'r gerdd a gadwyd yn llsgr. Caerdydd 2.6 i'r cyfnod *c.*1609-10,[30] y mae'n berffaith glir (o lau.13-16 yn fwyaf arbennig) mai'r hyn a gyffrôdd awen y bardd anhysbys oedd torri coedwigoedd naturiol Glyn Cynon i'w troi'n olosg i fwydo gweithfeydd haearn o eiddo Saeson, *scenario* hanesyddol y gellir cysylltu'i ddechreuadau ag Oes Elisabeth I.

Aeth yn ystrydeb i synio am Gymru yn y cyfnod cyn Chwyldro Diwydiannol mawr y ddeunawfed ganrif a'r bedwaredd ar bymtheg fel gwlad a orchuddiwyd gan goedwigoedd trwchus, ond er y byddai coed wedi ymestyn dros tua 90% o arwynebedd Cymru mewn cyfnodau cynnar iawn, amcangyfrifir bod y canran yn nes at 10-20%, os nad yn llai na hynny, erbyn dechrau'r unfed ganrif ar bymtheg[31] yn sgil cyfuniad o ffactorau naturiol, megis newidiadau graddol yn yr hinsawdd, a rhai anthropolegol, megis arferion amaethu cyntefig a defnyddio pren at amrywiaeth o ddibenion, gan gynnwys adeiladu, rhyfela a gwneud golosg ar gyfer toddi mwynau mewn gweithfeydd bychain canoloesol.[32] Fodd bynnag, nid oes gennym yr un rheswm dros amau nad oedd cyfran uchel o lethrau Glyn Cynon o hyd dan eu gorchudd gwreiddiol o goedwigoedd derw a bedw tua dechrau'r unfed ganrif ar bymtheg, fel yn wir yr oedd rhannau helaeth o'r cymoedd cyfagos.[33] Pan deithiodd yr hynafiaethydd Saesneg John Leland trwy

Forgannwg, tua diwedd yr 1530au y mae'n debyg, nododd fodolaeth amryw o goedwigoedd ar ei ffordd:

> . . . a mile from Hirwen Urgan is the forest of Lluid Coite welle wooddid in the Lordship of Miskin . . . [The] meating of Kenon with Taue is about a 10. mile above Clauth Cunstable. The ground on Taue ripe this way is very wooddy . . . The vale of Glin Rodeney by south is meatly good for barle and otes but litle whete. There is plenty of wood . . . And plentie of wood in Diffrin. Lleueny . . . The water of Taphe cummith so doun from woddy hilles . . .[34]

Ychydig iawn o sylw a roddodd Leland ar y llaw arall i unrhyw weithgarwch diwydiannol ym Morgannwg, ac eithrio nodi fod haearn yn cael ei wneud ger Llantrisant,[35] a bod 'colles half a mile above the toune of Nethe in a more'.[36]

Gwahanol iawn, fodd bynnag, yw'r argraff a roddwyd ymhen rhyw ddeugain mlynedd gan yr hanesydd Rhys Meurug (Merrick) o Sain Nicolas yn *A Booke of Glamorganshires Antiquities*, y dywedir iddo ei orffen yn 1578. Er iddo restru llawer o goedwigoedd ar draws Morgannwg, gan gynnwys 'Bed Merchan, Gelenog, Glintaf, Lloydcoet a Glin Kynon' yn arglwyddiaeth Meisgyn (sef yr hen raniad ar Forgannwg a oedd yn cynnwys Cwm Cynon),[37] mwy dadlennol o lawer yw'r sylw canlynol:

> In both partes [h.y. Bro a Blaenau Morgannwg] are Mynes of Iron, Lead, Tynn, and Cole; And, it is said, that, in the time of our ancestors, Gould and Silver Mynes to have beene found, dig'd, and refyned; both Soyles apt to nourish Trees, wherein were many fforests and Woodes, whereof many in our dayes, about Iron Milles, were spoyled and consumed . . .[38]

Y newid trawmatig hwn yn nhirlun Morgannwg o fewn cyfnod cymharol fyr, o dirlun a oedd yn ei hanfod yn wledig a choediog i un a arddangosai greithiau diwydiannol amlwg, gan gynnwys digoedwigo ar raddfa sylweddol, yw cefndir cyfansoddi 'Coed Glyn Cynon'; mewn geiriau eraill, y mae'r gerdd yn perthyn i gyfnod cyffrous y datblygiadau cyntaf yn hanes y diwydiant haearn modern ym Mlaenau Morgannwg.[39]

Er mwyn deall y datblygiadau hynny rhaid mynd yn ôl mewn gwirionedd i flynyddoedd olaf y bymthegfed ganrif a sylfaenu'r

Gwneud haearn, *c*. 1550.

Gwneud siarcol.

ffwrnais-flast gyntaf ym Mhrydain, yn Newbridge yn swydd Sussex yn 1496 yn ôl pob tebyg.[40] Gweddnewidiwyd pob agwedd ar y diwydiant haearn gan y dechnoleg ddiweddaraf hon a ddaethai i Brydain o orllewin Ewrop, a chynyddodd nifer y ffwrneisi-blast ym Mhrydain yn gyflym, yn gyfochrog â'r cynnydd yn y galw am haearn ar gyfer gwneud pob math o eitemau, gan gynnwys offer i amaethwyr a chrefftwyr, a magnelau ar gyfer y llynges a'r fyddin. Gwelwyd cynnydd aruthrol cyfatebol yn y galw am siarcol, a ddefnyddid i gynhyrchu'r gwres uchel yr oedd ei angen i doddi'r mwyn ym mhroses-cynhyrchu ddi-dor y ffwrneisi-blast. Er ei bod yn anodd amcangyfrif gydag unrhyw elfen o sicrwydd faint o goed a dorrwyd yn flynyddol i fwydo safnau barus ffwrneisi'r cyfnod hwn, erbyn canol yr unfed ganrif ar bymtheg y mae'n glir bod y diwydiant haearn yn swyddi Caint, Sussex a Surrey wedi peri'r fath ddifrod i goedwigoedd naturiol y Weald nes peri cryn bryder i'r trigolion lleol ynghylch cyflenwadau o bren at ddibenion eraill.[41] Yn wir, cymaint oedd y dinistr fel y dechreuwyd ofni yn benodol am barhad cyflenwadau o goed o faintioli ac ansawdd addas ar gyfer diwydiant arall tra phwysig o safbwynt lles a diogelwch y deyrnas yn y cyfnod hwnnw, sef adeiladu llongau. Yn wyneb yr argyfwng tybiedig hwn,[42] nid rhyfedd gweld ymateb o du'r awdurdodau gwladol a chanfod, o 1543 ymlaen, gyfres o fesurau a geisiai reoli'r sefyllfa trwy osod cyfyngiadau ar dorri coed at ddiben gwneud siarcol er cynhyrchu haearn, tra'n caniatáu trwyddedau cyfyngedig i unigolion gael gwneud yr union beth hwnnw mewn mannau penodedig. Nid rhyfedd ychwaïth weld perchnogion cefnog gweithfeydd haearn ffyniannus de-ddwyrain Lloegr yn troi eu golygon i gyfeiriadau eraill—i Iwerddon, ond yn fwyaf arbennig i dde Cymru—er sicrhau parhad eu masnach a'u helw ac osgoi'r cyfyngiadau a osodai deddf gwlad ar eu defnydd o goed yn y Weald.

Trwy Ddeddfau Uno 1536-43, daeth tir Cymru yn fwy deniadol nag erioed o'r blaen i fuddsoddi ynddo a'i weithio gan hapfasnachwyr Lloegr. Ni fu'r meistri haearn Seisnig yn hir cyn sylweddoli bod Morgannwg, ac yn arbennig cymoedd Taf a'r afonydd sy'n llifo iddi, yn ardal hynod addawol i fuddsoddi ynddi gan fod yno ddigonedd o'r union adnoddau naturiol yr oedd eu hangen ar gyfer y diwydiant hwnnw—mwynau haearn, calchfaen, dŵr rhedegog i gynhyrchu pŵer i weithio meginau'r ffwrneisi-blast, a chyflenwad helaeth o goed ar gyfer gwneud siarcol. Ac er y gellir enwi ambell Gymro a fu ynglŷn â datblygu rhai o'r mentrau haearn cyntaf yn hanes y diwydiant modern yn y cylch—dywedir, er enghraifft, fod gan un Siôn ap Hywel Gwyn ffwrnais yn y Llwytgoed ger Aberdâr tua chanol yr unfed ganrif ar bymtheg, a bu teulu dylanwadol y Matheuaid o Radyr yn arloesi yng ngwaith Pen-tyrch[43]—ymddengys mai eithriadau prin oedd y rhain, ac y gellir priodoli datblygu'r diwydiant haearn cynnar yng nghymoedd Cynon a Thaf bron yn gyfan gwbl i Saeson o dde-ddwyrain Lloegr.

Ysywaeth, ni wyddom bellach pryd yn union y daeth y meistri Seisnig â'u gweithfeydd haearn i'r cymoedd hyn: byddai medru gosod dyddiad ar hynny yn darparu *terminus a quo* pendant ar gyfer cyfansoddi 'Coed Glyn Cynon'. Efallai na ddylid rhoi gormod o bwys ar y dyddiad 1553 a nodir ar hen gefn-tân haearn a ganfuwyd yn y ganrif ddiwethaf ym Mhlas Pentre-bach, ger Merthyr,[44] gan nad oes unrhyw sicrwydd i'r darn hwnnw gael ei gynhyrchu'n lleol; gallai'n hawdd fod wedi'i fewnforio o un o weithfeydd Sussex. Ar y llaw arall, os yw'r darn yn waith lleol dilys, dyma arwydd fod y Saeson wedi cyrraedd y cylch mor gynnar o bosibl ag oes Harri VIII. Ond erbyn 1558 a dechrau teyrnasiad Elisabeth I, ceir dau awgrym go bendant fod y diwydiant haearn ym Morgannwg o leiaf yn dechrau magu nerth. Yn gyntaf, y mae arolwg a gynhaliwyd yn y flwyddyn honno yn nodi bodolaeth gwaith haearn yng Nghwm Cynon, yng nghyffiniau

Aberpennar heddiw.[45] Yn yr un flwyddyn hefyd pasiwyd 'An Acte that Tymber shall not bee felled to make Coles for the making of Iron',[46] a waharddai dorri coed derw, bedw neu onn a fesurai 'One Foot Square at the Stubbe' o fewn pellter o bedair milltir ar ddeg i'r môr neu i rai afonydd penodol a enwyd, ac yn eu plith afonydd Hafren, Gwy a Dyfrdwy. Yn sicr, yr oedd y Saeson yn ddigon amlwg yng ngwaelod Cwm Taf erbyn 1564. Yn y flwyddyn honno, sefydlodd Henry Sydney (a etifeddasai weithfeydd mawr Robertsbridge yn swydd Sussex gan ei dad), ffwrnais a gefail rywle yng nghyffiniau Caerdydd, a rhwng 1564 a thua 1568 cafwyd cyfnod o gydweithio diddorol rhwng Robertsbridge a'r gangen Gymreig hon ar y busnes, a phlatiau haearn o Forgannwg yn cael eu hanfon i Sussex i'w troi'n ddur.[47] Ym mis Gorffennaf 1568 hefyd dyfarnwyd trwydded arbennig i Sydney a ganiatâi iddo wneud siarcol o fewn pedair milltir ar ddeg i'r môr neu afon Hafren ym Morgannwg yn unig.[48]

Y mae'r wybodaeth bendant gynharaf sydd gennym am hanes y meistri haearn Seisnig yng Nghwm Cynon a rhan uchaf Cwm Taf yn digwydd yn ewyllys William Relfe (m.1582), a oedd, fe ymddengys, y cyntaf o wŷr Sussex i ymsefydlu ym mhlwyf Llanwynno.[49] Gyda'i bartneriaid William Darrell a Ieuan ap Hywel,[50] sefydlodd Relfe efail ym Mhont-y-gwaith a ffwrnais yn y Dyffryn, ger Aberpennar yng Nghwm Cynon,[51] ac er na wyddys pryd yn union y gwnaeth hynny, ni ddylid anghofio bod tystiolaeth am fodolaeth gwaith haearn yng nghyffiniau Aberpennar o leiaf mor gynnar â 1558.[52] Aeth cyfran Relfe yn y gweithfeydd hyn i'w weddw yn 1582, ac yn 1586 trosglwyddodd hi'r eiddo i Anthony Morley, un arall o feistri haearn Sussex a oedd bellach wedi ymsefydlu yn y cyffiniau. Cafodd Morley afael hefyd ar gyfran Ieuan ap Hywel yng ngefail Pont-y-gwaith, ond ni fu'r gweithfeydd hyn yn ei feddiant yn hir oherwydd fe'i carcharwyd yn fethdalwr yn 1586 yn sgil ei ddyledion i feistri haearn eraill o swydd Sussex ac i William Matheu o Radyr. Ar 18 Mai yn yr un flwyddyn, gwerthwyd eiddo Morley—gwerth tua £1,000 i gyd—a oedd yn cynnwys ei ranberchnogaeth ef ar nifer o weithfeydd, gan gynnwys ffwrnais y Dyffryn, Aberpennar, gefail ym mhlwyf Merthyr, a gefail ar fferm Pen-bwch ger Castellau, Llantrisant, yn ogystal â'u hoffer a'u stoc, ynghyd â phrydlesau ar goed gan gynnwys 'the forest' yng Nglyn Cynon a choed eraill ym mhlwyf Llanwynno. Prynwyd y cyfan gan feistr haearn arall eto o swydd Sussex, Thomas Mynyffee, a ddisgrifir yn y ddogfennaeth fel gŵr o Aberdâr a Radyr—awgrym pendant fod gan hwn eisoes weithfeydd yn y mannau hynny.

Ychydig iawn o fudd a phleser a gafodd Mynyffee o'r eiddo newydd hwn fodd bynnag, oherwydd o'r adeg honno hyd ei farw,[53] fe'i gwelir ar ganol rhyw ymgyfreitha cecrus yn ei gylch. Er enghraifft, hawliodd un David Morgan berchnogaeth ar fferm Pen-bwch trwy brydles a ddyfarnwyd iddo gan Morley, a hawliodd un Lewis ab Owen fod ganddo yntau ddiddordeb mewn traean o efail y Dyffryn, Glyn Cynon, trwy grant oddi wrth Thomas Lewis y Fan a oedd yn berchen ar ystad helaeth yng nghyffiniau Merthyr yn y cyfnod hwn. Rhwng Hydref 1585 a Hydref 1587, hawliwyd gefail Glyn Cynon ynghyd â deg tunnell ar hugain o haearn crai a naw tunnell o haearn bwrw, gan John Watkeys (a oedd bellach wedi priodi gweddw Anthony Morley), a Richard Waters. Cymerodd Watkeys feddiant o'r efail gyda chymorth deg ar hugain o wŷr arfog, 'in a riotous company', ar 20 Tachwedd 1586, ac yn ddiweddarach cymerodd goed o goedwig a oedd ym meddiant Mynyffee a gwneud siarcol ohono. Aeth y ddwyblaid â'u cwynion i Lys y Seren a Llys Cyngor Cymru a'r Gororau, ac ar ôl i Mynyffee farw, aeth ei weddw a'i hail ŵr, Robert Martin, a oedd yn berchen ar waith haearn yn Aberdâr, i Lys Siawnsri er ceisio cyfiawnder. Ymhlith yr hawliau eraill a gofnodwyd yn erbyn deiliadaeth Mynyffee, gwelid Marmaduke Matheu yn mynnu bod yr hen efail yn Llanwynno yn eiddo i'w dad, William Matheu o Radyr; William Morley (brawd Anthony) a'i bartneriaid yn hawlio diddordeb mewn traean o hen efail Pont-y-gwaith; ac yn 1590 cymerodd John a George Morley (brawd a mab Anthony) feddiant ar draean o'r efail newydd yng Nglyn Cynon. Mewn cytundeb pellach a wnaed yn 1590 rhwng John Morley a Robert Martin ynghylch gefail Glyn Cynon, cytunwyd y byddai Morley yn dal y traean o'r efail newydd yng Nglyn Cynon a hawliwyd gan Martin, tra bod Martin o'i ran ef yn dal hen efail Pont-y-gwaith.

Er nad oes a wnelom yma â holl fanylion cymhleth yr hawlio a'r gwrth-hawlio a fu dros y safleoedd pwysig hyn yn hanes cynnar y diwydiant haearn yng nghymoedd Cynon a Thaf,[54] y mae'r hanes o ddiddordeb mawr o safbwynt y goleuni y mae'n ei daflu ar nifer y meistri haearn yn y cylch, ar faint eu hymgymeriad a'u menter o safbwynt ariannol, ac ar y rhwydwaith o safleoedd diwydiannol a oedd yn gysylltiedig â hwy yn ystod pymtheng mlynedd olaf yr unfed ganrif ar bymtheg. Gellir nodi hefyd fod olion ffwrnais gynnar a weithid â dŵr yng Nghwmaman, ac olion gefail ar fferm gyfagos Cwm Cynon, er nad oes sôn am y safleoedd hyn fel y cyfryw mewn perthynas â gweithgarwch meistri haearn Sussex yn y cyfnod hwn.[55]

Er i weithfeydd enwog Cyfarthfa, Penydarren, Plymouth a Dowlais droi tref Merthyr yn brif gynhyrchydd haearn y byd erbyn y bedwaredd ganrif ar bymtheg, y mae hanes cynnar y diwydiant hwnnw yn rhan uchaf Cwm Taf yr un mor anodd i'w olrhain â hanes cynnar y diwydiant yng Nghwm Cynon, yn wyneb diffyg tystiolaeth ysgrifenedig. Cyfeiriwyd eisoes at yr hen gefn-tân ac arno'r dyddiad 1553 a allai fod yn arwydd fod gwaith haearn yn y cyffiniau—o bosibl ym Mhont-yr-ynn, rhwng Troed-y-rhiw ac Abercannaid—mor gynnar â chanol yr unfed ganrif ar bymtheg.[56] Yr oedd olion hen ffwrnais-flast i'w gweld o hyd ym Mhont-yr-ynn yn y ganrif ddiwethaf, a rhyw ddwy filltir i ffwrdd ym Mhont-y-gwaith cadwyd olion gefail a weithid â phŵer dŵr.[57] Cadwyd olion hen ffwrnais-flast hefyd ym Mlaencannaid. Fel y gwelwyd eisoes, yr oedd Anthony Morley cyn iddo fynd yn fethdalwr yn 1586 yn berchen ar draean gefail ym mhlwyf Merthyr, a brynwyd wedyn gan Thomas Mynyffee, a chadwyd cyfeiriad at un Bartholomew Maskell a oedd yn feistr haearn arall o Ferthyr yn 1593.

Ffwrnais Blaencannaid.

Digon amrwd ac anghyflawn yw'r amlinelliad uchod o weithfeydd haearn cymoedd Cynon a Thaf a'r meistri haearn a fu'n berchnogion arnynt yn Oes Elisabeth, oherwydd prinder yr wybodaeth sicr sydd gennym amdanynt. Ond bid a fo am hynny, yn sŵn torri coedwigoedd Glyn Cynon ar gyfer bwydo ffwrneisi a gefeiliau'r gwŷr hyn a'u tebyg y lluniwyd y gerdd 'Coed Glyn Cynon'. Er yn wir y gallai fod wedi'i chyfansoddi unrhyw bryd ar ôl dyfodiad cyntaf y meistri Seisnig i'r fro, gan y byddai'r digoedwigo y cwynir amdano wedi dechrau'r pryd hynny, ymddengys y bu ffwrneisi de Cymru yn arbennig o brysur yn ystod wythdegau a nawdegau'r unfed ganrif ar bymtheg,[58] ac y mae'n ddigon posibl mai'r cynnydd cyfochrog yn ninistr coedwigoedd y fro oedd 'y pennog ar ben y pwn' o safbwynt cyffroi awen y bardd. Mentrwn awgrymu felly mai Morley a Mynyffee a'u cymheiriaid—gwŷr yr oedd eu diddordebau busnes yn ymestyn o Lanwynno i Aberdâr, ar hyd Cwm Cynon ac i mewn i blwyf Merthyr 'hyd Lanfabon'—oedd y meistri haearn o Saeson a gythruddodd bardd 'Coed Glyn Cynon' i ganu mor deimladwy.

* * *

Nid Glyn Cynon a'r cymoedd cyfagos oedd yr unig fannau i ddioddef dan ddwylo'r diwydianwyr estron, wrth gwrs, ac nid bardd anhysbys 'Coed Glyn Cynon' oedd yr unig fardd ychwaith i ymateb i hynny ar gân—er na wyddys am yr un gerdd arall mor ingol deimladwy â'i un ef. Mor gynnar â'r bymthegfed ganrif, mewn cywydd dychan digon deifiol i dref y Fflint, cyfeiriodd Tudur Penllyn yn ddilornus at y Saeson a oedd wedi ymsefydlu yno, gan eu cyplysu'n benodol â ffwrneisi'r gwaith plwm lleol:

A'i ffwrn faith fal uffern fydd
A'i phobl Seisnig a'i phibydd.[59]

Mwy trawiadol o lawer fodd bynnag yw cerdd arall o'r un ardal yn fras, o waith Robin Clidro (*fl.*1545-80) o gyffiniau Rhuthun yn Nyffryn Clwyd,[60] a oedd yn gyfoeswr i fardd anhysbys 'Coed Glyn Cynon'. Bardd 'answyddogol' oedd Clidro ar lawer ystyr, yn defnyddio confensiynau'r traddodiad barddol i'w ddibenion ei hun, gan amlaf er dychanu'r confensiynau hynny a'u troi ar eu pen, ac y mae'r elfen naratif yn amlwg iawn yn ei waith, fel yn wir y mae'r elfen ddramatig.[61] Cwbl nodweddiadol o'i awen ddifyr felly yw ei gywydd i Goed Marchan[62] lle yr adroddir am greaduriaid y goedwig yn gorymdeithio i Lundain i brotestio gerbron y 'Cyngor'—naill ai'r Cyfrin Gyngor neu o bosibl Lys y Seren—am dorri'r coed, gweithred sydd wedi dinistrio'u cartrefi a'u cynhaliaeth. Gwiwer goch dra huawdl sydd yn lleisio'u cwyn am 'anrheithio holl goed Rhuthun' (ll. 14). Ar lw, y mae'n tyngu i drylwyredd y dinistr:

> Nid oes fry o Goed-y-fron
> Ond lludw'r derw llwydion.
> Nid oes gipyll heb gipio,
> Ni nytha brân byth yn ei bro. (llau. 21-24)

Fel yn achos 'Coed Glyn Cynon', manylir yn benodol ar effeithiau uniongyrchol dinistrio'r goedwig ar y rhai a fu'n ddibynnol arni. Mae'r wiwer ei hun, meddir, wedi colli 'ei thŷ a'i 'sgubor, / Liw nos du, a'i chnau a'i stôr' , ac nid oes unman i'r gwiwerod eraill ffoi 'rhag ofn y ci' (llau.15-18); y mae'r 'tylluanod yn udo / Eisie'r coed' (llau.19-20) ac yn dioddef 'rhag annwyd' (ll.25); nid oes bellach fwyd i'r geifr a'r moch (llau.27-30), a chollodd y cathod gwyllt eu 'cadair' neu eisteddfan yn y coed (llau.31-32). Nid oes tanwydd i goginio, na thwymo tai dynion (llau.35-40), a daw'r cywydd i ben â disgrifiad dychanol o'r forwyn fach 'oer ei throed, a defni o'i thrwyn' yn cael ei lladd gan yr oerfel (llau.41-42). Er bod y dull a'r mynegiant yn dra gwahanol yn y ddwy gerdd, yr un ystyriaethau sylfaenol sydd yn gorwedd y tu ôl i gyfansoddi'r 'Cywydd i'r Gwiwerod o Goed Marchan' a 'Coed Glyn Cynon' fel ei gilydd, sef dicter dwfn ynghyd â'r ymdeimlad o golled a thristwch a brofwyd wrth fod yn dyst i ddinistr harddwch naturiol ardal a oedd yn annwyl yng ngolwg y bardd.

Yn nes at Gwm Cynon, rhaid cyfeirio at gerdd a gadwyd yn llsgr. LlGC 13139A (= Llanover C 52), 343-9. Fe'i priodolir yno i Richard Wiliam o Langrallo, *c*.1540. Cerdd gofyn yw hon, a'r bardd yn erchi derwen gan Syr Edward Carn o'r Wenni fel y gall orffen adeiladu tŷ ar gyfer ei wraig newydd, gan nad oes yr un goeden yn tyfu ar ei 'syddyn' (tyddyn) yn Llangrallo:

Gwae fi, brydydd gŵr digoedydd,
Nid oes derwen na chwaith onnen
Ar fy nhir bach mewn un cilfach.
Gwae fy nghwynfan am dŷ bychan,
Heb glwyd, heb do, heb lofft iddo!
Pa beth a wnaf erbyn gaeaf? (llau.130-135)

Y mae'n amlwg, fodd bynnag, nad oedd y fro wedi'i digoedwigo'n llwyr oherwydd bod gan Syr Edward ar y llaw arall

elltydd deri,
Coedydd mawrion yno ddigon,
Yn gawr o bren llawer derwen. (llau. 163-165)

Er nad yw'r gerdd hon, y mae'n bur debyg, yn waith dilys Richard Wiliam fel yr honna'r llawysgrif, ond yn hytrach yn gynnyrch bardd mwyaf Morgannwg—a'r mwyaf rhyfeddol hefyd—sef Edward Williams o Drefflemin (1747-1826), neu Iolo Morganwg a rhoi iddo'i enw mwy cyfarwydd,[63] digon tebyg mewn gwirionedd yw ei chefndir 'hanesyddol' honedig i eiddo 'Coed Glyn Cynon', sef y digoedwigo yng nghyffiniau Coedymwstwr a gysylltir â datblygu'r diwydiant haearn ger Coety yn ystod yr unfed ganrif ar bymtheg.[64]

Nid oes yr un rheswm, fodd bynnag, dros amau dilysrwydd cerdd arall o'r cyffiniau, sef marwnad Tomas ab Ieuan ap Rhys i Siôn Gamais o'r Coety, a'i gyfeiriad penodol at dorri Coedymwstwr i'r union ddiben hwnnw:

ny chair klydwr, ynghoed mwstwr
na phrenn ar dan, gan waith haearn.[65]

Er i J. Ifano Jones ddadlau mai'r Siôn Gamais a fu farw yn 1584 yw gwrthrych y gerdd hon, dangosodd G. J. Williams mai ewythr y gwrda hwnnw a gofféir yma mewn gwirionedd, ac iddi gael ei chanu cyn 1550,[66] sydd yn ei dro yn gosod dyddiad cynnar iawn ar gyfer torri Coedymwstwr. Y mae'r cyfeiriad at ddigoedwigo yn y gerdd hon yn ddiddorol am iddo gael ei gysylltu'n arbennig ag anrheithio mewn cyd-destun nas gwelwyd yn y cerddi eraill a drafodwyd hyd yma. Dywed y bardd:

mae yno ffynnonn, wrthfawr ddigon
mewn llwyn o gyll, dan le r pebyll
ny chair gwelliant, y mae n y sant
gwedy delo r Saeson yno.[67]

Law yn llaw â dinistr y coed yn y fan hon, darlunnir ymosodiad ar un o sancteiddleoedd y Cymry gan genedl yr awgrymir yn gynnil ei bod yn baganaidd neu hyd yn oed yn ddieflig: ar ôl i'r Saeson ddod i'r llwyn y mae'r ffynnon sanctaidd wedi colli ei rhinweddau 'gwyrthfawr'.[68] Dyna union ysbryd hefyd y llinellau canlynol gan fardd a ganodd ryw bedair canrif ar ôl Tomas ab Ieuan ap Rhys, wedi'r diwydiannu mawr a welodd Morgannwg yn y bedwaredd ganrif ar bymtheg a dechrau'r ganrif hon:

In Gwalia, in my Gwalia,
  The vandals out of Hell
Ransacked and marred for ever
  The wooded hill and dell.[69]

Brodor o Gwm Rhymni oedd Idris Davies—gwm cyfagos arall i Gwm Cynon a ddioddefasai dan ddwylo'r diwydianwyr estron o Oes Elisabeth ymlaen.[70] Er y gellir yn gyfiawn ddadlau bod ymateb barddol Idris Davies i 'hagrwch cynnydd' yn gymaint effaith beirdd Rhamantaidd Lloegr arno ag yn ganfyddiad personol, go brin na roddwyd rhyw fin penodol ar ei ganu gan y cyferbyniad egr a oedd i'w weld o'i gwmpas rhwng gweddillion harddwch naturiol ei fro a'r creithiau diwydiannol amlwg—olion gweithfeydd haearn mawrion Rhymni, Dowlais a Thredegar ynghyd â'r diwydiant glo—ac yn y pedair llinell ddifrïol hyn ceir distylliad dwys o lawer iawn o gynnwys a chymhelliad sylfaenol 'Coed Glyn Cynon', bellach wedi'u trosglwyddo i gyfrwng a chyfnod arall.

Y mae'r cyfoesedd bytholwyrdd hwn yn rhan o apêl mawr 'Coed Glyn Cynon', a gallu'r bardd i gyfathrebu ar draws y canrifoedd yn wedd bwysig ar gryfder a llwyddiant ei gerdd fel gwaith llenyddol. Arwydd clir o berthnasedd a bywiogrwydd ei neges i gynulleidfaoedd canol yr ugeinfed ganrif yw iddi ysbrydoli bardd arall o Lyn Cynon i ganu. Yn Aberpennar y ganed Pennar Davies, o fewn tafliad carreg i safle'r hen efail a ffwrnais y tybir iddynt losgi siarcol yr elltydd y cwynodd bardd 'Coed Glyn Cynon' ar eu hôl. Bedair canrif yn ddiweddarach ac Elisabeth arall bellach ar ei gorsedd, taniwyd awen y bardd arall hwn o Lyn Cynon gan y penillion hiraethus hynny, a lluniodd saga dychmygol a thrist, 'Yr Efrydd o Lyn Cynon', am y bardd anhysbys a fu'n caru dan gangau'r coed.[71] Ar ddechrau'r gerdd cydia Pennar Davies ym mhenillion 'Coed Glyn Cynon' a'u cydblethu â phenillion o'i waith ei hun sydd nid yn unig yn efelychu techneg y gerdd wreiddiol ac yn adleisio'i geirfa ond hefyd yn rhoi mynegiant pellach i lawer o'i phrofiadau; ceir yma adlais o ddadrithiad, siom, gofid a dicter y bardd a ganodd bedair canrif o'i flaen. Ond y mae'r golled y mae Pennar Davies yn ei mynegi ac yn hiraethu ar ei hôl yn un ddyfnach o lawer mewn gwirionedd na cholled y bardd gwreiddiol; y mae'r adnodd a reibiwyd yn fwy gwerthfawr o lawer, a'r harddwch a ddinistriwyd yn fwy bregus:

Trist wyf innau am a fu
  I'r coed oddeutu'r afon,
Ac nid i'r coed yn unig 'chwaith:
  Fe faeddwyd iaith Glyn Cynon—

Iaith a gwerin erbyn hyn:
  Daeth chwyn diwylliant estron,
Castiau gwasaidd, moesau crach
  A sothach yn yr afon.

Och o'i fod! Can's dyma bla
  O bethau gwaetha'r Saeson.
Collwyd ceinder bywyd bro
  A chofio hen arferion.

Darfu'r wiwer goch a'r bardd
  A bywyd hardd Glyn Cynon
A'r hiraeth am gymdeithas bur:
  Fe lygrwyd gwŷr a meibion.

Maddeuer im fy nicter am
  Y cam a wnaed â'm calon.
Un ydwyf i o'r un hen fro
  Â'r Glaslanc o Lyn Cynon.[72]

Yn gynharach eleni, bu farw Pennar Davies, un y mae'n rhaid ei gyfrif ymhlith y mwyaf o feibion Glyn Cynon. Ni roesai fawr ddim fwy o bleser iddo, y mae'n siŵr gennyf, na gweld cyhoeddi'r gyfrol hon sydd yn dathlu'r bwrlwm o weithgarwch diwylliannol a nodweddai Gwm Cynon, ac sydd yn ei nodweddu o hyd.

Cerdd brotest yw 'Coed Glyn Cynon', cerdd ecolegol, cerdd werdd, cerdd sydd yn gweiddi yn erbyn y perygl real o golli am byth amgylchedd naturiol hardd a brau.[73] Yn hyn o beth y mae'n gerdd sydd yn siarad yn hawdd a huawdl â chynulleidfaoedd diwedd yr ugeinfed ganrif, gan na fu'r ddynoliaeth erioed mor ymwybodol o'r blaen (am wn i) o effeithiau'i gweithgaredd ar yr amgylchedd o'n cwmpas; prin y byddai angen gwneud llawer mwy nag ychwanegu pennill yn sôn am effaith torri'r coed ar yr haenen osôn a chynhesu byd-eang i wneud neges sylfaenol 'Coed Glyn Cynon' mor gwbl berthnasol heddiw â'r dydd y'i lluniwyd. Un peth trawiadol am ymateb y myfyrwyr sydd wedi astudio'r gerdd hon fel rhan o fodiwlau ar lenyddiaeth ddiwydiannol a ddysgir yn Adrannau Cymraeg Prifysgol Cymru, Abertawe a Chaerdydd, yw'r empathi amlwg a dwfn y maent yn ei deimlo â'r bardd anhysbys gynt.

Y mae 'Coed Glyn Cynon' yn rhan o'n traddodiad llenyddol byw o hyd, yn gerdd sydd yn cael ei chanu a'i pherfformio'n rhan o *repertoire* y gantores-werin Siwsann George, er enghraifft, sydd yn pwysleisio cyfoesedd ei neges, er bod y cyd-destun wedi newid: plant—nid y Saeson—sydd yn llosgi coedwigoedd y cwm heddiw.[74] Yn ôl Siwsann George, brodor o Gwm Rhondda sydd bellach wedi ymgartrefu yng Nghwm Cynon, y mae'r gerdd yn 'ddrych cymdeithas ddoe a heddiw'. Petai hi ond am y rheswm hwnnw, byddai 'Coed Glyn Cynon' yn gerdd werth ei hastudio.

* * *

Y mae hanes cadw a chyhoeddi 'Coed Glyn Cynon' yn un diddorol—er bod ynddo amryw o fylchau, yn enwedig yn y cyfnod cynnar, na lwyddwyd hyd yn hyn i'w llenwi. Fel yr awgrymwyd eisoes, rhesymol yw tybio i'r gerdd gael ei chyfansoddi yn ystod y 1580au, yn ymateb uniongyrchol i'r cynnydd mawr a welwyd yng ngweithgarwch y diwydiant haearn yn y cylch yn y blynyddoedd hynny ac, fel y dadleuwyd uchod, yn wyneb ymateb angerddol y bardd i'r sefyllfa honno, anodd credu nad oedd yn frodor o Gwm Cynon, er gwaethaf rhai nodweddion ieithyddol gogleddol yn y testun fel y daeth i lawr atom.[75] Ymhle y gosodwyd y gerdd ar glawr am y tro cyntaf, a pha bryd y bu hynny, nid oes modd inni wybod bellach, ond teg nodi bod ambell nodwedd ar y testun yn llsgr. Caerdydd 2.6 yn awgrymu bod yr ysgrifydd anhysbys yn gweithio oddi ar ffynhonnell ysgrifenedig. Ni wyddom ble, nac ychwaith ar gyfer pwy, y cynullwyd deunyddiau amrywiol llsgr. Caerdydd 2.6, er y gallwn ddyddio'r gweithgarwch hwnnw *c.*1609-12;[76] ond ar sail yr enwau a dorrwyd yn ddiweddarach ar amryw o'i dail, gellid tybio bod y llsgr. yn sir Feirionnydd erbyn ail chwarter y ddeunawfed ganrif ac iddi aros yn y cylch hwnnw am gyfnod.[77]

Y cam hysbys nesaf yn hanes y llsgr. yw iddi gyrraedd llyfrgell yr hynafiaethydd a'r casglwr llawysgrifau, Syr Thomas Phillipps (1792-1872),[78] o Middle Hill, swydd Gaerwrangon, o bosibl tua chanol y bedwaredd ganrif ar bymtheg, lle y gosodwyd y rhif 2586 arni. Go brin y cafodd y llawysgrif fach hon lawer iawn o sylw yn ystod ei chyfnod ymhlith myrdd gyfrolau'r llyfrgell helaeth honno—cyfanswm o ryw 60,000 o lawysgrifau, fe ddywedir, a thua 1,460 ohonynt yn rhai Cymraeg a Chymreig,[79] ond diddorol yw nodi fod llsgr. LlGC 96B[80] yn cynnwys trawsysgrifiadau o ddeunyddiau yn llsgr. Caerdydd 2.6 (gan gynnwys y gerdd hon), a wnaed ar gyfer Thomas Phillipps gan John Rowland ('Giraldus'; 1833-91),[81] a weithredai am gyfnod fel ysgrifennydd a llyfrgellydd iddo. Gellir dyddio'r llawysgrif honno a'i chopi o 'Coed Glyn Cynon' (tt.168-70) yn ddiogel felly i drydydd chwarter y bedwaredd ganrif ar bymtheg. Pur wallus yw'r trawsysgrifiad o'r gerdd, ac y mae dau bennill wedi eu hepgor yn gyfan gwbl, sef y trydydd ('o bay gwr . . .', llau.9-12) a'r nawfed ('o chae karw . . .', llau. 33-36); yn wir, natur ddiffygiol testun y gerdd yn LlGC 96B sydd yn profi y tu hwnt i amheuaeth mai trwy'r copi 'gwreiddiol' yn llsgr. Caerdydd 2.6, ac nid trwy'r trawsysgrifiad diweddar hwn, y daeth 'Coed Glyn Cynon' yn hysbys i gynulleidfa ehangach tua dechrau'r ganrif hon.

Bu farw Syr Thomas Phillipps yn 1872, ac yn 1886 y dechreuwyd ar y broses hir o werthu ei gasgliad mawr. Pan fu sôn yn 1895 am werthu'r llawysgrifau Cymraeg a Chymreig, penderfynwyd, â chryn weledigaeth a menter, geisio eu sicrhau ar gyfer Llyfrgell Tref Caerdydd, a dyna yn wir a wnaed.[82] Llyfrgellydd y llyfrgell honno ar y pryd oedd John Ballinger (1860-1933),[83] a fu wedi hynny yn llyfrgellydd cyntaf Llyfrgell Genedlaethol Cymru. Er na fedrai'r Gymraeg, sylweddolodd Ballinger o'r gorau bwysigrwydd casgliad Phillipps, a hefyd gyfoeth y llyfrau a'r llawysgrifau Cymraeg a Chymreig eraill a ddaethai'n ddiweddar i'r llyfrgell yng Nghaerdydd; sylweddolodd hefyd fod angen Cymro cymwys i'w gynorthwyo i drefnu a chatalogio casgliadau'r llyfrgell hon a oedd yn prysur fynd yn un o brif lyfrgelloedd Prydain. Y gŵr a benodwyd ym mis Tachwedd 1896 oedd J. Ifano Jones (1865-1955),[84] brodor o Aberdâr; ac er mai â llyfrau printiedig casgliad Caerdydd, ac â hanes argraffu yng Nghymru, y cysylltwn enw Ifano'n fwyaf arbennig bellach,[85] rhaid peidio ag anghofio iddo ymhél yn helaeth hefyd â chasgliad llawysgrifau Llyfrgell Caerdydd. Tybed onid Ifano a fu'n gyfrifol am ddwyn 'Coed Glyn Cynon' i olau dydd a sylw ysgolheigion a llengarwyr ei gyfnod, a hithau'n cofnodi mewn ffordd mor angerddol ddinistr harddwch ei fro enedigol ei hun? Os cywir y dyb hon, byddai'n deg casglu iddo ddod ar draws y gerdd rywbryd rhwng tua 1902 ac 1905. Y mae'r gyfres fach o ysgrifau ar hanes diwylliannol 'Dyffryn Cynon' a ymddangosodd ar dudalennau *Y Geninen* yn y cyfnod 1900-1904 yn hollol ddi-sôn am 'Coed Glyn Cynon', er bod yr awdur, Jenkin Howell (1836-1902),[86] yn cyfeirio'n benodol mewn un ysgrif at goedwigoedd y cwm a'r anharddu a fu arnynt yn sgil twf y diwydiannau trwm.[87] Yr oedd Jenkin Howell yn argraffydd yn Aberdâr, yn hyddysg iawn yn hanes a thraddodiadau ei fro ac yn gryn awdurdod ar lên gwerin a thafodiaith dwyrain Morgannwg. Yn arwyddocaol iawn, bu Ifano Jones yn gweithio iddo am ddeuddeng mlynedd fel cysodydd a darllenydd proflenni cyn iddo symud i'w swydd yn Llyfrgell Tref Caerdydd yn 1896;[88] pe bai 'Coed Glyn Cynon' yn hysbys cyn i Jenkin Howell farw yn 1902, y mae'n rhesymol credu y byddai ef wedi dyfynnu o'r gerdd yn ei gyfres o ysgrifau, neu fan leiaf gyfeirio ati.

Ymddangosodd 'Coed Glyn Cynon' mewn print am y tro cyntaf yn 1905—o fewn deng mlynedd iddi gyrraedd Llyfrgell Caerdydd—yn *Caniadau yn y Mesurau Rhyddion*, yr olaf mewn cyfres o gyfrolau bychain a olygwyd gan J. H. Davies ar gyfer Cymdeithas Llên

Cymru.[89] Er mai 'babi' J. H. Davies a John Ballinger oedd y fenter cyhoeddi hon, yn codi o ofid Ballinger am 'brinder llyfrau tlws a chain yn Gymraeg',[90] diddorol yw sylwi i'r golygydd gydnabod hefyd 'gymhorth parod a charedig y bardd Ifano ynglŷn â dygiad y cyfrolau allan';[91] ac yn achos 'Coed Glyn Cynon' a'r cerddi eraill o gasgliad Caerdydd a gynhwyswyd yn y gyfrol, gellir tybio mai Ifano a fu'n gyfrifol am eu dwyn i sylw'r golygydd yn y lle cyntaf, onid eu copïo hefyd. Atgynhyrchodd J. H. Davies destun 'Coed Glyn Cynon' o 'Phillipps MSS., 2,586, p.75' (sef llsgr. Caerdydd 2.6) yn bur ffyddlon, ond iddo osod priflythyren ar ddechrau pob llinell, ac ychwanegu (mewn ffordd fympwyol, fe ymddengys) rai atalnodau a marciau diacritig. Ychwanegodd hefyd y teitl 'Coed Glyn Cynon'—teitl a dderbyniwyd gan bob golygydd diweddarach—ar sail yr ymadrodd a ailadroddir mewn ffordd mor hiraethus ar ddiwedd cynifer o benillion y gerdd. Am ryw reswm ni chynhwyswyd yr unfed pennill ar ddeg ('o dawr arfer . . .', llau.41-44) yn nhestun *Caniadau yn y Mesurau Rhyddion*, o bosibl am nad yw ei synnwyr mor eglur â'r penillion eraill.

Wedi ei *debút* cain yn argraffiad cyfyngedig Cymdeithas Llên Cymru, aeth 'Coed Glyn Cynon' yn raddol yn rhan o dreftadaeth lenyddol hysbys y genedl. Fersiwn golygedig o'r gerdd mewn orgraff ddiweddar a gyhoeddwyd yn 1931 yng nghyfrol ddylanwadol W. J. Gruffydd, *Y Flodeugerdd Gymraeg*, a hynny ar sail testun J. H. Davies.[92] Deg yn unig o dri phennill ar ddeg gwreiddiol y gerdd a geir yma, fodd bynnag, gan i Gruffydd hepgor y pumed pennill ('os am dori . . .', llau.17-20) a'r nawfed ('o chae karw . . .', llau.33-36), yn ogystal â'r unfed pennill ar ddeg (a oedd wrth gwrs yn eisiau yn ei ffynhonnell). Newidiodd Gruffydd rywfaint ar drefn y penillion, hefyd, gan osod y degfed pennill ('ag o dele . . .', llau.37-40) o flaen y pedwerydd ('llawer bedwen glas . . .', llau.13-16). Y flwyddyn ganlynol, yn 1932, cyhoeddwyd copi manwl o destun y gerdd fel y'i ceir yn llsgr. Caerdydd 2.6, y tro hwn yn cynnwys pob un o'r penillion, yng nghyfrol T. H. Parry-Williams, *Canu Rhydd Cynnar*.[93]

Testun golygedig mewn orgraff ddiweddar a gyhoeddodd Thomas Parry ddeng mlynedd ar hugain yn ddiweddarach yn *The Oxford Book of Welsh Verse*,[94] ond y mae'r testun hwnnw yn enigma. Ar y naill law, y mae *nifer* y penillion a gyhoeddodd Thomas Parry yn cyfateb i destun J. H. Davies, gan hepgor yr unfed pennill ar ddeg; ar y llaw arall, y mae *trefn* penillion yr *Oxford Book* yn cyfateb i destun W. J. Gruffydd, a'r degfed pennill wedi'i dynnu ymlaen a'i osod o flaen y pedwerydd. Prin y gellir derbyn awgrym Tegwyn Jones,[95] fod Thomas Parry wedi seilio'i destun ar olygiad Gruffydd gan adfer y ddau bennill coll (sef y pumed a'r nawfed) ar sail testun *Canu Rhydd Cynnar* gan nad yw'r *Oxford Book* yn dilyn darlleniadau gwallus *Canu Rhydd Cynnar* yn y nawfed pennill.[96] Er y byddid am lawer reswm wedi disgwyl i Thomas Parry droi at waith ei gefnder wrth baratoi'r gerdd ar gyfer yr *Oxford Book*, os bu iddo ymgynghori o gwbl â thestun *Canu Rhydd Cynnar*—neu ynteu â'r llawysgrif wreiddiol—anodd deall pam na fanteisiodd ar y cyfle i adfer yr unfed pennill ar ddeg, sydd yn rhan hanfodol o gyfanrwydd y gerdd, a hefyd i osod y penillion eraill yn eu trefn gywir.[97] Ymddengys yn fwy tebygol o lawer fod Thomas Parry wedi seilio'i destun ar waith Gruffydd ac adfer y ddau bennill coll ar sail testun J. H. Davies.

Nid yn unig y mae 'Coed Glyn Cynon' wedi cael lle yn rhai o flodeugerddi mwyaf dylanwadol y ganrif hon,[98] ond lledodd ei phoblogrwydd hefyd trwy gyfrwng cyfieithiadau. Trosodd Gwyn Williams fersiwn *Canu Rhydd Cynnar* i'r Saesneg, a'i gyhoeddi yn ei gasgliad pwysig o gyfieithiadau, *The Burning Tree* (Llundain, 1956), 166-9. Y cyfieithiad hwnnw a atgynhyrchwyd eto yn ei gasgliadau pellach, *Welsh Poems, Sixth Century to 1600* (Llundain, 1973), 89-90, a *To Look for a Word* (Llandysul, 1976), 125-6, ac a ddetholwyd hefyd gan Gwyn Jones i *The Oxford Book of Welsh Verse in English* (Rhydychen, 1977), 70-2. Yn ogystal, cyfieithodd Rhisiart Hincks y gerdd i'r Llydaweg, 'Koad Glyn Cynon', yn *Barddas*, rhif 229-30 (Mai/Mehefin 1996), 43, a hynny ar sail testun Thomas Parry yn *The Oxford Book of Welsh Verse.*

Cyhoeddir isod ddau destun newydd o'r gerdd, yn gyfochrog â'i gilydd. Ar y chwith, atgynhyrchir testun llsgr. Caerdydd 2.6, air am air, lythyren am lythyren, gan geisio adlewyrchu cynifer o nodweddion y gwreiddiol ag sydd yn ymarferol ac yn ystyrlon bosibl. Testun golygedig mewn orgraff ddiweddar safonol a geir ar y dde. Ychwanegwyd priflythrennau, marciau diacritig ac atalnodau, cywirwyd gwallau, a dilynwyd confensiynau treiglo'r cyfnod diweddar, gyda'r bwriad o wneud y testun mor ddealladwy â phosibl—a hynny ar y darlleniad cyntaf—i'r darllenydd modern. Ar ddiwedd y testunau cyfochrog hyn, cynigir nodiadau sydd nid yn unig yn egluro rhai o'r penderfyniadau golygyddol, ond hefyd yn ceisio taflu goleuni pellach ar y gerdd ei hun a'i chyfeiriadaeth.

COED GLYN CYNON

	Llsgr. Caerdydd 2.6	*Diweddariad*
[t.75]	Aber da. llan wna i gid	Aberdâr, Llanwynno i gyd,
	plwy merthyr hyd llan vadon	Plwy Merthyr hyd Lanfabon,
	mwia adfyd /a/ fy erioed	Mwya' adfyd a fu erioed
	pen dored koed glyn kynon	Pan dorred Coed Glyn Cynon.
	tori llawer parlwr pvr	Torri llawer parlwr pur,
	lle kyrchfa gwyr a meibion	Lle cyrchfa gwŷr a meibion;
	yn oes dyddiay seren syw	Yn oes dyddiau seren syw,
	mor arael yw glynkynon	Mor araul yw Glyn Cynon!
	o bay gwr ar drafael dro	O bai gŵr ar drafael dro,
	ag arno ffo rhag estron	Ac arno ffo rhag estron,
	fo gae gen eos lettv irioed	Fo gâi gan eos lety erioed
	yn fforest koed glyn kynon	Yn fforest Coed Glyn Cynon.
	llawer bedwen glas /i/ chlog	Llawer bedwen las ei chlog
	ynghrog /i/ bytho r sayson	(Ynghrog y byddo'r Saeson!)
	sydd yn danllwyth mawr /o/ dan	Sydd yn danllwyth mawr o dân
	gen wyr yr hayarn dvon	Gan wŷr yr haearn duon.
	os am dori /a/ dwyn y bare	Os am dorri a dwyn y bar,
	lletty yr adar gwlltion	Llety yr adar gwylltion,
	bod yr anras yn /i/ plith	Boed yr anras yn eu plith,
	holl plant alis ffeilsion	Holl blant Alys ffeilsion!
	gwell /i/ dylase y sayson fod	Gwell y dylasai y Saeson fod
	ynghrog yn waylod eigion	Ynghrog yng ngwaelod eigion
	vffern boen yn kadw i plase	Uffern boen, yn cadw eu plas,
	na thori glas glyn kynon	Na thorri glas Glyn Cynon.
[t.76]	klowas ddoydyd ar fy llw	Clywais ddwedyd, ar fy llw,
	fod haid or keirw kochion	Fod haid o'r ceirw cochion
	yn oer /i/ lle yn ymado ai plwy	Yn oer eu lle, yn ymado â'u plwy;
	i ddv goed mowddwy ir aethon	I Ddugoed Mawddwy yr aethon.
	yn iach ymlid dayar dwrch	Yn iach ymlid daear dwrch,
	na chodi iwrch /o/ goedfron	Na chodi iwrch o goedfron!
	waitchio ewig hiaeth yn foed	Watsio ewig, hi aeth yn foed
	pen dored koed glynkynon	Pan dorred Coed Glyn Cynon.

o/ chae karw led /i/ droed
ir ioed oflaen kynyddon
byth ni welid /o/ yn rhoy tro
pen ddele fo /i/ lynkynon

O châi carw led ei droed
Erioed o flaen cynyddion,
Byth ni welid o yn rhoi tro
Pan ddelai fo i Lyn Cynon.

ag /o/ dele ddeiliw/r/ kan
irodio glan yr afon
teg oedd /i/ lle /i/ neythyr oed
yn fforest koed glynkynon

Ac o delai deuliw'r can
I rodio glan yr afon,
Teg oedd y lle i wneuthur oed
Yn fforest Coed Glyn Cynon.

o dawr arfer fal /i/ by gynt
o godi pynt ar afon
koed eglwisi a gwydd tay
foi kayr nhw yn llay yn glynkynon

O daw'r arfer fel y bu gynt
O godi pynt ar afon,
Coed eglwysi a gwŷdd-dai,
Fo'u ceir nhw yn llai yng Nglyn Cynon.

myna /i/ wnythyr arnyn gwest
o adar onest ddigon
ar ddyllyan dan i nod
a fyna /i/ fod yn hangmon

Mynna' i wneuthur arnyn gwest
O adar onest ddigon,
A'r dylluan dan ei nod
A fynna' i fod yn hangmon.

ag /o daw gofyn pwy /a/ naeth
hyn /o araeth greylon
dyn /a/ fy gynt yn kadw oed
dan forest koed glynkynon./terfyn.

Ac o daw gofyn pwy a wnaeth
Hyn o araith greulon:
Dyn a fu gynt yn cadw oed
Dan fforest Coed Glyn Cynon.

Darlleniadau llsgr. Caerdydd 2.6

Defnyddir y byrfoddau canlynol:

CMRh—J. H. Davies (gol.), *Caniadau yn y Mesurau Rhyddion*
CRhC—T. H. Parry-Williams (gol.), *Canu Rhydd Cynnar*

5 **pvr** Cywirer CMRh *pur*.
6 **kyrchfa** Rhoddodd yr ysgrifydd *kyrfa*, ac ychwanegu'r *-ch-* uwch ei ben.
7 **syw** Cywirer CRhC *syn*, ynghyd â'r troednodyn, '*Dyry* CLlC [= CMRh] syw, *i odli gydag* yw *yn y ll. nesaf, yn ddiau, ond* syn *sydd yn y llsgr.*' O graffu'n fanwl ar y llsgr. gwelir mai *-w* yw llythyren olaf y gair hwn, fel yn wir y disgwylid yn ôl gofynion y mesur (sef er odli'n gyrch ag *yw*, ll.8), ond bod ei strôc derfynol yn dra ysgafn. Er mor wallus yw'r trawsysgrifiad yn gyffredinol, rhydd LlGC 96B, 168, *suw* yn y fan hon.
11 **eos** Dilewyd llythyren (? *o*) o flaen y gair hwn yn y llsgr.
lettv Cywirer CMRh *lettu*.
irioed Cywirer CRhC *iroed*.
16 **dvon** Cywirer CMRh *duon*.
20 **plant** Cywirer CMRh *blant*.
23 **vffern** Cywirer CMRh *Uffern*.
plase Cywirer CMRh a CRhC *plas*.
26 **haid** Dilewyd llythyren (? *h*) o flaen y gair hwn yn y llsgr.
28 **ddv goed** Cywirer CMRh *ddu-goed*.

31 **waitchio** Mae llythyren gyntaf y gair hwn yn aneglur iawn yn y llsgr., ac ymddengys ei bod felly erbyn canol y ganrif ddiwethaf gan na chynigiodd John Rowland ond dotiau yn ei lle wrth drawsysgrifio. Dyry CMRh *Maitchio*, ond *waitchio* yw darlleniad CRhC. Ar sail ongl strôc derfynol y llythyren, tueddaf i gredu mai *w-* sydd yma, a gwelir mai *waitchio* sydd yn gweddu orau i gyd-destun y pennill cyfan; gw. hefyd y nodiadau i'r gerdd, isod.

33 **chae** Cywirer CRhC *chas*.

34 **ir ioed** Cywirer CRhC *ir coed*.

35 **welid** Cywirer CRhC *weled*.
rhoy Cywirer CRhC *rhoi*.

36 **ddele** Cywirer CRhC *ddelo*.

40 **glynkynon** Rhoddodd yr ysgrifydd *glynkyon*, ac ychwanegu'r *-n-* uwch ei ben.

41-44 Ni cheir y pennill hwn yn CMRh.

42 **godi** Mae'r *-i* derfynol yn ychwanegiad gan law ddiweddarach (o bosibl y llaw 'feirniadol' a ychwanegodd y gymeradwyaeth 'Hen Gerdd go dda', gw. n.9).

43 **koed** Cywirer CRhC *kaed*.

46 **onest** Dilewyd dwy lythyren o flaen y gair hwn yn y llsgr.

50 **araeth** Cywirer CMRh *argel*.

52 **forest** Cywirer CMRh *fforest*.

Nodiadau i'r gerdd

1-2 Aber da . . . llan vadon Fel y sylwodd Tegwyn Jones, 'Hen Gerdd go dda', *Barn*, 23, 'nodir yn benodol yma y fan lle y digwyddodd yr anfadwaith a gyffrôdd awen y bardd i ganu'. Fodd bynnag, nid enwi 'pedwar cornel yr ardal mwy neu lai' a wneir, ond yn hytrach enwi'r pedwar plwyf sydd yn amgylchynu Cwm Cynon. Fel y nodwyd eisoes (n.49), gorwedd rhan isaf Cwm Cynon ym mhlwyf Llanwynno, a'r rhan uchaf ym mhlwyf Aberdâr; y mae plwyf Merthyr gyferbyn â phlwyf Aberdâr a rhan uchaf Llanwynno tua'r dwyrain, a phlwyf Llanfabon i'r de o blwyf Merthyr.

Ac eithrio'r enw 'merthyr', y mae ffurfiau enwau'r plwyfi fel y'u nodwyd yn llsgr. Caerdydd 2.6 yn bur annisgwyl, ac ni chadwyd unrhyw ffurfiau tebyg iddynt, mewn unrhyw gyfnod, ymhlith y cofnodion yn yr archif enwau lleoedd yn Llyfrgell Prifysgol Cymru, Bangor (a cf. Brynley F. Roberts, 'Some Aberdare Place-names', 5). Mae'r ffurf 'llan vadon' yn awgrymu i mi wall copïo, gan y gellid yn gymharol hawdd gymysgu rhwng *b* a *d* yn sgript y cyfnod hwn, lle nad yw'r cyfnewidiad seinegol /b/ > /d/ neu /ɗ / yn debygol; go brin mai rhyw amrywiad llafar ar yr enw sydd yma felly. Ai camgopïo sydd yn gyfrifol hefyd am y ffurfiau 'Aber da' a 'llan wna', neu a ydynt yn ymdrechion carbwl rhyw ysgrifydd (nid ysgrifydd copi llsgr. Caerdydd 2.6, o anghenraid) i nodi ar ddu a gwyn fersiwn llafar enwau lleoedd nad oedd ef ei hun yn gyfarwydd â hwy? Y mae sawl awgrym yn y gerdd hon iddi fynd am dro i'r gogledd rywbryd yn ei hanes, ac y mae'r ffaith nas 'cywirwyd' y ffurfiau gwallus hyn ar yr enwau gan ysgrifydd testun llsgr. Caerdydd 2.6 yn awgrymu nad oedd ef yn gyfarwydd â hwy ychwaith.

Ar gadw'r ffurf gysefin ar ôl 'hyd', *hyd llan vadon*, gw. T. J. Morgan, *Y Treigladau a'u Cystrawen* (Caerdydd, 1952), 394.

2 plwy Awgrymodd Dr Peter Wynn Thomas wrthyf mai ffurf lafar ac iddi flas ogleddol yw hon, heb yr *-f* derfynol. Er y gallesid colli'r *-f* yn y ffurf hon rywbryd yn ystod hanes trosglwyddo'r gerdd, ar lafar neu ar bapur, cyferbynner llau.27-28 lle y mae'r odl gyrch *plwy / mowddwy* yn awgrymu na fu *-f* ar ddiwedd *plwy* erioed.

4 **pen** amrywiad ar *pan*. Mae blas tafodieithol gogleddol ar y ffurf, cf. *Geiriadur Prifysgol Cymru* [= *GPC*], 2677; ailadroddir y ffurf yn llau.32 a 36.

dored cysefin *torred*, hen ffurf amhersonol gorffennol mynegol y ferf *torri*, sef *torrwyd* bellach; ailadroddir y ffurf yn ll.32.

5 **parlwr** benthyciad o'r Saesneg Canol *parlour*, 'yr ystafell orau, yn enw. un a gedwir at dderbyn ymwelwyr, ystafell mewn mynachlog, tafarn, plas, &c., ar gyfer sgwrsio'n breifat' (*GPC*, 2691). Fe'i defnyddir yma'n drosiad am fan cyfarfod dirgel ac ysblennydd ar gyfer cariadon. Y mae motîff yr ystafell yn y goedwig yn un digon cyfarwydd yng nghanu Dafydd ap Gwilym, yn rhan o'i hoff dechneg o ddarlunio gwahanol agweddau ar fywyd y goedwig yn nhermau priodoleddau bywyd y llys; 'Clos to diddos, tŷ deuddyn' yw'r llwyn celyn, er enghraifft ('Y Llwyn Celyn', *Gwaith Dafydd ap Gwilym*, 83), ac yn 'Y Deildy' disgrifia Dafydd 'dŷ dail a wnaeth Duw Dad' ar ei gyfer ef a'i gariad, gan gynnal y trosiad a'i ddatblygu ar hyd y cywydd (ibid., 321-2).

Yr un motîff yn ei hanfod sydd yn ymhlyg yn y gair *lletty* (llau.11 a 18); ond cyferbynner yr awyrgylch sydd ynghlwm wrth *plase* (ll.23n), a hefyd o bosibl *bod* (ll.19n).

7 **seren syw** ymadrodd tywyll ei arwyddocâd. Awgrymodd W. J. Gruffydd (*Y Flodeugerdd Gymraeg*, 203), fod hwn yn gyfeiriad at y Frenhines Elisabeth, ond heb egluro pam y gwnaeth hynny. Ar wahân i'w ystyr 'gyffredin', defnyddid y gair *seren* trwy gydol yr Oesoedd Canol, ac ymlaen i'r cyfnod diweddar, fel trosiad canmoliaethus ac yn enwedig ar gyfer merched a gwragedd (*GPC*, cofnod drafft). Ystyr *syw* yn ôl *GPC* yw '(a) gwych, rhagorol, ceinwych, trwsiadus, destlus, twt; llawen, siriol; (b) doeth, dysgedig, celfydd, deheuig' (cofnod drafft), ac yma eto cadwyd digon o enghreifftiau o ddefnyddio'r gair o'r Oesoedd Canol ymlaen, ac yn fwyaf arbennig efallai yng nghyd-destun y canu serch.

Un o nodweddion y canu rhydd i Elisabeth sydd ar glawr yn Gymraeg yw'r toreth o enwau anwes a ddefnyddir i'w chyfarch. Yr enwocaf ohonynt wrth gwrs yw Sidanen, a chadwyd amryw gerddi lle yr ailadroddir yr enw hwn drosodd a thro; gw. T. H. Parry-Williams (gol.), *Canu Rhydd Cynnar*, 373-80; D. Lloyd-Jenkins (gol.), *Cerddi Rhydd Cynnar* (Llandysul, d.d.), 124-8. Ond fe'i cyferchir hefyd gan ddefnyddio amryw o eiriau ac ymadroddion eraill sydd yn ymdebygu i'r ieithwedd a gysylltir ar y naill law â'r canu i'r Forwyn Fair ac ar y llaw arall â'r canu serch; ymhlith llawer o enghreifftiau amrywiol, gellir nodi 'f'yngyles' (*Cerddi Rhydd Cynnar*, 125), 'Iredd feindw' (ibid., 126), 'Tlws i chorff, calon gynnes' (ibid., 127), '[y] gannaid irwen' (ibid., 128). Cyferchir Elisabeth hefyd, a hynny ar fwy nag un achlysur, fel 'seren'; er enghraifft, fe'i gelwir yn 'serenn anwyl bryttaniaid' (*Canu Rhydd Cynnar*, 376), ac er na wyddys am yr un enghraifft o ddefnyddio'r epithet 'seren syw' fel y cyfryw yn y canu hwn, rhaid cydnabod y byddai cyfeirio at Elisabeth fel hyn yn gwbl gyson ag ysbryd canu'r oes.

Fodd bynnag, cadwyd enghreifftiau o ddefnyddio *seren syw* mewn cerddi serch diweddarach, yn epithet am gariadferch y bardd. Digwydd yr ymadrodd ddwywaith, ymhlith llu o enwau serch digon cyfarwydd megis 'deuliw'r wawr' a 'deuliw'r can' (gw. ll.37n), mewn cerdd rydd a gadwyd yn llsgr. LlGC 21391E, ac a briodolir i Iolo Morganwg (*Cerddi Rhydd Iolo Morganwg*, 27-8). Ceir enghraifft arall o'r geiriau 'seren syw' yn y gerdd 'Canmoliaeth Merch' gan John Howell yn ei flodeugerdd bwysig, *Blodau Dyfed* (Caerfyrddin, 1824), 401:

> Mae rhyw fwynder llawnder lles,
> Yn dy gynnes fynwes, feinwen,
> Hardd winwydden, liwus, lawen,
> Seren syw, clyw y claf.

(Amrywiad ar y llinellau hynny a geir ym mhennill cyntaf y gân werin gyfarwydd, 'Cariad Cyntaf':

> Mae prydferthwch ail i Eden
> Yn dy fynwes gynnes, feinwen,
> Fwyn gariadus, liwus lawen;
> Seren syw, clyw di'r claf.

Ailadroddir yr ymadrodd 'seren syw' eto yn y pennill olaf; gw. *Cylchgrawn Cymdeithas Alawon Gwerin Cymru*, cyf. 1 (1909-12), 166-7; fe'i cynullwyd i W. S. Gwynn Williams, *Caneuon Traddodiadol y Cymry*, cyf. 1, Llangollen, 1961, 44). Er bod yr enghreifftiau hyn yn ddiweddarach o dipyn na 'Coed Glyn Cynon', ni ddylid anwybyddu'r posibilrwydd bod hwn yn ymadrodd stoc ac iddo dras go hir yn y canu rhydd. Os felly, y mae'n bosibl nad yw'r geiriau *seren syw* yn 'Coed Glyn Cynon' yn fwy na chyfeiriad (penodol neu ynteu cyffredinol) at gariadferch y bardd, a'r llinell gyfan, *yn oes dyddiay seren syw*, yn gyfeirad syml—os hytrach yn dawtolegol—at dymor caru, sef y mae'n debyg, misoedd yr haf pryd y byddai'r goedwig ar ei mwyaf dymunol a chysgodol—motîff arall sydd yn ddigon amlwg yng nghanu Dafydd ap Gwilym, er enghraifft yn y cywydd 'Mis Mai a Mis Ionawr' (*Gwaith Dafydd ap Gwilym*, 187-8).

Fodd bynnag, yn Oes Elisabeth I defnyddid 'seren' yn gyffredin mewn un cyd-destun arall, tra gwahanol i'r rhai a nodwyd uchod, sef yn yr enw Llys y Seren, yr enw Cymraeg ar 'Star Chamber', ac nid yw'n gwbl amhosibl fod y geiriau *seren syw* yn cyfeirio at weithgareddau'r llys hwnnw. (Hoffwn ddiolch i'r Dr Jerry Hunter am yr awgrym hwn.) Aden farnwrol ar weithgareddau'r Cyfrin Gyngor oedd Llys y Seren yn ei hanfod, ac yn yr union gyfnod dan sylw tyrrai llu o Gymry i geisio cyfiawnder y llys hwn mewn amrywiaeth o achosion; gw. Ifan ab Owen Edwards, *A Catalogue of Star Chamber Proceedings relating to Wales* (Caerdydd, 1929). Gogleisiol yw sylwi, fel y nodwyd uchod, fod dau o'r meistri haearn Seisnig a chanddynt ddiddordeb yng ngweithfeydd cymoedd Cynon a Thaf, sef Thomas Mynyffee a John Watkeys, wedi mynd ag achosion yn ymwneud ag anghydfod ynghylch eu heiddo i Lys y Seren a Llys Cyngor Cymru a'r Gororau tua diwedd yr 1580au; gw. William Rees, *Industry before the Industrial Revolution*, 255. A ydyw'n bosibl fod yr ymadrodd *seren syw* yn ymwneud mewn rhyw fodd â'r digwyddiadau hynny?

8 arael *araul* 'disglair, gloyw, golau, gwych, heulog, hyfryd, rhadlon, tawel' (*GPC*, 177). Y mae'n glir fod y bardd am bwysleisio godidowgrwydd naturiol y fro wrth ddefnyddio'r ansoddair hwn; fodd bynnag, os cywir yr awgrym uchod y gall *seren syw* (ll.7n) fod yn gyfeiriad at weithgareddau Llys y Seren, y mae'n bosibl bod yma elfen o air mwys, ac *arael* hefyd yn cyfleu tawelwch a threfnusrwydd cymdeithasol yr ardal (? mewn cyferbyniad â rhannau eraill o'r wlad, gw. *ddv goed mowddwy*, ll.28n).

9 **o** hen gysylltair yn cyflwyno cymal amodol (= Saesneg *if*); cf. llau. 33, 37, 41, 49.

ar drafael 'mewn trafferth, mewn trybini'.

dro Cymerir mai *tro* 'amser', yn y cyflwr adferfol, sydd yma: 'rhyw dro, rhyw bryd'.

11 **fo** ffurf a ystyrir bellach yn ffurf ogleddol ar y geiryn rhagferfol; cf. ffurfiau'r rhagenw annibynnol trydydd unigol gwrywaidd *o* (ll. 35) a *fo* (ll. 36). Y mae'r odl gyrch *tro / fo* (llau.35-36) yn awgrymu nad newidiadau 'gogleddol' a wnaed yn ystod cyfnod trosglwyddo'r gerdd ar lafar neu ar bapur mo'r ffurfiau hyn; gw. hefyd *plwy* (ll.3n).

gen ffurf dafodieithol, ogleddol ar yr arddodiad *gan*; fe'i hailadroddir yn ll.16.

eos Anodd penderfynu a oes unrhyw arwyddocâd i'r ffaith mai'r eos, yn hytrach nag unrhyw un arall o adar amrywiol y goedwig, sydd yn cael y gwaith o ddarparu 'llety' i ffoaduriaid. Fel y dangosodd Huw M. Edwards (*Dafydd ap Gwilym: Influences and Analogues*, 82-3, 105, 111-12), digwydd yr eos yn gyffredin mewn sawl llenyddiaeth—gan gynnwys llenyddiaeth Gymraeg—mewn *milieu* serch a chariad, ond nid dyna gyd-destun amlwg y pennill hwn. Gan fod yr eos yn aderyn arbennig o anodd i'w ganfod, oherwydd ei harferion a lliw ei phlu, a chan y cysylltir cân yr eos yn draddodiadol â'r nos ac oriau tywyllwch pan fydd adar eraill wedi mynd i glwydo, diau fod ganddi gymwysterau digon priodol i'r gwaith y mae'r bardd yn ei roi iddi yma.

Er bod yr eos yn ymddangos yn lled gyson yn llenyddiaeth Gymraeg, nid yw ei thiriogaeth ond yn braidd gyffwrdd â Chymru bellach. Diau fod y diriogaeth honno yn cynnwys coedwigoedd trwchus dwyrain Morgannwg yn yr unfed ganrif ar bymtheg, a bod y bardd yn cyflwyno yma dystiolaeth naturiaethol ddilys, yn hytrach na phwyso ar ryw gonfensiwn a etifeddodd o'r traddodiad llenyddol poblogaidd; cf. n.18. Gw. John Gooders, *Collins British Birds* (Llundain, 1982), 261; Michael Cady & Rob Hume, *The Complete Book of British Birds* (Basingstoke, 1988), 222; Walter Cerny, *A Field Guide in Colour to Birds* (Llundain, 1975), 200.

lettv gw. *parlwr* (ll.5n).

12 **fforest** Yn ogystal â'r ystyr gyffredin, 'coedwig, darn eang o goetir', y mae i'r gair *fforest* yr ystyr dechnegol 'tir diffaith a gwyllt heb ei drin a heb ei gau i mewn a neilltuid gan frenin neu arglwydd ar gyfer hela' (*GPC*, 1305). Yn yr Oesoedd Canol, gweinyddid cyfreithiau llym y fforestydd gan swyddogion a benodwyd i'r gwaith hwnnw, a chynhalient lysoedd arbennig i drafod unrhyw achosion o dor-cyfraith o fewn ffiniau'r fforest. Er mai helwriaeth oedd y wedd bwysicaf ar weithgareddau'r fforestydd yn wreiddiol, erbyn diwedd yr Oesoedd Canol daethpwyd i'w hystyried yn fwy arbennig fel ffynonellau incwm i'w perchnogion yn sgil eu cynnyrch amrywiol: er enghraifft, ffrwythau, cnau, cwyr a mêl, mês i fwydo moch, pren ar gyfer adeiladu, ac, wrth gwrs, siarcol. Gw. William Linnard, *Welsh Woods and Forests: History and*

Utilization, 30-50. Er nad oes tystiolaeth bod coed Glyn Cynon yn 'fforest' yn yr ystyr dechnegol hon, y mae'r gyfatebiaeth, serch hynny, yn awgrymog.

Fel y gwelwyd uchod, yr oedd prydlesau ar goed, gan gynnwys rhandir a elwir 'the forest' yng Nglyn Cynon, ymhlith yr eiddo a brynodd Thomas Mynyffee oddi wrth Anthony Morley pan aeth hwwnw'n fethdalwr yn 1586.

13 bedwen glas Annisgwyl yw gweld ansoddair cyffredin yn gwrthsefyll treiglad ar ôl enw benywaidd unigol; a gadwyd ffurf gysefin yr ansoddair gan mai cysyniad lluosog a gyfleir gan yr ymadrodd *llawer bedwen*? (Defnyddir ffurf trydydd unigol benywaidd y rhagenw blaen yn gywir, *glas i chlog*.)

chlog cf. disgrifiad trosiadol Dafydd ap Gwilym o'r coed irwyrdd yn ei gywydd 'Mis Mai': 'esgyll dail mentyll Mai' (*Gwaith Dafydd ap Gwilym*, 67).

14 ynghrog i bytho r sayson Er bod cyfreithiau brodorol Cymru—Cyfraith Hywel—yn crogi lladron dan rai amgylchiadau (Dafydd Jenkins, *Cyfraith Hywel*, Llandysul, 1970, 62, 66), cosb a gysylltid yn arbennig â Chyfraith Loegr, a ddaethai er y Deddfau Uno yn gyfraith dros Gymru hefyd, oedd crogi, ac yr oedd dwyn coed yn drosedd y gellid crogi o'i phlegid yn y cyfnod hwn. Rhan o ymwybod y bardd â chyfiawnder yw ei ddymuniad i ddienyddio'r Saeson am eu troseddau trwy'r dull a gysylltid yn arbennig â'u cenedl hwy eu hunain, a cheir eironi pellach yn y ffaith mai ar goed (ac nid rhyw strwythur o waith dynion) y crogid drwgweithredwyr yn aml yn y cyfnod hwnnw, fel petai'r coed eu hunain yn cael gweinyddu cyfiawnder am y troseddau a gyflawnwyd yn erbyn y goedwig a'i dibynyddion.

Gan mai haenau isaf y gymdeithas a ddienyddid yn draddodiadol ar grocbren—trwy torri'r pen y dienyddid yr haenau uchaf—ceir yma hefyd fynegiant clir ond cynnil o agwedd ddirmygus y bardd tuag at y meistri haearn o Saeson; er eu cyfoeth, nid boneddigion o dras mohonynt.

15 danllwyth mawr o dan cyfeiriad at y tasau neu bentyrrau mawr o goed a godid gan y llosgwyr siarcol neu'r 'coliars coed' wrth gyflawni'u gwaith: wedi cynnau'r tas, byddai'r tân yn mudlosgi am ryw wythnos nes troi'r pren yn olosg (carbon) pur. Am ddisgrifiad o broses gwneud siarcol, gw. William Linnard, 'Gweld y pren a'r coed yn y gerdd "Coed Glyn Cynon" ', *Barn*, 26.

16 wyr yr hayarn dvon y llosgwyr siarcol. Y carbon (h.y., y siarcol) sydd yn eu gwneud yn ddu yr olwg.

17-20 Nid yw cystrawen y pennill hwn yn glir, yn bennaf oherwydd ansicrwydd ynghylch swyddogaeth *bod* yn ll.19. Ai dyna pam yr hepgorodd W. J. Gruffydd y pennill hwn o *Y Flodeugerdd Gymraeg*?

17 os Er mai cysylltair yn cyflwyno ymadrodd adferfol amodol (= Saesneg *if*) sydd yma ar yr wyneb, nid oes unrhyw elfen o amod neu amheuaeth yn ymhlyg yn yr hyn sydd yn ei ddilyn mewn gwirionedd; y mae llau.4, 5 a 15 yn dangos yn berffaith glir bod y Saeson eisoes wedi torri'r coed.

bare Y mae'n amlwg na fwriedid ynganu'r *-e*, fel y gwelir o'r odl gyrch ag *adar* yn y llinell ddilynol; cf. odli'r ffurfiau *plase* / *glas* llau.23-24. Awgrymodd Tegwyn Jones ('Hen Gerdd go dda', *Barn*, 23), 'mai *bâr* yn golygu "chwant, trachwant, rhaib" sydd yma, gan gyfeirio'n ôl at "wŷr yr haearn duon" yn y pennill blaenorol.' Yn fy marn i, fodd bynnag, y mae'n fwy tebygol mai *bar*, benthyciad o'r Saesneg Canol *barre*, sydd yma, a ddefnyddid yn llythrennol i olygu 'polyn neu ddarn hirfain o bren neu o fetel', ac yn ffigurol yn yr ystyr 'cangen, cainc' (*GPC*, 256). Y llinell hon sydd yn nodi'r drosedd y cyhuddir y Saeson ohoni, sef torri a dwyn cangau'r coed.

19 bod Anodd gweld arwyddocâd *bod* yn y fan hon. Nid y berfenw yn cyflwyno cymal enwol mohoni, onid wyf yn methu'n llwyr. Gellid ei ddehongli fel enw yn golygu 'cartref arhosol, annedd, preswylfod, trigfan' (*GPC*, 293), a fyddai'n cydbwyso'n daclus â'r gair *lletty* yn y ll. flaenorol; gw. hefyd *parlwr* (ll.5n). Posibilrwydd arall yw ei deall fel ffurf ar drydydd unigol gorchmynol y ferf *bod*, 'boed', fel y gwnaeth Thomas Parry yn *The Oxford Book of Welsh Verse*; dilynir yr arweiniad hwnnw yn y testun a argreffir yma.

anras 'drygioni, anfadrwydd, melltith; y gŵr drwg' (*GPC*, 153).

20 plant alis llysenw (sarhaus) ar y Saeson (*GPC*, 2818). Yn ôl traddodiad a gofnodir yn *Historia Brittonum*, *c*.800, ar sail yr hanes a nodwyd gan Gildas yn *De Excideo Britanniae*, *c*.547, rhoddwyd merch Hengist, sef un o ddau arweinydd y lluoedd cyntaf o Saeson i ddod i Brydain, yn wraig i Wrtheyrn, frenin neu uwch-frenin yn ne'r ynys, yn gyfnewid am deyrnas Caint. Gwahoddodd y Saeson benaethiaid y Brythoniaid i wledd, eu meddwi, a lladd tri chant ohonynt gyda'u cyllyll hirion mewn cynllwyn i ennill rheolaeth dros yr ynys gyfan. Er nad enwir y ferch yn *Historia Brittonum*, y mae Sieffre o Fynwy wrth ail-weu'r hanes *c*.1130, yn *Historia Regum Britanniae*, yn sôn amdani fel Renwein neu Ronwen, a daethpwyd i synio amdani fel mam cenedl y Saeson. Cyfeiria'r beirdd at y Saeson yn aml fel 'plant Rhonwen' neu 'wyrion Rhonwen'; gw. er enghraifft, Ifor Williams a John Llywelyn Williams (goln.), *Gwaith Guto'r Glyn* (Caerdydd, 1939), 130, 135; W. Leslie Richards (gol.), *Gwaith Dafydd Llwyd o Fathafarn* (Caerdydd, 1964), 28, 34, 148; T. Gwynn Jones (gol.), *Gwaith Tudur Aled*, cyf. 1 (Caerdydd, 1926), 196. Mae rhai fersiynau ar yr hanes yn ei galw'n Alis Rowena, ac o'r herwydd y mae'r beirdd hefyd yn cyfeirio at y Saeson fel 'plant Alis'; gw. er enghraifft, *Gwaith Dafydd Llwyd o Fathafarn*, 34, 42, 76, 123; *Gwaith Guto'r Glyn*, 143. Yn ymhlyg yng nghyfeiriadau'r beirdd, bron yn ddieithriad, yw'r syniad o frad a thwyll, a dyna arwyddocâd yr ansoddair *ffeilsion* yn y testun dan sylw yma. Gw. hefyd Rachel Bromwich (gol.), *Trioedd Ynys Prydein* (Caerdydd, 1978), 392-6, 498-9; Prys Morgan, 'From Long Knives to Blue Books', yn R. R. Davies *et al.* (goln.), *Welsh Society and Nationhood* (Caerdydd, 1984), 199-215; *idem*, 'R. J. Derfel a'r ddrama *Brad y Llyfrau Gleision*', yn Prys Morgan (gol.), *Brad y Llyfrau Gleision* (Llandysul, 1991), 1-21.

22 yn waylod dealler 'yng ngwaelod'.

23 plase 'plas', benthyciad o'r Hen Ffrangeg *place*, o bosibl trwy'r Saesneg Canol: 'man, mangre, lle neilltuol neu benodedig' (*GPC*, 2819); ar yr *-e*, gw. *bare* (ll.17n). Ystyr 'cadw' yn yr ymadrodd *kadw i plase* yw 'gofalu am, edrych ar ôl (er mwyn bywoliaeth)' (*GPC*, 379), gan greu delwedd gref o'r Saeson yn tendio tanau uffern yn lle'r tasau o goed a losgid ym mhroses gwneud siarcol ar elltydd Glyn Cynon. Ond diau y gallwn dderbyn fod yma yn ogystal elfen o air mwys gan fod *plas* hefyd yn gallu golygu 'palas, plasty, maenordy, neuadd, llys' (*GPC*, 2819). Byddai amgylchiadau byw y meistri haearn gryn dipyn yn uwch nag eiddo'r boblogaeth frodorol, a byddent yn sicrhau cartrefi digon moethus—plasau—iddynt eu hunain. Cyferbynner ysbryd y cyfeiriad hwn wedyn â *parlwr* (ll.5n) a *lletty* (llau.11 a 18).

25 klowas Nodwedd dafodieithol ogleddol, y mae'n debyg, yw'r *-o-*; gallai'r terfyniad person cyntaf unigol gorffennol mynegol *-as* fod yn ddeheuol neu'n ogleddol.

ddoydyd Y mae'r rhan fwyaf o'r enghreifftiau o'r amrywiad hwn ar y ferf *dywedyd* a nodir yn *GPC*, 1152, i'w cysylltu â gogledd Cymru.

26 keirw kochion A yw'r enw-lle Moel yr Hyddod ('moyle yr hythode', 1594, 'moyle y rythod', 1570; Brynley F. Roberts, 'Some Aberdare Place-names', 16) yn cadw cof am y ceirw cochion a fu'n trigo yn y cylch ar un adeg? Cf. hefyd sylw John Leland am yr ardal rhwng Dyffryn Wysg a Chwm Tawe, 'The mountaines have sum redde dere' (*The Itinerary in Wales of John Leland*, 16).

27 oer 'trist, digalon, isel ei ysbryd; yn peri tristwch neu iselder, annymunol, anhyfryd' (*GPC*, 2624). Yng ngherdd Robin Clidro am dorri Coed Marchan, digwydd yr ymadrodd 'oer ei lle' i ddisgrifio'r dylluan wedi colli ei nythle (Cennard Davies, 'Robin Clidro a'i Ganlynwyr', 47, llau.25-6).

28 ddv goed mowddwy Er y gallai *ddv goed* fod yn ansoddair + enw cyffredin yn y fan hon, mae Dugoed yn digwydd fel elfen mewn enwau lleoedd yng nghyffiniau Mawddwy: er enghraifft, Cwm Dugoed, afon Dugoed, Foel Dugoed, Nant y Dugoed. Yr oedd ardal Mawddwy yn enwog yn yr unfed ganrif ar bymtheg am ei gwylliaid, sef dynion yn byw ar herw, ac er y geill fod y pennill hwn i'w ddarllen yn gwbl lythrennol, yn darlunio mudo'r ceirw cochion o foelni cymharol Glyn Cynon wedi torri'r coed, i ddiogelwch coedwigoedd trwchus Meirionnydd, tueddaf i gredu fod yma gyfeiriad 'cudd' at herwyr lleol yn mynd tua'r gogledd i ymuno â'u cymheiriaid yno, sef 'Gwylliaid *Cochion* Mawddwy', a adwaenid hefyd yn y gogledd fel 'Gwylliaid y Dugoed'.

Ymhellach, nid yw'n amhosibl fod yma ryw led gyfeiriad at hanes yr honnid iddo ddigwydd yn Nugoed Mawddwy tua chanol yr unfed ganrif ar bymtheg. Er ei bod yn dra sicr bod hanesion am y Gwylliaid wedi tyfu gyda threigl y blynyddoedd, gwyddys bod y Barwn Lewis Owen, a wnaethai ymdrech arbennig i adfer cyfraith a threfn i'r ardal yn ystod ei gyfnod fel Siryf Meirionnydd, wedi'i lofruddio yn Nugoed Mawddwy ger Mallwyd yn 1555, a dywedir i hynny ddigwydd er dial ar y siryf am grogi dros bedwar ugain o wylliaid. Yr oedd y rhai a dynnwyd o flaen eu gwell wedi'u cyhuddo o'r llofruddiaeth hon yn rhydd-ddeiliaid, yn ddynion o statws yn lleol, ac ymddengys iddynt gael eu gyrru i weithredu yn y fath fodd wrth weld Lewis Owen yn pluo'i nyth ei hun, heb ystyried cost hynny i'r gymdeithas o'i gwmpas. Y mae'r gyfochreb â meistri haearn Glyn Cynon yn ogleisiol—er rhaid pwysleisio nad oes modd gwybod bellach ai'r hanes hwnnw oedd ym meddwl y bardd ai peidio wrth iddo lunio'r pennill hwn. Fodd bynnag, pe bai yma ryw led-gyfeiriad dilys at hanes lladd y Barwn Owen, byddai hynny'n cadarnhau gosod dyddiad cyfansoddi 'Coed Glyn Cynon' ar ôl Hydref 1555. Gw. J. Gwynfor Jones, 'Lewis Owen, Sheriff of Merioneth and the "Gwylliaid Cochion" of Mawddwy in 1554-55', *Journal of the Merioneth Historical and Record Society*, cyf. 12 (1996), 221-40; Glyn Williams, *Y Gwylliaid* (Maentwrog, 1989); Gwyndaf Breeze, 'Maffia Mawddwy—(1)', *Llafar Gwlad*, rhif 57 (Haf 1997), 18-19.

Fel y nodwyd uchod (*plwy*, ll.2n), y mae'r odl gyrch *plwy* / *mowddwy* yn annisgwyl mewn cerdd y tybir iddi gael ei chyfansoddi gan frodor o Gwm Cynon. A ydyw'n bosibl fod y pennill hwn yn ychwanegiad diweddarach? Sylwer bod y ddau bennill canlynol (llau.29-36) eto yn sôn am geirw.

29 **yn iach** 'ffarwél!' Mae'r bardd yn dechrau nodi cyfres o weithgareddau a gysylltid â'r goedwig, ond sydd bellach wedi darfod amdanynt.

dayar dwrch Anodd credu mai'r twrch daear neu'r wâdd a olygir yma. Mae Gwyn Williams yn cyfieithu 'badger' (*The Burning Tree*, 169); un o'r enwau Cymraeg cyffredin ar y creadur hwnnw, wrth gwrs, yw 'mochyn daear' (*GPC*, 2469).

30 **na** cysylltair yn golygu 'neu, a(c)' (*GPC*, 2545).

goedfron 'allt, llechwedd coediog'.

31 **waitchio** Fel y nodwyd yn yr adran ar ddarlleniadau llsgr. Caerdydd 2.6, nid yw llythyren gyntaf y gair hwn yn glir yn y llawysgrif. 'Maitcho' sydd gan J. H. Davies yn *Caniadau yn y Mesurau Rhyddion*, 52, ac fe'i dilynir gan W. J. Gruffydd yn *Y Flodeugerdd Gymraeg*, 145, a'i ddiweddaru'n 'Matsio', sydd yn golygu fel arfer 'trefnu i (rywun) briodi, cael gŵr neu wraig i, priodi' (*GPC*, 2376); yn y cyd-destun presennol ystyr 'maitsio', y mae'n debyg, fyddai 'cael cymar, paru, cyplu'. Fodd bynnag, 'waitcho' yw darlleniad T. H. Parry-Williams yn *Canu Rhydd Cynnar*, 400, a dyna fy narlleniad innau o'r testun yn y fan hon. Y mae'n debyg mai benthyciad o'r Saesneg *watch*, sef 'gwylio [a dilyn]', sydd yma, ac y mae'r ystyr hwn yn gweddu i'r dim mewn pennill sydd yn sôn am wahanol agweddau ar hela creaduriaid y goedwig (*ymlid* ll.29; *codi* ll.30); 'deer-stalking' yw cyfieithiad Gwyn Williams (*The Burning Tree*, 169).

yn foed benthyciad o'r Saesneg *void*, 'gwag, ofer, dirym, di-werth, diflanedig' (*GPC*, 1270).

34 **kynyddon** lluosog *cynydd*, 'heliwr, helsmon, ceidwad cŵn hela' (*GPC*, 803). Y mae'r terfyniad lluosog *-on* (heb yr *i*-gytsain) yn nodwedd dafodieithol ddeheuol; cyferbynner *meibion* ll.6, *gwlltion* ll.18, etc.

35 **o** rhagenw personol annibynnol syml trydydd unigol gwrywaidd; y mae'r enghraifft hon yn gynharach na'r rhai a nodir yn *GPC*, 2612.

yn rhoy tro disgrifiad o ddull nodweddiadol ceirw o osgoi erlidwyr trwy ochrgamu'n sydyn a newid cyfeiriad. Cyn i'r Saeson ddod, ni fyddai'r fath dactegau'n angenrheidiol unwaith y cyrhaeddai carw ddiogelwch tyfiant trwchus coed Glyn Cynon.

37 **ddeiliw'r kan** un o ymadroddion stoc y canu serch, yn golygu 'merch a'i chroen ddwywaith gwynnach na'r can (blawd)'. Cyfrifid croen golau yn ddelfryd o harddwch yn yr Oesoedd Canol.

Ar dreiglo'r goddrych yn feddal ar ôl ffurf trydydd unigol amherffaith y ferf, gw. T. J. Morgan, *Y Treigladau a'u Cystrawen*, 199, 214.

39 **oed** 'cytundeb (yn enw. gan gariadon) i gyfarfod, cyfarfod (yn enw. un cyfrinachol) rhwng cariadon, pwyntment' (*GPC*, 2621); y mae'r gair yn un arall o ystrydebau'r canu serch.

42 **pynt** hen ffurf luosog *pont*. Yr arfer yn y cyfnod canol oedd codi pontydd o bren, a cheir tystiolaeth ddiddorol i fodolaeth pontydd o'r fath yng ngwaelod Cwm Taf yn ystod ail chwarter yr unfed ganrif ar bymtheg yng ngwaith John Leland:

> BRIDGES THAT BE NOTABLE APON TAPHE RIVER.
>
> Pont Rhehesk of wood. Pont Newith of wood 3. miles lower. Pont Landafe of wood 4. miles lower. Pont Cairdife of wood a mile lower.
>
> The water of Taphe cummith so doun from woddy hilles, and often bringgith down such logges and trees, that the cuntery wer not able to make up the

> bridges if they were stone, they should be so often broken (*The Itinerary in Wales of John Leland*, 35).

Beth bynnag am ofnau bardd 'Coed Glyn Cynon', yr oedd boncyffiau coed yn cael eu defnyddio o hyd fel pontydd syml yng Nghwm Cynon ar ddechrau'r bedwaredd ganrif ar bymtheg. Wrth ddisgrifio'r llwybr ar hyd lannau Cynon, meddai Benjamin Heath Malkin:

> Near the place to which I refer is an Alpine bridge, formed by two trunks of trees, with the luxury and safeguard that does not often occur, of a railing on each side, to compensate for its tremulousness under the foot (*The Scenery, Antiquities, and Biography, of South Wales*, 167).

43 koed eglwisi a gwydd tay Cymerir mai *gwŷdd* 'coedwydd, coed defnydd' sydd yma (*GPC*, 1753), sef cyfeiriad at ddefnyddio pren i bwrpas adeiladu. Dengys Cyfraith Hywel yn glir mai adeiladau o bren oedd fwyaf cyffredin yn Nghymru'r Oesoedd Canol cynnar, ac mai'r dderwen oedd y bwysicaf o'r coed i'r diben hwnnw, ffaith a adlewyrchir yn y pris uchel a osodir ar goed derw yn y cyfreithiau; gw. Stephen J. Williams & J. Enoch Powell (goln.), *Cyfreithiau Hywel Dda yn ôl Llyfr Blegywryd* (Caerdydd, 1942), 95-6, 98. Yn araf iawn y disodlwyd pren fel deunydd adeiladu, ond hyd yn oed ar ôl i feini a briciau ddod yn ddigon cyffredin wrth godi adeiladau o bob math erbyn diwedd y cyfnod, parhaodd coed a phren yn rhan hollbwysig o'u strwythur a'u pensaernïaeth sylfaenol. Ar waelod y raddfa gymdeithasol, bu tai o bren, mwd a gwellt yn lled gyffredin am flynyddoedd lawer ar ôl canu 'Coed Glyn Cynon'. Ar bensaernïaeth draddodiadol tai Cymru, gw. Iorwerth C. Peate, *The Welsh House* (Lerpwl, 1946); Peter Smith, *Houses of the Welsh Countryside* (Llundain, 1975).

45 gwest cysefin *cwest*, benthyciad o'r Saesneg *quest*, 'ymholiad neu archwiliad cyfreithiol; prawf, treial; ymchwil; nifer o bersonau a benodwyd i gynnal ymholiad cyfreithiol, corff o reithwyr; archwiliad crwner a rheithwyr mewn achos o farwolaeth drwy ddamwain neu drwy drais, trengholiad' (*GPC*, 636). Achos llys yn y dull Seisnig, yn ddiau, sydd gan y bardd mewn golwg i brofi'r drwgweithredwyr o Saeson, a diau hefyd y dylid deall mesur o ddirmyg ynghlwm wrth ei ddefnydd o'r gair-benthyg Saesneg i'w ddynodi. Er mai cyhuddiad o ladrad a osodir yma yn eu herbyn, sef *dori a dwyn y bare* (ll.17n), ni ddylid anghofio'r cysyniad o ymholi i farwolaeth trwy drais a all fod yn ymhlyg yn y gair *cwest*, ac a allai awgrymu bod y drosedd o dorri'r coed, yng ngolwg y bardd, gyfystyr â llofruddiaeth.

Fel y nodwyd eisoes, defnyddir y gair *cwest* mewn cyd-destun tebyg iawn, sef wrth gyfeirio at achos cyfreithiol a gynhelir gan adar y goedwig, mewn cywydd o waith Thomas Prys o Blas Iolyn (*The Cefn Coch MSS.*, 97).

Tra gogleisiol yn y cyd-destun hwn yw nodi'r enw lle yn ardal Aberdâr, Llwynydadleu ('Lloyde y dawlle', 1570, 'lloyn y daddle', 1594; Brynley F. Roberts, 'Some Aberdare Place-names', 16) a allai gyfeirio at safle hen lys barn neu ryw fan trafod cyhoeddus traddodiadol.

47 ddylluan Ar y ffurf gysefin *dylluan*, gw. T. J. Morgan, *Y Treigladau a'u Cystrawen*, 462-3. Nid annisgwyl am sawl rheswm roddi gwaith yr *hangmon* i'r dylluan, a diddorol yw nodi y ceir yr un ddyfais yn union yn y cywydd o waith

Thomas Prys y cyfeiriwyd ato uchod: 'y ddylluan bryd llewig / ywr hangmon iw ddwyfron ddîg' (*The Cefn Coch MSS.*, 98). Synnid am y dylluan fel aderyn drygargoelus ac arbennig o ddifrifol, a byddai gwaith hangmon yn ddigon priodol iddi felly. Yn ôl hen draddodiad gwerin y rhoddir mynegiant llenyddol iddo yn hanes Blodeuwedd yng nghainc *Math fab Mathonwy*, yr oedd gelyniaeth agored rhwng y dylluan ac adar eraill y goedwig (gw. *Pedeir Keinc y Mabinogi*, gol. Ifor Williams, Caerdydd, 1930, 91), ac yr oedd yr hangmon yntau'n greadur a ddirmygid gan ei gyd-ddynion, un gwrthun yn y gymdeithas. Nododd Brinley Rees (*Dulliau'r Canu Rhydd*, 73), mai 'gelyn serch a llawenydd . . . yw'r dylluan yn llenyddiaeth Lloegr hefyd', ac ymhellach mai 'aderyn drygargoelus ydyw mewn amryw wledydd'. Gw. hefyd Huw M. Edwards, *Dafydd ap Gwilym: Influences and Analogues*, 115-17.

dan i nod ymadrodd arall ansicr ei arwyddocâd. Defnyddid 'nod' mewn cyd-destun cyfreithiol i olygu 'wedi ei ddynodi [ymlaen llaw]' (*GPC*, 2587), ond term a arferid yn benodol yng nghyd-destun tystion a rheithwyr (yn ystyr ganoloesol y gair) oedd hwn (Dafydd Jenkins, *Cyfraith Hywel*, 106), ac anodd ei gymhwyso i'r cyd-destun presennol.

Gall 'nod' olygu hefyd 'marc, arwydd, symbol; nodwedd, nod angen' (*GPC*, 2588) ac y mae'n bosibl mai dyma'i arwyddocâd yn yr ymadrodd *dan i nod* gan y gwyddys bod dyn canoloesol yn ymwybodol iawn o olwg drawiadol wyneb y dylluan, a'i llygaid ar y naill law yn debyg i flodau, ac ar y llaw arall yn debyg i rai dynion gan eu bod yn wynebu tua'r blaen; gw. *Pedeir Keinc y Mabinogi*, 301-2; cf. cywydd Dafydd ap Gwilym, 'Y Dylluan' (*Gwaith Dafydd ap Gwilym*, 76, ll.31).

Posibilrwydd arall—a'r un mwyaf tebygol yn fy marn i—yw bod *nod* yn y fan hon yn cael ei ddefnyddio yn yr ystyr 'nodyn cerddorol' (*GPC*, 2588), gan gyfeirio at gri nodweddiadol y dylluan; y mae cywydd Robin Clidro am dorri Coed Marchan hefyd yn sôn yn benodol am y 'tylluanod yn udo / Eisie'r coed, yn gyrru plant o'u co'' (Cennard Davies, 'Robin Clidro a'i Ganlynwyr', 47, llau.19-20), a dyma'r union nodwedd a daniodd awen Dafydd ap Gwilym, a'i gywydd dychan cyfan i'r 'Dylluan' yn troi o gwmpas 'annedwydd nad' yr aderyn (ll.19) yn amharu ar lonyddwch y bardd.

Awgrymodd Rachel Bromwich yn *Dafydd ap Gwilym: A Selection of Poems* (Llandysul, 1982), 98, mai'r dylluan hirglust a ddychanwyd mor effeithiol gan Ddafydd ap Gwilym yn y cywydd hwnnw. Fodd bynnag, math cymharol ddistaw o dylluan yw'r hirglust, a'i chri yn isel ac yn fyr ei dymor; go brin y byddai na'i 'w-w-w' tawel, aneglur na'i 'pheswch' achlysurol yn medru peri'r fath ddiflastod ac anhunedd ag a ddisgrifir yng nghywydd Dafydd, hyd yn oed wedi caniatáu ar gyfer yr ormodiaith sydd yn rhan hanfodol o hunan-ddychan y sefyllfa. Ymddengys yn debycach o lawer mai'r dylluan frech (*strix aluco*), math llawer iawn mwy llafar na'r dylluan hirglust, a fu'n poeni Dafydd. Y mae dwy ran i'w chri ('ddiwiw ddwywaedd', ll.23): yr 'hw-ddy-hw' a efelychir gan y bardd (ll.20) ynghyd â rhyw 'ce-wic' main (? 'hoyw ddyhead' ail hanner ll.20), ac y mae'r agweddau eraill ar ddisgrifiad Dafydd o'r aderyn hwn hefyd yn cydweddu â manylion y dylluan frech; gw. er enghraifft, John Gooders, *Collins British Birds*, 231; Michael Cady & Rob Hume, *The Complete Book of British Birds*, 199; Walter Cerny, *A Field Guide in Colour to Birds*, 140. Ai'r dylluan frech hefyd a oedd ym meddwl bardd 'Coed Glyn Cynon' wrth iddo alw arni i fod yn *hangmon*? Er nad oes tystiolaeth gynnar i'r traddodiad, mewn coelion gwerin diweddarach a gadwyd mewn rhai ardaloedd tybid mai'r dylluan frech oedd y 'deryn corff' y credid ei fod yn rhagarwyddo marwolaeth; gw. Evan Isaac, *Coelion Cymru* (Aberystwyth, 1938), 69. Cynefin arferol y dylluan frech yw coedwigoedd deilgoll neu gymysg—yr union amgylchedd a oedd yn cael ei dinistrio yng Nghwm Cynon adeg cyfansoddi 'Coed Glyn Cynon'; byddai gan yr *hangmon* ddiddordeb personol yn y gwaith a roddir iddo felly, gan fod y dylluan yn dioddef lawn cymaint â chreaduriaid eraill y goedwig yn sgil llosgi'r coed. Cyd-drawiad diddorol pellach â chywydd Dafydd ap Gwilym yw bod y bardd, ar ddiwedd y gerdd honno, yn bygwth rhoi goddaith neu dân mawr fflamllyd 'ymhob pren eiddew', sef hoff nythle'r dylluan.

48 hangmon Diau fod elfen o ddirmyg yn ymhlyg yn nefnydd y bardd o'r gair benthyg hwn, cf. *cwest* (ll.45n); gw. hefyd *ddylluan* (ll.47n).

50 araeth 'araith' sef 'cân, prydyddiaeth' (*GPC*, 176); un o'r termau a ddefnyddir yn gyffredin yn y cerddi rhydd wrth gyfeirio atynt ei hunain; gw. *Canu Rhydd Cynnar*, lxxvii-lxxviii. Y mae'n debyg mai ymgais i ddiwygio darlleniad anfoddhaol ei gynsail yn *Caniadau yn y Mesurau Rhyddion* (sef 'argel') yw 'alaeth' W. J. Gruffydd yn *Y Flodeugerdd Gymraeg*.

greylon Cyfystyron *creulon* a nodir yn *GPC*, 593 yw 'gwaedlyd; ffyrnig, milain, ciaidd, nwydwyllt, didostur'; gwell gennyf ddeall 'didrugaredd' yn y fan hon.

NODIADAU

[1]G. J. Williams, *Traddodiad Llenyddol Morgannwg* (Caerdydd, 1948), 142.

[2]ibid.

[3]ibid.

[4]*Barn*, rhif 327 (Ebrill 1990), 21-7 (yn yr adran 'Barn ar Addysg'). Mae cyfraniadau'r symposiwm fel a ganlyn: Tegwyn Jones, 'Hen Gerdd go dda'; Pennar Davies, 'Colli etifeddiaeth werthfawr'; Christine James, 'Yr Efrydd o Lyn Cynon'; William Linnard, 'Gweld y pren a'r coed yn y gerdd "Coed Glyn Cynon" '.

[5]Ceir disgrifiad o'r llawysgrif yn J. Gwenogvryn Evans, *Report on Manuscripts in the Welsh Language*, cyf. ii (Llundain, 1902), 158-62 (sef llsgr. Caerdydd 13 yn ôl dull rhifo J. G. Evans). Ni cheir dim gwybodaeth pellach yn Graham C. G. Thomas & Daniel Huws, *Summary Catalogue of the Manuscripts of South Glamorgan Libraries, Cardiff Central Library* . . . (Aberystwyth, 1994), 74.

[6]T. H. Parry-Williams (gol.), *Canu Rhydd Cynnar* (Caerdydd, 1932), lxxi; cf. ei sylwadau ar lyfrau cymysg o'r fath, ibid., lxviii-lxix.

[7]Gw. ei nodyn (a ddilewyd trwy daro llinellau trwyddo) ar d.181, 'John Thomas gruffydd pier llifr yma ag a ysgrifenodd y rhan fwya o honaw 1609'; a cf. ei nodyn ar d.179, 'Sion Tomas gryffith pier llyfr yma ag a ddiweddodd i ysgryfeny y dydd ola o fis gorffena yn oedran yr arglwydd mil a chwe chant a deg ag o dyrnasiad y brenin Jago yr wythfed flwyddyn. *per* me Johanem Thomas gruff.'

[8]Yr wyf yn ddiolchgar i Mr Daniel Huws am ei arweiniad yn y mater hwn.

Er bod 'Coed Glyn Cynon' yn digwydd yn gynharach yn y llsgr. (o ran trefn bresennol y dail) na nodiadau Siôn Tomas Gruffydd (gw. n.7), y mae'n debyg na ellid cymryd yn gwbl ganiataol bod y gerdd hon eisoes yn ei lle erbyn 1609; cf. *explicit* yr ysgrifydd ar d.99, 'Edward Evans delynior ai kant. 1612'. Gan fod llsgr. Caerdydd 2.6 wedi'i rhyngddalennu, nid oes modd gwybod bellach i ba raddau y mae trefn bresennol y dail yn adlewyrchu'r trefn wreiddiol, nac ychwaith a yw rhai o ddail y llyfr presennol wedi crwydro yno o lawysgrif(au) annibynnol. Ni ellir cymryd 1609 yn *terminus ad quem* pendant felly ar gyfer cyfansoddi 'Coed Glyn Cynon'; go brin y gellir bod yn fwy manwl na dweud bod y copi hwn o'r gerdd yn gyfoes â llawiau eraill yn y llsgr. sydd yn eu dyddio'u hunain 1609-12.

[9]Gwelir sylwadau beirniadol eraill yn yr un llaw mewn mannau eraill yn y llsgr. Ar ôl *explicit* yr ysgrifydd, 'Wiliam kynwal ai kant', ar ddiwedd ei gopi o farwnad Syr Edward Pilstwn, ychwanegodd y llaw hon y gymeradwyaeth 'a Gwaith da ydyw' (t.67), a cf. ei sylw 'a gwaith da ydynt' ar ôl yr *explicit* 'kynwal ai kant' ar ddiwedd 'marwnad Gwr bonheddig or Clynnennau' (t.74). Ni chyfyngodd y beirniad hwn ei hun ychwaith i sylwadau canmoliaethus. Ger llinell gyntaf y gerdd sy'n dechrau 'Gwrandewch dychan karol bychan', ysgrifennodd 'gwan iawn' (t.59); o flaen y gerdd sy'n dechrau 'Gwyr ifaink holl gymry or ynys oi deuty', ysgrifennodd 'Ni thal hwn mo'i ddarllen' (t.69), ac ar ddiwedd yr un gerdd cofnododd ei ddyfarniad cwta, 'Gwaith ffwl' (t.72) [cywirer darlleniad *Report*, cyf. ii, 159, 'ffwc'!]

[10]Ar y canu rhydd yn gyffredinol, gw. T. H. Parry-Williams (gol.), *Canu Rhydd Cynnar*; Brinley Rees, *Dulliau'r Canu Rhydd 1500-1650* (Caerdydd, 1952); Cennard Davies, 'Early Free-Metre Poetry', yn R. Geraint Gruffydd (gol.), *A Guide to Welsh Literature c.1530-1700* (Caerdydd, 1997), 75-99. Am ymdriniaeth â chanu rhydd Morgannwg, gw. G. J. Williams, *Traddodiad Llenyddol Morgannwg*, 110-43.

[11]Amcangyfrifir bod poblogaeth Cymru wedi codi o ryw 278,000 yn 1536, i tua 405,000 erbyn 1630, a bod mynegrif cost 'basgedaid o nwyddau' wedi codi o 103 yn 1510, i 158 yn 1540, i 607 erbyn 1639; gw. Glanmor Williams, *Renewal and Reformation: Wales c.1415-1642* (Rhydychen, 1993), 382, 406-8.

[12]Am enghreifftiau o gerddi yn trafod y pynciau hyn, gw. T. H. Parry-Williams (gol.), *Canu Rhydd Cynnar, passim*; Brinley Rees, *Dulliau'r Canu Rhydd*, 118-29; Glanmor Williams, *Grym Tafodau Tân* (Llandysul, 1984), 143-8; Cennard Davies, 'Early Free-Metre Poetry', 94-9.

[13]Rachel Bromwich, *Tradition and Innovation in the Poetry of Dafydd ap Gwilym* (Caerdydd, 1967), 31-40; Huw M. Edwards, *Dafydd ap Gwilym: Influences and Analogues* (Rhydychen, 1996), 234, 269-70; Helen Fulton, *Dafydd ap Gwilym and the European Context* (Caerdydd, 1989), 103-4. Ar y defnydd o adar yn y canu rhydd cynnar yn gyffredinol, gw. Brinley Rees, *Dulliau'r Canu Rhydd*, 65 *et seq*.

[14]Thomas Parry (gol.), *Gwaith Dafydd ap Gwilym* (Caerdydd, 1952), 325-6. Awgrymodd Helen Fulton, *Dafydd ap Gwilym and the European Context*, 170, fod darlun trawiadol Dafydd o'r fath aderyn awdurdodol wedi'i fwriadu er dychanu gorbwysigrwydd swyddogion cyfreithiol Seisnig ei oes.

[15]Awgrymodd Huw M. Edwards, *Dafydd ap Gwilym: Influences and Analogues*, 271, fod y cywydd i'r 'Ceiliog Bronfraith' ond yn un enghraifft o ddefnydd cyson Dafydd ap Gwilym ar ddelweddaeth o fyd y gyfraith, ac nad oes raid rhagdybio unrhyw ddylanwadau allanol penodol.

[16]Gw. *Y Bywgraffiadur Cymreig hyd 1940* (Llundain, 1953), s.n.

[17]John Fisher (gol.), *The Cefn Coch MSS.* (Lerpwl, 1909), 96-9.

[18]Diddorol yw nodi bod Eiddig, mewn cerdd arall o waith Thomas Prys, yn cael ei 'regi' am dorri llwyn o goed; John Fisher (gol.), *The Cefn Coch MSS.*, 103-4. Cf. cwyn yr eos yn y cywydd o'r un enw o waith Dafydd ap Gwilym, fod Eiddig yn cwympo'r coed; gw. Thomas Parry (gol.), *Gwaith Dafydd ap Gwilym*, 73-4. Fel Saeson 'Coed Glyn Cynon, 'Eiddig . . . [is] out of harmony with the woodland context, an urbanized interloper who has no appreciation of the woodland and all that it signifies'; Helen Fulton, *Dafydd ap Gwilym and the European Context*, 166.

[19]Tynnir sylw at rai o'r mannau pwysicaf yn y nodiadau i'r gerdd.

[20]Helen Fulton, *Dafydd ap Gwilym and the European Context*, 160.

[21]T. H. Parry-Williams (gol.), *Canu Rhydd Cynnar*, lxxxiii.

[22]Digwydd yr enghraifft gynharaf o'r mesur hwn ymhlith y cerddi a briodolir i'r Taliesin hanesyddol, sef 'Marwnat Owein', tua diwedd y chweched ganrif; gw. Ifor Williams (gol.), *Canu Taliesin* (Caerdydd, 1960), xxxv-xxxvi, 12.

[23]John Morris-Jones, *Cerdd Dafod* (Rhydychen, 1925), 327-8; cf. T. H. Parry-Williams (gol.), *Canu Rhydd Cynnar*, xc-xci.

[24]Ni fentrir yma drafod gwedd gerddorol y canu rhydd, a goblygiadau hynny yng nghyd-destun 'Coed Glyn Cynon' fel y goroesodd inni. Gogleisiol, fodd bynnag, yw nodi i gainc o'r enw 'Caingc Glyn Cynon' oroesi yn llsgrau. Ifor Ceri yn Llyfrgell Genedlaethol Cymru; fe'i hatgynhyrchir yn *Cylchgrawn Cymdeithas Alawon Gwerin Cymru*, cyf. 2 (1914-25), 100-1. Ar waith Ifor Ceri fel cofnodwr a chasglwr alawon gwerin, gw. Daniel Huws, 'Melus-seiniau Cymru', *Canu Gwerin*, cyf. 8 (1985), 32-50; cyf. 9 (1986), 47-57.

[25]Gw. Ifor Williams (gol.), *Canu Llywarch Hen* (Caerdydd, 1935), 35-7; Jenny Rowland, *Early Welsh Saga Poetry* (Caergrawnt, 1990), 153-8. Gellid dadlau fod 'Coed Glyn Cynon' yn perthyn i ddosbarth o gerddi a gadwyd yn Gymraeg sydd yn cofnodi gogoniant a gollwyd, ac yn galaru ar ei ôl: 'A favourite theme in the Celtic literatures, as elsewhere, is the lament on a ruined building and on the power and glory which the poet remembers, or has heard, to have flourished there'; Kenneth H. Jackson, *A Celtic Miscellany* (Llundain, 1951), 271.

[26]T. H. Parry-Williams (gol.), *Canu Rhydd Cynnar*, *passim.* Aeth y dull hwn yn ystrydeb lwyr erbyn baledi newyddiadurol y ddeunawfed ganrif a'r bedwaredd ar bymtheg.

[27]ibid.

[28]ibid.

[29]ibid., lxxxiv.

[30]Gw. n.7, a cf. n.8.

[31]William Linnard, *Welsh Woods and Forests: History and Utilization* (Caerdydd, 1982), 68.

[32]Am fanylion pellach, gw. ibid., 1-66.

[33]Cadwyd tystiolaeth ddiddorol ynghylch rhywogaethau'r coed hyn mewn hen enwau lleoedd yng nghyffiniau Aberdâr: bedw – Bedwlwyn ('Bedlloyne', 1594), y Fedw hir ('Tyre y Vedwyn', 1594), Llwyn y bedw ('lloyn Vedowe', 1631); derw – Nant-y-derlwyn ('nant y derloyne', 1632); coll – Tir y coll ('Tyre lloyn coll', 16eg ganrif); gw. Brynley F. Roberts, 'Some Aberdare Place-names', *Old Aberdare*, cyf. 7 (1993), 7 a *passim.*

[34]Lucy Toulmin Smith (gol.), *The Itinerary in Wales of John Leland* (Llundain, 1906), 16 a *passim.*

[35]ibid., 21.

[36]ibid., 30.

[37]Rice Merrick, *A Booke of Glamorganshires Antiquities*, gol. James Andrew Corbett (Llundain, 1887), 114.

[38]ibid., 12.

[39]Ar yr hanes hwnnw, gw. yn arbennig William Rees, *Industry before the Industrial Revolution* (Caerdydd, 1968), cyf. i, 247 *et seq.*; W. Llewellin, 'Sussex Ironmasters in Glamorganshire', *Archaeologia Cambrensis*, cyfres III, cyf. 9 (1863), 81-119; D. J. Davies, *The Economic History of South Wales prior to 1800* (Caerdydd, 1933), 68-77. Ceir crynodeb hwylus gan Glanmor Williams, 'The Economic Life of Glamorgan 1536-1642', yn Glanmor Williams (gol.), *Glamorgan County History*, cyf. 4 (Caerdydd, 1974), 51-5. Y mae'r drafodaeth bresennol yn drwm ei dyled i'r gweithiau hyn.

[40]William Rees, *Industry before the Industrial Revolution*, 181.

[41]ibid., 238.

[42]Y mae'n bosibl nad oedd pethau mor argyfyngus mewn gwirionedd ag y tybid, ac y gellid fod wedi diogelu cyflenwadau digonol o bren yn lleol trwy brysgoedio neu dorri copi

(*coppicing*), sef ffordd draddodiadol o drin coed er sicrhau cnwd; cf. Glanmor Williams, *Renewal and Reformation: Wales c.1415-1642*, 398, a gw. hefyd n.73 isod.

[43]William Rees, *Industry before the Industrial Revolution*, 259-62. Y mae tystiolaeth (ansicr) fod ffwrnais Pen-tyrch ar waith cyn 1557; ibid., 259, n.44. Ar hanes gwaith haearn Pen-tyrch, gw. Edgar Chappell, *Historic Melingriffith: An Account of Pentyrch Iron Works and Melingriffith Tinplate Works* (Caerdydd, adargr. 1995), 18-29. Ar deulu'r Matheuaid, gw. J. Barry Davies, 'The Mathew Family of Llandaff, Radyr and Castell-y-Mynach', *Glamorgan Historian*, cyf. 11 (Y Barri, d.d.), 171-87.

[44]Am ddisgrifiad o'r darn, gw. W. Llewellin, 'Sussex Ironmasters in Glamorganshire', 89-91, 94.

[45]William Rees, *Industry before the Industrial Revolution*, 252, n.22.

[46]1 Elisabeth c.15; gw. *Statutes of the Realm*, cyf. 4 (Llundain, adarg. 1963), 377.

[47]William Rees, *Industry before the Industrial Revolution*, 249-51.

[48]*Calendar of the Patent Rolls preserved in the Public Record Office, 1566-1569* (Llundain, 1964), rhif 1910.

[49]Yr oedd plwyf Llanwynno yn y cyfnod hwn yn ymestyn o lannau dwyreiniol afon Rhondda Fach yn y gorllewin i gefn y mynydd sydd yn gwahanu cymoedd Cynon a Thaf yn y dwyrain, ac o Aberpennar yn y gogledd i Bont-y-pridd yn y de; gw. y map yn William Thomas (Glanffrwd), *Llanwynno*, gol. Henry Lewis (Caerdydd, 1949). Gorweddai rhan isaf Cwm Cynon, o Aberpennar i Abercynon, ym mhlwyf Llanwynno felly; ym mhlwyf Aberdâr y gorweddai rhan uchaf y cwm, o Aberpennar i Hirwaun.

[50]A yw'n bosibl bod rhyw berthynas rhwng hwn a'r Siôn ap Hywel Gwyn a oedd yn berchen ar ffwrnais yn y Llwytgoed?

[51]Y mae peth dryswch ynglŷn â lleoliad y Pont-y-gwaith hwn. Mae William Rees, *Industry before the Industrial Revolution*, 252, n.22, yn ei osod yng Nghwm Rhondda Fach, ac felly ym mhlwyf Llanwynno, ond y mae tuedd i awduron eraill sy'n trafod hanes diwydiannau cynnar y cylch ei gysylltu â'r lle o'r un enw yn rhan uchaf Cwm Taf; gw. Clive Thomas, 'Industrial development to 1918', yn *Merthyr Tydfil, A Valley Community* (Merthyr Tudful, 1981), 275. Cymhlethir pethau ymhellach gan y ffaith fod Dyffryn yn enw-lle sydd yn digwydd yng Nghwm Cynon a rhan uchaf Cwm Taf fel ei gilydd.

[52]Gw n.45. Yr oedd gan Relfe gyfran mewn gweithfeydd haearn amrywiol yn swydd Sussex mor gynnar â 1562; William Rees, *Industry before the Industrial Revolution*, 252, n.21.

[53]Profwyd ei ewyllys ar 28 Ebrill 1593; William Rees, *Industry before the Industrial Revolution*, 254, n.27.

[54]Am fanylion pellach, gw. William Rees, *Industry before the Industrial Revolution*, 252-9; W. Llewellin, 'Sussex Ironmasters in Glamorganshire', 106-19, lle yr atgynhyrchir rhai o ddogfennau'r anghydfod.

[55]William Rees, *Industry before the Industrial Revolution*, 257; W. Llewellin, 'Sussex Ironmasters in Glamorganshire', 86, 88.

[56]Mwy diogel ei gyswllt â Phont-yr-ynn, o bosibl, yw'r hen gefn-tân ac arno'r dyddiad 1579 a ddisgrifir yn W. Llewellin, 'Sussex Ironmasters in Glamorganshire', 91, n.2.

[57]W. Llewellin, 'Sussex Ironmasters in Glamorganshire', 88-9. Gw. hefyd n.51.

[58]Adlewyrchir y prysurdeb hwn yn y cynnydd yn yr allforion o haearn trwy borthladd Caerdydd yn ystod degawd olaf yr unfed ganrif ar bymtheg, a barnu o dystiolaeth (fylchog) cofnodion swyddogol y porthladd; gw. E. A. Lewis, *The Welsh Port Books* (1550-1603) (Llundain, 1927), 7 a *passim*.

[59]Thomas Roberts (gol.), *Gwaith Tudur Penllyn ac Ieuan ap Tudur Penllyn* (Caerdydd, 1958), 52; y mae awduraeth y cywydd hwn yn ansicr ac fe'i priodolir mewn rhai llawysgrifau i Lewys Glyn Cothi. (Yr wyf yn ddiolchgar i'r Athro Dafydd Johnston am y cyfeiriad hwn.)

[60]Gw. Cennard Davies, 'Robin Clidro a'i Ganlynwyr' (MA Prifysgol Cymru [Abertawe], 1964).

[61]Tynnwyd sylw at y tebygrwydd rhwng gwaith Clidro a Dafydd ap Gwilym yn hyn o beth, a dehonglwyd yr agweddau hyn yn eu canu hwy ill dau fel dylanwad y canu rhydd poblogaidd arnynt; ibid., xlii-xlv. Yn ddiddorol ddigon, ceir nodweddion tebyg yng ngwaith cyfoeswr arall y cyfeiriwyd ato eisoes, sef Thomas Prys o Blas Iolyn, ac yn wir ceir ambell awgrym fod Prys yn gyfarwydd â gwaith Clidro; ibid., lvi-lx.

[62]ibid., 47-9. Y mae Coed Marchan tua milltir i'r de o Ruthun.

[63]Ar awduraeth y gerdd, gw. G. J. Williams, *Traddodiad Llenyddol Morgannwg*, 142, n.98; *idem*, *Iolo Morganwg* (Caerdydd, 1956), 239. Ceir y testun yn gyflawn yn P. J. Donovan (gol.), *Cerddi Rhydd Iolo Morganwg* (Caerdydd, 1980), 88-93.

[64]Gwyddys i feistri haearn o Saeson sefydlu a datblygu ffwrnais a gefail yn y cylch yn ail hanner yr unfed ganrif ar bymtheg; gw. William Rees, *Industry before the Industrial Revolution*, 265; D. J. Davies, *The Economic History of South Wales prior to 1800*, 75.

[65]Lemuel J. Hopcyn James (gol.), *Hen Gwndidau, Carolau, a Chywyddau* (Bangor, 1910), 30.

[66]G. J. Williams, *Traddodiad Llenyddol Morgannwg*, 118, n.20. Byddai gosod cyfansoddi hon cyn 1550 yn cyd-daro'n ddigon awgrymog â'r dyddiad a nodwyd ar gyfer y gerdd a briodolir i Richard Wiliam; gw. n.63. Dyma enghraifft arall, y mae'n debyg, o'r hedyn o wirionedd sydd yn gorwedd o dan gynifer, onid y cwbl, o ffugiadau Iolo.

[67]Lemuel J. Hopcyn James (gol.), *Hen Gwndidau*, 30.

[68]Nid annisgwyl gweld Tomas ab Ieuan ap Rhys yn ymboeni am ddinistr ffynnon sanctaidd. Yr oedd Tomas yn gefnder i Lewys Morgannwg, ac yn nai i Risiart ap Rhys, a gallai gyfrif Gwilym Tew yntau ymhlith ei hynafiaid agos – er bod peth dryswch yn yr achau ar y pwynt hwn (gw. G. J. Williams, *Traddodiad Llenyddol Morgannwg*, 40-4). Dyma deulu barddol a gysylltir yn arbennig â'r cylch o ganu sydd wedi goroesi mewn perthynas â ffynnon sanctaidd bwysicaf de Cymru yn y bymthegfed ganrif a'r unfed ar bymtheg, sef Ffynnon Fair ar Ben-rhys; gw. Christine James, 'Pen-rhys: Mecca'r Genedl' yn Hywel Teifi Edwards (gol.), *Cwm Rhondda* (Llandysul, 1995), 27-71; Thomas Charles-Edwards, 'Penrhys: Y Cefndir Hanesyddol, 1179-1538', *Efrydiau Catholig*, cyf. 5 (1951), 24-45.

Nid yw'r cyfeiriad yng ngherdd Tomas ab Ieuan ap Rhys at y ffynnon sanctaidd yn y llwyn o anghenraid yn cadarnhau dyddiad cynnar ar gyfer ei chanu. Er y bu Thomas Cromwell yn chwyrn ei ddinistr o'r sgriniau sanctaidd a'u delwau ar hyd ac ar led y wlad ar ôl 1535, ni fedrai sychu'r ffynhonnau a buan yr ymgasglai'r ffyddloniaid eto i'w hoff gysegrleoedd; gw. Francis Jones, *The Holy Wells of Wales* (Caerdydd, 1954), 58 *et seq*. Ymddengys na chofleidiodd Tomas ab Ieuan ap Rhys y ffydd newydd fel, y mae'n debyg, y gwnaeth ei gefnder, Lewys Morgannwg; gw. Lemuel J. Hopcyn James, *Hen Gwndidau*, 1-48; Christine James, 'Pen-rhys: Mecca'r Genedl', 59.

[69]Idris Davies, 'Gwalia Deserta', yn Dafydd Johnston (gol.), *The Complete Poems of Idris Davies* (Caerdydd, 1994), 13.

[70]William Rees, *Industry before the Industrial Revolution*, 258.

[71]Pennar Davies, 'Yr Efrydd o Lyn Cynon', *Yr Efrydd o Lyn Cynon a Cherddi Eraill* (Llandybïe, 1961), 17-34.

[72]ibid., 17-18.

[73]Ymddengys nad oedd y dinistr y bu bardd 'Coed Glyn Cynon' yn dyst iddo mor drylwyr a therfynol ag yr ofnai, oherwydd pan deithiodd Benjamin Heath Malkin trwy Forgannwg yn 1803, cyn ysgrifennu *The Scenery, Antiquities, and Biography, of South Wales* (Llundain, 1804), tynnwyd ei sylw yn arbennig gan goedwigoedd Cwm Cynon:

> Those who know the banks of the Taff, the two Ronthas, and the Cunno, the wilds of Aberdare and Ystradyvodwg, have seen such woods and groves as are rarely to be found (t.54).
>
> About two miles from the aqueduct, there is on the left bank of the Cunno a most luxuriant and majestic grove of oaks. The next feature of peculiar attraction beyond, is a very picturesque hollow way overshadowed with lofty trees (t.167).

Fel y pwysleisiodd William Linnard, 'Gweld y pren a'r coed yn y gerdd "Coed Glyn Cynon" ', *Barn*, 26-7, gan y byddai'r diwydianwyr cynnar yn awyddus i sicrhau cyflenwadau cyson a dibynadwy o goed ar gyfer siarcol i'w gweithfeydd, ni fyddai digoedwigo direolaeth yn gyson â'u buddiannau hwy, nac ychwaith â buddiannau'r tirfeddianwyr a fyddai'r un mor awyddus i werthu coed iddynt. Gellid tybio felly y byddai pawb yn awyddus i sicrhau aildyfiant, mor fuan â phosibl, naill ai o flagur o'r bonion neu o hadau, ac y mae disgrifiad Malkin yn gyson â hynny. Ac er y digoedwigo pellach a ddigwyddodd yn sgil diwydiannu mawr y bedwaredd ganrif ar bymtheg a dechrau'r ugeinfed, y mae olion hen goed deri brodorol i'w gweld yng Nghwm Cynon o hyd.

Y mae coed yn tyfu eto hefyd ar y llethrau uwchben Cwm Cynon, diolch i weithgarwch y Comisiwn Coedwigo, ac er nad y rhywogaethau brodorol mohonynt y maent serch hynny yn adfer llawer o'r pethau y galarodd y bardd anhysbys o Oes Eisabeth amdanynt, gan gynnwys cuddfannau ac aneddleoedd i greaduriaid gwyllt, ac adnoddau hamdden i fodau dynol; gw. H. L. Edlin (gol.), *Glamorgan Forests* (Llundain, 1961).

[74]'Coed Glyn Cynon', *Golwg*, cyf. 8: 42 (4 Gorffennaf 1996), 19. Ar yr arfer o 'danio' y mynydd, gw. John Q. Williamson, 'The New Forests of Glamorgan', yn H. L. Edlin (gol.), *Glamorgan Forests*, 28-9.

[75]Trafodir y rhain yn y nodiadau i'r gerdd.

[76]Gw. nn.7 ac 8.

[77]Er enghraifft: 'Thos. Hughes De Clegir 1726' (t.71); 'griffith Roberts o Bodorlas ymhlwy llansanphraid Nr Bydynllwy ymhlwy yr Bettws yn Sir feirionydd' (t.66, a *passim*) sydd yn hawlio mai efe 'yw gwir Berchenog y Llyfr hwn 1750' (t.172); 'Edward Jones de glegir mawr 1786 (t.84), sydd hefyd yn honni 'Ed. Jones est verus possess[. .] hujus Libri' (t.100). Llai parchus, ond yr un mor ddilys ei thystiolaeth i'r llyfr aros yng ngogledd Cymru yw'r llaw (? tua diwedd y ddeunawfed ganrif) a ysgrifennodd 'Joseph [y cachgi—*wedi'i ddileu*] y rhech o Wrexham' (t.176).

[78]Gw. *Y Bywgraffiadur Cymreig hyd 1940*, s.n. Ni wyddys pryd yn union y cyrhaeddodd y llsgr. gasgliad Phillipps, ond os wrth gyrraedd ei lyfrgell ef y'i gosodwyd yn ei rhwymiad presennol (sydd bellach yn dra threuliedig), gellid cynnig dyddiad *c*.1848 ar sail llabed y rhwymwr a ludwyd y tu mewn i'r clawr blaen, yn y gornel chwith uchaf.

[79]J. Brynmor Jones, 'Cefndir Llyfrgell Caerdydd', *Y Casglwr*, rhif 9 (Nadolig 1979), 19.

[80]Gw. *NLW Catalogue of Manuscripts*, cyf. i (1921), 106.

[81]Gw. *Y Bywgraffiadur Cymreig hyd 1940*, s.n.

[82]Ar hanes prynu llawysgrifau Cymraeg a Chymreig Thomas Phillipps gan Lyfrgell Caerdydd, gw. Adroddiad Blynyddol Llyfrgelloedd Bwrdeisdref Sirol Caerdydd am 1895-96, 10-12, 23-33; Brynmor Jones, 'Cefndir Llyfrgell Caerdydd'.

Ymhlith y cyfrolau a aeth o gasgliad Phillipps i Lyfrgell Caerdydd yng nghwmni'r llawysgrif fach dan sylw yma oedd un enwocach o lawer: un o lawysgrifau llenyddol cynharaf a phwysicaf y Gymraeg, sef Llyfr Aneirin, a aethai i feddiant Phillipps trwy Thomas Price ('Carnhuanawc') wedi iddi grwydro o hen lyfrgell Hengwrt tua diwedd y ddeunawfed ganrif. Cawsai Carnhuanawc hi yn ei dro gan Theophilus Jones, hanesydd sir Frycheiniog, a gofnododd ar d.ii, 'given me by Mr Thomas Bacon who bought it from a person at Aberdâr'. Gall Cwm Cynon ymffrostio felly iddo chwarae rhan yn hanes diogelu un o brif drysorau diwylliannol y genedl, *Y Gododdin*; am yr hanes, gw. Daniel Huws (gol.), *Llyfr Aneirin, Ffacsimile* ([Aberystwyth], 1989), 14.

[83]Gw. *Y Bywgraffiadur Cymreig hyd 1940*, s.n.

[84]Gw. W. W. Price, 'James Ifano Jones, M.A. (1865-1955)', *The Journal of the Welsh Bibliographical Society*, cyf. 8 (1955), 53-7; D. Ben Rees, *Cymry Adnabyddus 1952-1972* (Lerpwl, 1978), 116; *Y Bywgraffiadur Cymreig 1951-1970* (Llundain, 1997), s.n.

[85]Ei weithiau pwysicaf, y mae'n debyg, yw *Cardiff Free Libraries: Catalogue of Printed Literature in the Welsh Department* (Caerdydd, 1898) ac *A History of Printing and Printers in Wales to 1810 . . .* (Caerdydd, 1925). Ifano hefyd a luniodd y llyfryddiaeth bwysig yng nghyfrol John Ballinger, *The Bible in Wales* (Llundain, 1906).

[86]Gw. *Y Bywgraffiadur Cymreig hyd 1940*, s.n. Cyhoeddwyd nifer o dribannau Jenkin Howell yn Tegwyn Jones (gol.), *Tribannau Morgannwg* (Llandysul, 1976).

[87]Jenkin Howell, 'Dyffryn Cynon – vii', *Y Geninen*, cyf. 21 (1903), 286-7.

[88]W. W. Price, 'James Ifano Jones, M.A. (1865-1955)', 54.

[89]J. H. Davies (gol.), *Caniadau yn y Mesurau Rhyddion* (Caerdydd, 1905), 51-2. Am hanes sefydlu Cymdeithas Llên Cymru a'i mentrau cyhoeddi, gw. yr 'Ol-nodiad', ibid., 70, a hefyd E. D. Jones, 'Hen geinder mewn coch, glas a melyn', *Y Casglwr*, rhif 5 (Haf 1978), 16. (Cadwyd trawsysgrifiad o destun 'Coed Glyn Cynon', wedi'i godi o *Caniadau yn y Mesurau Rhyddion*, yn llsgr. LlGC 7406B, tt.16-19, yn llaw Griffith Roberts ('Gwrtheyrn'; 1845-1915).)

[90]J. H. Davies (gol.), *Caniadau yn y Mesurau Rhyddion*, 70.

[91]ibid.

[92]W. J. Gruffydd (gol.), *Y Flodeugerdd Gymraeg* (Caerdydd, 1931), 144-5, 205.

[93]T. H. Parry-Williams (gol.), *Canu Rhydd Cynnar*, 399-401. Er eu bod yn amcanu at atgynhyrchu'r gwreiddiol yn ffyddlon, ceir rhai darlleniadau gwallus yn nhestun J. H. Davies a thestun T. H. Parry-Williams fel ei gilydd, a thynnir sylw at y rheini yn yr adran ar ddarlleniadau llsgr. Caerdydd 2.6.

[94]Thomas Parry (gol.), *The Oxford Book of Welsh Verse* (Rhydychen, 1962), 206-8.

[95]Tegwyn Jones, 'Hen Gerdd go dda', *Barn*, 22.

[96]Gw. yr adran ar ddarlleniadau llsgr. Caerdydd 2.6 am y manylion.

[97]Yr unig nodwedd ar destun yr Oxford Book sydd fel petai yn awgrymu dylanwad *Canu Rhydd Cynnar* neu ynteu'r llsgr. wreiddiol yw'r ffaith fod Thomas Parry yn rhoi 'araeth' (ll.50) yn gywir, yn hytrach nag 'argel' (*Caniadau yn y Mesurau Rhyddion*) neu 'alaeth' (*Y Flodeugerdd Gymraeg*). Fodd bynnag, gan fod y gair 'araeth' yn rhan o ieithwedd gyffredin cerdd o'r math hwn (gweler y nodiadau i'r gerdd), a chan y ceir arweiniad pendant yr odl *-aeth* ar ddiwedd ll.49, go brin bod rhaid rhagdybio 'dylanwad' uniongyrchol unrhyw destun arbennig ar ddarlleniad yr *Oxford Book* yn y fan hon, ond yn hytrach ei dderbyn fel diwygiad golygyddol rhesymol a deallus.

[98]Nid amcanwyd yma at restru'r mannau hynny lle y cyhoeddwyd detholiad yn unig o destun y gerdd; serch hynny, rhaid gwneud un eithriad a nodi'r argraffiad cain a gynhyrchodd Gwasg Gregynog ar gyfer Eisteddfod Genedlaethol Cwm Rhymni, 1990, sef *Coed Glyn Cynon (Detholiad)*, sydd yn cynnwys testun y saith pennill cyntaf (llau.1-28), wedi'u golygu ac mewn orgraff ddiweddar, ynghyd â thorlun leino o waith David Esslemont.

Capeli Ymneilltuol Cwm Cynon a'r Diwylliant Cymraeg

D. Ben Rees

Yn y bedwaredd ganrif ar bymtheg y gweddnewidiwyd Cwm Cynon. Cyn hynny cymdeithas wledig amaethyddol ydoedd ond erbyn diwedd y ganrif yr oedd hi'n gymdeithas led-ddiwydiannol, ddwyieithog ond daliai'r Gymraeg i gael cefnogaeth gan y capeli Ymneilltuol.[1] A dyna'r newid arall; daeth y capel yn sefydliad pwysig i'r cymunedau newydd hyn, yn ganolfan gweithgarwch anhygoel fel y gwelir yn y bennod hon. Pan ymwelodd Howel Harris, un o wŷr pwysig y Diwygiad Methodistaidd, ag Aberdâr yn 1759, nid oedd ond dwy ganolfan addoli yn y cylch—Eglwys y Plwyf a'r Hen Dŷ Cwrdd—capel yr Undodiaid yn Nhrecynon a sefydlwyd wyth mlynedd yn gynharach. O ddiwedd y ddeunawfed ganrif y datblygodd y capeli yng Nghwm Cynon ac mae'n bosibl olrhain y datblygiad yn weddol fanwl. Ar wahân i'r Hen Dŷ Cwrdd nid oedd Ymneilltuaeth wedi gwreiddio yn y cwm cyn diwedd y ddeunawfed ganrif. Fe ddaeth y newid yn sgil y pregethwyr teithiol a bregethai yn yr awyr agored. Gweinidogaethodd un o weinidogion y Bedyddwyr o Ystradyfodwg yng Nghwm Rhondda i'r ychydig rai, pedwar mewn nifer, a fedyddiwyd yn Aberdâr yn 1791.[2] Siopwr o Aberdâr oedd y person a berswadiodd Gyfarfod Misol y Methodistiaid Calfinaidd i anfon tri phregethwr i Aberdâr yn 1799, a chynhaliwyd cyfarfodydd awyr agored.[3]

Ond ni allai Ymneilltuaeth dyfu a datblygu a gwreiddio trwy ymweliadau pregethwyr teithiol a chyfarfodydd awyr agored. Yr oedd angen i'r mudiad gael cartref megis yr Hen Dŷ Cwrdd. Y mae'r grŵp dros dro, fel tyrfa, yn hynod o ddiflanedig, ac os oedd Ymneilltuaeth i bara yr oedd yn rhaid i'r gwerthoedd a'r gweithgarwch glymu'r bobl ynghyd. Dyna a ddigwyddodd.

Daeth cartrefi'r bobl yn ganolfan i'r cynulliad Ymneilltuol, boed hwnnw'n gynulliad o Fedyddwyr, Annibynwyr, Methodistiaid Calfinaidd neu Wesleaid. Ac nid yn unig yng Nghwm Cynon y digwyddodd hyn ond ymhobman lle y bu'r Cymry yn crefydda. Mewn astudiaeth gymdeithasegol bwysig dangosodd Trefor Owen sut y mabwysiadodd Ymneilltuwyr Llanuwchllyn y noson weu i'w dibenion eu hunain.[4] Cafwyd cyfarfodydd tebyg yng Nghwm Aberdâr, ond yno y cartref a'r teulu oedd y cnewyllyn. Daeth y gegin yn dŷ cwrdd a'r sgiw yn ymyl y tân yn fainc i'r crefyddwyr. Ond ni allai'r gegin ateb y gofyn yn hir mewn ardaloedd a oedd yn newid cymeriad trwy ddyfodiad y diwydiannau haearn a glo. Symudodd yr Ymneilltuwyr allan o'r gegin yn Nhrecynon i'r llaethdy ac yna i ystafell.[5] Ond gallai tensiwn tynnu'n groes a chamddealltwriaeth amharu ar y cyfarfodydd tai hyn, a dyna fu achos adeiladu capel Annibynwyr a chapel Methodistiaid Calfinaidd, er enghraifft,yn Nhrecynon. Digwyddodd hynny lawer tro. Ond y cnewyllyn am hydoedd oedd y cartref. Cynhaliwyd yr Ysgol Sul, mudiad pwysig yn niwylliant y werin, yn y cartrefi.[6] A chychwynnodd yr holl enwadau Ymneilltuol yn yr un dull. Rhwng 1810 a 1813 cafodd yr Annibynwyr Cymraeg gyfle i gael trwydded i sefydlu capeli, sef Ebenezer yn Nhrecynon, capel ger yr Hen Felin a chapel ger comin Hirwaun. Yn wir, er gwaethaf dirwasgiad yn y diwydiant haearn adeiladwyd pedwar capel Ymneilltuol yn Hirwaun rhwng 1823 a 1826.[7]

Y mae pob enwad yn ysgogi enwadau eraill i weithgarwch. Mae cystadleuaeth yn rhan annatod o fywyd capeli fel y mae ym mywyd cymdeithas yn gyffredinol, a gwelir yr elfen hon yn amlygu ei hun yn arbennig ym myd yr eisteddfodau. Pan awn ati i gymharu nifer y capeli a adeiladwyd erbyn 1837, sef diwedd cyfnod y diwydiant haearn yn y cwm a dechrau'r diwydiant glo, â nifer y capeli a oedd ar gael yn 1897 (blwyddyn dathlu trigeinmlwydd teyrnasiad y Frenhines Victoria), fe welwn sut y bu dyfodiad y pyllau glo yn gryn ysgogiad i dwf Ymneilltuaeth. Yn 1837 yr oedd gan y gwahanol enwadau ugain capel, dau ar bymtheg ohonynt yn gapeli Cymraeg. Un capel oedd gan yr Undodiaid, sef yr Hen Dŷ Cwrdd, ond trigain mlynedd yn ddiweddarach yr oedd capel Saesneg yn Aberdâr a chapel Cymraeg yng Nghwm-bach. Un achos, wedi'i sefydlu yn Hirwaun, oedd gan y Wesleaid ond erbyn 1897 yr oedd ganddynt bedwar ar ddeg o achosion a chwech ohonynt yn Saesneg eu hiaith. Gan yr Annibynwyr yr oedd y nifer mwyaf o gapeli; bu cynnydd o ddau yn 1837 i bump ar hugain (pedwar o'r rheini yn gapeli Saesneg) yn 1897, tra yr oedd gan y Methodistiaid Calfinaidd ddau gapel yn 1837 ac un ar bymtheg yn 1897. Yr oedd Ymneilltuaeth wedi dod yn rym yn y gymdeithas,

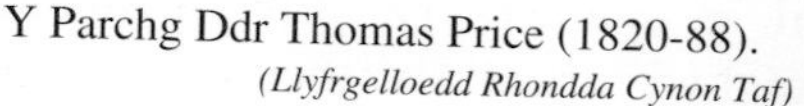
Y Parchg Ddr Thomas Price (1820-88).
(Llyfrgelloedd Rhondda Cynon Taf)

diolch yn bennaf i'r arweinwyr, llawer ohonynt yn bobl a gododd o amgylchiadau tlawd ac a sylweddolodd werth astudio'r ysgrythurau, goleuo'r meddwl, defnyddio doniau a hyrwyddo'r ymgyrchoedd i wella safonau byw y gymdeithas.

Enghraifft odidog o'r arweinydd Ymneilltuol Fictorianaidd yng Nghwm Cynon yw Dr Thomas Price (1820-88).[8] Gwelodd ef boblogaeth Aberdâr yn tyfu o 14,998 yn 1851 i 35,513 yn 1881.[9] Cafodd ei ordeinio yng Ngharmel, Monk Street, 1 Ionawr 1846, a bu yno, yn ei unig ofalaeth, tan ei farw ar 29 Chwefror 1888. Yr oedd Thomas Price yn Ymneill-tuwr gwleidyddol, un o'r pwysicaf ohonynt. Iddo ef yr oedd yr Eglwys Anglicanaidd wedi colli'r hawl foesol i fod yn Eglwys y Cymry oherwydd iddi wrthod darparu gwasanaethau yn Gymraeg. A chymhlethwyd y sefyllfa gan ymddygiad y Parch. John Griffith (1818-85), gŵr o Lanbadarn Fawr yn wreiddiol a benodwyd gan yr Ardalydd Bute yn ficer Aberdâr yn 1846.[10] Nid oedd Aberdâr yn ddigon o deyrnas i ddau mor wahanol i'w gilydd â Price a Griffith, ond bu'n rhaid iddynt ddygymod â'i gilydd am dair blynedd ar ddeg hyd nes i Griffith symud i fod yn rheithor Merthyr Tudful.

Bu'n gyfnod cythryblus. Ymwelodd R.R.W. Lingen, un o gomisiynwyr y Llywodraeth i archwilio cyflwr addysg yng Nghymru, ag Aberdâr yn 1847. Aeth John Griffith gyda Lingen i ysgolion Aberdâr ar 20 Mawrth 1847, ac ysgrifennodd air ar ei gyfer ar 21

Ebrill ar gyflwr addysg yn y plwyf. Ysgrifennodd gyfres o lythyrau i'r *Cardiff and Merthyr Guardian* a *John Bull* a gynhyrfodd y dyfroedd fwy fyth.[11] Atebwyd ef gan Ieuan Gwynedd.[12] Pan gyhoeddwyd Adroddiad y Comisiynwyr yn 1847 (Brad y Llyfrau Gleision), plediodd John Griffith agwedd y comisiynwyr ac fe'i beirniadwyd yn llym gan Thomas Price. Yn sgil y cynnwrf yn dilyn cyhoeddi Adroddiad 1847, daeth y 'genedl Anghydffurfiol' i'w theyrnas a daeth Thomas Price yn lladmerydd huawdl i'r genedl honno yng Nghwm Cynon. Dadleuodd dros hawliau'r glowyr gydag arddeliad.[13] Dyma'i safbwynt: 'Gyda y gweithwyr y byddwn yn llafurio gyda chrefydd, addysg a'r cymdeithasau dyngarol. Os bydd rhagfarn yn ein meddwl, y mae o angenrheidrwydd i fod o du y gweithiwr.'[14]

Bwriad Thomas Price oedd ysgogi'r glöwr a'r gweithiwr caled ei fyd i dderbyn gwahanol gysuron y grefydd Gristnogol a'r diwylliant Cymraeg. Breintiwyd ef â chorff cryf ac yr oedd fel dynamo yn y cwm, yn sefydlu achosion newydd yn ystod ugain mlynedd cyntaf ei weinidogaeth. Symudwyd o Garmel i gapel newydd Calfaria, a rhwng 1849 a 1869 sefydlodd chwech achos Bedyddiedig, sef Gwawr, Godreaman (1849), Carmel (achos Saesneg), Aberdâr (1852), Aberpennar (1855), Bethel, Aber-nant (1862), Ynys-lwyd (1862) a'r Gadlys (1869).[15] Yn 1863 yn unig yr oedd ganddo 4,548 o ymrwymiadau a'r flwyddyn ddilynol, mwy fyth, sef 8,843.[16] Mewn ugain mlynedd cymerodd ran mewn 6,167 o gyfarfodydd cyhoeddus fel darlithydd a phregethwr y Gair.[17] Derbyniodd trwy fedydd, adferiad a thocynnau, rhwng 1 Ionawr 1846 a Nadolig, 1885, gynifer â 3,847 o aelodau. Yr oedd pedair Ysgol Sul yng Nghalfaria yn 1863 a 12,140 o aelodau.[18]

Cefnogodd ef heb laesu dwylo y diwylliant cerddorol. Daeth Côr Calfaria yn gôr niferus, a gwae neb a feiddiai adael am gôr arall! Pwdodd un o'r cantorion a symud i gapel y Bedyddwyr yn y Gadlys. Ond un bore Sul gwasanaethwyd yn y Gadlys gan Thomas Price, a phwy a welai yng nghôr y capel ar y galeri ond un o gyn-gantorion Côr Calfaria. Safodd y gŵr grymus yn stond, a heb ofni neb, dyma fe'n llefaru o'r pulpud:

> Evan, ti sydd yna? Os oes gormod o'r diawl ynot ti i ganu gyda'r côr yng Nghalfaria, nid wyt ti i ganu yma heddyw. Symud i'r ochr wnei di.[19]

Rhoddai Price hwb i'r cantorion, prynai lyfrau canu iddynt a chefnogai'r arweinwyr a oedd yn aelodau o'i eglwys, gwŷr fel John Moore, a John Roberts (1806-79), awdur y dôn *Alexander*.[20] Daeth John Roberts i Aberdâr yn 1855 a bu'n arwain y canu yng nghapel y Bedyddwyr am ddeunaw mlynedd cyn symud yn ôl i Aberystwyth. Cafodd y ddau frawd o Benfro, George a William Griffith, yr argraffydd Evan Leyshon, Theophilus Jenkins, ysgolfeistr Aber-nant a Daniel Griffiths bob cefnogaeth ganddo ym myd caniadaeth. Yn wir, datblygodd y traddodiad cerddorol yn Eglwys Calfaria. Rhoddodd Daniel Griffiths hanner can mlynedd o wasanaeth. Bu'n arweinydd y gân am ugain mlynedd ac yn arweinydd y Côr, ac o dan ei arweiniad ef perfformiwyd rhai o'r prif weithiau, sef *Messiah*, *Samson* a *Judas Maccabeus*. Calfaria oedd un o gapeli cynta'r cwm i gael offeryn cerdd. Pwrcaswyd organ hardd ar gyfer yr Athro Tom Davies a phenodi is-organyddion iddo, sef George Jenkins a Lizzie Morgan.[21] Yr oedd hefyd Gôr y Plant yng nghapel Calfaria yn nyddiau David J. Pugh.

Roedd gan Dr Thomas Price lu o ddisgyblion yn y cwm. Rhaid cofio mai cyfrinach grym Ymneilltuaeth yr adeg honno oedd y bechgyn a'r merched a dyrrai o gefn gwlad Ceredigion, Caerfyrddin a Phenfro i Gwm Cynon. Daeth llu o'r rhain o dan ddylanwad gŵr o allu a charisma Thomas Price. Dyna a ddigwyddodd i James (Spinther) James (1837-1914), un o haneswyr enwad y Bedyddwyr. Bugail a gyrrwr gwartheg yn ardal Talybont, Ceredigion ydoedd hyd 1854, pan ddaeth i Aberdâr i'r pyllau glo. Yn ôl Dr R.T. Jenkins: 'Yn Aberdâr ymdaflodd i'r bywyd llenyddol effro a gefnogid gan ei weinidog, Thomas Price; ond yn Nhalybont, yn ystod egwyl o segurdod yn y gwaith glo, y dechreuodd bregethu.' [22]

Bu ei frawd, Gwerfyl James, hefyd yng Nghalfaria, a Dr Price fu'n 'dad yn y ffydd' i'r Parchg James Jones o Abercwmboi (Tonyrefail yn ddiweddarach), athrylith i'w gyfoeswyr, ac i Tom Valentine Evans (1861-1935).[23] Yn wir, daeth ef o Goleg Trefeca lle yr oedd yn bwriadu mynd i'r weinidogaeth gyda'r Methodistiaid Calfinaidd, i'w fedyddio ar 11 Hydref 1880 gan Dr Price.[24] Newidiodd enwad a chyn diwedd y flwyddyn, ei Goleg, pan aeth i Goleg y Bedyddwyr ym Mhont-y-pŵl. Un arall o gywion Dr Price oedd Jenkin Howell (1836-1902), Bedyddiwr mawr. Un o Benderyn ydoedd yn wreiddiol a phrentisiwyd ef yn grydd pan oedd yn dair blwydd ar ddeg. Dylanwad mawr arall arno oedd Rosser Beynon (Asaph Glan Taf: 1811-76), beirniad craff, cerddor ac eisteddfodwr. Ond o dan ddylanwad Dr Thomas Price aeth yn brentis-gysodwr i swyddfa argraffu Daniel Thomas Jones *Y Gwyliedydd*. Roedd ganddo ei swyddfa ei hun yn 1867 a chyhoeddodd yno waith Dafydd Morganwg, a phapurau fel *Y Medelwr* (papur darluniadol), *Y Gweithiwr Cymreig*, papur wythnosol o 1885 tan 1889, a'r *Ymofynydd*, cylchgrawn yr Undodiaid Cymraeg, o 1873 tan 1896.

Gweinidog arall gyda'r Bedyddwyr a fu am gyfnod hir o dri deg tri o flynyddoedd yng Nghwm Cynon oedd R.E. Williams (Twrfab: 1847-1911). Casglodd ef nythaid o feirdd o'i amgylch yng nghapel Ynys-lwyd, Aberaman.[25] Dyna William Thomas (Morfab: 1840-1904), yn enedigol o Dyddewi, Sir Benfro ac yn un o gefnogwyr pybyr Twrfab.[26] Ac aelod arall yng nghapel Ynys lwyd oedd y glöwr David Davies, sef Eurfab, y gwelir ei waith ar dudalennau *Tarian y Gweithiwr*.[27]

Cysylltwn gapel y Bedyddwyr, Cwm-bach ag un o'r beirdd a aeth â'n bryd oherwydd tristwch ei hanes byr. Ei enw oedd Thomas Evans (1840-1865) ond llawer mwy cyfarwydd yw ei enw barddol—Telynog. Dihangodd i Aberdâr o Aberdaugleddau ar ôl bod yn forwr ar long o'i dref enedigol, Aberteifi.[28] Pregethai'n gyson gyda'r Bedyddwyr Cymraeg a dechreuodd farddoni yng nghymdeithas capel Cwm-bach. Cyfansoddai heb drafferth a dangosodd ddiddordeb byw ym myd yr eisteddfod. Glöwr ydoedd ond bu farw o'r darfodedigaeth. A chyhoeddodd ei athro barddol, Howel Williams (Hywel Ddu), gyfrol o'i waith er mwyn casglu tipyn o arian i helpu mam Telynog yn ei galar a'i hiraeth.[29] Y mae ei englyn i Aberdâr yn haeddu ei gofio:

> Aberdâr yw bri y dydd,—a llannerch
> Dillynion ysblennydd;
> Gwlad mwnau—glo ydyw 'mennydd
> Ei bryniau glwys gyda'u rhwysg rhydd.

Bedyddiwr a setlodd yn y cymoedd oedd William Williams (Myfyr Wyn: 1849-1900), un a fu'n of mewn gwaith haearn cyn iddo ddod i gadw siop bapurau yn Aberaman. Bu dylanwad y Parchg Robert Ellis (Cynddelw), ei hen weinidog yn Sir Fynwy, yn drwm arno. Gwnaeth Myfyr Wyn gyfraniad bywiog i lenyddiaeth y dydd trwy'r ysgrifau a ymddangosodd yn *Tarian y Gweithiwr* o dan y pennawd 'Llythyra Bachan Ifanc', ysgrifau sy'n cyfrif i raddau helaeth am boblogrwydd yr wythnosolyn hwnnw yn nawdegau'r ganrif ddiwethaf. Casglwyd a chyhoeddwyd cyfrol o'i ysgrifau, *Cân, Llen a Gwerin*, yn 1908 o dan olygyddiaeth ei frawd, Dafydd Williams (Myfyr Ddu). Cyhoeddwyd casgliadau o'i gerddi yn ystod ei oes, sef *Gwreichion yr Eingion* (Tredegar, 1887) ac *Y Trwmpyn, neu Bartnar Piwr i Fechgyn a Merched gan y 'Bachan Ifanc'* (Aberdâr, 1896; ail argraffiad 1906).[30] Un rheswm am boblogrwydd Myfyr Wyn oedd fod ganddo gydymdeimlad mawr â'r dosbarth gweithiol. Y mae hyn i'w ganfod yng ngwaith cynifer o'r beirdd. Yr oedd yr elfen radicalaidd yn gryf iawn, yr elfen a gefnogwyd gan yr Hen Dŷ Cwrdd, capel yr Undodiaid yn Nhrecynon. Gwyddom am ddylanwad a chysylltiad Edward Williams (Iolo Morganwg: 1747-1826), lladmerydd y Chwyldro Ffrengig a ffrind i'r beirdd. Wedi'r cyfan, hyfforddwyd Iolo Morganwg ynghyd ag Edward Evan(s) (1716-98) gan Lewis Hopkin (1708-71), gŵr allweddol ym myd crefydd a hefyd yn yr adfywiad llenyddol a welwyd ym Morgannwg yn hanner cyntaf y ddeunawfed ganrif.[31] Un o Lwydcoed oedd Edward Evan(s), ac ef a ddaeth yn weinidog i'r Hen Dŷ Cwrdd ar 1 Gorffennaf 1772 gan aros yn fugail hyd 1796. Y mae'n ŵr a gyflawnodd lawer iawn a chafodd ei asesu'n ddeheuig gan Dr R.T. Jenkins.[32] Heb amheuaeth yr oedd yn amgenach crefftwr o fardd na neb o'i gyfoeswyr ym Morgannwg, a rhydd yr englyn canlynol i dai gweithwyr syniad o'i allu fel cynganeddwr:

TAI BANWEN

Sylwaf na welaf salwach—aneddau
Anaddas wael sothach
O dai llwydion, byrion bach
Yn braenu dan do brwynach.

Dilynodd ei feibion yr un trywydd. Bu Edward Ifan (1777-1862) yn flaenor yn yr Hen Dŷ Cwrdd. Arddelai'r ffugenw Cynfab, ac i'w gyd-aelodau yr oedd Edward Ifan yn ŵr duwiol a da.[33] Bu'r mab arall, Rhys ab Ifan (1799-1867), yn weithgar yng nghapel ei dad ond pan agorwyd achos Undodaidd Cymraeg yng Nghwm-bach, ymaelododd yno. Bu dyfodiad y radical, Tomos Glyn Cothi (1764-1833), yn gryn hwb i'r Hen Dŷ Cwrdd. Un o Gwernogle yn Sir Gaerfyrddin oedd Thomas Evans, neu 'Priestley bach' fel y'i gelwid ef am iddo lyncu athrawiaethau un o arweinwyr pennaf Undodiaeth yn Lloegr. Cofleidiod Undodiaeth mewn bro lle yr oedd Calfiniaeth yn ennill tir. Cydymdeimlai â'r Chwyldro yn Ffrainc a dioddefodd garchar Caerfyrddin yn 1803 am ei safiad. Symudodd yn 1811 i ofalu am yr Hen Dŷ Cwrdd. Yr oedd Tomos Glyn Cothi yn wleidyddol ei fryd fel pregethwr a bardd fel y dengys yr englyn hwn i un o wladweinwyr ei oes nad yw'n petruso'i ddifenwi:

Y GWIR DIANRHYDEDDUS WILLIAM PITT

Pitt iauwr, llethwr â llwythi,—gwarrau
Gwerin mewn caledi;
Pwll uffern, pwy eill hoffi
Dy oer droeon, duon di?[34]

Olynydd Tomos Glyn Cothi oedd John Jones (1802-63), un o Lannarth yng Ngheredigion ac ysgolhaig yn y clasuron. Disgybl i Dr Joseph Priestley (1733-1804) ydoedd yntau ac un o'r heddychwyr cynnar.[35] Bu'n awdur toreithiog yn ystod ei gyfnod yn yr Hen Dŷ Cwrdd, a gellir gweld yn rhestr ei gyhoeddiadau mai amcan y cyfan oedd diwyllio'r ifanc yng ngwaith yr Ysgol Sul a hefyd yng ngwaith dyddiol ei academi yn Nhrecynon. Denai'r werin bobl i'w diwyllio, yn feirdd a chefnogwyr y bywyd Cymraeg, a bu'n garedig i lawer un. Enghraifft dda i brofi'r pwynt ydyw bywyd Thomas John Jones (Cynonwyson: 1822-1888) a dreuliodd ei oes yn Aberdâr. Yr oedd yn ŵr cloff ac eiddil ei gorff o'i febyd a chafodd garedigrwydd mawr gan John Jones. Rhoes ysgol rad iddo a'r canlyniad fu magu gŵr gweithgar i Undodiaeth Cwm Cynon. Rhoddodd o'i orau mewn ffyddlondeb ac arweiniad i'r Ysgol Sul lewyrchus yn yr Hen Dŷ Cwrdd, bu'n un o godwyr canu'r capel ac nid oedd pall ar ei ymroddiad i'r Clybiau Dyngarol. Creodd John Jones athro arall, oherwydd bu Cynonwyson yn cadw ysgol ei hun yn Llwydcoed cyn mynd i weithio i gwmni camlas yn Aberdâr.[37]

Mae ei gyfraniad i Siartaeth, yn fy nhyb i, yn haeddu sylw gan iddo lunio toreth o ysgrifau i bapur y mudiad, *Udgorn Cymru*. Efallai mai ef oedd un o siartwyr olaf Cwm Cynon. Ei ddiléit mawr arall oedd llenydda ar dudalennau *Yr Ymofynydd*, yn arbennig o 1848 hyd 1888. Ysgrifennodd o dan nifer o ffugenwau, megis Siôn Llwyd, Gwenynen Frytanaidd, a Cynonwyson. Y mae ei feirniadaeth gymdeithasol yn llym, fel y gwelir yn ei englyn i glafdy Trecynon a adeiladwyd gan yr awdurdodau yn ymyl y fynwent rhag bod angen gwario gormod ar y daith olaf. Ymatebodd Cynonwyson fel hyn:

Talent o waelod dwli,—a fynnai
Wrth fynwent gael codi
Claf-dy i dlawd, frawd di-fri,
Luniwyd i'w ddigalonni.[38]

Bu John Jones yr un mor garedig i Edward Thomas Edward(s) (1760(?)-1840). Cefnder oedd ef i Gwilym Harri (Garw Dyli Penderyn: 1762(?)-1844), a oedd yn gyfaill i Iolo Morganwg fel y tystiodd D. Jacob Davies: 'Bu Iolo yn gyfaill mawr iddo ar hyd ei oes a deuai heibio, â'i waled ar ei gefn, i ymweld â'i gyfaill barddol a'i gyfaill yn y ffydd fel Undodwr, yn gyson'.[39] Y mae'n siŵr fod Edward Thomas Edward(s), fel ei gefnder, yn ffrindiau gyda'r saer maen o Drefflemin, a chafodd y ddau ohonynt fudd mawr o gymdeithas yr Undodiaid, y naill o dan weinidogaeth Tomos Glyn Cothi a John Jones, a'r llall yn yr Hen Dŷ Cwrdd, Cefncoedycymer—gymaint felly fel na fedrai un peth gadw Edwards draw o'r gymdeithas. Yn wir, bu farw ar gomin Aberdâr mewn storm enbyd ar ei ffordd adref ar ôl bod mewn cyfarfod yn yr Hen Dŷ Cwrdd. Collwyd cynganeddwr medrus fel y prawf ei englyn i 'Mis Awst':

Awst a rydd beunydd i'r byd—ryw raddau
O roddion gwir hyfryd
A hwn cair yr aur trwy'r ŷd
Efe biau arf bywyd.[40]

Yr oedd y gymdeithas yn gref yn yr Hen Dŷ Cwrdd ac o ddechrau'r bedwaredd ganrif ar bymtheg ymlaen mewnfudai gwŷr a merched o'r gorllewin yn gyson gan atgyfnerthu diwylliant Cymraeg y cwm trwy gapeli fel yr Hen Dŷ Cwrdd. Ysgolfeistr o gyffiniau Castell-nedd oedd Benjamin Lewis (1798-1846), ac ar ôl setlo yn Llwydcoed yn 1818 daeth yn un o selogion capel yr Undodiaid hyd ei farw cynnar. Ond heb os nac onibai, cymeriad allweddol y cyfnod hwn oedd William

Williams (Y Carw Coch: 1808-1872). Y mae ei holl hanes yn hynod o ramantus. Ganwyd ef mewn bwthyn rhwng y Rhiw-olau ac Aberpergwm yng Nghwm Nedd. Ni chafodd awr o ysgol o gwbl ar wahân i'r Ysgol Sul. Symudodd yn ifanc o Lyn-nedd i Dredegar ac yna yn ôl i Dregibwn, Llwydcoed. Priododd yno yn 1832 ac o fewn pum mlynedd aeth ati i adeiladu gwesty helaeth ar Heol-y-Felin o'r enw Stag Inn. Bu fyw yno hyd ei farw ar 26 Medi 1872.[41]

Pwrpas y gwesty hwn oedd darparu cyfleusterau ar gyfer y byd newydd a oedd yn dod i'r cwm, a chredai William Williams fod Eldorado wrth law, yn enwedig pan ddaeth y rheilffyrdd. Ei freuddwyd optimistaidd ef oedd gweld ymwelwyr yn tyrru i Aberdâr, ond nid felly y bu. Ond ni ddigalonnodd Y Carw Coch, oherwydd fe gafodd arwr yn ei weinidog, John Jones. Taflodd ef ei hun i'r frwydr o blaid gwelliannau i'r werin bobl, sicrhau hawl i'r bleidlais a holl agenda'r Siartwyr. Lledaenodd y syniadau a'r ideoleg radicalaidd. Ffurfiwyd Cymdeithas y Rhyddymofynwyr gan nifer o aelodau John Jones, a chyfarfyddent yn y Stag. O'r gymdeithas hon a ddenodd radicaliaid ati o enwadau eraill y tarddodd y mudiad eisteddfodol a fu mor amlwg ym mywyd y cwm. Sefydlwyd Eisteddfod Y Carw Coch a datblygodd Cymdeithas Cymreigyddion Y Carw Coch i'w noddi. Adeiladu a wnaeth Y Carw Coch ar gyfraniad glöwr diwylliedig o'r enw Dafydd Llewelyn, Brynhyfryd (Mount Pleasant erbyn hyn). Efe a sefydlodd, yn 1833, Gymdeithas Cymreigyddion y Bryn Hyfryd.[42] Er na wyddom ni lawer am Dafydd Llewelyn, gwyddom gryn dipyn am ei fab dawnus, Thomas Dafydd Llewelyn (Llewelyn Alaw: 1828-1879).[43] Un o Lwydcoed ydoedd a dysgodd ganu'r delyn yn blentyn bach. Erbyn ei fod yn wyth mlwydd oed dywedid ei fod cystal telynor â Blegwyryd ab Seisyllt.[44] Gweithiai yn y lofa gyda'i dad pan oedd yn un ar ddeg oed ond yn 1851 gadawodd y lofa a rhoi ei holl amser i farddoni, i gerddoriaeth a llenyddiaeth. Daeth yn delynor i deulu Aberpergwm a hefyd i deulu Arglwydd Aberdâr, ond nid anghofiodd ei deyrngarwch i'r Hen Dŷ Cwrdd. Ym mynwent y capel y gorwedd ac ar ei garreg fedd y mae englynion o waith Nathan Dyfed.[45]

Cafodd Y Carw Coch gefnogaeth Dr Thomas Price, hefyd, yn ogystal â David Williams (Alaw Goch: 1809-63), eglwyswr o eisteddfodwr a pherchen pyllau glo na chollodd ei berthynas â'r werin bobl ar ôl iddo ymgyfoethogi.[46] Agorodd byllau glo trwy'r cwm [47] a bu'n gefnogol iawn i Eisteddfodau'r Carw Coch ac i'r Eisteddfod Genedlaethol a gynhaliwyd am y tro cyntaf yn Aberdâr yn 1861.[48]

Un o'r beirdd a arhosai'n aml yn y Stag oedd William Morgan (Gwilym Gelli Deg: 1809-1878).[49] Cafodd lawer iawn o garedigrwydd gan Y Carw Coch, ac yr oedd ei angen arno gan iddo dreulio'r rhan olaf o'i oes fel 'hanner crwydryn rhwng Aberdâr a Merthyr'.[50] Bu farw mewn tlodi mawr ar 29 Medi 1878.[51] Undodwr o'r un anian a dawn â'r Carw Coch oedd John Thomas Jones (Eiddil Glan Cynon: 1820-1882).[52] Yn eisteddfodwr pybyr, yn ddawnus fel canwr, ef hefyd oedd arweinydd y gân yn yr Hen Dŷ Cwrdd. Ysgrifennodd yn helaeth i'r *Ymofynydd* ac ef a ofalai am y *Cylchiolyn*, cylchgrawn a wasanaethai gwmni o lenorion a berthynai i'r Hen Dŷ Cwrdd. Ni bu ei debyg am ddosbarthu'r *Ymofynydd*; ar un adeg dosbarthai, drwy ei is-ddosbarthwyr, dros 200 copi o'r misolyn yng nghyffiniau Aberdâr. Er ei iechyd bregus bu'n weithgar mewn cymdeithasau megis Cyfrinfa Rydd a Chytunol Tŷ Cornel, Llwydcoed.

Gŵr arall a gyfrannodd yn helaeth i'r *Ymofynydd* oedd John Thomas (Ifor Cwmgwys: 1813-66).[53] Ni chafodd ddim addysg ac roedd yn ddeg ar hugain oed yn dysgu ysgrifennu. Ond daeth i weithio i ffatri wlân Job Davies (Rhydderch Farfgoch: 1821-1887) pan oedd yn ifanc a phriododd â Rachel, merch Job Davies, a hi a'i dysgodd i ysgrifennu. Undodwr ydoedd fel ei dad yng nghyfraith a gwelodd gyhoeddi dwy gyfrol o'i farddoniaeth, sef *Ceinion Glan Gwenlais* yn 1862 a *Diferion Meddyliol* yn 1865.[54]

Gwladwyr oedd rhan fawr o gynulleidfa'r Hen Dŷ Cwrdd hyd yn oed yn negawdau olaf y bedwaredd ganrif ar bymtheg, ac yr oedd hynny'n wir am gapeli eraill. Dyna pam y dylid dweud mai cwm lled-ddiwydiannol fu Cwm Cynon ar hyd y ddwy ganrif ddiwethaf. Enghraifft dda o un o wladwyr yr Hen Dŷ Cwrdd oedd John Rosser, Abercwmboi. Ganwyd ef yn 1830 a bu'n ffermio Penrhiwbugen, uwchlaw Abercwmboi. Ymddiddorai mewn barddoniaeth ac yr oedd yn gefnder i Cynonwyson, a'i wraig yn chwaer i wraig Eiddil Cynon. Crogodd ei hun yn ysgubor Penrhiwangen ar 25 Chwefror 1886 a gweinyddwyd yn ei angladd ym Mynwent Llanwynno gan weinidog Undodaidd Trecynon.[55] Cydymaith iddo oedd y bardd William James (1835-1895) a threuliodd yntau ei oes yn ffermio Cwmneol, Cwmaman. Er ei fagu yn yr Hen Dŷ Cwrdd gadawodd ef gapel ei febyd am gapel Undodaidd Cwm-bach, lle bu'n arweinydd y gân a hefyd yn ei dro yn organydd medrus.[56]

Ni allwn wneud cyfiawnder â'r Hen Dŷ Cwrdd heb gyfeirio at rai o'r gweinidogion eraill a ddilynodd John Jones. Dyna Rees Jenkin Jones (1836-1924), mab hynaf John Jones. Yn y flwyddyn y bu farw ei dad daeth yntau'n weinidog yr Hen Dŷ Cwrdd ac yn bennaeth y 'Trecynon Seminary'. Cyfrannodd ryw hanner cant o erthyglau i'r *Dictionary of National Biography* ac mae'n rhaid dweud fod aml un ohonynt yn reit wachul. Ond ni ddylid anghofio'i lafur mawr dros *Y Gweithiwr Cymreig*, *Yr Ymofynydd*—bu'n ei olygu rhwng 1873 a 1887—a'r *Geninen* lle'r ymddangosodd sawl erthygl o'i eiddo. Ac yn 1895 cyhoeddodd *Emynau ac Odlau* y mae'r rhan fwyaf o'i gynnwys yn gyfieithiadau o'i waith ei hun.[57]

Gweinidog amryddawn arall yn yr Hen Dŷ Cwrdd oedd E.R. Dennis (1882-1949) a weini-dogaethodd yn Nhrecynon o 1916 hyd 1949.[58] Annibynnwr o ran magwraeth a adawodd Siloa am yr Hen Dŷ Cwrdd ac a fu'n fawr ei gyfraniad fel cynhyrchydd dramâu, cerddor a sefydlydd y Theatr Fach yn Aberdâr oedd y Parchg E.R. Dennis. Olynwyd ef gan Jacob Davies (1916-1974), heddychwr, bardd, newyddiadurwr a gŵr amlochrog iawn.[59] Gweinidogaethodd yn Aberdâr o 1945 hyd 1957 ac

Hen Dŷ Cwrdd.
(Llyfrgelloedd Rhondda Cynon Taf)

Y Parchg D. Jacob Davies.
(Y Parchg Eric Jones)

Y Parchg D. Silyn Evans.
(Llyfrgelloedd Rhondda Cynon Taf)

un o'i gymwynasau pennaf oedd paratoi'r gyfrol *Cyfoeth Cwm* a chyflwyno inni lawer o fanylion am feirdd a llenorion Cwm Cynon, rhai a fyddai wedi mynd i ddifancoll onibai am ei ddygnwch a'i gyfeillgarwch ag un o haneswyr pennaf y cwm, W.W. Price (1873-1967).[60] Ni fyddem wedi dod ar draws John Bowen (Gwrgant Morgannwg: 1870-1951) oni bai am D. Jacob Davies.[61] Gyrrwr trên ydoedd, a disgrifia D. Jacob Davies ef yn eistedd yn y sedd gefn yn yr Hen Dŷ Cwrdd a 'chap corun-du' am ei ben. Nyddodd hwiangerddi bendigedig ac ef oedd yr olaf i byncio yn null baledwyr Morgannwg. Trist meddwl mai cynnyrch Cymreictod crefyddol Aberdâr oedd Amlyn Davies (1946-65), mab y Parchg a Mrs D. Jacob Davies, a fu farw fel Telynog a'i addewid fawr o'i flaen. Yr oedd ei dad, fel gweinidogion eraill Aberdâr a'r cyffiniau, wedi brwydro'n galed i sicrhau Ysgol Gynradd Gymraeg yng Nghwmdâr ac yno y cafodd Amlyn ei addysg gynnar.[62] Brwydrais innau gyda chapelwyr eraill yn y chwedegau i sefydlu Ysgol Gymraeg yn Abercynon yng ngwaelod y cwm. Mae'r stori honno wedi ei hadrodd yn *Chapels in the Valley*.[63]

Ni all yr un enwad na'r un capel arall yn y cwm gystadlu â'r Hen Dŷ Cwrdd er bod cyfraniad yr Annibynwyr yn helaeth a chyfoethog i'n diwylliant.[64] Yr un yw'r patrwm, symud rhag tlodi cefn gwlad i geisio gwell amodau byw yn y diwydiant glo, er i ambell un, fel George Lewis (Eiddil Llwyn Celyn: 1826-58), fethu goresgyn ei sefyllfa oherwydd y teulu mawr a ddaeth i ddibynnu arno. Bu George Lewis farw yn 52 oed a gadael gweddw a naw o ferched bach ar ei ôl.[65] Ymysg Annibynwyr Trecynon y preswyliai ac y mae ei farddoniaeth yn bwysig am ei fod yn darlunio'r bywiogrwydd mawr a berthynai i gwm fel Cwm Cynon. Roedd ei frawd, William Lewis (Cawr Dâr), yn fwy radicalaidd ei fryd fel y prawf ei gerdd, 'Cwyn hen weithiwr tanddaearol'.[66] Un o'r arweinwyr pennaf a welodd yr Annibynwyr oedd David Silyn Evans (1850-1930), gweinidog Siloa, Aberdâr o 1880 tan ei farwolaeth ar 11 Medi 1930. Bu'n Ysgrifennydd Undeb yr Annibynwyr (1891-94) a Chadeirydd yr Undeb (1911-12), ond ei gyfraniad pennaf oedd iddo, fel Thomas Price, ysgogi gweithgarwch diwylliannol am hanner can mlynedd—fel golygydd *Tarian y Gweithiwr*, fel awdur, ac fel gweinidog carismatig.[67] Rhoddodd hwb mawr i'r teulu cerddgar a fu yn Siloa, sef Rees Evans a'i fab William John Evans. Bu Rees Evans yn cynorthwyo Griffith Rhys Jones (1843-97), neu Caradog fel yr adwaenid ef, un o arweinwyr enwocaf corau'r De.[68] Cadwai siop dilledydd ac ef a ddilynodd Caradog fel arweinydd y Côr Undebol. Dilynwyd yntau gan ei fab, William John Evans, a bu yntau'n arwain Côr Meibion Cynon United, Côr Undebol Cwmaman (a sefydlwyd yn 1900), yn ogystal â Chôr Siloa, y capel lle bu'n organydd hefyd. Daeth yn arweinydd cymanfaoedd canu trwy Gymru a bu Côr Siloa'n perfformio'r prif weithiau flwyddyn ar ôl blwyddyn.[69] Anghywir fyddai rhoi'r argraff mai W.J. Evans oedd yr unig gerddor amlwg yn Siloa; yr oedd eraill, megis David Davies (Dewi ap Iago: 1835-1913) a fu'n arweinydd y canu ar y Sul, a chanu'r plant yn y Gobeithlu.[70] Edrychid ar Silyn fel gŵr unigryw a ddylanwadodd ar lawer o wŷr ifainc a ddaeth yn weinidogion i'r cylch,[71] a bu Siloa'n ffodus o gael olynydd arbennig iddo yn y Parchedig R. Ifor Parry a dreuliodd ei holl weinidogaeth, ac yntau'n ddiwinydd a hanesydd praff, yn athro a gweinidog yn y cwm.

Capel arall pwysig yn hanes Annibynwyr y cwm yw Saron, Aberaman. Bu'r gymdeithas hon yn fawr iawn ei chyfraniad i'r diwylliant Cymraeg er pan ddatblygodd y pentref yn sgil agor y gwaith glo a'r diwydiant haearn. Bu ymosodiad y *cholera* yn 1849 yn hwb i dyfiant Saron; ychwanegwyd 120 o aelodau newydd[72] ac yna fe estynnwyd galwad i ŵr grymus o Lanelli, yn Sir Frycheiniog, ym Mehefin 1859, gŵr a roddodd ei stamp ar yr eglwys am y naw mlynedd nesaf. Nid oedd y Parchg John Davies yn fardd ond credai mewn hybu diwylliant a gosododd ef y seiliau yn Saron. Erbyn diwedd y ganrif, yn nyddiau Thomos Howells (1839-1905) a'i frawd David Howells, y crydd, yr oedd Saron yn cynnal eisteddfod ar ddydd Nadolig, yn dysgu cynganeddu ac yn cynnal cyngherddau o safon uchel. Wedi'r cyfan, yr oedd Thomos Howells yn arweinydd cymanfaoedd. Yn ddiweddarach, elwodd Saron ar weinidogaeth ofalus y Parchg Glannant Jones, a chofiaf ef yn dda yn ystod fy nghyfnod yn y cwm. Roedd ganddo ddiddordeb amlwg mewn barddoniaeth a bu'n hybu Cymreictod y cwm. Mae'n amlwg mai bardd amlycaf y gymdeithas yn Saron yn hanner cyntaf yr ugeinfed ganrif oedd David Griffiths (Dewi Aeron: 1884-1949), un o ardal Hebron, Sir Benfro. Ar ôl gweithio am gyfnod yn y lolfa, treuliodd y rhan fwyaf o'i oes yng ngwasanaeth cwmni masnachol yn Aberaman a bu'n gystadleuydd llwyddiannus droeon yn yr Eisteddfod Genedlaethol[73] ac yn ddiacon yn Saron.

Eglwys Annibynnol arall yn ymyl Saron oedd Bethlehem, Abercwmboi a sefydlwyd mewn tŷ yn 1 Jenkyn Street ar 10 Hydref 1858.[74] Ffrwyth penderfyniad dau ŵr grymus ydoedd, sef John Davies, Saron a'r cyfalafwr, David Davies, Maesyffynnon. Ei eglwys ef oedd Soar, Aberdâr, ac ef a osododd garreg sylfaen Bethlehem.[75] Yn yr ugeinfed ganrif cyfrannodd Bethlehem, Abercwmboi yn helaeth trwy ymroddiad dau yn arbennig, sef y Parchedig Morgan Price, cynganeddwr a fu yno am hanner can mlynedd, a'r organydd Jonah Rees, athrylith o gerddor. Clywais aml un yn dweud ei fod hi'n fraint cael mynd i oedfa bregethu ym Methlehem er mwyn gwrando ar ddatganiad Jonah Rees ar yr organ. Yn ŵr tawel, mewnblyg braidd, dangosodd allu arbennig yn gynnar, ac mae'n fwy trist na thristwch na chafodd gyfle y tu allan i'w filltir sgwâr. Yr oedd yn un o 'wŷr y Gân' mewn gwirionedd, ac yn ystod y Rhyfel Byd Cyntaf, yn ogystal â bod yn organydd Bethlehem ef oedd cyfeilydd Côr Bechgyn Abercwmboi, Côr Bach Let, Aber-nant a Chôr Plant Aberpennar.[76]

Ynghanol y dyffryn ceir tref Aberpennar, ac yn hanes yr Annibynwyr rhaid rhoddi sylw i'r fam-eglwys, Bethania. Tarddodd eglwys Saesneg Providence, Eglwys Carmel, Penrhiw-ceibr, eglwys a bwysleisiai Gymreictod yn fy nyddiau i yn y cwm, Bryn Moreia, Cwmpennar a Soar, Aberpennar o'r fam-eglwys, Bethania. Yn 1895, pan oedd 514 o aelodau ym Methania, penderfynwyd sefydlu cerddorfa a fu'n foddion i helaethu diwylliant cerddorol y cylch. Yr arweinydd cyntaf oedd Owen Treharne, ac ar ei ôl daeth Emrys Evans (a ddaeth yn ddiweddarach yn Gyfarwyddwr Addysg Brycheiniog), John Christopher, George Richards ac Idris Jones.[77] Dathlwyd hanner canmlwyddiant y gerddorfa yn frwd ar 23 Hydref 1945.[78] Bu'r eglwys hefyd yn ffodus o weinidogaeth y Parchg John Phillips a fu yno o 1911 hyd ei farwolaeth ar 29 Mehefin 1948, gan ofalu fod cymdeithas ddiwylliannol gref yno ar hyd y blynyddoedd.[79]

Ymysg y Methodistiaid Calfinaidd y mae'r un brwdfrydedd dros ddiwylliant Cymraeg i'w ganfod yn rhai o'r eglwysi, ac unwaith eto dibynnai'r brwdfrydedd i raddau ar arweiniad gweinidogion a blaenoriaid. Ymgorfforiad perffaith o ddiwylliant Cymraeg Methodistaidd y cwm, heb os, yw Evan Rees (Dyfed: 1850-1923).[80] Daeth ef yn ifanc iawn gyda'i deulu o bentref Cas-mael ger Abergwaun i Aberdâr. Roedd yn gweithio o dan ddaear fel glöwr bach yn wyth oed; buasai ei dad farw'r flwyddyn gynt gan adael naw o blant. Daeth ef a'i frawd, Jonathan Rees (Nathan Wyn: 1842-1905),[81] o dan ddylanwad William Morgan (Y Bardd: 1819-1878). Yr oedd William Morgan yn ddylanwadol ym Methania ac yn Aberdâr; yr oedd yn un o sylfaenwyr *Y Gwladgarwr* a thrwy hynny cafodd y ddau frawd ymgydnabod â gwŷr talentog fel John Roberts (Ieuan Gwyllt) a Lewis William Lewis (Llew Llwyfo). Cynhaliwyd y Gymanfa Ganu gyntaf, mae'n debyg, yn 1859 ym Methania, Aberdâr gan Ieuan Gwyllt (1822-1877), ac ar ôl iddo ddod i Aberdâr y cyhoeddwyd y gwaith arloesol a baratodd yn Lerpwl rhwng 1852 a 1858, sef *Llyfr Tonau Cynulleidfaol*. Bu'r casgliad hwn, yn ôl Huw Williams, 'yn fawr ei ddylanwad ar ganiadaeth gysegredig yng Nghymru, a'i gyhoeddi yn garreg filltir bwysig yn hanes datblygiad canu cynulleidfaol ein gwlad'.[82] Bu William Morgan yn selog dros adeiladu capeli i'r enwad, megis Carmel yn Nhrecynon, Libanus yn Aberaman a Nazareth yn Aberdâr.

O 1857 tan 1862 bu'r Parchg Ddr David Saunders yn weinidog diarhebol huawdl ym Methania, a dilynwyd ef gan y Parchg William James (1836-1908).[83] Fel Dyfed, un o Sir Benfro oedd William James a ddaeth i Aberdâr yn saer coed a chael ei annog ym Methania i bregethu. A dyna a wnaeth yn 1863. Ar ôl cwblhau ei gwrs yn Nhrefeca, derbyniodd alwad i'w fam-eglwys lle bu weddill ei yrfa.[84] Ond yn yr ugeinfed ganrif gwelwyd cryn newid ym mywyd Bethania a holl gapeli Cymraeg y cwm. Bu'n rhaid i'r holl enwadau wynebu dirywiad helaeth.[85] Cafwyd cynhaeaf mawr yn Niwygiad 1904-05 dan ysbrydoliaeth Evan Roberts a oedd yn aelod yng nghapel y Methodistiaid Calfinaidd pan weithiai yn y lofa.[86] Dioddefodd yr eglwysi yn helaeth o effeithiau'r ddau Ryfel Byd a chollwyd bechgyn a merched ieuainc addawol a gweithgar. Crisialwyd y drasiedi yn 1921 gan y Parchg D.M. Rees, un o weinidogion Godreaman, a ymwelsai â bedd ei fab a laddwyd yn un ar hugain oed: 'Oh! y gwastraff annuwiol ar fywydau ein dynion ieuangc'.[87] Soniodd am y beddau a welodd yn Tournai, pedwar cant ohonynt, bechgyn yr Almaen, yr Eidal, Portiwgal a Ffrainc: 'Gorweddant yn dawel wedi bod yn lladd ei gilydd. O'r fath olygfa ofnadwy. Pwy fedr godi ei law dros ryfel?'[88]

Gwendid mawr arall yn y capeli yng Nghwm Cynon oedd eu methiant i gadw'r fflam radicalaidd yn fyw pan ddaeth y mudiad Llafur i'w deyrnas. Amlygodd nifer o'r arweinwyr wrthwynebiad cryf hyd yn oed i'r arweinydd o Gristion a gynrychiolai Aberdâr yn y Senedd, sef Keir Hardie.[89] Anerchodd y Parchg William Davies, Bethania (Stanley Road, Bootle yn ddiweddarach) y Rhyddfrydwyr yn ystod blwyddyn gyntaf y Rhyfel Mawr gan rag-weld y diwrnod golch yn dod yn hanes Prydain pan 'obeithiai weled yr ysmotyn yn cael ei olchi ymaith', sef cynrychiolaeth Llafur gan gynnwys Keir Hardie. Nid yw'n syndod i 'Hen Golier' ei ateb yn *Tarian y Gweithiwr* gan ofidio am ei wrthwynebiad o gofio mai dim ond 39 o aelodau Llafur oedd yn San Steffan allan o 670.[90] Er hynny i gyd, fe fagwyd yn y capeli arweinwyr Llafur ac felly mae'n rhaid gosod y darlun yn ei gefndir priodol. Un o'r enghreifftiau gorau yn ddiamau yw S.O. Davies, arweinydd y glowyr ac Aelod Seneddol Llafur Merthyr Tudful o 1964 tan 1972.[91] Yr oedd ef yn fab i Thomas Davies (Llwynog o'r Graig), capelwr o Abercwmboi a llenor prysur ar dudalennau *Tarian y Gweithiwr* y talodd Bowen Davies deyrnged hael iddo.[92] Yr oedd gwreiddiau Aelodau Seneddol eraill yng nghapeli'r cwm, megis D. Emlyn Thomas, Arthur Pearson ac Emrys Hughes, mab y Parchg a Mrs J.R. Hughes, Abercynon.[93] Ond teg nodi fod rhwyg wedi agor ac wedi lledu fwyfwy dros y blynyddoedd, er i'r cwm weld gweinidogion o blaid Sosialaeth yn eu tro, megis E. Cadfan Jones yn Saron, Aberaman yn y dauddegau, Dr R. Thomas ym Methania yn ystod yr Ail Ryfel Byd a minnau yn Abercynon yn y chwedegau.[94]

Ond y drafferth fawr oedd cadw'r capeli yn ganolfannau Cymraeg ar ôl yr Ail Ryfel Byd. Dangosodd un o blant Abercwmboi, R. Wallis Evans, mewn ysgrif yn *Taliesin* gymaint o weithgarwch a welwyd yn y dauddegau yn y cwm pan osodwyd sylfeini'r Urdd, pan fu'r Methodist Calfinaidd, D.O. Roberts, yn arloesi dysgu Cymraeg, pan gafodd y Wasg gyfnod euraidd, a phan wnaeth Henry Lloyd (Ab Hefin) gyfraniad trawiadol.[95] Ond o fewn deugain mlynedd bu clafychu mawr yn hanes y capeli, yn wir yr oedd y Seisnigeiddio wedi digwydd o leiaf genhedlaeth cyn hynny. Wrth gyflwyno'r ysgolhaig, Dr Brynley F. Roberts, dywedodd yr Athro J.E. Caerwyn Williams:

> Ac er bod y gwasanaethau ym Methania, y capel Methodist Calfinaidd yr âi'r teulu iddo a'r capel yr oedd y tad yn flaenor ynddo, yn yr iaith Gymraeg, Saesneg oedd iaith yr aelodau gan mwyaf yn y cyntedd wrth gyrraedd ac wrth ymadael, ac er bod Bethania wedi cael gweinidogion galluog a dylanwadol tra oedd ef yn fachgen, ni chlywais ef yn priodoli iddo ddylanwad mawr arno yn ei ieuenctid, o'r hyn lleiaf o ran ei Gymreictod.[96]

Yr oedd ffordd arbennig o fyw, o weithredu, o lefaru, o ymateb i'r byd yn diflannu o flaen llygaid y Cymry. Diwylliant arbennig ydoedd, diwylliant gwerin Gymraeg y cwm, canu penillion, cymanfaoedd canu, eisteddfodau a gwrando ar enwogion Cymraeg yn darlithio.[97] I ddeall y dirywiad yn y festrioedd ar noson waith y mae'n rhaid cyfeirio at y newid yng nghymdeithas y cwm. Aeth y pentrefi yn drefol eu naws, eu hagwedd a'u ffordd o fyw. Fel y dengys Wallis Evans, ffenomenon yn perthyn i'r cyfnod ar ôl yr Ail Ryfel Byd ydyw. Pentrefi oedd i'w canfod gynt yn y cwm a'r capeli ynddynt yn ganolfannau pwysig. Dau ffactor a unai'r pentrefi hyn oedd rhannu'r un alwedigaeth o ran gwaith a hefyd yr un diddordebau diwylliannol, gan fod y mwyafrif yn siarad a deall yr iaith Gymraeg. Canlyniad cau'r pyllau glo oedd gorfodi pobl i adael y cymunedau pentrefol a chwilio am waith ar y stadau diwydiannol newydd, fel un Trefforest. A gwelwyd dirywiad yn nifer y rhai a siaradai'r iaith. Yn 1911 yr oedd 65 y cant yng nghylch Aberdâr yn medru'r iaith; deng mlynedd yn ddiweddarach nid oedd y ffigwr ond 45 y cant. Heddiw, lleiafrif sy'n ei siarad, er bod cynnydd ymysg y plant, ond gan fod y capeli Cymraeg wedi cau un ar ôl y llall y mae'r sefydliadau sy'n cynnal yr iaith o wythnos i wythnos, yn hytrach na chyfarfod, fel y Cymrodorion, rhyw ddeg gwaith y flwyddyn, yn brin.

Unir pentrefi am fod gan eu trigolion gymaint yn gyffredin, sy'n cynnwys, wrth gwrs, eu hagwedd grefyddol. Daeth y ffatri i ddisodli'r pwll glo a difa diwylliant y glöwr y canodd y Parchg Gwilym Tilsley ei awdl foliant enwog iddo yn 1950 pan oedd yn weinidog yn y cwm. Llaciodd y cwlwm cymdeithasol rhwng y cenedlaethau a bu'r cyfan yn foddion i danseilio Ymneilltuaeth a diwylliant y capeli Cymraeg yng Nghwm Cynon. Mae urbaneiddio (urbanisation) yn peri i bentref ymdebygu i dref, a thref i ddinas, ac mae'n golygu newid mewn ymddygiad, agwedd ac amodau byw i bawb ohonom. Trefi yw'r mannau hynny lle mae prif swyddfeydd diwydiant, swyddfeydd llywodraeth leol, ysbytai, llyfrgelloedd ac ati. Yng Nghwm Cynon, ystyrir mai Aberdâr yw'r brif dref er, yn ôl Cyfrifiad 1951, fod mwy o bobl yn byw ym Mhenrhiw-ceibr. Ond er bod pobl yn dal i fyw mewn pentref fel Aber-nant, dyweder, y mae eu ffordd o fyw yn drefol.[98] Y mae llawer yn dal i gysgu yn y tai teras ym Meisgyn a Phenrhiw-ceibr a Chwmaman, ond y maent yn byw bywyd nad oedd modd ei fyw hanner can mlynedd yn ôl ond mewn dinas. Golyga hyn fod Ymneilltuaeth Gymraeg a oedd yn llwyddo mor arbennig mewn cymunedau bychain, cymdogol, clòs yn dioddef yn enbyd yn yr amgylchedd a'r oes newydd sydd ohoni. Aeth yn aberth i'r car, y sinema, y radio, ac yn arbennig y teledu.[99] Aeth y byd yn fach a daeth i mewn i'r cartref trwy sgrin y teledu.

Sefydlwyd Clybiau Cymdeithasol dengar sy'n cynnig diwylliant Saesneg isel-ael a phopeth a gondemniwyd gan Ymneilltuaeth yn rhan ohono.[100] Nid oedd gan y capeli adnoddau i gystadlu â'r bragwyr ac felly nid oedd modd addasu'r ysgoldai a'u gwneud yn fwy cyfforddus. Roedd yr ewyllys yn brin a llawer o'r arweinwyr yn dal i fyw yn y gorffennol. Methai'r enwadau Ymneilltuol Cymraeg â denu gwŷr ifainc i'r Weinidogaeth. Yr oedd amodau byw yn druenus. Pan ddechreuais yn weinidog yn Abercynon yn 1962, fy nghyflog ar ôl ennill dwy radd Prifysgol Cymru oedd £500 y flwyddyn, ond roedd rhai o'm cyd-weithwyr yn yr enwadau eraill yn ennill llai na hynny ac yn dibynnu'n helaeth ar dâl am wasanaethu yn angladdau paganiaid y fro. Ond at ei gilydd, nid oeddem yn yr un mowld na'r un amgylchedd â'r gweinidogion carismatig y soniwyd amdanynt yn y bennod hon.

Ac yr oedd un o'r gweinidogion a ddaeth i weinidogaethu yng Nghwmdâr, ac a fu farw yn y cwm, sef y Parchg Rhydwen Williams, y bardd a'r llenor, mor wahanol eto fel y cyfeiriwyd ato yn un o rifynnau *Barn* fel yr 'Amharchedig' Rhydwen Williams.[101] Roedd ef yn cyfoesi â ffigwr pwysig arall yn hanes Ymneilltuaeth Gymraeg Cwm Cynon, sef Dr Pennar Davies, neu Davies Aberpennar fel yr adwaenid ef.[102] Er i Pennar Davies gyfrannu yn helaeth i Ymneilltuaeth Gymraeg fe wnaeth hynny'n bennaf fel darlithydd, athro a phregethwr teithiol. Ni wybu am 'fagad gofalon bugail' ond am gyfnod byr o dair blynedd yng Nghaerdydd.[103] Wrth gyflwyno Rhydwen Williams am radd M.A. Y Brifysgol Agored yn 1983, dywedodd y Parchg Ddr Terry Thomas: 'Heriodd, ac mae'n dal i herio, y galluoedd i gyd, gwleidyddol, cymdeithasol a llenyddol.'[104]

Gwir y gair a dyna pam na chafodd yntau hi'n hawdd. Ac aeth pobl o'r un anian ag ef mewn oes ddiweddarach i fyd y cyfryngau yn hytrach nag i fyd y capeli. A phan ddaeth tipyn o adfywiad Cymraeg i'r cwm trwy'n ysgolion nid oedd arweinwyr ar gael i bontio'r gwagle. Pan welwyd adfywiad o'r fath yn nhref Yr Wyddgrug yn y chwedegau a'r saithdegau yr oedd James Eirian Davies a'i briod dalentog, Jennie Eirian Davies, ar gael i gyflawni'r dasg, gan greu capel cryf, gweithgar ym Methesda. Bu'r ddau ar ddechrau eu gweinidogaeth yn Hirwaun ac yn gaffaeliad mawr i Gymreictod y cwm.[105] Angen deg ar hugain Eirian Davies oedd angen Cwm Cynon o'r saithdegau i'r nawdegau, ond nid oeddynt ar gael. Roedd y seciwlareiddio, yr urbaneiddio, y cyfryngau newydd, y diffyg arweinwyr a Thatcheriaeth wedi rhoddi ergyd farwol i gapeli Cymraeg y cwm a gwelwyd un ar ôl y llall yn cau, rhai a fu yn ganolfannau diwylliant o'r radd flaenaf, fel Hermon (MC), Penrhiw-ceibr a Chapel y Rhos (B) yn Aberpennar.[106] Bellach, dymchwelwyd rhai ohonynt a saif eraill yn dyst o oes dra gwahanol pan oedd cwmnïaeth a nyddu pennill a siarad yn ddifyfyr yn bwysig, mor bwysig ag yw gwylio Manceinion Unedig a 'C'mon Midfield' heddiw, neu chwarae bingo a gwrando ar ddigrifwr uwchben peint mewn clwb moethus. Deil Ymneilltuaeth yn y cwm ond y mae yn fwy efengylaidd a llai diwylliannol, ac y mae bron yn uniaith Saesneg. Dyna drasiedi Ymneilltuaeth Gymraeg ar ddiwedd yr ugeinfed ganrif mewn un cwm ym Morgannwg.

NODIADAU

[1]Y mae disgrifiad John Thomas, Lerpwl o'r cwm yn 1838 yn gywir: 'Nid oedd y boblogaeth o Hirwaen i lawr hyd Bontypridd ond ychydig a gwasgarog. Yr oedd ar Hirwaen nifer fawr o dai mewn cysylltiad a'r gwaith. Ceid ychydig dai hefyd ar Benywaen a'r Llwydcoed, ac ar Benyrhewl, fel y gelwid Heol y Felin y pryd hwnnw, yr oedd nifer o dai, ac yna ni cheid ond y tir cyffredin, heb odid i dŷ arno, nes dod i bentref bychan Aberdar. Islaw hynny nid oedd ond ambell dŷ yr holl ffordd trwy Aberaman nes dyfod hyd Mountain Ash, lle yr oedd nifer fechan o dai, ac fel y deuid i lawr yn is, yr oedd y wlad yn anghyfannedd, oddieithr yr ychydig hen amaethdai a lechai o dan geseiliau y bryniau'. Gweler John Thomas, *Cofiant y Parchg T. Rees, D.D., Abertawe* (Dolgellau, 1888), 90-1.

[2]R. Ifor Parry, 'Crefydd yng Nghwm Aberdâr a chyfraniad y Bedyddwyr', *Llawlyfr Undeb Bedyddwyr Cymru Aberdâr,* Awst 24-27, 1964, gol. A.M. Rees (Clydach, 1964), 27.

[3]John Hughes, *Methodistiaeth Cymru*, Cyf. 3 (Wrecsam, 1856), 87.

[4]Trefor M. Owen, 'Chapel Community in Glanllyn Merioneth', *Welsh Rural Communities* gol. Elwyn Davies ac Alwyn D. Rees (Caerdydd, 1960), 207.

[5]John Hughes, op. cit., 88-9.

[6]ibid., 90.

[7]Dafydd Morganwg, *Hanes Morgannwg* (Aberdâr, 1874), 191-201.

[8]W.W. Price, 'Thomas Price (1820-88)', *Y Bywgraffiadur Cymreig hyd 1940* (Llundain, 1953), 745-6.

[9]Benjamin Evans (Telynfab), *Cofiant T.Price, M.A., Ph.D.* (Aberdâr, 1891), 43.

[10]W.W. Price, 'John Griffith (1818?-85)', *Y Bywgraffiadur Cymreig hyd 1940*, 274-5.

[11]Sian Rhiannon Williams, 'Y Brad yn y Tir Du: Ardal Ddiwydiannol Sir Fynwy a'r Llyfrau Gleision', *Brad y Llyfrau Gleision: Ysgrifau ar Hanes Cymru*, gol. Prys Morgan (Llandysul, 1991), 127.

[12]ibid., 129: 'Gan fod offeiriad Aberdâr wedi ymosod yn benodol ar Ymneilltuaeth, gan honni mai hynny, ynghyd â chryfder yr iaith Gymraeg oedd i gyfrif bod bywyd y dosbarth gweithiol yn yr ardaloedd diwydiannol yn isel ac anfoesol, yr oedd y dadleuon yn gorgyffwrdd â'i gilydd, a Ieuan Gwynedd yn ymddangos fel amddiffynnydd "gwir Gymreictod".'

[13]Benjamin Evans, op.cit., 61-2.

[14]ibid., 63.

[15]ibid.

[16]ibid., 212.

[17]ibid.

[18]ibid.

[19]O'r *Cofiant* y daw'r stori hon hefyd.

[20]R.D. Griffiths, 'John Roberts (1806-79)', *Y Bywgraffiadur Cymreig hyd 1940*, 814. Bu cryn ddadlau ynglŷn ag awduriaeth y dôn 'Alexander' (87.87.D), ac fe geir y cyfan yn gryno gan Huw Williams. Gweler Huw Williams, *Tonau a'u Hawduron* (Caernarfon, 1967), 17. Erbyn heddiw fe gredir mai ef yw awdur y dôn.

[21]Nodiadau personol o *Tarian y Gweithiwr*.

[22]R.T. Jenkins, 'James (Spinther) James (1837-1914)', *Y Bywgraffiadur Cymreig hyd 1940*, 399. Ychwanega am ei lafur fel hanesydd: 'Ond diamau mai ei brif hawl i glod yw ei bedair cyfrol, *Hanes y Bedyddwyr yng Nghymru* (1893-1907), gwaith nad yw'n rhy ddymunol ei ysbryd nac yn gymesur ei ymdriniaeth, ond sydd eto'n hynod ddefnyddiol'.

[23]Ysgrifennwyd y cofnod amdano yn *Y Bywgraffiadur Cymreig hyd 1940*, 241, gan ei fab,

Syr D. Emrys Evans. Dywed am ei dad: 'Dwg ei gynnyrch ôl y dillynder gloyw, cryno, a nodweddai ei berson, ei feddwl, ei lawysgrifen ac, yn anad dim oll, ei bregethau'.

[24]Benjamin Evans, op.cit., 215.

[25]Bu farw Twrfab, 26 Medi 1911, a dadorchuddiwyd maen coffa iddo yn Ynys-lwyd yn 1914. Gweler Ab Hefin, 'Dadorchuddio Maen Coffa Twrfab', *Tarian y Gweithiwr*, 1 Hydref 1914, 4.

[26]D. Jacob Davies, *Cyfoeth Cwm* (Abercynon, 1965), 62-3.

[27]Ef a luniodd englyn i'w chwaer, Mrs Thomas, Aelybryn, Brook Street, Aberaman a fu farw'n ifanc ar 28 Tachwedd 1914. Dyma'r englyn:

I niwl a braw aeth Aelybryn—ymadrodd
Yn siomedig sydyn;
Hudoliaeth salmau'r delyn
I wagle oer mud 'Y Glyn'.

Gweler 'Telyn a Dorrwyd yn Gynnar', *Tarian y Gweithiwr*, 10 Rhagfyr 1914, 4.

[28]W.T. Morgan, 'Thomas Evans (Telynog, 1840-65)', *Y Bywgraffiadur Cymreig hyd 1940*, 239.

[29]D. Jacob Davies, *Cyfoeth Cwm*, 64-6. Lluniodd Hywel Ddu yr englyn coffa hwn iddo:

Môr o wybodaeth mawredd—Telynog
Oet oleuni rhyfedd;
Iaith edlym, doeth hyawdledd
Gofier byth uwch gaufa'r bedd.

[30]D. Myrddin Lloyd, 'William Williams (Myfyr Wyn: 1949-1900)', *Y Bywgraffiadur Cymreig hyd 1940*, 1019; D.Jacob Davies, *Cyfoeth Cwm*, 76.

[31]Griffith John Williams, 'Lewis Hopkin (1708-71)', *Y Bywgraffiadur Cymreig hyd 1940,* 344.

[32]R.T. Jenkins, 'Edward Evan(s) (1716-98)', *Y Bywgraffiadur Cymreig hyd 1940*, 213, a hefyd gan yr un awdur, 'Bardd a'i Gefndir', *Trafodion y Cymrodorion*, 1946-7, 97-149. Cyhoeddwyd peth o'i farddoniaeth ar ôl ei farwolaeth o dan y teitl *Caniadau Moesol a Duwiol* (Merthyr Tydfil, 1804), a chafwyd argraffiadau diweddarach dan y teitl *Afalau'r Awen*, 1816, 1837 a 1874.

[33]D. Jacob Davies, *Cyfoeth Cwm*, 22-3.

[34]J. Dyfnallt Owen, 'Thomas Evans (Tomos Glyn Cothi: 1764-1833)', *Y Bywgraffiadur Cymreig hyd 1840*, 238-9; D.Jacob Davies, *Cyfoeth Cwm*, 22.

[35]T. Oswald Williams, 'John Jones (1802-63)', *Y Bywgraffiadur Cymreig hyd 1940,* 451.

[36]Nid ysgrifennodd ddim cyn cyrraedd Trecynon, ond rhwng 1834 a'i farw cyhoeddwyd y canlynol: *Llythyr ar y Drindod* (1834); *Edifeirwch Gwely Angeu* (1836); *Llyfr Ysgol Sul* (1839); *Galwad ar Ieuenctyd i droi at Dduw* (1840); *Pechod yn erbyn yr Ysbryd Glân* (1846), *Traethawd y Sabbathau* (1859), a golygodd gyfrol o waith ei frawd Rees Jones (1797-1844), sef *Crwth Dyffryn Clettwr* (Amnon) (1848) a *Casgliad o Salmau a Hymnau* (1857). Cyhoeddwyd cyfrol ar ôl ei farw o dan y teitl, *Chwech o Bregethau* (1865).

[37]D. Jacob Davies, *Cyfoeth Cwm*, 42.

[38]ibid., 45.

[39]ibid., 19. Iolo Morganwg yn Eisteddfod Daleithiol Aberhonddu, 1822, a wnaeth yr apêl ar ran Gwilym Harri am arian i fardd tlawd o Benderyn a thad i naw o blant. Dyma ddarn o'i waith sy'n traethu profiad blin:

'Gwrandewch chwi fy nghyfeillion,
Och! hynod yw f'achwynion;
O ddydd i ddydd yn amlhau
A lledu mae'm trallodion.

. . . Fe ddwedodd Athraw Cariad
Beth bynnag fo'ch dymuniad;
I arall wneud i chwi'n ddifeth
Gwnewch chwi 'run peth yn wastad.

. . . Mae'r geiriau'n wir safadwy
Er eithaf pob rhyferthwy;
Ac erfyn wyf yn fwyn heb feth
Trwy'ch nerth am beth cynorthwy.

Gweler Ben Morus, *Enwogion Aberdâr*, (Llanbedr Pont Steffan, 1912), 17.

[40]D. Jacob Davies, *Cyfoeth Cwm*, 25.

[41]ibid., 32.

[42]Ychydig iawn a wyddom amdano ond un peth gwerth sôn amdano yw ei fod yn ymddiddori mewn seryddiaeth. Yr oedd gan nifer dda o Ymneilltuwyr Cymraeg yr un diddordeb ag ef, e.e. William Rees (Gwilym Hiraethog, 1802-1881). Gweler ysgrif un o ferched Cwm Cynon, Meinwen Rees, 'Gwilym Hiraethog', *Barn*, Mehefin 1983 (245), 208-9.

[43]R.D. Griffiths,'Thomas David Llewelyn (Llewelyn Alaw: 1828-79)', *Y Bywgraffiadur Cymreig hyd 1940*, 536.

[44]'Blegwyryd ab Seisyllt' oedd testun cystadleuaeth y Gadair yn Eisteddfod y Bala, 1836, pan ddyfarnwyd Gwalchmai yn fuddugol. Adwaenid yr athrylith ifanc o delynor, Joseph Hughes, wrth yr enw hwnnw. Gweler D. Ben Rees, 'Cofio'r Bardd Eisteddfodol—Gwalchmai (1803-1897)', *Barddas*, 239 (Mawrth, 1997), 10-13.

[45]Dyma un o'r englynion o eiddo Nathan Dyfed:

Wyf argel fangre "Llewelyn—Alaw"
Golofn gerdd a thelyn—
Gaed gyda'i gladdfa'n y Glyn,
Angladd i'w gân a'i englyn.

Gweler D.Jacob Davies, *Cyfoeth Cwm*, 49-51.

[46]W.W. Price, 'David Williams (Alaw Goch: 1809-63)', *Y Bywgraffiadur Cymreig hyd 1940*, 970.

[47]Agorodd byllau glo yn Ynyscynon, Cwm-bach, Treaman, Aberpennar a Chwmdâr.

[48]Daeth ei gartref yn Ynyscynon, Aberdâr yn gyrchfan beirdd a llenorion. Yr oedd ei briod, Ann, yn chwaer i'r bardd William Morgan (1819-78), a mab iddynt oedd y Barnwr Gwilym Williams. Ysgrifennodd ef lawer i'r *Cymru* a daeth â chyfrol o waith ei dad allan yn 1903. Am y Barnwr Gwilym Williams gweler Ben Morus, *Enwogion Aberdâr*, 60.

[49]W.W. Price, 'William Morgan (Gwilym Gellideg: 1808-78)', *Y Bywgraffiadur Cymreig hyd 1940*, 618.

[50]D. Jacob Davies, *Cyfoeth Cwm*, 34.

[51]Cyhoeddwyd detholiad o'i farddoniaeth o dan y teitl *Cerbyd yr Awen* (Merthyr Tydfil, 1846).

[52]D. Jacob Davies, *Cyfoeth Cwm*, 39-42.

[53]R.T. Jenkins, 'John Thomas (Ifor Cwmgwys: 1813-66)', *Y Bywgraffiadur Cymreig hyd 1940*, 1064.

[54]D. Jacob Davies, *Cyfoeth Cwm*, 29-31. Hoff gennyf ei englyn i'r Gwanwyn:

Y gwanwyn yw dwyfol gennad—fy Iôr
I fywhau y cread,
Gwasgar ei wlaw, gwisga'r wlad
Oddi allan â'i ddillad.

[55]ibid., 52.

[56]ibid., 54-6.

[57]Ymddeolodd fel bugail yn 1909 a dylid cyfeirio at ei gyfraniad fel athro, oherwydd ymhlith ei fyfyrwyr yr oedd (Syr yn ddiweddarach) T.Marchant Williams a Pennar Griffiths. Gweler *Y Bywgraffiadur Cymreig hyd 1940*, 474.

[58]D. Jacob Davies, *Cyfoeth Cwm*, 94-5. Mae gan E. R. Dennis ysgrif am ei hen weinidog yn Siloa yn *Cofiant a Gweithiau y Parchedig D.Silyn Evans* (Aberdâr, 1937), 167-8.

[59]Am ddarlun ohono fel heddychwr gweler D. Elwyn Davies, 'David Jacob Davies (1916-74)', *Dal Ati i Herio'r Byd*, gol. D.Ben Rees (Lerpwl a Llanddewi Brefi), 115-118.

[60]Cyfeiriais at W.W. Price mewn adolygiad yn *Arolwg 1970*, gan ddweud imi gael llawer cymwynas ganddo a hefyd ei gwmni er ei fod yn drwm ei glyw yn hwyrddydd ei fywyd! 'Gwna'n fawr o'r cyfle', meddai D. Jacob Davies wrthyf rywdro pan alwodd i'w weld a minnau'n digwydd bod yno. Gweler *Arolwg Rhif 6* (1970) gol. D.Ben Rees (Pontypridd, 1971), 77.

[61]Gweler D. Jacob Davies, *Cyfoeth Cwm*, 86-91, am enghreifftiau o'i farddoniaeth.

[62]ibid., 101-2. Un o gapelwyr brwd y cwm, Idwal Rees, Seion (B), Cwmaman oedd prifathro'r Ysgol.

[63]D. Ben Rees, *Chapels in the Valley: A study in the Sociology of Welsh Nonconformity* (Upton, 1975), 179-183. Cyfeiriais at gefnogaeth D.J. Maddocks, aelod ym Methania (A), Abercynon.

[64]Oherwydd prinder gofod ni ellir sôn am holl feirdd a llenorion yr Hen Dŷ Cwrdd. Dylid cyfeirio at David Thomas (Dewi Iago: 1839-1880), y gwelir ei waith (pur gyffredin y mae'n rhaid cyfaddef) yn *Yr Ymofynydd*, a hefyd y teiliwr John Lewis (Glasynys, 1859-1952).

[65]W.W. Price, 'George Lewis,' *Y Bywgraffiadur Cymreig hyd 1940,* 518. Cyhoeddodd ei frawd, Cawr Dâr, a William Williams, 'Carw Coch', lyfryn y flwyddyn ddilynol er mwyn codi arian i helpu'r teulu, sef *Telyn y Gweithiwr, caneuon, pryddestau ac englynion. . .Dros ei weddw a'i amddifaid galarus* (Aberdâr, 1859).

[66]D. Jacob Davies, *Cyfoeth Cwm*, 49.

[67]Ab Hefin, gol., *Cofiant a Gweithiau y Parchedig David Silyn Evans* (Aberdâr, 1937).

[68]R.D. Griffiths, 'Griffith Rhys Jones (Caradog: 1834-97)', *Y Bywgraffiadur Cymreig hyd 1940*, 437.

[69]Gweler Ab Hefin, 'Tair Cenhedlaeth o Wŷr Mawr Siloa', yn *Cofiant a Gweithiau y Parchedig David Silyn Evans* (Aberdâr, 1937), 192-5. Mab i'r cerddor, W.J. Evans, oedd y Prifathro Ifor Leslie Evans, Coleg Prifysgol Cymru, Aberystwyth.

[70]Ymysg arweinwyr Siloa gellir enwi y rhain fel cynheiliaid y diwylliant Cymraeg: Dafydd Evans (Y Gwladgarwr), brawd i Eos Dâr; James Davies (Iago ap Dewi: 1800-1869) a gymerai ddiddordeb mawr yn eisteddfodau'r capel, a'i fab, David Davies (Dewi ab Iago) a fu farw yn 1913. Bu ef yn gymorth mawr i Rees Evans ac i ddiwylliant cerddorol yng nghapel Siloa, Aberdâr; John Owen (Gwenantydd) genedigol o Hawen, y gwelir ei waith mewn papurau fel *Tarian y Gweithiwr*, a John Afanydd Morgan. Gweler Ivor J. John, 'Diaconiaid Siloa', *Cofiant a Gweithiau y Parchedig David Silyn Evans* (Aberdâr, 1937), 208-214 a W.W. Price, 'James Davies (Iago ap Dewi: 1800-1869)', *Y Bywgraffiadur Cymreig hyd 1940*, 119.

[71]Sonia H.T. Jacob, gweinidog amlwg gyda'r Annibynwyr, am ei gyfnod ef yn Aberdâr yn weinidog Bethel (A) a chymydog i Silyn. Gweler H.T. Jacob, 'Silyn ac Aberdâr', *Cofiant . . . David Silyn Evans*, 46-51.

[72]T. Rees a J. Thomas, *Hanes Eglwysi Annibynnol Cymru*, Cyf. 2 (Lerpwl, 1872), 335: 'Blwyddyn fythgofus y Cholera oedd y flwyddyn honno (1849), a chafodd miloedd lawer eu hychwanegu at yr eglwysi ym mhob rhan o Forgannwg a Mynwy yn neillduol, ac ym mhlith eraill ychwanegwyd tua chant ac ugain at rif yr eglwys yn Aberaman'.

[73]Enillodd Dewi Aeron wobrwyon yn yr Eisteddfod Genedlaethol am Englynion Beddargraff (Caerdydd, 1948); Cywydd a Hir a Thoddaid (Bae Colwyn, 1947); Cân ar fesur Tri Thrawiad (Dolgellau 1949). Gweler ei waith yn *Beirdd Penfro*, gol. W. Rhys Nicholas (Llandysul, 1961), 67-78.

[74]J. Bowen Davies, *Meysydd Bethlehem, neu Hanes Eglwys Gynnulleidfaol Bethlehem, Abercwmboi* (Merthyr Tydfil, 1913). Bu J. Bowen Davies yn weinidog ar eglwys Bethlehem o 1897 hyd 1914.

[75]ibid., 11. Ef, hefyd, yn 1879 pan oedd yr eglwys mewn dyled a'i cynorthwyodd ynghyd ag eglwysi Annibynnol Soar, Aberdâr a Saron, Aberaman.

[76]Gohebydd, Jonah Rees, ARCO, *Tarian y Gweithiwr*, 10 Medi 1914, 2.

[77]Haydn Davies, *Braslun o Hanes Eglwys Annibynnol Bethania Aberpennar 1851-1951*, (Aberdâr, 1951),19.

[78]ibid.

[79]ibid., 17.

[80]Gweler Beti Rhys, *Dyfed: bywyd a gwaith Evan Rees, 1850-1923* (Dinbych, 1984) a W. Rhys Nicholas, 'Tri Archdderwydd y Fro', *Abergwaun a'r Fro (Bro'r Eisteddfod*; 6), gol. Eirwyn George (Llandybïe, 1986), 24-41.

[81]Am Nathan Wyn, gweler nodyn byr J.E. Rhys, 'Jonathan Rees (Nathan Wyn: 1841-1905)', *Y Bywgraffiadur Cymreig hyd 1940*, 777. Am William Morgan, gweler W.W. Price yn *Y Bywgraffiadur Cymreig hyd 1940*, 618-19; *Y Traethodydd*, 1879, 115-27; Ben Morus, *Enwogion Aberdâr*, 48 a D. Jacob Davies, *Cyfoeth Cwm*, 37-8.

[82]Huw Williams, *Tonau a'u Hawduron* (Caernarfon, 1967) yn arbennig yr hyn a ddywed am Ieuan Gwyllt ar dudalennau 14 a 15. Mae'r dyfyniad i'w ganfod ar dudalen 14.

[83]Am David Saunders, gweler W[illiam] James a J[ohn) Morgan] Jones, *Cofiant a Phregethau y Parchedig D. Saunders, D.D.* (Abertawe, 1894).

[84]R.T. Jenkins, 'William James (1836-1908)', *Y Bywgraffiadur Cymreig hyd 1940*, 403.

[85]Y mae'r ystadegau a'r ymdriniaeth â'r dirywiad yn *Chapels in the Valley*, 73-83.

[86]E. Emrys Evans, *Bethlehem Mountain Ash, Y Ganrif Gyntaf: 1859-1959* (Aberdâr, 1959), 7. Un arall a ddaeth i weithio yn Aberpennar mewn siop a dechrau pregethu yno oedd Peter Hughes Griffiths, gweinidog Charing Cross, Llundain o 1900 tan 1937 ac awdur toreithiog. Gweler Gomer M. Roberts, 'Peter Hughes Griffiths (1871-1937)', *Y Bywgraffiadur Cymreig hyd 1940*, 287.

[87]Llawysgrifau Prifysgol Cymru, Bangor. Papurau R. Gwylfa Roberts, Llanelli. Llythyr, rhif 13322, a anfonwyd gan D.M. Rees, 58 Cwmaman Road, Godreaman, Aberdâr ar 16 Medi 1921.

[88]ibid.

[89]Keir Hardie (1856-1915). Bu'n Aelod Seneddol dros Ferthyr (yr oedd Cwm Aberdâr yn rhan o'r etholaeth) o 1900 tan 1915.

[90]Llythyr 'Hen Golier' yn *Tarian y Gweithiwr*, 26 Mawrth 1914, 8.

[91]Stephen Owen Davies (1886-1972): fe'i ganwyd yn fab i Thomas ac Esther Owen Davies, 39 John Street, Abercwmboi. Bu'n meddwl am fywyd fel gweinidog gyda'r Annibynwyr a bu yn Ysgol y Gwynfryn yn Rhydaman, ond ni chafodd barhau gyda'r Annibynwyr oherwydd ei ddaliadau gwleidyddol Sosialaidd. Rhoddwyd terfyn ar gefnogaeth Coleg Coffa Aberhonddu iddo ar 25 Chwefror 1910. Ceir yr hanes yn llawn yn ei gofiant gwych: gweler Robert Griffiths, *S.O. Davies: A Socialist Faith* (Llandysul, 1983), pennod 2, 21-42.

[92]Lluniodd Thomas Davies lith dan y teitl *Llith y Llwynog* bob wythnos yn *Tarian y Gweithiwr* o 6 Hydref 1876 hyd 30 Awst 1878. Gweler teyrnged J. Bowen Davies yn *Meysydd Bethlehem* (1915): 'Nid oedd yn gerddor gwych; yr oedd ei gryfder yn fwy fel athraw yn yr Ysgol Sul'.

[93]Am Emrys Hughes gweler D. Ben Rees, *Cymry Adnabyddus 1951-1972* (Lerpwl a Phontypridd, 1978), 93.

[94]Yr oedd Cadfan Jones yn fardd y mesurau caeth a gipiodd y wobr am yr englyn gorau yn yr Eisteddfod Genedlaethol. Ceir cyfeiriad at ei ordeinio yn weinidog Saron, Aberaman gan T.E. Davies yn 'Nodiadau Aberdâr', *Y Darian*, 31 Gorffennaf 1924, 5. Cyhoeddwyd cerddi D.R. Thomas hefyd dros y blynyddoedd.

[95]R. Wallis Evans, 'Aberdâr yn y Dauddegau', *Taliesin*, Cyfrol 84 (Chwefror/Mawrth 1994), 93-7. Haedda Henry Lloyd (Ab Hefin, 1870-1946) nodyn, yn wir ysgrif arall. Gwasanaethodd ddiwylliant y cwm gymaint â neb a enwir. Cyhoeddodd 17 o lyfrau, mae ganddo emynau canadwy, a bu yn fawr ei ofal dros achos Seion, yr eglwys Fethodistaidd. Nid oedd gofod i sôn am yr enwad hwnnw, ond bu ganddynt hwy hefyd eu cymeriadau llengar, lliwgar fel Thomas Oliver yn Aberdâr, a chyn fy nghyfnod i yn Abercynon, George E. Breeze, awdur storïau ditectif. Lluniodd Ab Hefin englyn i Thomas Oliver, y gweinidog 'Wesle':

Deryn budur enbydys—yw Olfur,
O elfen ddireidus;
Ond yn ei bregeth, nid us
A hulia ond gwledd felys.

Gweler Ab Hefin, 'Ysgrapiau o'm Hysgrepan', *Y Darian*, 8 Mai 1924, 1.

[96]J.E. Caerwyn Williams, gol. *Ysgrifau Beirniadol XXII,* (Dinbych, 1997), 15-16.

[97]Rhydd R. Wallis Evans enghreifftiau o'r bwrlwm hwn yn y dauddegau: 'Aberdâr oedd calon y cymunedau. Yma y cyfarfu'r Cymrodorion a chyrchem yn heidiau i'w gyfarfodydd ar ein deutroed bob cam i wrando ar hoelion wyth diwylliant y genedl—W.J. Gruffydd ac Ernest Hughes, Kate Roberts a T. Rowland Hughes, Henry Lewis a Chrwys, Saunders Lewis a G.J. Williams'. (t.95) Yr oedd Kate Roberts yn athrawes yn Ysgol Sir y Merched, Aberdâr o 1917 hyd 1928, ac yn un o gymheiriaid y Cymrodorion, hyhi a D.O. Roberts ac E.J. Williams, blaenor gyda'r Methodistiaid Calfinaidd yn Nhrecynon. Siaradai Kate Roberts yng nghapeli'r cwm. Sonia un o'i disgyblion amdani yn ymweld â Phenderyn: 'Cofiaf un achlysur pan ddaeth [Kate Roberts] i'm pentref anghysbell; ychydig oedd yno ond siaradodd y darlithydd gydag arddeliad'. Gweler Olwen Samuel, 'Atgofion Cyn-Ddisgybl', *Kate Roberts: Cyfrol Deyrnged*, gol. Bobi Jones (Dinbych, 1969), 187.

[98]Dewisais Aber-nant oherwydd cyhoeddwyd llythyr diddorol gan un o fechgyn y fro, sef John Samuel, Sidcup, Caint (diacon yng nghapel y Bedyddwyr, Castle Street, Llundain) yn ymateb i R. Wallis Evans. Teifl oleuni ar Kate Roberts a fu'n dysgu ei fam. Yn ôl ei fam 'athrawes sur, yn edrych lawr ei thrwyn ar y dref a'r merched oedd Kate Roberts'! Pwynt pwysig. Merch y pentref oedd Kate Roberts. Rhosgadfan oedd bro ei mebyd ac fe'i câi hi'n anodd, mae'n siŵr, i ddygymod â bywyd trefol a oedd yn raddol ennill y dydd yng Nghwm Cynon. Gweler John Samuel, 'Gohebiaeth', *Taliesin*, 85, (Gwanwyn, 1994), 107-8.

[99]Yn ôl R. Wallis Evans: 'A dyma oedd Aberdâr yn yr ugeiniau cynnar—casgliad o gymunedau ar wahân; nid oedd na char na bws na thram i'w cysylltu'r adeg honno. Ei throedio hi o'r naill le i'r llall a wnawn heb ddisgwyl mwy'. Gweler *Taliesin*, 84, (Chwefror/Mawrth 1994), 95.

[100]Un arall o blant y cwm oedd y Parchg Ddr Howard Williams, gweinidog Capel Bedyddwyr Bloomsbury, Llundain a mab i weinidog y Bedyddwyr yn Abercynon. Dyma ei eiriau ef: 'The Dance Hall was no place for growing Christians, the Lucania billiard hall was thick with smoke and swearing, the Italian shops were not only places of temptation, they flouted the Bible itself by opening on a Sunday, while the pubs were the dwelling-place of the Evil One'. (Gweler Howard Williams, *Down to Earth* (Llundain, 1966), 13.) Penderfynodd Bethesda, eglwys y

Bedyddwyr yn Abercwmboi, ar ddechrau y Rhyfel Byd Cyntaf nad oedd ei gweinidog i deithio ar y Sul na'r gweinidogion a fyddai'n gwasanaethu'r eglwys, chwaith. Byddai'n rhaid iddynt ddod nos Sadwrn a mynd adref bore Llun. Pwysleisiwyd nad oedd aelodau'r eglwys ym Methesda i gymryd rhan mewn cyngerdd ar y Sul. (Gweler 'Ar y Tŵr yn Aberdâr', *Tarian y Gweithiwr*, 16 Ebrill 1914, 1.)

[101]Gweler 'Anrhydeddu Golygydd "Barn"', *Barn,* Mehefin 1983 (Rhif 245), 176-7.

[102]Mewn darn o hunangofiant disgrifia Dr W.T. Pennar Davies ei gefndir:
'Roedd y diwylliant Cymraeg yn prysur golli tir a'i symbol yn Aberpennar, yr Eisteddfod flynyddol yn y pafiliwn helaeth a hyll, yn nychu a diffygio, a phawb bron yn fodlon ffarwelio â hi; canys yr oedd efengyl y Mudiad Llafur yn llifo'n gadarn, ac yn Aberpennar o leiaf, yn y dyddiau hynny golygai hyn, i bob pwrpas ymarferol, bwyslais mawr ar fara menyn a llwydd economaidd i'r gweithiwr yn hytrach na diwylliant capel a gobeithlu a'r iaith Gymraeg—a hefyd hiraeth am ryw gosmoplis ddi-genedl yn hytrach nag am doriad dydd Cymru fydd'. Gweler W.T. Pennar Davies, 'Y Daith o Aberpennar Dlawd', *Y Gwrandawr* yn *Barn*, Mawrth 1969, (Rhif 77), vi-vii.

[103]Gweler John Maxwell Jones, Jr., *Cyfarwyddiadur Awduron Cymraeg Cyfoes* (Philadelphia, 1970), 7-8.

[104]*Barn*, Mehefin 1983 (Rhif 245), 177.

[105]Ordeiniwyd y Parchg J. Eirian Davies yn 1949 a'i eglwys gyntaf oedd Bethel, Hirwaun. Symudodd oddi yno i Frynaman. Mae'n byw ar hyn o bryd yn Ffair-fach, ger Llandeilo.

[106]Dywedodd y Parchg Eric Jones, Aberdâr, golygydd y papur bro, *Clochdar*, a sefydlwyd yn 1986 wrthyf, fod deg ar hugain o gapeli Cymraeg wedi cau yn y cwm oddi ar 1980. Y mae'r Parchg Eric Jones yn weinidog Undodaidd yno ers y chwedegau cynnar ac wedi cyflawni gwaith pwysig. Fel eraill o weinidogion yr Hen Dŷ Cwrdd, ar wahân i E.R. Dennis, y mae yntau'n wreiddiol o orllewin Cymru.

[107]Y mae gennyf ymdriniaeth ar hyn yn *Chapels in the Valley* dan y pennawd, 'The Breakdown of the Localised Semi-Peasant Culture in the Twentieth Century', 190-202.

Llwybrau'r Carw: Bywyd a Chefndir William Williams, Y Carw Coch, 1808-1872

D. Leslie Davies

1. Ei Fywyd:

> Diameu i'r bardd uchod wneuthur mwy nag odid neb yn ei ddydd at feithrin ysbryd gwladgarwch ym mynwesau trigolion glannau Cynon a Dâr. Nid oedd ei athrylith yn feiddgar; ond yr oedd yn weithiwr a chynllunydd llawn, a chanddo syniad gweddol ymron pob cangen o wybodaeth. Plentyn difantais hollol oedd. . .[1]

Ganed William Williams, Y Carw Coch, mewn bwthyn di-enw, di-sôn-amdano 'yn nghanol y wlad rhwng y Rhiw-oleu ac Aberpergwm' yng Nghwm Nedd ar 6 Mawrth 1808.[2] Y tebygrwydd yw, er nad oes manylion ar glawr i gadarnhau hyn hyd y gwelir, mai tenantiaid oedd ei rieni yn y pendraw i ystad teulu Williams, Plas Aberpergwm, yn union fel mwyafrif trigolion glannau gorllewinol uchaf y cwm hwnnw.

Fe'i ganed yn chweched ac olaf plentyn Noah William (1767-1847) a Joan David ei wraig (1762/5-1851), ac fe'i bedyddiwyd yn eglwys plwyf Llangatwg ar 20 Mawrth 1808. Priododd ei rieni yno ar 2 Mawrth 1793 a bu iddynt, fe ymddengys o gofnodion y plwyf, ddau fab a phedair merch: Margaret (1793-); Gwenllian (1795-); David (1797-); Joan (1803-04); Joan (1805-1866: ni phriododd) a William, yr ifancaf.[3]

Er eu disgrifio fel 'pobl gyfrifol a pharchus yn eu cymydogaeth' fe ymddengys mai i deulu digon distadl a thlawd y ganed Y Carw. Dywedir amdano na chafodd 'gymaint ag awr o ysgol ddyddiol yn ystod ei fywyd', ac mai 'un o blant yr Ysgol Nos a'r Ysgol Sul ydoedd . . . ac i'w ymdrechion personol . . . y perthyn yr anrhydedd o fod . . . y peth ydoedd'. Ychwanegir gan arall a'i hadnabu mai 'Isel oedd amgylchiadau ei rieni, fel y gorfu iddo yn gynnar gefnu ar ei gartref a mynd allan i ennill ei doc'.[4]

Dywed D. Rhys Phillips mewn troednodyn am Noah William(s), tad Y Carw, mai 'workman, foreman or coal-seller under Mr (Thomas) Walters at Pyllfa'r On' (glofa ar ystad Aberpergwm) ydoedd. Dywed cofrestr Llangatwg a charreg fedd Noah mai 'Taylor' a 'dilledydd' ydoedd. Diau mai symud rhwng ei grefft a'i angen sy'n esbonio'r anghysondeb fel mewn llawer achos tebyg.[5] Bid a fo am hynny, ni chlywir dim pellach am ei fam, a dim ond ychydig iawn am y tad. Fe'i gwelir ef yn dyst i fedydd tri o blant William Williams yn yr Hen Dŷ Cwrdd, Aberdâr, ym 1839, 1841 a 1845; a cheir cipolwg eitha truenus arno yn ei henaint 'yn sefyll ar ben grisiau y pulpud yn yr Hen Dŷ Cwrdd, Aberdâr, i geisio gwrando a chlywed a chael a allai o help a chysur a diddanwch ysbrydol o eneu y gweinidog'. Bu farw ar 22 Ebrill 1847, yn 80 oed meddir.[6]

Bach iawn a wyddom am William Williams yn ystod ei ieuenctid. Ceir disgrifiad byw ohono fel gŵr ifanc gan Rees Jenkin Jones, gweinidog yr Hen Dŷ Cwrdd rhwng 1864-1872 a 1879-1909 ac olynydd i'w dad a lanwodd yr un swydd rhwng 1833-1863.[7] Dywed ef amdano ei fod 'yn ŵr golygus iawn, yn dalach na'r cyffredin o ddynion, yn bump a deg neu bump ac un ar ddeg feallai; o bryd a

William Williams
(Y Carw Coch: 1808-72)
(Llyfrgelloedd Rhondda Cynon Taf)

gwedd tywyll, ei wallt yn ddu, ei farf hytrach yn brin, yn fywiog a dedwydd yr olwg arno, yn drwyadl serchus . . . ei gerddediad fel rheol yn araf a hamddenol . . . a pharodrwydd gormodol efallai i ddal pen rheswm gyda hwn neu arall'. Fe ddywed ymhellach fod 'ei gymwynasgarwch . . . weithiau yn tueddu i fod yn wendid ynddo. Cofiwn glywed un, a'i parchai'n fawr, yn dywedyd na allasai'r Carw ddim gwrthod cymwynas: pe digwyddasai i'r awdurdodau fod mewn anhawsder am le i osod crocbren na allasai'r Carw . . . lai na dywedyd—"Os na allwch gael lle . . . cewch le yn bac y Stag gita fi".'[8] Gan fod Rees Jenkin Jones gymaint yn iau na Williams rhaid ei fod yn seilio'i ddisgrifiad ar atgofion eraill neu, o bosib, ar y llun trawiadol ohono a ddaeth oddi wrth wyresau'r Carw i Lyfrgell Aberdâr rai blynyddoedd yn ôl ar ffurf negydd gwydr.[9]

Un peth a wyddom am fore oes Y Carw yw iddo dderbyn magwraeth ysbrydol yn Hen Dŷ Cwrdd Blaen-gwrach. Dyma un o gynulleidfaoedd arloesol yr Hen Ymneilltuaeth ym mlaenau Morgannwg a darddodd o gyfnod Cromwell a'r Gymanwlad oddeutu 1660-62. Yr oedd yn un o'r cynulleidfaoedd Presbyteraidd hynny, yn union fel yr Hen Dŷ Cwrdd yn Aberdâr, a droes yn raddol erbyn tua 1800-10 oddi wrth Arminiaeth at Ariaeth ac yna at Undodiaeth radical, agored. Gwadwyd ganddynt ddwyfoldeb Crist ac arddelwyd Rheswm uwchlaw pob dim fel modd i ddyn ddeall a derbyn iachawdwriaeth yn y Duwdod.[10]

Âi gwreiddiau cynulleidfa Blaen-gwrach yn ôl at ddiarddeliad clerigwyr Anglicanaidd o duedd Biwritanaidd ym 1662, ond ni chodwyd Tŷ Cwrdd yno tan 1704 ac ni chorffolwyd eglwys ar wahân yno tan 1718-19. Yno ym 1772 yr urddwyd Edward Evan, Ton Coch, bugail Hen Dŷ Cwrdd Aberdâr o'r flwyddyn honno tan 1796, i'r weinidogaeth Bresbyteraidd. Diau mai'r mab enwocaf a godwyd gan y gynulleidfa yno oedd Thomas Stephens, Merthyr (1821-1875), a oedd yn enedigol o Bontneddfechan ac yn ŵyr i'r Parch. William Williams, gweinidog y gynulleidfa rhwng 1813 a 1834.[11] Mae gennym dystiolaeth ddigamsyniol Y Carw ei hun yn ogystal â thystiolaeth arall mai yno y'i codwyd i'r gred Undodaidd anuniongred. Dyma gred a'i rhoddodd, fel mwyafrif ei gyd-ffyddwyr, ar gwrs na allai ond ei wneud yn amheus o bob awdurdod absoliwt—boed hwnnw eglwysig neu wladol. Onid dyna sail sylw Samuel Horsley, esgob Llanelwy, ym

1789: 'the principles of a Nonconformist in religion and a republican in politics are inseperably united'? Nid oes amheuaeth nad oedd magwraeth William Williams ar y fath aelwyd ysbrydol a'i ymgartrefu diweddarach ar aelwyd debyg yn Aberdâr, yn ddylanwadau pwysig a ffurfiannol arno.[12]

Clywsom sut y bu raid iddo symud oddi cartref yn reit ifanc i geisio'i fywoliaeth oherwydd amgylchiadau caled y teulu. Dywedir iddo hel ei bac yn gyntaf i Dredegar, diau gyda golwg ar waith yn y diwydiant haearn yno. Erbyn 1832, fodd bynnag, ac yntau tua 24 oed, roedd wedi ffindio'i ffordd i dreflan fechan Tregibwn ('Trecepon') yn ardal Llwydcoed, Aberdâr. Dywedir iddo weithio yno fel 'mwnwr' (haearn—nid glo—bryd hynny) 'am rai blynyddoedd' cyn iddo briodi ar 5 Mai y flwyddyn honno â Margaret Rees, merch Lewis John Rees (Lewis Siôn Rhys ar lafar).[13]

O fwrw coel ar y llinach a geir yn *Gardd Aberdâr* ac yn *Gweddillion Llenyddol* Y Carw Coch, dyma, mae'n rhaid, un o deuluoedd hynaf y fro; ac fel crynswth hen rydd-ddeiliaid a thenantiaid mwyaf sylweddol yr ardal, roeddynt yn aelodau yn yr Hen Dŷ Cwrdd (a droes yn gwbl Undodaidd ar ddyfodiad Tomos Glyn Cothi i weinidogaethu yno rhwng 1811-1833). Nid oes gofod i drafod teulu Margaret Rees yn helaeth. Ond p'un ai gwir ai gau y llinach a 'dŵf' o bridd yr *Ardd*, rhaid dweud bod y sôn am dad-cu Margaret Rees, sef Siôn Rhys ab Ifan (a adwaenid weithiau fel John Rees ond yn amlach fel 'Dr.' John Bevan) fel 'meddyg' a arbrofodd gyda brech y fuwch (y Frech Ddodi) yn erbyn haint y frech wen ar ddiwedd y ddeunawfed ganrif, yn hanes digon hynod. Felly, hefyd, ei hanes yn ailbriodi â Mrs Mary Rees, gweddw Owen Rees, gweinidog cyntaf yr Hen Dŷ Cwrdd rhwng 1756-1768, a hithau'n fatriarch ar deulu disglair Josiah Rees, Gelligron (1744-1804) ac yn byw nes ei bod ychydig dros gant oed (1718-1818).[14]

Rhaid gosod cefndir Margaret Rees o'r neilltu a dychwelyd at ei phriodas â'r Carw Coch. Dywed Cynonwyson—a dylai wybod gan ei fod yn gyfaill oes—iddynt genhedlu wyth o blant ond erbyn i'r Carw farw ym 1872 (yn dilyn angau Margaret yn 54 oed ym 1862) dim ond tri ohonynt a'i goroesodd.[15]

Clywsom mai fel mwynwr (yng ngweithfeydd haearn Llwydcoed mae'n debyg) y cynhaliodd Y Carw ei hun wedi iddo gyrraedd cwm

Gwesty'r 'Stag' ychydig cyn ei ddymchwel yn1951.
(Llyfrgelloedd Rhondda Cynon Taf)

Aberdâr 'rai blynyddoedd' cyn 1832. Yn wir, ar sail tystiolaeth Cofrestr Bedyddiadau'r Hen Dŷ Cwrdd rhwng 1833 a 1848 a'r Cyfrifiadau a gynhaliwyd pob deng mlynedd rhwng 1841 a 1871, gellir olrhain rhywfaint o batrymau ei lafur trwy gydol ei gyfnod gweithgar yn y parthau hyn.

Yn Hydref 1833 darllenwn amdano fel 'Miner, Tref Gibbon'. Ym Mawrth 1839 a Hydref 1841 fe'i disgrifir fel 'Miner and Publican, Stag (Inn)'. Erbyn Mawrth 1845 a Chwefror 1849 peidiodd pob sôn am fwyngloddio ac fel 'Publican' yn unig y clywn amdano. Dyna, yn fras, dystiolaeth y Llyfr Bedydd.[16] A bwrw bod Williams wedi cyrraedd Aberdâr rywbryd rhwng 1827 a 1832, gellir gweld iddo ddibynnu ar y diwydiant haearn nes iddo godi tafarn—neu Westy yn swyddogol—y Stag yn Harriet Street, Heol-y-felin (Trecynon) ym 1837. Ei ddiben wrth fentro i'r cyfeiriad hwn, meddir, oedd 'cyfarfod â'r angen am westy mawr i dderbyn ymwelwyr y tybid y byddent yn dylifo i'r dref ar hyd y relwe i orsaf gerllaw'. Ond nid felly y bu yn union, oherwydd peidiodd y rheilffordd (cangen Aberdâr oddi ar y Taff Vale Railwy rhwng Caerdydd a Merthyr) rywfaint yn is i lawr y cwm na'r disgwyl. O ganlyniad troes y Stag nid yn breswylfan ymwelwyr ond yn aelwyd a chyrchfan beirdd a chantorion ac enwogion o fri canol y bedwaredd ganrif ar bymtheg.[17]

Gwelir rhywfaint mwy o'i batrymau gwaith yn y gwahanol Gyfrifiadau. Braidd yn annisgwyl, efallai, yw ei weld yn 1841 yn disgrifio'i hun fel 'Miner' yn unig, heb sôn am lafur mwy diddanus rhedeg tafarn. Diddorol yw sylwi bod Lewis John Rees, ei dad yng nghyfraith, yn byw gyda'r Carw bryd hynny a'i fod yn halier trigain oed. Bu'r henwr farw erbyn 1851 a gwelwn Williams fel 'Publican & Butcher' yn byw gyda'i wraig a'r tri phlentyn a dyfasai i'w hoed—Margaret, Lewis Noah a Noah Lewis. Dychwelwn at ei waith fel cigydd mewn cyd-destun ehangach isod.[18]

Ar gyfer Cyfrifiad 1861 rhydd Y Carw ddisgrifiad ohono'i hun fel 'Publican & Hay Merchant'. Ym 1871, ac yntau'n widwer 63 oed, gwelir ei fod wedi ildio cyfrifoldeb rhedeg y Stag (a statws y penteulu) i'w fab yng nghyfraith, John Griffiths, gŵr Margaret. Gwelwn, hefyd, iddo ddychwelyd at fod yn gigydd,[19] gwaith yr ymgymrodd ag ef oherwydd ei ymwneud â Siartiaeth yn ddyn ifanc er mor rhyfedd y swnia hynny. Y drafferth oedd nad oedd Siartiaeth at ddant pawb, ac yn arbennig felly berchnogion a rheolwyr y gweithfeydd haearn lleol. Ymddengys i Williams fynd yn darged dial iddynt oherwydd ei ymwneud â'r pwnc.[20]

Nid yw'r hanes yn hawdd i'w olrhain oherwydd natur anghyflawn y dystiolaeth a erys. Ond cytuna'r sylwebyddion mwyaf perthnasol, megis Cynonwyson (T.J. Jones, 1822-1888), Eiddil Glan Cynon (J.T. Jones, 1820-1882) a'i weinidog, Rees Jenkin Jones (1835-1924), yn ogystal ag eraill o gyfnod diweddarach megis Ben Morus, W.W. Price a Jacob Davies, i'r Carw fod yn daer iawn dros y Siarter ym mlodau'i ddyddiau. Dywed Cynonwyson amdano yn fuan wedi iddo farw ym 1872 iddo fod yn 'bleidiwr brwd a ffyddlon' dros Siartiaeth, a'i fod wedi parhau 'yn gywir i egwyddorion eu proffes (sic) hyd ei fedd'. Yr un yw hanfod sylwadau'r Eiddil amdano ar ddiwedd 1872.[21]

Ond gan Rees Jenkin Jones y ceir yr hanes llawnaf—a hynny, heb os nac onibai, ar sail awdurdod ei dad yntau, y Parch. John Jones

(1802-1863), a oedd yn rhagflaenydd iddo fel gweinidog yr Hen Dŷ Cwrdd ac yn Siartydd amlwg ei hun. Yn wir, gellid dweud am nifer o aelodau'r gynulleidfa honno—Cynonwyson, yr Eiddil, John Jones 'Ceffyl Gwyn' a'r Carw—iddynt eistedd pan oeddynt yn wŷr ifainc wrth draed dau Gamaliel arbennig a oedd yn coleddu syniadau diwygiol cryf, sef Tomos Glyn Cothi a John Jones. Dan weinidogaeth y naill (1811-1833) a'r llall (1833-1863) gwnaed yr Hen Dŷ Cwrdd yn fath o goleg syniadau rhyddfrydig a blaengar o ran materion gwlad ac eglwys. Disgrifiwyd Cynonwyson ei hun, pan fu farw ym 1888, fel 'y diweddaf o *Chartists* plwyf Aberdâr'.[22]

Peidied neb â rhedeg ymaith â'r syniad mai nythaid o chwyldroadwyr penboeth a lechai o fewn yr Hen Dŷ Cwrdd. Mae'n wir i'r gynulleidfa gymysg ei daliadau wahodd Tomos Glyn Cothi atynt yn weinidog ym 1811 ac yntau wedi treulio dwy flynedd (1801-03) yng ngharchar Caerfyrddin am groesawu, fe honnid, y Chwyldro Ffrengig ar goedd. Mae'n wir iddo ddangos *yn breifat* arlliw gweriniaetholdeb ar ei galon tra bu yn Aberdâr; i amryw o'i gerddi yn eisteddfodau tafarn Merthyr rithio beirniadaeth agored ar yr awdurdodau; a bod iddo'r fath statws fel lladmerydd 'Diwygio' (Reform) yn ardal ehangach Merthyr nes peri i garfan Doriaidd y dref honno ysgrifennu i'r papur lleol yn enw 'The Ghost of the late Revd. Thomas Evans, Aberdare' i geisio pardduo J.J. Guest, yr ymgeisydd Rhyddfrydol yn etholiad 1835.[23]

Mae'n wir, hefyd, i John Jones, ei olynydd, fod yn Ddiwygiwr ac yn Siartydd gweithgar a hysbys yn y cylch. Ceir sôn amdano'n llywio gweithwyr a phleidleiswyr ar awr dyngedfennol o blaid Guest, ac fel llais gloyw dros adain 'pwysau moesol' y mudiad Siartaidd (er yr ymddengys i'r Athro Gwyn Alf Williams ei gamgymryd unwaith am aelod o'i braidd o'r un enw, sef John Jones, 'Druggist' a gadwai Siop y 'Ceffyl Gwyn' yn Aberdâr).[24] Mae'n sicr i Jones y bugail ohebu'n gyson yn *Udgorn Cymru*, papur Cymraeg y Siartwyr a gyhoeddwyd ym Merthyr rhwng 1840 a 1842. Diau mai trwyddo ef a'r ysgol a gadwai yn llofft y stablau a oedd wrth dalcen yr Hen Dŷ Cwrdd ('Ysgol Jones' ar lafar, y 'Trecynon Seminary' fel arall) y cafodd gwŷr di-addysg fel William Williams, Cynonwyson ac Eiddil Cynon y ddawn i ymuno ag ef yn yr ohebiaeth honno.[25]

Yn yr hanes a gawn gan Rees Jenkin Jones am y cam a gafodd Y Carw Coch oherwydd ei ymwneud â Siartiaeth, mae'r awdur yn daer ei awydd i bwysleisio natur foesol cyfraniad Y Carw a John Jones i'r mudiad. Meddai:

> Apeliai y 'Charter'. . . at y gweithwyr . . . a chan fod y Carw yn bleidiwr, dewiswyd ef yn gadeirydd y cyfarfod cyntaf a gynhaliwyd gan y Siartiaid yn Aberdâr. Cynhaliwyd hwn wrth Ffwrnes y Garn ar ochr y mynydd, man neillduedig ond cyfleus i drigolion y ddau tu i'r mynydd. Yr oedd ei weinidog yn Siartiad, ac fel ei weinidog felly yr oedd yntau yn hollol groes i ymresymiad y dwrn, y 'cwlwm pump', neu 'physical force arguement'. Ei amcan ef oedd . . . argyhoeddi trwy y rheswm a'r apêl at synwyr cyffredin. Ond . . . fe ddarfu i'r ffaith syml i'r Carw gymeryd y gadair ar yr achlysur crybwylliedig . . . fod yn achos tramgwydd . . . gyda'r canlyniad . . . iddo gael ei droi allan o'i waith, ac . . . iddo fethu cael gwaith yn unman arall. Yr oedd y meistriaid wedi eu meddiannu gan fraw ac arswyd, felly . . . penderfynasant . . . gau pob drws yn ei erbyn . . . (ac) nid oedd ganddo ddim arall i'w wneud ond ceisio am faes llafur newydd.[26]

Fe gwyd nifer o gwestiynau pwysig o'r darn diddorol hwn, ond rhaid cyfyngu ein hunain i ryw bedwar cwta. Yn gyntaf: pa bryd y bu'r cyfarfod hwn a ddisgrifir fel 'y cyntaf' o gyfarfodydd y Siartwyr yn ardal Aberdâr? Yn ail: pam y dewiswyd Y Carw, o blith holl 'bleidwyr' y Siarter, yn gadeirydd arno? Yn drydydd: pam fod ei droi allan gan y meistri haearn (canys hynny a olygir) yn gosb mor llym nes bygwth lles ei deulu, ac yntau, er 1837, yn westywr annibynnol yn ogystal â mwynwr? Ac yn bedwerydd: beth wnaeth Y Carw er achub y cam?

Efallai nad oes modd ateb y cyntaf yn fanwl gywir, ond gellir bwrw amcan ar sail y cefndir ehangach. Mae Rees Jenkin Jones yn haeru mewn troednodyn i'w sylwadau ar Y Carw mai 'dwy flynedd ar ôl hyn', h.y. ym 1839, yr alltudiwyd Frost, Williams a Jones am eu rhan yn nherfysg Casnewydd. Dyna awgrym digon plaen mai ym 1837 y diswyddwyd Y Carw. Ond ni allai Rees Jenkin Jones gyfeirio at yr un awdurdod yn garn i'w haeriad ac roedd yn ysgrifennu ym 1919 pan oedd yn 84 oed ar sail atgofion ei dad ryw bedwar ugain mlynedd wedi'r digwyddiad. Rhaid amau sicrwydd y dyddiad felly, yn arbennig o gofio fod 1837 lawn ddwy flynedd cyn cyflwyno'r gyntaf o dair Deiseb Genedlaethol y Siartwyr i'r Senedd ym Mai 1839 ac mor gynnar â'r argoelion cyntaf oll o Siartiaeth yng Nghymru yn sir Gaerfyrddin. Gwelsom hefyd i'r Carw ddal i ddisgrifio'i hun yng Nghyfrifiad 1841 fel 'Miner' (er nad yw hynny ond ffactor awgrymiadol).[27] I'r cyfeiriad arall, dywed Rees Jenkin Jones mai cadeirio cyfarfod *cyntaf* y Siartwyr yn Aberdâr a gollodd ei swydd iddo. Mae'n gwbl gredadwy fod manylyn mor amlwg a phendant â'r *cyfarfod cyntaf* yn dal yng nghof tyst i'w draddodi'n ddi-feth i'w wrandäwr.

Gwyddom i'r Siartwyr fod yn weithgar yn ardal Aberdâr ar ddechrau 1842 gan iddynt gasglu, fe ddywedir, 4,166 o enwau yma at yr ail Ddeiseb Genedlaethol a roed gerbron y Senedd ym Mai y flwyddyn honno, allan o boblogaeth a gyfrifwyd yn 6,471 yn 1841. Gwyddom, hefyd, fanylion am gynulliad sylweddol o'r Siartwyr a gynhaliwyd ar ddydd Llun, 11 Gorffennaf 1842, 'gerllaw y Bryn hyfryd' ar Heol-y-felin. Disgrifiwyd hwn ar y pryd fel 'cyfarfod mawr mewn lle mor fechan ag Aberdare'. Diau mai dyma'r achlysur a oedd gan y Parch. John Jones mewn golwg pan soniodd mewn gair at ei frawd, Rees Jones (Amnon), yn 1842 am 'Chartist meeting by our house'.[28] Dylid crybwyll wrth fynd heibio mai'r unig rifynnau o *Udgorn Cymru* a welwyd yw'r rheini rhwng 9 Ebrill a 22 Hydref 1842 sydd ar gadw yn y Llyfrgell Genedlaethol. O fewn y rhediad hwn ceir hanes cyfarfod Heol-y-felin; llythyr miniog 'Cymydog i'r Gormesedig' (sydd bron yn sicr yn waith John Jones, Hen Dŷ Cwrdd yn tasgu yn erbyn diswyddo 'L.S.R.' am helpu trefnu'r cyfarfod hwnnw); un cyfeiriad at gyfraniad blaenorol gan Y Carw Coch; darnau amrywiol gan 'Eiddil', 'Ioan ab Thomas' (sef Eiddil Cynon) a 'Gwenynen Frytanaidd' (sef Cynonwyson); dwy gerdd (braidd yn annisgwyl efallai) gan Alaw Goch, ac amryw fyd o ddarnau eraill o Aberdâr sy'n anodd neu'n amhosibl eu holrhain.[29]

Arwyddocâd hyn oll yw ei fod yn rhoi inni syniad lled ddibynadwy o gyfnod yr achlysur pwysig hwn ym mywyd Y Carw Coch a oedd yn bell o fod yn unigryw iddo[30]. Hynny yw, go brin ei fod mor gynnar â 1837 neu'n ddiweddarach na dechrau 1842. A dwyn mewn cof nerth y mudiad Siartaidd ym Merthyr Tudful erbyn Mai 1839 (yn arbennig yn Heolgerrig a Georgetown—neu 'Jistwn' fel y'i cafwyd gan hen wraig leol ryw ddeng mlynedd yn ôl) mae'n deg tybio mai oddeutu'r cyfnod hwnnw y digwyddodd, yn ôl pob tebyg fel rhan o'r cynnwrf a oedd ar droed gyda golwg ar hybu'r Ddeiseb Genedlaethol gyntaf a aeth gerbron Tŷ'r Cyffredin y flwyddyn honno.

Yn ffodus, mae'r tri chwestiwn arall a gwyd o sylwadau Rees Jenkin Jones dipyn yn haws eu hateb. Yn wir, mae ef ei hun yn ateb yr ail drosom. Dewiswyd Y Carw i gadeirio cyfarfod cyntaf y Siartwyr yn yr ardal oherwydd, meddai, 'Yr oedd wedi ennill safle bwysig ymhlith ei gydweithwyr yn Llwydcoed yn flaenorol i hyn. Yr oedd ei wybodaeth eangach a'i dafod llithricach wedi gafaelu ynddynt fel y teimlent y gallai fod o wasanaeth iddynt'. A dyna i ni'r ateb ar ei ben. Yr oedd gwedd a lleferydd arweinydd arno. Peth peryglus yw medru siarad *megis* un ag awdurdod.

Wrth ystyried pam y bu ei 'droi allan' o weithfeydd Llwydcoed yn gymaint o fraw i'w deulu ac yntau'n westywr yn ogystal, does ond maentumio nad oedd ei ran yn y fasnach amgen honno wedi codi i'w llawn hwyliau erbyn i'r dial ddisgyn arno. Ac yn olaf, beth a wnaeth i achub ei gam? Wedi hir bryderu a phendroni, dywed Rees Jenkin Jones iddo droi at waith cigydd gan gynnal ei deulu'n ddigon gweddus i'r dyfodol drwy hynny a'i orchwylion eraill.[31]

Wrth gwrs, fel tafarnwr a gwestywr hawddgar y cofir amdano'n bennaf ac ni fu ei ymroi i'r alwedigaeth honno erioed yn dramgwydd moesol iddo ef na'i gyd-Undodiaid. Safent ar wahân ymysg crefyddwyr sych-ddifrifol, hunangyfiawn yr oes yng Nghymru fel pobl gytbwys, gymedrol eu barn ynglŷn ag alcohol. Ceir yr argraff weithiau, o ddarllen y cofnodion, fod Williams a'i deulu yn gweithredu fel rhyw fath o '*mine hosts*' answyddogol nid yn unig i'r gymuned yn gyffredinol ond i'r mudiad eisteddfodol ac i'w enwad hefyd.

Yn gryno iawn, clywn amdano'n cynnig croeso a lletygarwch i gymdeithasau lles trigolion yr ardal, megis parchus gymdeithas 'Odyddesau Aberdâr'; yn rhedeg rhywbeth a ddisgrifir fel math o glwb cynilo ar ran ei gwsmeriaid, ond sy'n swnio, mewn gwirionedd, dipyn tebycach i Loteri Genedlaethol ar lefel y bar; yn dilyn, ef a'i griw, gwrs Rhyfel Cartref America o ryw fath o fyncer alcoholig yn y Stag, a'i fap yn frith o faneri i ddynodi hynt y byddinoedd; ac yn goleuo holl ffenestri'r adeilad gan chwifio baner y Gogledd uwchben y tŷ i ddathlu cwymp Richmond, prifddinas taleithiau'r De yn Ebrill, 1865.[32]

Clywn, hefyd, am lu o feirdd yn taro i mewn naill ai i eisteddfota, i ddathlu neu i aros ysbaid.[33] Ond dyma hefyd ŵr a oedd yn 'Undodwr selog a goleuedig . . . [a] ddangosai . . . ffyddlondeb neillduol gyda'r achos . . .' Efe, Cynonwyson ac Eiddil Cynon oedd yn gyfrifol am sicrhau ail-lansio'r *Ymofynydd* ym 1858-59 wedi i'r cylchgrawn gwerthfawr hwnnw fynd â'i ben iddo ym 1854. Ef oedd un o brif gynheiliaid Ysgol Sul yr Hen Dŷ Cwrdd a chymdeithas adferedig Dwyfundodiaid de Cymru o 1846 ymlaen. Ef, hefyd, oedd trysorydd cronfa ailadeiladu'r Hen Dŷ Cwrdd rhwng 1861 a 1871 a arweiniodd at ddymchwel yr *hen* Dŷ Cwrdd bychan, 'cyntefig' a fuasai ar y safle er 1751 a'i olynu ym 1862 gan yr adeilad presennol (sydd bellach yn wag ac mewn cyflwr truenus). Darllenwn amdano ef a'i deulu iddynt gynnig ymborth ar aelwyd y Stag i weinidogion yr enwad pan fyddent yn ymweld ag Aberdâr ar uchelwyliau.[34] Oedd, yr oedd yn gymeriad eithafol gytbwys—neu'n gytbwys iawn ei eithafion.

Ond y gweithgaredd amlycaf a gysylltir ag enw William Williams, Y Carw Coch, wrth gwrs, yw bwrlwm eisteddfodol ardal Aberdâr yn y ganrif ddiwethaf. Tan oddeutu 1840, dibynnai ardal Aberdâr ar Ferthyr Tudful am ei diwylliant eisteddfodol a'i gweisg cynharaf (er iddi dyfu'n ganolfan gyhoeddi o bwys yn ddiweddarach yn y ganrif). O gyfeiriad Merthyr ac i raddau Caerdydd a'r Fenni y clywn gyntaf am weithgareddau ei beirdd a'i thelynorion amlycaf: Edward Evan, Tomos Glyn Cothi, Gwilym Harri, Garw Dyle (1762-1844), a Richard

Yn y canol saif yr Hen Dy Cwrdd (sefydlwyd 1751 ac ailadeiladwyd 1862). I'r dde iddo saif adeilad gwreiddiol tafarn Bryn Hyfryd.

(Llyfrgelloedd Rhondda Cynon Taf)

Williams (Gwilym Ddu Glan Cynon, 1790-1839), gŵr hynod ddiddorol sy'n haeddu sylw pellach rywbryd eto. Mewn cyfrolau neu yn adroddiadau'r wasg gyfnodol yn tarddu o Ferthyr, Abertawe, Caerleon a Chaerdydd y dysgwn am eu campau. Yn wir, hyd yn oed ar ôl i economi glofäol Cwm Aberdâr gael ei draed tano o ddifri yn ystod y 1850au, mae'n drawiadol nodi taw yng Nghaerfyrddin yn 1854 yr argraffwyd *Gardd Aberdâr*, cyfrol yn cynnwys cyfansoddiadau buddugol eisteddfod enwocaf cylch Y Carw a gynhaliwyd ym 1853.[35]

Mae traddodiad am weithgaredd eisteddfodol yn Aberdâr ei hun oddeutu 1825, yn hen dafarn y Swan a safai y tu ôl i Neuadd y Dref ac a gedwid ar y pryd, fe ddywedir, gan frawd Alaw Goch. Ond nid tan 1831-37 y cawn fanylion pendant tebyg i'r hyn a oedd ar gael am Ferthyr er 1816. Darllenwn mai ym 1831 y sefydlwyd 'Cymreigyddion Hirwaen Wrgan' ac mai tafarn yr Hirwaun Castle oedd eu cartref. Mae'r manylion am y gwledda a'r cyd-gyfarch yn ddiddorol a hwyliog iawn, ond ni cheir na thestunau na chyfansoddiadau eisteddfodol ynghlwm wrthynt. Rhywbeth yn debyg yw hanes cychwyn 'Cymreigyddion Glyn Nedd' ar 18 Rhagfyr 1832 'yn nhŷ . . . y Faner a'r Oen' gan selogion y Gymdeithas a fodolai eisoes ar Hirwaun. Ac eto, gwyddom i hon dyfu'n gymdeithas lenyddol weithgar gan taw ar ei chyfer hi y lluniodd Y Carw Coch ei draethawd ar 'Hanes Dyffryn Nedd' ym 1856.[36]

Yn fuan wedyn, ar 3 Mehefin 1833, sefydlwyd 'Cymreigyddion y Bryn Hyfryd' ar Heol-y-felin, Trecynon, eto dan arweiniad Cymdeithas Hirwaun. Ei haelwyd oedd y dafarn o'r un enw a gedwid gan aelod blaenllaw yn yr Hen Dŷ Cwrdd, sef Dafydd Llewelyn (1786-1857). Dyma dad y telynor Thomas Dafydd Llewelyn (1828-1879), un o ffigurau pwysicaf yr hen draddodiad gwerin a chyn-ddiwydiannol yn nwyrain Morgannwg ac yn gymeriad sy'n haeddu mwy o sylw. Yn ogystal â bod yn westywr iddynt, penodwyd Dafydd Llewelyn yn drysorydd y gymdeithas newydd. Fel yntau, Undodwyr oedd o leiaf dri arall o blith y chwe swyddog a nodir. Ond eto, ni cheir manylion am eu dewis destunau na'u cyfansoddiadau llenyddol. Rhaid aros am dystiolaeth o'r fath tan Awst a Hydref 1837 pan geir yn fanwl am y tro cyntaf hanes am gyfarfod llenyddol—eisteddfod—yn y parthau hyn. Fe'i cynhaliwyd ar ddydd Llun, 9 Hydref, 'yn Nhŷ Mr Dafydd Llywelyn, dan Arwydd y Bryn Hyfryd'.[37]

Thomas Dafydd Llewelyn
(Llewelyn Alaw: 1828-79).
(Llyfrgelloedd Rhondda Cynon Taf)

'Cofiadur' y Fenter oedd Benjamin Lewis, 1788-1846 (neu Beni Tomos Henri ar lafar): ysgolfeistr, Annibynnwr a gwrth-ddirwestwr hwyliog a esgorodd ar fab (1824-95) trwynsur ei lwyrymataliaeth o'r un enw. Ymddengys fod cryn dipyn o'r 'hen Gymru lawen' yn y tad capelgar ond dim yn y mab. Mae'r gwahaniaeth rhyngddynt yn sylw miniog ar newid chwaeth yr oes.[38]

Richard Williams (Gwilym Ddu Glan Cynon, neu weithiau 'Y Dryw Bach') a'r 'Parch. J. Jones, Undodwr, Aberdâr' oedd y ddau feirniad. Nid oes sôn penodol am Y Carw yn rhan o'r trefniadau a thybiwn mai William Watkin Wayne, Plasnewydd, Llwydcoed, mab yr haearnfeistr Matthew Wayne, oedd y 'W.W.' a roddodd hanner coron tuag at y gwobrwyon.

Gyda llaw, mae'n debyg fod cyfraniad Cymreigyddion Hirwaun wrth hyrwyddo mudiadau tebyg o'u cwmpas hefyd yn tarddu o ddylanwad ardal Merthyr Tudful. Bu gweithfeydd haearn Hirwaun a sefydlwyd ym 1757 yn rhan o ymerodraeth teulu Crawshay, Cyfarthfa rhwng 1819-1880, tra bu'r Cymreigyddion a'u heisteddfodau yn weithgar ym Merthyr o 1821 ymlaen.

Bu 1837 felly yn flwyddyn nodedig yn hanes y fro: yr eisteddfod hysbys gyntaf; y pwll glo dwfn cyntaf a suddwyd gan deulu'r Waynes ar dir Abernant-y-groes, Cwm-bach y flwyddyn honno[39]; ac, fel y gwelsom, William Williams, Y Carw Coch, yn ymsefydlu'n westywr tafarn lengar. Tybed ai o gyfeiriad y Bryn Hyfryd â'i gweithgareddau Cymreigyddol rhwng 1833 a 1837 y cafodd ef rywfaint o'r syniad at y pwrpas hwnnw? Does ond gofyn.

Wedi'r flwyddyn gychwynnol hon ceir amlach sôn am eisteddfodau yn y cylch a'r rheini, gan mwyaf, yn dal yn eisteddfodau tafarn. Nid oedd y mudiad dirwest wedi eu herwgipio i'r festri eto. Rhywbeth a ddôi i'r amlwg ar ôl 1850-55 fyddai hynny, fel y tystia'r wasg leol fwyfwy. A than i hynny ddigwydd, ni chollodd y delyn a'r hen alawon eu blaenoriaeth ar y 'berdoneg' a'r oratorio lesol. Glynai rhywfaint o naws ac awyrgylch gwir werinol a hwyliog wrth yr eisteddfodau cynharaf hyn felly. Clywn am wyliau o'r fath 'yn Ngwestdy Ynys-y-bwl', Llanwynno (1838) ac yn Neuadd y Farchnad, Aberdâr (1840); ac am 'Eisteddfod Gymroaidd Aberdâr (1844) ac '*Ail* Gylchwyl Cymreigyddion Llwydcoed' yn y Colliers' Arms yno ym 1850.[40]

Ond y gyfres sy'n dod i fri yn ystod y 1840au a'r 1850au, ac a gyrhaeddodd ei phenllanw yn yr Eisteddfod Genedlaethol gydnabyddedig gyntaf ym 1861, yw cyfres Y Carw Coch a'i gymdeithion. Fe fu yn y cylch ambell gymdeithas flaenorol a'i bryd ar fod yn llengar, yn llesol neu'n addysgol. Un o'r rheini oedd Cymdeithas Lenyddol a Gwyddonol Aberdâr (adwaenid hi yn Saesneg fel y 'Philosophical Society' neu'r 'Literary & Scientific Institution'). Fe'i sefydlwyd hi gan John Jones, Owen Evans a Thomas Rees, gweinidogion Undodaidd Aberdâr, Cefn Coed a Blaen-gwrach. Bu iddi ryw ddau ddwsin o aelodau, hyd y gwelir, ac er na welir enw'r Carw yn eu mysg, dywedir amdanynt 'nad oedd cymaint ag un a berthynai i'r eglwysi a elwid yn uniongred yn eu mysg'. Yn ôl y cyntaf o 28 'Penderfyniad' a fu'n sail i'r Gymdeithas, ei diben oedd 'prynu a darllen llyfrau ar Seryddiaeth, Daearyddiaeth a gwybod-aethau Philosophyddol a defnyddiol eraill: a hefyd i brynu offerynau a pheirianau er ein cynorthwyo i ddeall yr hyn fyddom yn ei ddarllen'. Ymddengys na pharhaodd yn hwy na rhyw ddwy flynedd (Mawrth 1837-Chwefror 1839).[41]

Mudiad arall y *bu*'r Carw Coch yn allweddol i'w sefydlu ac a barodd am ryw bedair blynedd cyn iddo ildio i fenter fwy, oedd Cymdeithas Rhyddymofynwyr Aberdâr. Mudiad pur annelwig oedd hwn i'n golwg ni heddiw. Ond enw go annwyl gan Ddiwygwyr gwladol, gan 'Jacobiniaid', gan y sawl a fu'n bleidiol i *Breiniau Dyn* Tom Paine a Chwyldro Ffrainc, ac i ryddfrydwyr crefyddol oedd 'Free Thinker'. Olrheinid ei dras ryddfrydig yn ôl at Garfan yr Eglwys Lydan (y 'Latitudinarians') o fewn Eglwys Loegr yn niwedd yr ail ganrif ar bymtheg. Yna, cipiwyd yr enw ar ddechrau'r bedwaredd ganrif ar bymtheg gan y gweriniaethwr dygn Richard Carlile (1790-1843) a'i ddilynwyr. Seciwlareiddiwyd y term ganddynt i'w pwrpasau eu hunain o'i droi i'r Roeg '*zetetikos*' (ymofynnydd/amheuwr). Bathasant ar eu cyfer eu hunain, felly, y *nom de guerre 'Zeteticks'* ac yn y moddau hyn y daeth i'r Gymraeg—ym Merthyr, Aberdâr a mannau eraill—yr enw 'Rhyddymofynwyr' i ddisgrifio arddelwyr selocaf diwygiad gwladol ac eglwysig.[42]

Ceisiwyd yn achlysurol egluro natur a chymeriad y Gymdeithas a sefydlodd Y Carw yn y Stag, Harriet Street, ym 1837. Mewn coffâd i'r Carw a luniodd ym 1873, ar ôl cyfeirio at ymlyniad ei gyfaill wrth Siartiaeth fe ddywedodd Cynonwyson, a fu'n aelod o'r Gymdeithas, y 'cyfarfyddai ychydig o weithwyr o dan yr enw "Rhyddomyfynwr" . . . yn y Stag Inn er ymdrin â rhyw destunau buddiol a chyhoeddus . . . Nid oedd yr unrhyw bwnc cyhoeddus . . . gwladol, cymdeithasol neu grefyddol nad oedd yr hen Garw yn debyg o fod â bys ynddo'. Sylw Rees Jenkin Jones, a adwaenai'r arweinwyr i gyd, oedd mai amcan y Gymdeithas fu 'deffroi meddylgarwch, a rhoi help iddynt edrych dros ben clawdd y byd bach yr oeddynt wedi arfer byw ynddo, i weld . . . byd eangach . . .'[43]

Nid oes amheuaeth yng ngoleuni hyn ac yng nghyd-destun yr union flynyddoedd hynny (1837-1841), nad cymdeithas o leiaf yn rhannol er hyrwyddo amcanion y Siartwyr a'u Chwe Phwynt oedd Cymdeithas Rhyddymofynwyr Aberdâr a gyfarfyddai 'dan Arwydd y Carw'. Yn wir, fe allai mai hwy fu wrthi'n trefnu gweithgareddau Siartaidd yn y cyffiniau o gofio taw eu sylfaenydd a'u gwestywr a gadeiriodd 'y cyfarfod cyntaf a gynhaliwyd gan y Siartiaid yn Aberdâr', chwedl Rees Jenkin Jones, oddeutu 1839. Ni wyddom i sicrwydd. Yr unig beth a ymddengys yn reit gadarn yw mai'r Rhyddymofynwyr a gychwynnodd y gyntaf o gyfres eisteddfodau'r Carw Coch yn y Stag ar 10 Mai 1841.[44] Y mae'n drueni mawr na wyddom ddim mwy am yr ŵyl hon. Pe gwyddem, hwyrach y gwelem yn ei thestunau a'i chyfansoddiadau argoelion o'u credo ddiwygiol.

Mewn gwirionedd, braidd yn fratiog yw'r ffeithiau sydd gennym yn gyffredinol am gryn nifer o eisteddfodau'r gyfres, a dim ond am rai 1853 a 1861 y ceir toreth o wybodaeth. Diau mai gan D.M. Richards, yn y ddarlith ar draddodiad eisteddfodol yr ardal a draddododd ym 1902 i Gymrodorion Aberdâr, y cafwyd y crynodeb gorau. Tystiai ef fod eisteddfodau wedi'u cynnal dan nawdd Y Carw a'i gyfeillion ar 10 Mai 1841; 8 Mehefin 1846; 5 Mehefin 1848; 1851 (o bosib); 29 Awst 1853; Gorffennaf (Mehefin?) 1857[45] a'r 20-22 Awst 1861.[46] A dyma oedd barn gytbwys Ben Morus amdanynt, ac am eu prif ysgogydd, ar ddechrau'r ganrif hon:

> Meddiannai (Y Carw) awen hoew a pharod; canodd . . . yn ei bleser; eithr braidd yn . . . ddiwrtaith yw ei weddillion barddonol ar y goreu. Nid oedd yn hyfedr, chwaith, yn nhroadau dyrys y cynghan-eddion . . . a chenfydd y cyfarwydd wallau'n aml yn ei waith yn y mesur caeth . . .

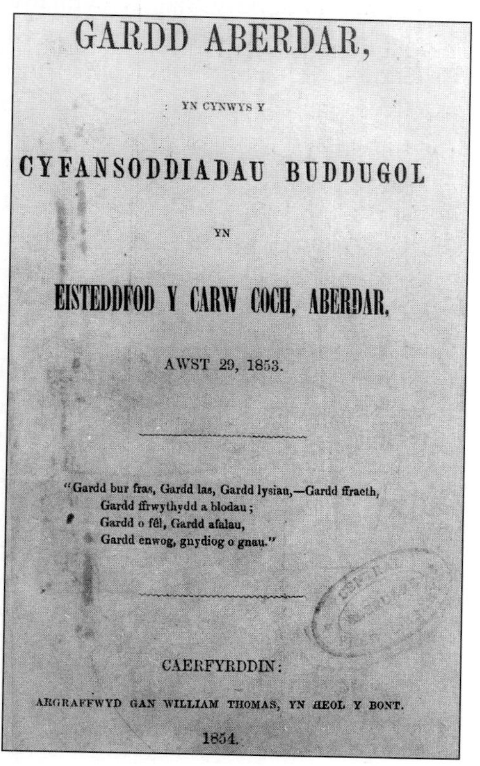

GARDD ABERDAR,

YN CYNWYS Y

CYFANSODDIADAU BUDDUGOL

YN

EISTEDDFOD Y CARW COCH, ABERDAR,

AWST 29, 1853.

"Gardd bur fras, Gardd las, Gardd lysiau,—Gardd ffraeth,
Gardd ffrwythydd a blodau;
Gardd o fêl, Gardd afalau,
Gardd enwog, gnydiog o gnau."

CAERFYRDDIN:

ARGRAFFWYD GAN WILLIAM THOMAS, YN HEOL Y BONT.

1854.

Wynebddalen argraffiad cyntaf *Gardd Aberdâr* (1854).
(Llyfrgelloedd Rhondda Cynon Taf)

> Fel hanesydd lleol y disgleiriai galluoedd y Carw fwyaf; ac ysgrifennodd aml i draethawd o werth hynaf-iaethol i'r oesoedd a ddêl . . . Ei orchestwaith yw 'Hanes Hen Dŷ Cwrdd, Blaen-gwrach' . . . Oni bai am y Carw diau y buasai helyntion dyddorol y capel hynafol hwn wedi syrthio i angof ymron yn llwyr. . .
>
> Fel hyrwyddwr eistedd-fodau yn bennaf yr erys enw'r Carw Coch hwyaf ar gof gwerin; nid oes ball ar adgofion hen ardalwyr am dân ac asbri wefreiddiai'r cylchwyliau llenyddol hyn; a chredwn iddynt gyflawni cymaint . . . er ysbryd gwladgarwch ym Morgannwg ag a wnaeth gwyliau Cymreigyddion y Fenni . . .[47]

Gellir ategu'r cyfan. Ac nid yw'n gofiant annheilwng i un na chafodd 'gymaint ag awr o ysgol ddyddiol yn ystod ei fywyd' fel y dywedodd Cynonwyson amdano. A chofier, yn ogystal, na chafodd na Charnhuanawc goleuedig na phendefig goludog o Lanofer i'w gefnogi.

Yn, neu ar safle y Stag, y cynhaliwyd pob un o'i eisteddfodau ar wahân i'r olaf ym 1861. Cydnabuwyd honno ar draws Cymru fel yr Eisteddfod Genedlaethol gyntaf i'w chynnal dan reolau newydd a osodwyd yn Llangollen, 1858 a Dinbych, 1860.[48] Ond yn ardal Aberdâr ei hun cyfeiriwyd at ŵyl Fawr 1861 fel un arall yng nghyfres Y Carw Coch—ond odid y fwyaf a'r orau ohonynt—am fod crynswth ei threfniadau yn nwylo hoelion wyth y Stag: Cynonwyson (ei 'Chofiadur'), Eiddil Cynon, Alaw Goch a'r Carw yntau.

Bwriedid ei chynnal mewn pabell enfawr 'ar Gwmin Hirwaun, lle mae y Parc ac Ysgol y Sir yn awr' (h.y. ym 1902).[49] Paratowyd ac addurnwyd y babell yn hardd ac yn helaeth at y pwrpas. Ond deuddydd cyn yr achlysur, ar ddydd Sul 18 Awst, fe'i chwythwyd i'r llawr yn garpiau chwilfriw ynghanol storm.[50] Ofnid y byddai'r 'Awen'—heb sôn am y beirdd—yn gorfod crwydro ar hyd strydoedd y fro fel plentyn amddifad. Ond ni fu rhaid ofni'n hir oblegid yr oedd y perchennog glofeydd llengar, Alaw Goch, wrth law gyda'i lu gweithwyr, ei gyfoeth a'i barodrwydd i 'achub y dydd'—yn llythrennol. O fewn dim, trawsffurfiwyd Neuadd Farchnad newydd Aberdâr, a godwyd ym 1853, yn aelwyd eang, ysblennydd i eisteddfodwyr eiddgar. Drannoeth yr Eisteddfod, ar fore Gwener, 23 Awst, urddwyd Y Carw, Cynonwyson ac Eiddil Cynon, triawd taeraf traddodiad eisteddfodol y fro, a thri arall o'r ardal, yn aelodau o Orsedd Beirdd Ynys Prydain. Mae'r gweddill, fel y dywedir, 'yn hanes'. Ond gresyn nad oes arwydd teilwng yn agos i'r fan i nodi'r ffaith er gwybodaeth i frodorion y dwthwn hwn a amddifadwyd o'u cefndir yn y cyfamser.[51]

Gwir y gair nad oedd William Williams yn fardd mawr o bell ffordd. Ond yr oedd yn llenor yn yr ystyr ei fod yn dipyn o hynafiaethydd, yn naddwr derbyniol ar benillion syml, yn drefnydd a chynhaliwr gwyliau llenyddol, ac yn un a ymserchai'n ddirfawr yng nghwmnïaeth beirdd a chantorion (rhai ohonynt fawr gwell—a thipyn yn llai gonest—nag ef). Barned y sawl a fynn safon ei waith yn ôl cynnwys y llyfr a gynhyrchodd ei fab, Lewis Noah, ym 1908 er coffa amdano.[52] Ond barned hefyd yn ôl cyd-destun yr oes ddi-gyfle, y cefndir difreintiedig a'r iaith a'r diwylliant ysgymun y'i ganed iddynt. Yna fe welir pa mor bell y teithiodd ef a channoedd eraill tebyg iddo a aned yng nghysgod y clawdd.

Ni fwriedir manylu ar hanes eisteddfod 1853, sef yr eisteddfod leol y gwyddom fwyaf amdani. Gellir darllen am y gorymdeithio, y baneri, y cerbydau a'r cystadlaethau yn yr adroddiad yng nghefn y gyfrol arobryn, *Gardd Aberdâr*, a gyhoeddwyd gan y pwyllgor y flwyddyn ganlynol. A beth bynnag, gwnaed crynodeb cynhwysfawr o ddigwydd-iadau'r ŵyl arbennig hon gan sylwebydd arall yn gymharol ddiweddar.[53]

Dim ond enwi a wneir amryw o'r rheini a fu'n ymwneud â'r Carw Coch y flwyddyn neilltuol honno ac wedi hynny, i arddangos maint cylch ei gydnabod. Dyna Ieuan Gwynedd, Alaw Goch, Thomas Stephens, Llew Llwyfo, Gwilym Mai, Mathetes, Thomas Price (Aberdâr), Ieuan Ddu, Llywelyn Alaw, Evan James (Pontypridd), Caradog, Dewi Wyn o Essyllt, Cynddelw, Gwilym Marles, Dafydd Morganwg a llu o ffigurau diddorol eraill o bob rhan o Gymru. Yn ogystal, deuwn ar draws cymeriadau cymoedd Cynon, Nedd a Thaf yn drwch.

Yno, yn eu canol, ac fel sawl un arall yn eu mysg saif Y Carw yn sumbol eglur—os nad y coethaf—o'r hyn a oedd gan R.T. Jenkins mewn golwg pan geisiai bennu'r hyn a wnâi ysfa greadigol y Cymry yn wahanol i ysfa'r Saeson yn y ddeunawfed a'r bedwaredd ganrif ar bymtheg:

> . . . ni welir hyd yma unrhyw wahaniaeth o bwys rhwng 'Wessex' a Chymru, rhwng diwylliant 'Mellstock' . . . a diwylliant Llandysul . . . yn yr hen oes: ffidil yn y naill, telyn hefyd yn y llall . . . Eithr fe ymegyr y

> gwahaniaeth—fe ganfyddir y nôd amgen—wrth gofio am yr iaith. Nid y ffaith noeth bod Cymru'n siarad Cymraeg a 'Wessex' . . . Saesneg. Ac yn sicr nid bod tafodiaith . . . Barnes a Hardy'n ddiffygiol mewn grym a lliw a rhywiogrwydd. Nage: ond y ffaith fod gwladwyr Ceredigion . . . Penllyn neu Flaenau Morgannwg mor fynych yn ymwybodol o'u hiaith, ac yn ymdrechu at hunanfynegiant ynddi. Ni fodlonant ar ei harfer i ddibenion bara-a-chaws . . . eithr . . . fe dry . . . yr iaith yn ysfa lenyddol. Hyd y gwelaf, ni cheir ysfa debyg yn y werin Saesneg, at ei gilydd. O redeg dros restr odidog beirdd Lloegr, sylwn mor ychydig oedd ohonynt na bu uchel dras . . . esmwythyd byd . . . disgyblaeth ysgolion, neu ar y lleiaf hamdden a thawelwch . . . yn garreg farch iddynt. Ond y mae hanes barddoniaeth Cymru yn y tair canrif ddiwethaf . . . yn wahanol iawn.[54]

Dyma'n union a welwn ym mywyd a chefndir William Williams, Y Carw Coch: gwladwr a oedd yn *ymwybodol* o'i iaith yn ymdrechu at *hunanfynegiant* oherwydd yr ysfa lenyddol a gynhyrfai ynddo. Gellid parhau i sôn am agweddau eraill o'i fywyd, ond rhaid dwyn y sylwadau hyn i ben drwy gyfeirio at ei frwdfrydedd dros gymdeithasau dyngarol a darbodus y gweithwyr,[55] at ei ran yn sefydlu'r *Gwladgarwr,* un o bapurau pwysicaf y ganrif ddiwethaf yng Nghymru, ym Mai 1858,[56] ac at ei danbeidrwydd dros ryddhau caethion duon yr Unol Daleithiau.[57]

Y Carw Coch a'i wraig, Margaret Rees, *c*. 1855-60.

(Llyfrgelloedd Rhondda Cynon Taf)

Bu farw'r Carw 'o glefyd yr afu' yn 64 oed ar fore dydd Iau, 26 Medi 1872, yn ei gartref, y Stag Inn, Harriet Street, Trecynon. Dywedir na fu ei gystudd 'ond byr iawn [a] dirwynodd ei yrfa i ben yn gyflym . . . yn sydyn ac anysgwyliadwy'.[58] Cyn ei gladdu ym medd ei wraig ym mynwent eglwys Sain Ffagan, Trecynon, ar ddydd Llun, 30 Medi, cynhaliwyd gwasanaeth yn yr Hen Dŷ Cwrdd. Pregethodd E.W. Lloyd, gweinidog capel Undodaidd Abernant-y-groes, Cwm-bach ar 1 Pedr, ii, 17, ac yn ei 'Fyr-Goffa' iddo ym 1873, nododd Cynonwyson ('y diweddaf o Chartists plwyf Aberdâr'[59]) y testun: 'Perchwch bawb. Cerwch y frawdoliaeth. Ofnwch Dduw'. Yr oedd yn gweddu i'r dim i holl ymdrech einioes Y Carw. A barnu yn ôl tawedogrwydd Cynonwyson go brin i'r Parchedig E.W. Lloyd godi'r pedwerydd pen a gynigiai testun ei bregeth iddo, sef—'Anrhydeddwch y brenin'!

Ac i'r bardd cloff hwnnw y rhoir y gair olaf wrth ffarwelio â'r Carw a fuasai'n gyfaill oes iddo. Dyma'i farwnad i'w gydymaith ar ffurf cyfres o englynion. Nid llesg mo'r teimlad, nid cloff mo'r awen:

Ein hannwyl Garw sy'n huno—yn angau
　　Mawr yw'r ing amdano;
　Glyw[60] i ddyn tra gloyw oedd o,
　Yn gyfaill gwerth ei gofio.

Awen wech, goeth, ymdrechgar—a gafodd
　　Yr hen gyfaill gwlatgar;
　Diwyd ei fywyd di-fâr
　I ddiosg trais y ddaear.

Rhyddfreiniwr o'i wraidd fu'r enwog—gymrawd,
　　O gamrau tra rhywiog;
　Dyn glew heb fuchedd dan glog
　A'i araith yn un-eiriog.

Ein serchog gâr oedd am wared—y byd
　　O bydew caethiwed;
　Yn groch pob gwyrgam ei gred
　Gurai'n wyneb agored.

Ei safle yn ddisyflyd—a roddai
　　Ar addysg y bywyd;
　O'i fron gweddïai, a'i fryd
　Ar iddo ei gyrhaeddyd.

2. Ei Arwyddocâd:

> Pe gofynnid ar bwy y gellid tadogi'r brwdfrydedd eisteddfodol a gododd fel twymyn yng Nghwm Cynon yn y ganrif o'r blaen dim ond un ateb sydd—Y Carw Coch.

Dyna farn Jacob Davies am William Williams ym 1956, canrif a hanner ar ôl ei eni yn 1808 a chanrif, bron, wedi ei farw ym 1872.[61]

Dwywaith yn ystod yr ugeinfed ganrif yng nghwm Aberdâr, a'r fro wedi'i seisnigeiddio'n arw erbyn hynny, ailgylchwynwyd gweithgareddau diwylliannol yn enw'r Carw. Ym mis Hydref, 1950, y bu'r tro cyntaf pan sefydlwyd 'Cymdeithas y Carw Coch' yn y dref i ailgodi'r traddodiad eisteddfodol. Hi fu'n gyfrifol am geisio denu'r Eisteddfod Genedlaethol i'r ardal unwaith eto a chyflawnwyd y diben ym 1956. Parhaodd ei gweithgaredd a'i dylanwad am ryw ddeng mlynedd, tan tua 1960-61, pan ddarfu am ei phlentyn, yr eisteddfod Gymraeg leol.[62]

Ym 1980 y bu'r ail adfywiad pan gododd 'Cwmni'r Carw Coch'. Cymdeithas ddrama Gymraeg ei hiaith oedd hon a gyflwynodd nifer o ddramâu a sioeau ar lwyfannau'r ardal gydol y 1980au. Rhan o'i llanw, gyda llaw, oedd cychwyn y papur bro lleol, *Clochdar*, sy'n dal yn heini heddiw.[63] A hyd heddiw, ar drothwy'r mileniwm newydd, gellir dweud fod rhyw ymwybyddiaeth o'r Carw Coch fel ffigwr cyfeiriol yn ein hanes yn dal ymysg y sawl sy'n medru'r iaith yn y cwm.

Pam felly? Beth oedd mor nodedig am y gŵr hwn a oedd mor ddistadl a di-nod ei wreiddiau, nes peri i'w enw aros yn arwydd neu dotem o ddiwylliant ardal a chymeriad lle flynyddoedd lawer wedi ei anterth?

Roedd gwreiddiau'r Carw yn ddwfn ym mhridd y cyfnod cyn-ddiwydiannol ym mlaenau de Cymru ar ddechrau'r ganrif ddiwethaf. Dyma gyfnod y pentrefi bychain, gwasgaredig a'r ffermydd mynydd na sicrhâi fawr mwy na hunangynhaliaeth. Dyma gyfnod yr unigolyn o grefftwr a'r 'cymeriad' arbennig a oedd yn ffigwr organig yn ei ardal a'i gymuned leol—neu enedigol hyd yn oed; cyfnod y patrymau traddodiadol a reolai gymdeithas a'r economi a oedd *ar y cyfan* yn gyndyn i newid. Dyma gyfnod y ffeiriau gwlân, y cwrw bach, y daplas haf mewn cae neu sgubor, y telynor, y rhigymwr, y bardd gwlad a'r 'percatwr'—sef hwnnw a oedd yn gyfrifol am blingo a hongian crwyn ac ysgerbydau anfeiliaid gwyllt y maes oddi ar ganghennau'r yw o gwmpas hen eglwys Ioan Fedyddiwr yng nghanol 'pentra' Aberdâr.[64]

Dyma fyd y rhaw, y rhaca, yr arad a'r car-llusg, pan oedd cyflenwi pŵer yn dibynnu ar ddŵr, disgyrchiant, ceffyl a chwys. Dyma oes glasurol yr ychydig hen gynulleidfaoedd Ymneilltuol hynny a oedd wedi bod yn llechu yn y blaeneudir am ganrif a hanner yng nghysgod cwymp y Gymanwlad ac Adferiad 1660. Dyma, yng ngeiriau Peter Laslett, *The World We Have Lost*.[65]

Pan aned William Williams i'r fath fyd ar ddechrau'r bedwaredd ganrif ar bymtheg, roedd ar ddiflannu fel ffordd o fyw mwyafrif trigolion cymoedd y blaenau. O fewn dwy neu dair cenhedlaeth wedi geni'r Carw ym 1808 daethai byd hollol newydd i fod yng nghymoedd y de, ac nid oedd unlle'n fwy nodweddiadol ohono na chwm Aberdâr.

Byd y dorf oedd y byd newydd hwn: byd y pwll glo a'r peiriant-stêm, y rheilffordd, y wasg a'r papur newydd. Byd a oedd yn ymbalfalu'n boenus o araf tuag at bleidlais gudd ac Undebau Llafur cyfreithlon; byd y theatr gerdd, ffotograffiaeth, pêl-droed a'r ddelwedd fyw arloesol; byd yr enwadau Anghydffurfiol mawrion, capeli helaeth, diwygiadau, cymanfaoedd canu a chymdeithasau dirwest; byd yr Eisteddfod Genedlaethol, corau undebol anferth, y Bwrdd Iechyd a'r Ddeddf Addysg.[66]

Dyma fyd y bu'r Carw Coch a chymdeithion iddo megis Eiddil Cynon, Cynonwyson a'r telynorion Llewelyn Alaw a Thomas Lewis (1829-1902) fyw i farw ynddo yn niwedd y bedwaredd ganrif ar bymtheg. Yn yr ystyr yna perthynent i'r byd modern—ond heb fod yn wir ran ohono. Roeddynt, oblegid eu cefndir neilltuol, ar ei gyrion: safent, fel petai, ag un llygad ar gyfnod a chymdeithas gyn-ddiwydiannol eu magwraeth. Roeddynt yn debyg i dad-cu Gwenallt—yn grwydriaid o'r ddeunawfed ganrif.

Mewn sawl ffordd roedd cylch cydnabod agosaf Y Carw yn wahanol i drwch y gymdeithas lofaol yn y ganrif ddiwethaf. Yn gyntaf, brodorion oeddynt gan fwyaf, epil trwy waed neu briodas hen deuluoedd amaethyddol y fro, ac nid mewnfudwyr o gefndiroedd cymysg fel mwyafrif y boblogaeth. Yn ail, roedd eu safle economaidd yn eu gosod rhyw gymaint ar wahân i'r gweithwyr, rhyw 80% ohonynt, a ddibynnai fwyfwy ar y gweithfeydd glo a haearn. Nid oeddynt mor ddibynnol â'r mwyafrif mawr o'u cyd-weithwyr ar y diwydiannau trwm am eu bod yn gwneud gwaith arall, megis gwaith tafarnwr, gof, cigydd, clerc, ysgolfeistr, masnachwr ac yn bennaf oll, amaethwr.[67] Yn wir, oherwydd ffactorau etifeddol a diwylliannol, datblygodd sawl teulu o fewn cynulleidfa'r Hen Dŷ Cwrdd, cartref ysbrydol cylch mewnol Y Carw, gysylltiadau â'r perchnogion yn y gymdeithas wrth i'r ganrif ddiwethaf fachlud ac i hon wawrio.[68]

Yn drydydd, roedd i'r Carw ac amryw o'i ddilynwyr agosaf eu 'harlliw' diwylliannol eu hunain a darddai'n uniongyrchol o'u gwreiddiau lleol. Nid plant y mudiad eisteddfodol cyhoeddus oeddynt, ond etifeddion traddodiad gwladaidd Edward Evan o'r Ton Coch (1716-1798) a Siôn Llewelyn o Gefn Coed (1690-1776) a'u tebyg. Safent yn eu bro eu hunain mewn olyniaeth ddi-dor iddynt hwy a'u byd.[69]

Yn bedwerydd, perthynai'r Carw a chraidd ei gylch nid yn unig i'r Hen Ymneilltuaeth a ragflaenai Fethodistiaeth y ddeunawfed ganrif, ond i'r adain fwyaf radical ohoni—yr hen Bresbyteriaeth Arminaidd a droes yn Undodiaeth oddeutu 1800. Nid capel mawr a balch y dre ddiwydiannol newydd, ond yr hen dŷ cwrdd bychan, gwledig (neu gyn-wledig) fu eu nyth ysbrydol—fel y rheini a safasai ym Mlaen-gwrach (1764), Cefn Coed (1747) a Heol-y-felin, Aberdâr (1751).

Yma, ac mewn mannau tebyg, arddelid radicaliaeth ryddfrydig mewn materion ysbrydol, megis gwadu dwyfoldeb Crist, gorseddu Rheswm fel unig gyfrwng gwir grefydd, a drwgdybio 'Diwygiad' fel plentyn amheus 'Athrawiaeth y Nwydau'.[70] Eu hagwedd oedd mai Rhesymolwyr ac nid efengylwyr emosiynol oeddynt, agwedd a fyddai'n ddigon ynddi hi ei hun i'w gosod cryn bellter oddi ar briffyrdd yr oes.

O'u hymlyniad wrth y grefydd resymegol hon tarddodd pumed nodwedd bwysig iawn a osodai'r Carw a'i brif gefnogwyr rywfaint ar wahân i brif batrymau'r cyfnod—patrymau torfol fel y nodwyd. Ond er i Williams a'i gyfeillion arddel syniadau mwyaf blaengar yr oes, megis Chwe Phwynt y Siarter, gwella cyflwr y gweithiwr a diddymu caethwasanaeth, ceir yr argraff yn gryf mai o berswâd a dealltwriaeth unigolyddol y daeth y pethau hynny, ac nid o ymlyniad wrth na mudiad na rhaglen a hawliai ufudd-dod yn amod aelodaeth. Nid oes, hyd y gwelaf, unrhyw argoel i'r Carw a'i ffyddloniaid erioed ymwneud fel radicaliaid ag undebaeth lafur fel y cyfryw nac, ychwaith, ag unrhyw agwedd ar Siartiaeth neu ddiwygio gwladol nad oedd ond yn gwbl foesol ei hapêl. Gwŷr rhyddfrydig oeddynt a oedd yn flaengar eu barn oherwydd apêl Rheswm atynt *fel unigolion,* ac nid oherwydd eu bod yn ymwybod â'u lles economaidd neu gymdeithasol ar sail dosbarth, na'u hangen crefyddol ar sail cred yn y pechod gwreiddiol. Yr unigolyddiaeth hon a'u gwnaeth yn hen-ffasiwn yng nghyd-destun y bedwaredd ganrif ar bymtheg. Yn hyn o beth cynrychiolent eu cefndir Ymneilltuol arbennig yn y ddeunawfed ganrif yn oes newydd y ganrif ddilynol. Yr oeddynt *yn* y byd hwnnw, ond nid *ohono*: roeddynt yn unigolion goleuedig ym *milieu* y dorf.

Pontio dau fyd yn y gymdeithas y buont yn rhan ohoni, bydoedd 1790 a 1890 a oedd mor wahanol i'w gilydd, dyna, yn y pendraw, yw arwyddocâd William Williams, ei ddilynwyr amlycaf a'u tebyg. Ac am i'r Carw fod cystal codwr pontydd yn ei ddydd y saif ei enw hyd heddiw—o leiaf mewn ystyr gyffredinol—yn hysbys a pharchus o fewn y cwm hwn. Gwelir y pontio hwn yn eglur yn y maes eisteddfodol ac yn ei ymwneud ag Alaw Goch, y perchennog glofeydd a'r ffigwr cyhoeddus amlwg. Yn Aberdâr y daeth Y Carw ag elfennau'r eisteddfod dafarn werinol i undod gweithredol â'r mudiad eisteddfodol cyhoeddus a oedd cymaint wrth fodd calon yr Alaw, a'i atgyfnerthu o wneud. Dyma undod y bu Eisteddfod Genedlaethol Aberdâr, 1861—y gyntaf i'w threfnu a'i chydnabod felly—yn goron ddisglair arno.

Gwelir y pontio bydoedd hwn yn y maes gwleidyddol yn ogystal. Ni ellir gwneud yn well wrth ddirwyn i ben na dyfynnu'r diweddar Gwyn A. Williams a David V.J. Jones, dau ysgolhaig a arbenigai ar gynnwrf radicalaidd y cyfnod bras rhwng 1790 a 1840. Yng ngeiriau'r cyntaf:

> The Jacobin tradition was transmitted face to face through the Unitarians and other dissidents to the new Wales . . . Jacobinism . . . defeated in its own time, created a new political tradition in Wales whose . . . expression was . . . Chartism.

Ac yn ôl yr ail:

> The victory of [Henry Richard, ym 1868, yn Aberdâr] . . . was a watershed in our political history. Old Chartists were jubilant: it was the last and perhaps best witness to the fact that their movement had . . . sustained a long radical and religious tradition.[71]

Yr oedd William Williams, Y Carw Coch, yn un o'r 'wynebau traddodol' pwysicaf. Trwyddo, ac yntau'n lladmerydd iddynt, y daeth y Jacobin Tomos Glyn Cothi a'r Rhyddfrydwr Henry Richard 'wyneb yn wyneb' yn Aberdâr.[72]

NODIADAU

[1]Ben Morus (Morris), *Cymru*, XL, Ion. 1911, 58.

[2]Y ffynhonnell orau a chynharaf ar gyfer ei ddyddiau cynnar yw sylwadau ei gyfaill oes, Thomas John Jones (Cynonwyson: 1822-1888), yn *Dyddiadur Llenyddol neu Lawlyfr yr Eisteddfodwr am 1873*, a luniwyd ganddo'n fuan wedi marwolaeth Y Carw ym 1872. Fe'u hailargraffwyd yn *Gweddillion Llenyddol William Williams (Carw Coch)*, (Aberdâr, 1908), v-viii (= *Gweddillion* o hyn ymlaen). Rheola yw 'Rhiw-oleu' y testun. Nid enwir cartref genedigol Williams yn unman, ac ni cheir sôn am ei dad fel deiliad na thŷ na thiroedd yn Asesiadau Treth y Tir, plwyf Llangatwg-Nedd rhwng 1782-1808 sydd ynghadw yn Archifdy Gorllewin Morgannwg.

[3]Cofnodion plwyf Llangatwg, Archifdy Gorll. Morgannwg, P/71/CW/8. Ceir peth ansicrwydd ynghylch blwyddyn genedigaeth ei fam oherwydd gwrthdaro rhwng y Gofrestr (1765) a charreg ei bedd (1762); nodir rhychwant bywyd ei dad ar sail y garreg fedd ym mynwent eglwys Aberpergwm. Gw. *Cymru*, XXXIII, Ion. 1910, 79, ac *Yr Athraw*, Tach. 1866, 359 (am ei chwaer, Joan).

[4]Cynonwyson, *Gweddillion*, v; Rees Jenkin Jones (= RJJ o hyn ymlaen), *Cymru*, LVI, Ion. 1919, 42.

[5]D.R. Phillips, *History of the Vale of Neath* (Swansea, 1925), 244 (n.) a 719; Cofrestr Llangatwg, bedydd Joan (1803); *Cymru* XXXVIII, Ion. 1910, 79.

[6]Cofrestr Bedyddiadau'r Hen Dŷ Cwrdd 1811-1954, rhifau 576, 614 a 689, llungopi Llyfrgell Aberdâr, WWP/R Un 1/14; *Cymru*, LVI, Ion. 1919, 42 (buasai'r awdur, RJJ, mab gweinidog Yr Hen Dŷ Cwrdd ar y pryd, yn 12 oed pan fu farw Noah Williams ym 1847; *Yr Ymofynydd*, Gorff. 1895, 146; *Cymru,* XXXVIII, Ion. 1910, 79.

[7]D. Jacob Davies, gol., *Crefydd a Gweriniaeth yn Hanes yr Hen Dŷ Cwrdd Aberdâr, 1751-1951* (Llandysul, 1951), 12, 30-56 (= HHDC Aberdâr' o hyn ymlaen)

[8]*Cymru*, LVI, Ion. 1919, 42.

[9]D.L. Davies, 'Aberdare in 1853: a translation of the first essay on the History of the Parish of Aberdare by Thomas Dafydd Llewelyn . . . in "Gardd Aberdâr"(1854)', yn *Old Aberdare*, Cyf. 2., (Cymdeithas Hanes Cwm Cynon, 1982), 8.

[10]Glanmor Williams, gol., 'The Dissenters in Glamorgan, 1660—c.1760', yn *Glamorgan County History*, Cyf. IV, 1974, 468-499 (yn arb. 491-2); ceir mynediad hyrwydd i'r termau diwinyddol hyn yn John Davies, *Hanes Cymru* (Penguin Press, 1990), 325.

[11]D. Elwyn Davies, *Y Smotiau Duon* (Llandysul, 1980), 20-28, 39-49 a 106-107; *Gweddillion*, 47-67 (yn arb. 52-4 a 61-2); R.T. Jenkins, 'Bardd a'i Gefndir', sef adargraffiad o *Drafodion* y Cymrodorion ym 1947, 31-2; *Yr Ymofynnydd*, Ebrill 1931; T.O. Williams, *Undodiaeth a Rhyddid Meddwl* (Llandysul, 1962), 247 a 250; *Cymru* LVI, Ion. 1919, 42 a XXXVIII, Ion. 1910, 82-4. Camenwir y Parch. Wm. Williams yn rhestr y gweinidogion a geir yn yr erthygl olaf. Ceir llun o'r Tŷ Cwrdd newydd a godwyd yn 1836 ar dud. 76 yno, ac un arall ar dudalen flaen *Clochdar*, papur bro Cwm Cynon, rhif 88, Mehefin 1997. Caeodd Hen Dŷ Cwrdd Blaen-gwrach tua 1880.

[12]*Gweddillion* 53-4; *Cymru*, XL, Ion. 1911, 58. Traethawd Y Carw ar Dŷ Cwrdd Blaen-gwrach, a luniwyd ym 1857, yw'r peth gorau ar glawr am y lle. Mae'r llawysgrif wreiddiol yn Llyfrgell Aberdâr, WWP/LIT.5/5. Ei dair ysgrif ar ei fro enedigol yw ei orchestion: gw. *Gweddillion*, 3-86 a'r *Ymofynydd*, Gorff. 1872, 162-3. Ceir sylw Horsley yn Michael Watts, *The Dissenters from the Reformation to the French Revolution* (Oxford, 1985), 486.

[13]*Gweddillion*, v; *Cymru*, LVI, Ion. 1919, 42; Cofrestri Plwyf Aberdâr, Priodasau am y fl. 1832, 160 (Archifdy Morgannwg).

[14]*Gardd Aberdâr* (Caerfyrddin, 1854), 42, 62; *Gweddillion*, v, ix, 77; R.T. Jenkins, 'Bardd a'i Gefndir', op.cit., 3-4, 49; *HHDC Aberdâr*, 26-7, 29; Geraint Dyfnallt Owen, *Tomos Glyn Cothi*,

Darlith Goffa Dyfnallt, 1963, 47 (tystiolaeth y cenhadwr Undodaidd Lyons am gynulleidfa Aberdâr ym 1811); *Cymru*, LVI, Ionawr 1919, 42-3; *Yr Ymofynydd*, Gorff. 1895, 146-7; *HHDC Aberdâr,* 13-14; R.T. Jenkins, op.cit., 49; *Y Bywgraffiadur Cymreig Hyd 1940*, (London, 1953), 777-9; D. Elwyn Davies, *Capel Gellionnen,1692-1992*, (d.d., 1996?), 11-16.

[15]*Gweddillion*, v. Dim ond pum plentyn y gellir eu holrhain yng Nghofrestr Bedyddiadau'r Hen Dŷ Cwrdd (Llyfrgell Aberdâr: WWP/R.Un.1/14): sef Rachel (1833-); *Margaret* (1839-1913); Noah (1841-); *Lewis Noah* (1845-1919) a *Noah Lewis* (1848-1898), sef rhifau 476, 576, 614, 689 a 746. Diau y bu'r tri arall farw'n fabanod. Gw. hefyd *Mynegai Bywgraffyddol* W.W. Price, Cyf. XXX, 82-3 (Llyfrgell Aberdâr), ac *Yr Ymofynydd*, Gorff. 1895, 145-150, a Rhag. 1862, 287 (angau Margaret ei wraig).

[16]Llyfrgell Aberdâr, WWP/R.Un.1/14; gw. nodyn 15 uchod am fanylion y plant.

[17]*Gweddillion*, v; D. Jacob Davies, *Cyfoeth Cwm* (Abercynon, 1965), 32.

[18]Cyfrifiad 1841, plwyf Aberdâr, ardal rifo 11, ffolio 34/A, dan 'Plymouth St' (enw gwreiddiol Harriet St., fe ymddengys); Cyfrifiad 1851, Aberdâr, ardal rifo 2.0 ffolio 442/B, y 56ed cartref a restrir dan 'Mill St' (enw cyffredin am bentref Heol-y-felin).

[19]Cyfrifiad 1861, Aberdâr, ardal rifo 26 ffolio 75, dan 'Harriet St.'; Cyfrifiad 1871, Aberdâr, ardal rifo 10, ffolio 90, dan 'Stag Inn, Harriet St.'

[20]'Chwe Phwnc' hanfodol y Siartwyr oedd (1) Seneddau blynyddol (2) pleidlais i bob dyn mewn oed (3) etholaethau cyfartal (4) diddymiad cymhwyster eiddo i aelodau seneddol (5) tâl i'r aelodau (6) pleidlais gudd.

[21]*Gweddillion*, v-vi; *Yr Ymofynydd*, Rhag. 1872, 286.

[22]*HHDC Aberdâr*, 12, 30-42, 43-56; *Y Bywgraffiadur Cymreig Hyd 1940*, 451, 473-4; *Yr Athraw*, Meh. 1867, 121-6 (J. a R.J. Jones). Ar gyfer Tomos Glyn Cothi gw. *Gardd Aberdâr*, 89-110; R.T. Jenkins 'Bardd a'i Gefndir', 50; *HHDC Aberdâr*, 17-18, 25-9; T.O. Williams, *Undodiaeth a Rhyddid Meddwl*, 236-9; G. Dyfnallt Owen, *Tomos Glyn Cothi*, passim (yn arb. 46-55); *Yr Ymofynnydd*, Gorff. 1933 ac Awst 1964, 129-142; D. Elwyn Davies, *Y Smotiau Duon*, 87-9, 99-100. Am Cynonwyson a golwg ar ei gysylltiadau dwfn â hen Ymneilltuaeth a theuluoedd amaethyddol Aberdâr a Merthyr, gw. *Yr Ymofynydd*, Medi 1888, 216; *Cymru*, LV, Gorffennaf 1918, 5-8; *Cyfoeth Cwm*, 42-5. Mae'n ŵr a haedda sylw llawnach. Nid oes amser nawr ond i ateb RJJ a D. Jacob Davies, *Cyfoeth Cwm*, 42 a chadarnhau mai yng Nghefn Coed y'i ganed yn ôl ei dystiolaeth ei hun yng Nghyfrifiadau 1861, 1871 a 1881.

[23]Llyfrgell Genedlaethol Cymru, 21970A , sef *Blwyddlyfr* Tomos Glyn Cothi ar gyfer 1818 (gw. ei nodyn ar ddiwedd y 'Monthly Observations' am fis Rhagfyr); *Awenyddion Morganwg* (Merthyr, 1826)—gw. e.e. ei gywydd i 'Gwymp Goliath Gawr', 127-132 lle y lleddir ar:

> 'Pob Cawr cas, diras, lle dêl,
> Ymrwyfa'n frwd am ryfel . . ., ac yn y blaen.

Hefyd, *The Merthyr Guardian*, 13 Rhag. 1834, 3; *Seren Gomer*, Mawrth 1833, 94.

[24]Gwyn A. Williams, *The Merthyr Rising* (London, 1978), 74, 227; eto, 'The Merthyr Election of 1835' yn *The Welsh in their History* (London, 1985), 112, 126-8 (er *nad* at y gweinidog y cyfeirir ar dud. 122, eithr y fferyllydd o'r un enw: gw. *The Merthyr Guardian*, 6 Rhag. 1834, 3, a 13 Rhag., 1); hefyd *HHDC Aberdâr,* 32-5.

[25]D. Rees, 'Glamorgan Newspapers Under the Stamp Acts', *Morgannwg*, III, 1959, 79-84; gw. cyfeiriadau perthnasol at rifynnau neilltuol o'r *Udgorn* isod; *HHDC Aberdâr*, 64-70, 84-5.

[26]Rees Jenkin Jones, *Cymru*, LVI, Ion. 1919, 43.

[27]Angela John 'The Chartist Endurance . . . 1840-68' ym *Morgannwg* XV, 1971, 24; hefyd D.J.V. Jones, 'Chartism in Welsh Communities', *Welsh History Review*, Cyf. 6, rhif 3, Meh. 1973, 243-261; Gwyn A. Williams, *The Welsh in their History*, 104-109.

[28]Angela John, op.cit., 24-8, 46; *Udgorn Cymru* 16 Gorff. 6, a 13 Awst 1842, 8; *HHDC Aberdâr*, 84-5; *Y Bywgraffiadur Cymreig Hyd 1940*, 473-4.

[29]Beichus fyddai nodi'r holl gyfeiriadau ar wahân i'r pwysicaf at ein pwrpas: sef, cyfarfod Gorff. 1842 (nodyn 28) ac eiddo'r Carw a welir yn rhifyn 21 Mai, 6.

[30]Angela John, op.cit., 25, lle y cyfeirir at '80 South Wales Chartists . . . in prison' ar ddiwedd 1840; D.J.V. Jones, op.cit., 246, lle y nodir i'r cynhyrfwr amlwg William Miles a chant o Siartwyr eraill gael eu diswyddo ym Merthyr.

[31]*Cymru*, LVI, Ion. 1919, 44.

[32]*Seren Gomer*, Hydref 1841, 315; *Cymru*, LVI, Ion. 1919, 44, a Chwef. 1919, 82-3.

[33]*Cymru*, XXXIII, Tach. 1907, 240 (Gwilym Gelli Deg); eto, XXXVI, Ebrill 1909, 222-3 (Ifor Cwm Gwys); *Y Gwladgarwr*, 31 Awst 1861, 3-4, lle y sonnir am y 'ffau beirdd' a fu 'yn nhŷ y Carw Coch' adeg Eisteddfod Genedlaethol y flwyddyn honno, pryd y defnyddiwyd wrth frecwasta 'ddarnau barddonol yn lle mwstard'.

[34]*Yr Ymofynydd*, Rhag. 1872, 286; *Y Gweithiwr,* 16 Hyd. 1858, 4; *HHDC, Aberdâr,* 84; Huw Walters, *Llyfryddiaeth Cylchgronau Cymreig 1735-1850* (Aberystwyth, 1993), 71-73; *Yr Ymofynydd*, Chwef. 1861, 51; *Yr Athraw*, Cyf.II, rhif 8, Awst 1867, 188; T.O. Williams, *Undodiaeth a Rhyddid Meddwl*, 252-3; *Yr Ymofynydd*, Meh. 1861, 145, a Chwef. 1868, 46; *HHDC Aberdâr*, 72; *Gweddillion*, 115-6; *Yr Ymofynnydd*, Awst 1956, 140.

[35]Ceir canllaw i draddodiad eisteddfodol Merthyr yn D. Morgans, *Music and Musicians of Merthyr* (Merthyr Tydfil, 1922), yn arb. 205-215; ond *Seren Gomer*, 1820-1850, yw'r ffynhonnell orau o bell ffordd—mae'r cyfeiriadau'n rhy luosog i'w nodi yma. Cyhoeddwyd y tri chyntaf o bedwar argraffiad gwaith Edward Evan (1804; 1816; 1837 a 1874) ym Merthyr; yno y cyhoeddwyd marwnad iddo (*Cainc y Gôg*, 1808 a 1824, 57-9); gwelir cryn dipyn o waith Tomos Glyn Cothi a Richard Williams yn *Awenyddion Morganwg* (Merthyr, 1826); ac yno y cyhoeddwyd gyntaf weithiau Gwilym Harri, *Yr Awen Resymol* (1828) a *Nod Awen* (1835) cyn ei hailargraffu yn Aberdâr (1910). Gw. hefyd, e.e. *Y Gwladgarwr* (Caerleon) Medi, 288, a Hyd., 315-6, 1834; *Seren Gomer*, Ion. 1835, 23-25; a *Gardd Aberdâr* (Caerfyrddin, 1854, adarg. Aberdâr, 1872). Yn olaf Brynley F. Roberts, 'Argraffu yn Aberdâr', *Journal of the Welsh Bibliographical Society*, XI, nos. 1-2, 1973-4, 1-53.

[36]D.M. Richards, *Rhestr Eisteddfodau* (Llandysul, 1914), xvi; *Seren Gomer*, Awst, 245-6, a Hydref, 313-5, 1832; eto, Mai 1833, 152; *Gweddillion*, 3-46.

[37]*Seren Gomer*, Gorff. 1833, 215; eto, Awst 1837, 254; D.M. Richards, *Rhestr Eisteddfodau*, xvi-xvii; D.L. Davies, 'Introduction to *Gardd Aberdâr* Essay' yn *Old Aberdare,* 2, 16-20 a 58. Saif y Bryn Hyfryd gyferbyn â'r Hen Dŷ Cwrdd.

[38]Cyfrifiad 1841, plwyf Aberdâr, ardal rifo 10, ffolio 24 (dan 'Mill St.'); *Yr Ymofynydd*, Ebrill 1882, 177-179; J. Treharne, *Hanes Eglwys Ebeneser* (Aberdâr, 1898), 54-56; *The Aberdare Leader*, 2 Gorff. 1921, 7; *Cymru*, XXXI, Gorff., 29-32, ac Awst, 81-4, 1906; *Cyfoeth Cwm*, 24.

[39]D.L. Davies, *Children of the Mines* (Cymdeithas Hanes Cwm Cynon, 1987), 5-6 a 16-17.

[40]*Seren Gomer*, Chwef. 1838, 59; eto, Mawrth 1841, 93-4; *Rhestr Eisteddfodau*, XXI; *Cais Aberdâr am Eisteddfod Genedlaethol Cymru 1956*, (1954) 2 (poster).

[41]'Minute Book' y Gymdeithas (sy'n llyfr cyfrifon mewn gwirionedd) a'r llsgr. Gymraeg 7tt. sy'n rhydd o'i fewn, yn Llyfrgell Aberdâr WWP/LIT2/1; *HHDC Aberdâr*, 36-7; *Dyddiadur* y Parch. John Jones ar gyfer 29 Awst 1837 yn Llyfrgell Dinas Caerdydd; *Old Aberdare*, 2, 56.

[42]*The Dictionary of National Biography*, IX, 1887, 100-103; E.P. Thompson, *The Making of the English Working Class* (adargraffiad Penguin, 1991), passim, ond yn arb. pennod 16 (ac yn arb. o fewn honno 781-4, 798, 811-9, 831, 841 ac 843-4); M. Foot ac I. Kramnick, *The Thomas Paine Reader* (Penguin, 1987) am destunau radical hanfodol yr oes—ac yn arb. yn y cyswllt hwn 399-451 ('The Age of Reason', 1794). Am beth o gefndir Cymreig Rhyddymofyniaeth gw. *Yr*

Ymofynydd, Mawrth 1848, 160-163; *Yr Athraw*, Cyf. I, rhif 2, Hyd. 1865, 31-6; *Seren Gomer*, Mai, 136, Gorff., 212-3 a Medi, 273, 1822; eto, Chwef., 1833, 61, Chwef. 1834, 51, a Chwef. 1835, 51 (Rhyddymofynwyr Merthyr); *Old Aberdare*, 2, 10-16 (Rhyddymofynwyr Aberdâr); a chyfrolau Gwyn A. Williams, *Artisans and Sans-Culottes* (London, 1989), 110; *The Merthyr Rising* (London, 1978), 86 a 93; a *The Welsh in their History* (London, 1982), 61, 81-2, 98, 105 a 118.

[43]*Gweddillion*, v-vi; *Cymru*, LVI, Ion. 1919, 44. Cymharer sylw RJJ â diffiniad R. Carlile o'i '*zetetic principle*': 'Let us . . . endeavour to progress in knowledge, since knowledge is . . . proven to be power. It is the power of knowledge that checks the crimes of cabinets and courts . . . that must put a stop to . . . wars and . . . armies' (E.P. Thompson, op.cit., 841).

[44]*Gweddillion*, vi; *Rhestr Eisteddfodau*, XXI; *Cymru*, XL, Ion. 1911, 59.

[45]Mae peth dryswch ynghylch dyddiad gŵyl 1857: dywed Richards (*Rhestr Eisteddfodau*, 31) mai ar 14 Gorffennaf y'i cynhaliwyd; noda Thomas Stephens (un o'r beirniaid ynddi) 7 Gorffennaf (*Cymru*, XXVI, Mawrth 1904, 191-3); ond dywed Y Carw ei hun ar ben y llawysgrif sy'n cynnwys ei 'Hanes Hen Dŷ Cwrdd Blaen-gwrach' mai ym 'Maihefyn' (sic) y'i cynhaliwyd. (Llyfrgell Aberdâr, WWP/LIT5/5 a *Gweddillion*, 47).

[46]*Rhestr Eisteddfodau*, xxi-xxxi a 26-34; gw. hefyd Llyfrgell Aberdâr, WWP/E17/11 am eisteddfod 1846 a *Cymru*, LV, Gorff. 1918, 6 am ŵyl 1857.

[47]*Cymru*, XL, Ion. 1911, 58-9.

[48]Hywel Teifi Edwards, *Gŵyl Gwalia* (Llandysul, 1980), 1-18 a 400-1.

[49]*Rhestr Eisteddfodau*, xxix; rhydd RJJ leoliad mwy manwl eto yn *Cymru*, LV, Gorff. 1918, 6, sef 'ar y Twyn Coch . . . lle mae "Pownd" isaf y Parc, a lle mae'r "Ffowntain" hardd a chostus osodwyd . . . i goffadwriaeth am goroniad . . . George V . . . 1911'. Ganed RJJ rhyw 500 llath o'r safle yn Mt. Pleasant Gardens (ar gyfyl yr Hen Dŷ Cwrdd a'r Bryn Hyfryd) ym 1835, a buasai'n 26 oed ym 1861. O 1857 ymlaen amgaewyd hen dir comin 'Hirwaun Wrgan' o dipyn i beth dan awdurdod Deddf y flwyddyn honno; ac amgaewyd 49 erw ohono rhwng 1866-1869 i greu'r parc presennol: gw. Betty Evans, 'Local Government in Aberdare 1800-1894' yn *Old Aberdare*, 7, 1993, 98-9.

[50]Bu hyn er gwaethaf ymffrost anffodus un o ohebyddion *Y Gwladgarwr*, 10 Awst 1861, 5, fod y babell 'i gynwys o 6 i 10 mil yn gysurus', a bod ei strwythur 'mor bwrpasol gogyfer â'r tywydd gwaethaf pe digwyddai iddi fod felly'!

[51]*Y Gwladgarwr*, 24 Awst, 2-5 a 31 Awst, 3-5, 1861; *Gŵyl Gwalia*, 26-7 a 403. Dylid cofio, yn ogystal, am yr agwedd filain hynod gecrus fu rhwng rhai o'r beirdd a'i gilydd yn yr oes honno (ac sy'n peri peth ysgafnder yn yr adroddiadau hirfaith mae'n rhaid eu darllen). Cafodd y triawd taer bryd o dafod am eu trafferthion gan 'Nai'r Hen Ddyrniwr' yn *Y Punch Cymraeg*, 10 Tach. 1860, 2, pan ddywedodd hwnnw amdanynt:

> '*Carw Coch*: Dim yn neillduol rhagor na'i fod yn rhoddi llawer o gwrw i'r hen (Gwilym) Gellideg am wneyd englynion iddo. *Eiddil Glan Cynon*: Sosin o ran barn a buchedd, ac hyd eto heb esgor ar ddim teilwng o'i alw yn farddoniaeth. *Cynonwyson*: Dyn cloff, a bardd llawer cloffach. Yr holl farwedd a berthyn iddo yw ei fod yn ysgrifenydd yr Eisteddfod Genedlaethol'.

Dylid dweud er nad oedd yr un ohonynt yn fardd mawr, nad cwbl deg mo'r sylwadau hyn. Gw. awdl reit gymen yr Eiddil i'r Eisteddfod Genedlaethol yn *Y Gwladgarwr*, 5 Hyd. 1861, 7; a marwnad Cynonwyson i'r Carw yn yr *Aberdare Times,* 12 Oct. 1872 a'r *Ymofynydd*, Rhag. 1872, 286.

[52]*Gweddillion Llenyddol*: ceir ei farddoniaeth (yn anghyflawn) ar 106-159; am Lewis Noah, a fu farw ym 1919, gw. *Yr Ymofynydd*, Gorff. 1895, 145-150.

[53]*Gardd Aberdâr* (Caerfyrddin, 1854), passim, ond yn arb. 241-252; *Yr Ymofynydd*, Ebrill

1854, 92-3 (adolygiad Thomas Stephens); R. Wallis Evans, 'Eisteddfod Y Carw Coch' yn *Steddfota*, Cyf. I, rhif 8, Mawrth/Ebrill 1984, 8-11.

[54]'Bardd a'i Gefndir', 7-8.

[55]*Gardd Aberdâr*, 241; *Cymru*, LVI, Chwef. 1919, 82.

[56]*Cymru*, XL, Ion. 1911, 60; B.F. Roberts, 'Argraffu yn Aberdâr', 408.

[57]*Cymru*, LVI, Chwef. 1919, 82-3.

[58]*Gweddillion*, vi-viii; *Yr Ymofynydd*, Rhag. 1872, 286; *The Aberdare Times*, 28 Sept., 5, 12, 19 Oct. 1872. Yn rhyfedd iawn nid ymddangosodd na rhybudd na chofiant iddo yn *Y Gwladgarwr*, prif bapur Cymraeg yr ardal ac un yr helpodd i'w sefydlu ym 1858.

[59]*Yr Ymofynydd*, Medi 1888, 216.

[60]'glyw': arglwydd; arweinydd; pennaeth.

[61]*Cyfoeth Cwm*, 31; fe'i cyhoeddwyd ym 1965 ond fe'i paratöwyd ar gyfer Eisteddfod Genedlaethol 1956. Rhaid tynnu sylw at y ffynonellau gwreiddiol gwerthfawr y cyfeiria D. Jacob Davies atynt (t.12) a gofyn ble y maent bellach?

[62]*Yr Ymofynnydd*, Ion., 3-5, a Rhag. 221, 1951. Cynhaliwyd yr eisteddfod Gymraeg gyntaf yn y gyfres fodern fis Tachwedd 1951—yn ystod yr un wythnos ag y chwalwyd y Stag Inn ac y bu farw un o wyresau'r Carw. Hefyd *Cais Aberdâr am Eisteddfod Genedlaethol 1956* (1954) 1 a 3; *Yr Ymofynnydd*, Awst, 1956, 130 lle y cyfeirir at rai o'i 'olion' ym meddiant y teulu gan gynnwys ei 'gleddyf eisteddfodol'. Mae hwn bellach yng ngofal Llyfrgell Aberdâr.

[63]*Old Aberdare*, 2, 24-5, nodyn 24.

[64]*Cymru*, XXXIV, Ion. 1908, 38 (y percatwr). Ceir trysorfa o wybodaeth am yr hen fyd cyn-ddiwydiannol yn *Gardd Aberdâr* (1854), *Plwyf Llanwynno* (1888), *Hanes Plwyf Penderyn* (1905 a 1924), ysgrifau Jenkin Howell ar 'Ddyffryn Cynon' yn *Y Geninen* (1900-1904), erthyglau Ben Morus ac eraill yn *Cymru* (1900-1920), a sylwadau amryw o haneswyr diweddarach megis John Davies (Pendâr), W.W. Price, R.T. Jenkins a Jacob Davies. Gwelir ynddynt oll mai yn y cyfnod rhwng tua 1790 a 1850 gan fwyaf y llithrodd yr hen fyd a'i arferion (y daplas, Gŵyl Gynog, y mabsant a'r blygain) i anarfer ac ebargofiant.

[65]Peter Laslett, *The World We Have Lost* (ailargraffiad: London, 1983), passim.

[66]Yn absenoldeb un llyfr hanes cynhwysfawr diweddar am ddiwydiannu'r Cwm, rhaid pwyso ar nifer o ffynonellau gwasgaredig o'r cyfnod ac yn ddiweddarach. Ceir argraff o'r bwrlwm a oedd ar droed ym 1853 yn y ddau draethawd hanesyddol sydd yn *Gardd Aberdâr* (yn arb. sylwadau Cynonwyson, 83-91, am a alwai'n 'Awstralia Morganwg'), a hefyd (ynghylch diwydiant a chrefydd) yn *Hanes Morganwg* (1874). Gw. hefyd D.L. Davies, *Children of the Mines* (Cymd. Hanes Cwm Cynon, 1987); *Adroddiad* T.W. Rammell i'r Bwrdd Iechyd (1853) yn *Old Aberdare*, I (1976 a 1989); R.I. Parry, 'Early Industrial Relations', ibid., 3 (1984); W.W.Price, 'History of Powell Duffryn', ibid., 4 (1985); G.Hill, 'William Haggar', ibid., 6 (1989); G.Evans, 'The Amusement of the People', ibid., 7 (1993); R.I. Parry, 'Crefydd yng Nghwm Aberdâr', yn *Llawlyfr Undeb Bedyddwyr Cymru 1964*, 36-61; ac Alun C. Davies, 'Aberdare 1750-1850: a study in the development of an industrial community' (traethawd M.A.Prifysgol Cymru, 1963).

[67]Mwynwr yn y diwydiant haearn oedd Eiddil Cynon gydol ei fywyd hyd y gwelaf; ond tafarnwyr yn ogystal â gweithwyr yn y diwydiant hwnnw oedd Dafydd Llewelyn a'i fab Thomas, William Williams ei hun a John Jones (tad Caradog) ar y cychwyn, a thafarnwr hefyd oedd y telynor dall Thomas Lewis; gof a thafarnwr oedd Caradog; clerc ac ysgolfeistr cynnar oedd Cynonwyson ac amaethwyr oedd Richard Williams ac Edward a Rhys Evans, meibion Edward Evan o'r Ton Coch. Ni fynnwn wneud mynydd o'r pwynt hwn oherwydd *mae* Llyfr Bedydd yr Hen Dŷ Cwrdd yn adlewyrchu yng ngalwedigaethau'r tadau newid economaidd o fewn y cwm; ond mae'n wir hefyd fod y presenoldeb amaethyddol yn un cyson drwyddi draw i raddau nas gwelir yn yr un gynulleidfa arall. Gw. *HHDC Aberdâr*, 83, 85.

[68]Elwodd teuluoedd Davies, Ynyslwyd a Williams, Cwmneol, e.e., yn fawr o ledu strydoedd a phentrefi ar draws eu tiroedd—gelwid yr olaf yn 'landlord Cwmaman' pan fu farw *(Tarian y Gweithiwr*, 15 Tach. 1883). Priododd teulu Llewelyn, Pantyscawen, a oedd yn perthyn i Dafydd Llewelyn y Bryn Hyfryd, â theulu Llewellyn, Y Bwllfa (dyfodiaid) gan esgor ar linach o berchnogion glofeydd y mae'r brodyr hysbys Dai a Roddy Llewellyn yn perthyn iddi. Bu eu tad-cu, Syr D.R. Llewellyn, yn drysorydd yr Hen Dŷ Cwrdd rhwng 1907-1940.

[69]*Afalau'r Awen* (Aberdâr, 1874: 4ydd argraffiad), 165-178; 'Bardd a'i Gefndir', passim; Tom Lewis, *Hen Dŷ Cwrdd Cefn Coed y Cymmer* (Llandysul, 1947), 122-135; G.J. Williams, *Traddodiad Llenyddol Morgannwg* (Caerdydd, 1948), passim, ond yn arb. 245-251; C.W. Lewis, 'The Literary History of Glamorgan 1550-1770' yn y *Glamorgan County History*, Cyf. 4 (Cardiff, 1974), 612-9.

[70]*Gweddillion*, 49, 58-9.

[71]Gwyn A. Williams, 'Beginnings of Radicalism' yn *The Remaking of Wales in the Eighteenth Century* (Cardiff, 1988), 128; D.J.V.Jones, 'Chartism in Welsh Communities' yn *Welsh History Review*, Cyf. 6, rhif 3, Meh. 1973, 256.

[72]Carwn gydnabod yn ddiffuant fy nyled a'm diolch i amryw o gymwynaswyr ar derfyn yr ysgrif hon. Yn gyntaf, estynnaf ddiolch didwyll i Ymddiriedolwyr 'Cymru Fydd' am eu cymorth caredig imi pan oeddwn yn bwrw ati yma a thraw i'w pharatoi. Yn ail, rhaid diolch i dri chyfaill dysgedig yn y Llyfrgell Genedlaethol, Ceris Gruffudd, Ann Sellwood a Huw Walters am eu cymorth proffesiynol dros fisoedd. Mawr yw fy nyled hefyd i Alun Prescott o Adran Gyfeiriol Llyfrgell Aberdâr am nad oedd unrhyw gais am help yn ormod o drafferth iddo. Diolchaf yn ogystal i Staff Archifdy Gorllewin Morgannwg yn Abertawe, ac Archifdy Morgannwg yng Nghaerdydd, am eu sylw parod ac effeithiol bob amser.

ATODIAD

POBLOGAETH PLWYF (YNA ARDAL DREFOL) ABERDÂR RHWNG 1801-1971

Blwyddyn	Poblogaeth	Cynnydd/Colled	Newid
1801	1,486		
1811	2,782	1,296	+82.2%
1821	2,062	720	-25.9%
1831	3,961	1,899	+92.1%
1841	6,471	2,510	+63.4%
1851	14,999	8,528	+131.8%
1861	32,299	17,300	+115.3%
1871	37,774	5,475	+16.9%
1881	35,514	2,260	-6.0%
1891	40,917	5,403	+15.2%
1901	43,365	2,448	+6.1%
1911	50,830	7,465	+17.2%
1921	55,007	4,177	+8.2%
1931	48,746	6,261	-11.4%
1951	40,932	2,808	-16.0%
1961	39,155	1,777	-4.3%
971	37,775	1,380	-3.5%

Aberdâr a'r 'Genedlaethol' (1861—1885—1956)

Hywel Teifi Edwards

Prifwyl 1956 oedd y gyntaf i mi fentro iddi yn y 'Sowth'. Roeddwn newydd orffen cwrs gradd yn Aberystwyth ac roedd yr awydd i ddileu'r cof am y drin yn gryf. Wrth lwc, roedd chwaer un o fois y pentre yn aelod o Gôr Cymry Llundain a fyddai'n cystadlu yn Aberdâr, ac roedd hynny'n ddigon o reswm dros bererindota. Ni chofiaf fanylion y daith annhrefnedig o Aber-arth—rwy'n cofio i ni fodio'r rhan orau ohoni cyn ymddiried mewn trên yn y diwedd i'n dwyn i dref. Ond fe gyrhaeddwyd Aberdâr a bu'r diwrnodau dilynol yn rhai digon sionc.

Fe fu 1956 yn flwyddyn ddigwyddlon ar ei hyd mae'n wir. Cyn ei diwedd byddai sôn o bryd i'w gilydd am foddi rhyw Gwm Tryweryn, ond prin fod hynny'n bwnc llosg i'r mwyafrif mawr ohonom! Yn Aberystwyth, diolch i ddatguddiadau'r Prifathro Goronwy Rees, roedd y byd yn dod i ben er mawr lawenydd academia—a chloncwyr anniwall maes y brifwyl. Mynnodd Lloegr lwyfannu ffars ei himperialaeth yn Suez a Chyprus, ac aeth Rwsia â thanciau'i gormes i Hwngari ar ôl i Khruschev ymweld â Llundain. Ym Melbourne roedd Vladimir Kuts yn 'cwrso anfarwoldeb' yn y gemau Olympaidd yr union adeg yr oedd Jim Laker yn troelli'r 'Aussies' i ddifancoll ar leiniau darparedig y Saeson, a'r union adeg yr oedd cystadleuwyr eisteddfodol Cymru yn chwennych llawryf 'National Winner' yn Aberdâr. Yr oedd Maria Callas i feddiannu llwyfan y 'Metropolitan' yn Efrog Newydd ac roedd Elvis Presley a 'Rock 'n' Roll' i feddiannu'r byd—gan gynnwys Aberdâr lle roedd trybestod 'Blue Suede Shoes' a 'Hound Dog' i'w glywed mewn tafarnau gorlawn bob yn ail ag ymollwng 'I bob un sy'n ffyddlon' a 'Glân geriwbiaid a seraffiaid', ie, a melystra 'I could have danced all night' a 'Que Sera, Sera'. Lle braf iawn i fod ar drothwy'r dwy ar hugain oedd Prifwyl Aberdâr, 6-11 Awst 1956.

Cyn codi'r peint cyntaf roedd un arall o waredigion Prifysgol Cymru wedi gofyn i mi'n boer i gyd—'Wyt ti wedi gweld menyw borcyn Celf a Chrefft?' 'Menyw borcyn?!' '"Nude" yr asyn! Os edrychi di arni o ongl arbennig fe gei di fwy na llond llygad'. Celwydd noeth wrth gwrs, ond i'r Arddangosfa honno yr aethom gyntaf ar ôl cyrraedd y maes. Mae hynny'n dweud mwy na digon, hwyrach, am ddisgwyliadau ambell stiwdent o Gymro yn 1956, ond roedd llawer ohonom dan straen gan fod sôn am estyn gwahoddiad i'r Brifwyl i'r 'marworyn rhudd' rhyfedda'n bod—Marilyn Monroe—a ddaethai draw i Lundain. Mae'n debyg iddi ofyn, 'What is an eisteddfod?' ac i'r Archdderwydd—83 oed!—ofyn, 'Who is Marilyn Monroe?' Os gwir, dyna'r drosedd fwyaf anfad yn holl hanes Gorsedd y Beirdd.

Roedd rhai, wrth reswm, wedi gweld mwy na'i gilydd. Ym marn *Y Faner*,[1] y byddai un o'i glewion yn cael ei gadeirio am 'hen awdl wamal' ar 'Gwraig', yr oedd 'gwedduster a "moesoldeb" corff y fenyw yn dibynnu ar y man lle y gwelir ef'. Felly! Mewn seiet yn Y Babell Lên yn ddiweddarach clywais aeddfetwr ifanc yn cywilyddio dros ei gydwladwyr gwinglyd na wyddent beth i'w ddweud na'i wneud wyneb yn wyneb â noethlymundod. Roedd gofyn dysgu llygaid o gnawd sut i syllu'n werthfawrogol ar fogail etc. Enw'r ymlonyddwr llygadog hwnnw, fel y dysgais wedyn, oedd Tedi Millward—cynnyrch Adran Gymraeg, Coleg y Brifysgol yng Nghaerdydd a'i wreiddiau ym Merthyr Tudful. Pa ddisgwyl oedd i beth mor ddiatalnwyd gydymddwyn â chymhlethdodau Cardis?

Menyw borcyn Aberdâr—rwy'n ei chofio hyd heddiw. Ac nid dim ond hi. Yr oedd digon o sbonc eisteddfodol ym Mhrifwyl 1956 i bellhau cyffroadau'r byd am sbel. Arch-ddifyrrwr y tafarnau oedd y cyfarwydd bach o Gardi yn ei gap gwyn 'Mr. Softee' y tyrrai pawb i ymdrochi ym mwrlwm ei arabedd. Pontshân oedd piau'r 'brifwyl olternatif' ym mlynyddoedd ei asbri mawr, a'r dewin arall hwnnw, Tawe Griffiths, y gŵr o Abertawe a wnaethai'i gartref yn Llundain oedd piau'r 'gymanfa olternatif'. Er Eisteddfod Genedlaethol y Rhos yn 1945 buasai wrthi'n arwain y gân feunosol er dirfawr bleser i'r cannoedd a ddôi i'w morio hi yn ei gwmni, ac yn Aberdâr fe gododd chwant canu ar ei gôr y tu hwnt, mi fentraf ddweud, i ddim a glywyd erioed yn hanes cymanfa'r berfeddnos. Ar sgwâr Victoria, yng nghysgod cofgolofn Caradog, arweinydd chwedlonol 'Côr Mawr y De' a gyflawnodd ei orchestion yn y Palas Grisial yn 1872 ac 1873, roedd Tawe Griffiths wedi'i ysbrydoli a byddaf yn clywed gorfoledd y gân tra byddaf. Dargyfeiriodd yr heddlu y traffig ar y nos Sadwrn pan farnent fod pedair mil wedi ymgrynhoi i ganu tan ddau y bore, ac i mi, wedi colli Tawe Griffiths a'r gân a ffynhonnai o'i gwmpas, torrwyd un o dannau anhepgor yr hwyl eisteddfodol. Roedd canu o'r fath yn gordial cenedlaethol; roedd yn ymollwng, yn ganu i bawb o bob oed ac i bob llais ei arwyddocâd. Tawodd un o briod gyweirnodau'r anian eisteddfodol pan dawodd cymanfa Tawe Griffiths.

Côr beunosol sgwâr Victoria, ie, a chorau meibion Treorci, Treforys a Phendyrys yn codi tyrfa'r Pafiliwn ar ei thraed yn y brif gystadleuaeth i gorau meibion ar brynhawn Sadwrn. Bythgofiadwy—nid oes gair arall—a chôr buddugol Treorci dan arweiniad John Davies fel pe'n codi'r fflodiart ar ryferthwy'r canu corawl a fu'n bennaf grym y brifwyl er yr 1860au. Ac o bob rhyfeddod, y beirniaid yn cadeirio awdl 'ddigri' Mathonwy Hughes ar y testun 'Gwraig', a T.H. Parry-Williams yn peri chwerthin wrth ddyfynnu darnau o awdl rhyw 'ddoniolgi', fel y'i disgrifiodd, a oedd wedi canu yn enw 'Dai Dower'.[2] Brinley Richards oedd y 'doniolgi' hwnnw; roedd wedi'i gadeirio yn 1951 ond bu'n rhaid iddo aros tan 1972 cyn ei ddyrchafu'n

Cymanfa feunosol Tawe Griffiths yn crynhoi yng nghysgod Caradog.

(Llygrgell Genedlaethol Cymru)

Yr Archdderwydd, Dyfnallt, yn cadeirio'r Prifardd Mathonwy Hughes.
(Llygrgell Genedlaethol Cymru)

Archdderwydd. Rhaid amau 'gravitas' prifardd sy'n dychanu gwraig ac awdl ynghyd!

Ni welais mo'r cadeirio ond fe welais a chlywais yr Archdderwydd, Dyfnallt, yn ymroi i godi calon y gynulleidfa pan ataliwyd y goron ar bnawn Mawrth am na chafwyd drama fydryddol a haeddai'i gwobrwyo. Erbyn diwedd y flwyddyn fe fyddai wedi'i gladdu a byddai'r brifwyl yn brin o Gymro agored ei ddaliadau. Gwelais a chlywais, hefyd, un o fyfyrwyr Aberystwyth yn 'adrodd', fel y dywedid yn ddi-lol yn 1956, ddarn o bryddest radio J. Kitchener Davies, 'Sŵn y gwynt sy'n chwythu', ag arddeliad eneiniwr geiriau a mawr fu'r dathlu wedi buddugoliaeth Trefor (Tess) Edwards, Y Bala. Ac ar nos Wener gwelais a chlywais Siân Phillips yn actio yng nghynhyrchiad Herbert Davies o *Siwan*, ynghyd ag Emyr Jones, Glanffrwd James a Margaret John, gan roi perfformiad a enynnodd y math o glod y mae hi'n dal i'w ennyn ddeugain mlynedd yn ddiweddarach a Siwan wedi ildio'i lle i Marlene Dietrich. Yn Aberdâr yn 1956 yr aeth hi'n 'enw' cenedlaethol.

Ac nid dyna'r cyfan a gofiaf, ond y mae'n rhaid ymatal. Siaradodd Idris Roberts dros ryw 112,000 ohonom pan ddiolchodd yn *Y Cymro*[3] am 'yr ŵyl gynnes, llond-croen hon, y lledaenodd ei hwyl i'r tafarnau fin nos, ac i'r strydoedd hyd oriau mân y bore'. Gwireddwyd gobeithion y trefnwyr lleol a oedd wedi codi cronfa o £19,000—pedair mil yn fwy na'r targed gwreiddiol—oherwydd ar ôl clirio'r costau, tua £42,000, yr oedd ganddynt yn elw dros bedair mil o bunnoedd. Yr oedd Aberdâr wedi ategu llwyddiant hollbwysig Pwllheli yn 1955. Ymhen blynyddoedd wedyn y sylweddolais fod gwreiddyn Prifwyl 1956 mewn tir eisteddfodol tra ffrwythlon yng Nghwm Cynon a bod gan dref Aberdâr hawl anwadadwy i ymffrostio mai hi, yn 1861, a roes loches a llwyfan i'r Eisteddfod Genedlaethol swyddogol gyntaf i'w chynnal ar ddaear Cymru. Yn fwy na hynny, criw eisteddfodau'r Carw Coch y mae Leslie Davies wedi eu dwyn ger ein bron yn y gyfrol hon, a gadwodd y brifwyl newydd-anedig rhag trengu'n ddi-oed pan ymddangosai fod melltith ar ei nyth o'r cychwyn. Nid oes ddwywaith amdani: Aberdâr a nerthodd yr Eisteddfod Genedlaethol i fynd yn ei blaen.

Maes Prifwyl heulog 1956.

(Llyfrgell Genedlaethol Cymru)

Yn Eisteddfod Fawr Llangollen, 1858, y penderfynwyd ei bod yn hwyr bryd sefydlu Eisteddfod Genedlaethol swyddogol dan reolaeth corff cenedlaethol etholedig er mwyn sicrhau safon a diogelu urddas y diwylliant brodorol. Yr oedd yn gwbwl glir erbyn 1858 fod y Cymry wedi mabwysiadu'r eisteddfod yn brif gyfrwng mynegiant eu 'hathrylith', ond heb drefn briodol fe wnâi'r cyfrwng hwnnw fwy o ddrwg nag o les. Cafwyd prawf swnllyd o hynny yn Llangollen lle gwylltiwyd llawer o eisteddfodwyr difrifol a blaengar gan fympwyon Ab Ithel a'i gefnogwyr. Ar ôl llwyddo'n drawiadol i drefnu eisteddfod lachar a manteisio ar ddyfodiad y trên i ddwyn rhai miloedd ynghyd o'r de a'r gogledd, ac o Loegr, sarnwyd y fenter trwy orseddu rhagfarn ar draul barn a sarhau arloeswr o ysgolhaig trwy wrthod gwobrwyo traethawd Thomas Stephens o Ferthyr ar chwedl Madog am na chredai ynddi. Yn Llangollen amlygwyd posibiliadau prifwyl a'i llwyfan gyfled â'r genedl, ond fe amlygwyd yr un mor glir fod modd rhoi enw drwg i'r genedl honno pe llywodraethid ei llwyfan gan fantais plaid a chred a dogma. Yn unol ag ysbryd yr oes, mynnwyd diwygiad eisteddfodol dinacâd yn 1858.

Dwy flynedd yn ddiweddarach, yn Ninbych, yr oedd corff cenedlaethol a alwyd yn syml 'Yr Eisteddfod' yn barod at ei waith dan arweiniad 'Cyngor' etholedig yn cynnwys cynrychiolwyr o'r de a'r gogledd, a phenderfynwyd lansio'r fenter fawr yn 1861. Disgwylid iddi greu cymod mewn gwlad orhoff o'i rhaniadau ac i'r perwyl hwnnw roedd dwy gini a medal i'w hennill am ddeuddeg englyn yn dathlu 'Uniad Gogledd a Deheu Cymru yn yr Eisteddfod Gyffredinol, y gyntaf o ba un a gynnelir yn Aberdâr'. Enillwyd y wobr gan un o feirdd yr hen frawdoliaeth sychedig, sef Ifor Cwm Gwys, ond nid llai brwd ei gywydd croeso oedd Eiddil Cynon, un o selogion eisteddfodau'r Carw Coch:

Boneddwyr byw yn noddi
Yn awr ein Eisteddfod ni;
Miloedd yn eilio moliant,
Hoff lwydd i Gymru a'i phlant.
Fel cenedl hyfawl canwn
Llwydd i'r cyfnod hynod hwn,
O uno De a Gwynedd
Mewn un amcan, wiwlan wedd,
Un enaid ac un anian,
Un llais c'oedd yn arllwys cân.[4]

Mewn sgwrs ag Anthropos, taerai Clwydfardd yn ddiweddarach fod yr anghydfod rhwng de a gogledd a barasai am 'bedair canrif' oherwydd ymrafael y beirdd ynglŷn â'r mesurau gwarantedig, wedi darfod yn Aberdâr yn 1861, a barnai 'Gohebydd' *Y Faner*[5] fod 'Pawb yn foddlawn. Pawb yn falch o'r "fatch".' Yr un oedd y dymuniad o bobtu: 'Boed iddynt byth rhag llaw "aros ynghyd mewn perffaith gariad a thangnefedd".' Ymhen blwyddyn, pan wrthododd Pwyllgor Lleol Caernarfon drosglwyddo elw Prifwyl 1862 i goffrau'r Cyngor, roedd y briodas yn simsanu, a daeth i ben yn 1868 dan bwysau dyledion na ellid mo'u clirio oherwydd anundeb.

Petai 'ysbryd Aberdâr', ysbryd 1861, wedi para, mae'n anodd credu y daethai tymor 'Yr Eisteddfod' i ben mor drychinebus o gyflym. Fel y dengys pennod Leslie Davies, yr oedd yr ysbryd hwnnw wedi hen brofi ei werth yng Nghwm Cynon a gofalodd gwŷr 'Yr Eisteddfod' fanteisio arno o'r cychwyn trwy benodi'n drysorydd un a'i hymgorfforai'n gymwys. David Williams (Alaw Goch) oedd y gŵr hwnnw ac onibai am ei farw disyfyd yn 1863 siawns na fyddai 'Yr Eisteddfod' wedi goroesi treialon yr 1860au. Ef, yn bennaf, a gadwodd obeithion 'Yr Eisteddfod' yn fyw yn 1861 pan chwalodd tymestl bafiliwn y Brifwyl cwta ddeuddydd cyn ei hagor.

Yn Alaw Goch (1809-1863) cafwyd gwasanaethwr a atebai ddisgwyliadau 'Oes Cynnydd' i'r dim—gŵr y buasai Samuel Smiles

Alaw Goch

yn falch ohono. Fe'i ganed yn Llwyn Drain, ger Y Bont-faen yn fab i saer a dreuliodd chwe blynedd yn y llynges ar ôl ei bresio adeg y rhyfela yn erbyn Napoleon, ac yr oedd yntau'n 'un o'r miloedd' a welodd Nelson yn cael ei glwyfo'n angheuol ar ddec y 'Victory'! Symudodd y teulu i Aberdâr yn 1821 pan oedd 'awr fawr' y cwm ar wawrio ac erbyn 1847 roedd Alaw Goch, a ddechreuasai ar ei daith yn llifiwr coed, yn llygadu dyfodol iddo'i hun fel diwydiannwr. Dechreuodd gloddio am lo yn Ynyscynon a chyda neb llai na Crawshay Bailey yn gefn iddo aeth yn ei flaen i gloddio pyllau yn Nhreaman, Aberpennar a Chwmdâr a'u gwerthu bob un am arian mawr. Â'i ffortiwn prynodd diroedd yn Llanwynno, Maenor Meisgin a'r darn hwnnw o'r Rhondda Fawr sy'n dal o hyd i dystio i'w lwyddiant, sef Trealaw, ac ar drothwy'r 1860au yr oedd yn un o ffigurau mwyaf enillgar y de diwydiannol.[6]

O safbwynt 'Yr Eisteddfod', rhaid fod cael perchennog glofeydd yn drysorydd yn fonws i'w ryfeddu. Ni allasai gŵr mor ddi-nod ei gefndir ag Alaw Goch ymgyfoethogi ym myd didostur y diwydiant glo oni bai ei fod yn ddyn busnes craff a chaled. Ond at hynny, yr oedd y diwydiannwr hunanwneuthuredig hwn yn fardd ac eisteddfodwr egnïol, yn un o gefnogwyr Y Carw Coch a'i ymlyniad wrth ddiwylliant y werin Gymraeg y ganed ef iddi ym Mro Morgannwg heb lacio dim. Yn 1903, cyhoeddodd Dafydd Morganwg gasgliad o'i gerddi dan y teitl *Gwaith Barddonol Alaw Goch* ac y mae ei ddarllen, er nad oedd ganddo fawr o awen, yn ddigon o reswm dros hawlio iddo le ar wahân ymhlith diwydianwyr ei ddydd. A'r Eisteddfod Genedlaethol ei hun yn fwy na pharod i roi llwyfan i utilitariaid a ddyrchafai ddaeareg ar draul barddoniaeth, gan watwar y mesurau caeth bob cynnig, wele berchennog glofeydd y gallai 'Nai'r Hen Ddyrnwr' yn *Y Punch Cymraeg*, 2 Chwefror 1861, ei osod ymhlith cwmni croesawgar 'Yr Orsedd a'r Eisteddfod Fawr' gan wybod y byddai'i driban wrth ei fodd:

> A'r bardd o Ynys Cynon,
> Fydd yno dan ei goron,
> Yn spowtio'n slip ryw ffregod ffraeth,
> Yn doraeth o benillion.

Pa ryfedd fod Alaw Goch yn ŵr mor boblogaidd.[7]

Yn 1857, roedd Ieuan Morganwg (y Parch. J. Thomas) mewn 'pryddest o glod' a wobrwywyd yn Eisteddfod yr Iforiaid, wedi cydnabod mawr ofal Alaw Goch dros ei lowyr a byddai John R. Hughes a Hwfa Môn yn eu marwnadau iddo, y naill yn Eisteddfod Genedlaethol Llandudno, 1864, a'r llall yn Eisteddfod y Cymry, Castell-nedd yn 1866, lawn baroted i'w glodfori. Fe'i hystyrid 'yn un o'r meistri mwyaf parchus yn yr holl wlad—un ag oedd yn byw yn serch ei weithwyr—un hefyd a brofodd ei hun yn wir gyfaill i lenyddiaeth ei wlad, a chefnogydd selog pob mudiad a dueddai i ddyrchafu cymmeriad a llesoli y genedl', ac y mae'n sicr fod ei ymateb di-oed i'r dymestl a chwalodd bafiliwn Prifwyl 1861 wedi ychwanegu sawl cufydd at ei faintioli.[8]

Yn ôl yr hanes, roedd y pafiliwn a godwyd ar gomin Hirwaun yn 200 troedfedd o hyd a 100 troedfedd o led:

> Dros yr ochrau, y rhai a gynhaliwyd gan Norway spars, yr oedd oddeutu 3,000 o latheni o weifr telegraphaidd wedi eu tynhau mewn pellder cyfaddas, a'r cwbl wedi eu ysgriwio yn dýn â bolltau wrth y ddaear. Yr oedd y weifr wedi eu hamgau mewn coed, dros ba rai yr oedd dros 3,000 o latheni o ganfas, y cyfan wedi eu gwnïo ynghyd â pheiriannau yng Nghaerloew.[9]

Ni syflodd o'i le tan ganol dydd Sul, 18 Awst (cyn i'r Eisteddfod agor ar 22 Awst) pan gafwyd achos i ofni fod y fenter fawr genedlaethol yn darged barn oddi uchod:

> Nid oedd y gwynt yn hynod uchel, er ei fod yn chwythu yn gryf. Yn ddisymmwth trodd i bwynt arall, a chan gael mynediad i'r rhan fewnol trwy'r lle agored a adawyd ar gyfer awyriad, dechreuodd wneud ei ol ar y canfas, yr hwn a esgynai ac a ddisgynai yn gyffrous. Yna rhwygwyd twll, ac unwaith wedi dechreu rhwygo dilynodd rhwygiadau ac ymhob cyfeiriad. Yna rhyddhäwyd y pileri neu 'supports', a chyn pen deg munud yr oedd y babell yn ddrylliad hollol.[10]

Dyna fuasai diwedd y stori, mae'n siŵr, oni bai am Alaw Goch. Aeth â chatrawd o'i weithwyr—Sabbath neu beidio—i addasu Neuadd y Farchnad ar gyfer cynnal Prifwyl, a phan ddaeth i ben talodd o'i boced ei hun rhag i'r colledion anorfod yn sgil chwalu'r pafiliwn adael 'Yr Eisteddfod' mewn dyled ar unwaith. Mwynhâi ambell un

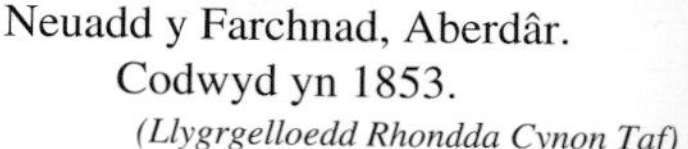
Neuadd y Farchnad, Aberdâr.
Codwyd yn 1853.
(Llygrgelloedd Rhondda Cynon Taf)

sbengllyd gyfeirio'n ddiweddarach at Eisteddfod Genedlaethol 1861 fel Prifwyl 'Brenin Aberdâr', ond bu'n dda i 'Yr Eisteddfod' wrth law a phoced waredigol Alaw Goch, yn enwedig pan gofir mor gyndyn fuasai'r 'genedl' i'w noddi. Yn ôl 'Y Gohebydd', danfonasai rhwng tri a phedwar cant o lythyrau at Gymry amlwg ledled Prydain yn gofyn am eu cefnogaeth i Brifwyl 1861. Dim ond 27 a'i hatebodd ac ni dderbyniodd namyn 17 o dan-ysgrifiadau. Yr un fu profiad Alaw Goch a ddosbarthodd, yn rhinwedd ei swydd fel trysorydd 'Yr Eisteddfod', ryw 97 o lyfrau casglu ledled Cymru. Cafodd lai na deugain ohonynt yn ôl a sâl iawn fu'r ymateb yn y gogledd. Hawdd y gallai ofyn: 'Beth sydd i feddwl am y rhai sydd wedi rhoddi eu henwau i fod yn aelodau o'r Eisteddod, ac heb anfon nac arian na llyfrau'. Yng nghyd-destun difrawder o'r fath y mae cyfraniad Alaw Goch i'w brisio hyd yn oed yn uwch.[11]

Ar 15 Ionawr 1862, cyflwynodd y Rheithor John Griffiths, llywydd Cyngor 'Yr Eisteddfod', dysteb iddo ar ran cenedl ddiolchgar mewn cyfarfod cyhoeddus a gynhaliwyd yn Neuadd Ddirwest Aberdâr, a chyflwynodd Ceiriog ei ail gasgliad o gerddi, *Oriau'r Bore*, i'w goffadwriaeth 'Am ei gefnogaeth wresog i lenyddiaeth Gymreig, ei ymdrechion diflino i sefydlu Yr Eisteddfod ar seiliau parhaus, ac am ei wladgarwch pur a dirodres ar bob egwyl'. Bu galaru cyffredinol ar ei ôl pan fu farw ym Mhen-y-bont ar Ogwr ar 28 Chwefror 1863. Yn ôl Dewi Wyn o Essyllt buasai 'i'w funyd ola'/Yn deyrn i achosion da' ac ef ydoedd 'gobaith ein prif Eisteddfodau', yr un a oedd 'yn dal yr adeilad yng nghyd'. Cywasgodd mewn englyn ymwybod trwch eisteddfodwyr y cyfnod â'u colled:

Mor lleddf mae'n prif Eisteddfod—heb Alaw
  Pob olwyn ar ddatod;
Beth bynag, bynag fai'n bod,
Alaw bur oedd law barod.

Cadwodd ei fab, y Barnwr Gwilym Williams, yn driw i'r diwylliant eisteddfodol yr ymhyfrydai'i dad ynddo gan gefnogi'r Eisteddfod Genedlaethol dros y blynyddoedd, ond nid oedd disgwyl iddo fod yn eisteddfodwr o'r un brid â'i dad. Fe'i magwyd ac fe'i haddysgwyd ar gyfer byd gwahanol.[12]

Wedi tridiau Prifwyl 1861 diolchodd Alaw Goch i bawb a'i gwnaethai'n llwyddiant, gan bwysleisio, fel yr oedd y Cymry i bwysleisio'n niwrotig-ddiddiwedd ar ôl helynt Llyfrau Gleision 1847, iddi arddangos y genedl ar ei gorau, heb na throseddwr na meddwyn ar ei chyfyl: 'We hope that our friends will see, not only that no evil can come from the Eisteddfod, but that it has a great tendency to do good to the nation at large. I hope that our influential gentlemen and ladies will see this a right step, and back us more warm than ever . . .' Yr oedd ei gydwladwyr wedi gwrando ar ei apêl atynt cyn iddynt deithio i Aberdâr: '. . .er mwyn yr hen genedl a'i gogoniant, na chlywir na rheg na chabledd, ac na weler yr un dyn meddw chwaith ar un heol nac o fewn yr un tŷ ar yr adeg; ond gadewch ini fod yn blant da bob yr un, a hynny er ein mwyn ein hunain, er mwyn ein hiaith, er mwyn ein cenedl, ac er siomi ein gelynion'. Trannoeth Prifwyl 1861 roedd Alaw Goch yn eisteddfodwr bodlon iawn.[13]

Yn yr 1860au fe fyddai Aberdâr yn datblygu'n un o brif ganolfannau 'Gwlad y Gân'. Yr oedd y Parch. John Roberts (Ieuan Gwyllt: 1822-1877) wedi dod i'r dref yn 1858 i olygu *Y Gwladgarwr*, a byddai'n fuan yn chwarae rhan ganolog ym mywyd Cymru fel hyrwyddwr cyfundrefn y Tonic Sol-ffa a chanu cynulleidfaol. Ar 10

Ionawr 1859, arweiniodd Gymanfa Ganu yng nghapel Bethania, Aberdâr, lle'r oedd y Parchedig Ddr. David Saunders yn weinidog, y gellir yn deg ei hystyried yn utgorn deffroad 'Gwlad y Cymanfaoedd', a'r un flwyddyn cyhoeddwyd ei *Llyfr Tonau Cynulleidfaol*, casgliad o emyn-donau a fyddai yn rhinwedd ei bwyslais ar 'urddas a defosiwn' yn trawsnewid ansawdd caniadaeth y cysegr yng Nghymru. Fel golygydd *Y Cerddor Cymreig* (1861-1873) a *Cerddor y Tonic Sol-ffa* (1869-71) roedd ei holl fryd ar hyrwyddo'r gerddoriaeth 'orau'—yn oratorio, anthem ac emyn—er mwyn dyrchafu moes y genedl a'r un oedd ei fwriad pan gytunodd i fod yn un o dri beirniad cerdd Prifwyl 1861 ynghyd â John Ambrose Lloyd, cyfansoddwr 'Gweddi Habacuc' a 'Teyrnasoedd y Ddaear', a John Owen (Owain Alaw) a oedd newydd gyhoeddi ei gasgliad poblogaidd o alawon, *Gems of Welsh Melodies*, yn 1860. Fel y dywedodd yn *Y Cerddor Cymreig*, gobeithiai y gellid cau allan o'r Eisteddfod Genedlaethol gyntaf 'bob math o gerddoriaeth a geiriau gwael, y rhai nad ydynt ond yn llygru chwaeth y genedl ac yn darostwng ein cymeriad', a phan oedd y cwbwl drosodd gallai ddweud mai 'Hyfrydwch nid bychan oedd genym weled can lleied o ysgarthion cerddorol wedi cael ei dwyn i fewn i'r Eisteddfod hon'. Ond nid oedd yn hollol fodlon: 'y mae lle i ymburo ac i ymddyrchafu, yn enwedig yn netholiad cerddoriaeth ein Cyngherddau Eisteddfodol'.[14]

Mae'n anodd credu y byddai wedi'i dramgwyddo gan gyngherddau Prifwyl 1861. Bu Idris Vychan a Llew Llwyfo yn canu penillion teilwng i gyfeiliant telyn Eos Meirion ar nos Fawrth a nos Fercher, ac ar nos Iau ymunodd Edith Wynne (Eos Cymru) ac Owain Alaw â hwy mewn cyngerdd lle canwyd darnau o oratorios Handel, Mendelssohn a Haydn ynghyd â baledi dillyn gan Balfe, Bishop, Glover, Wallace a Pearsall a detholiad o alawon Cymreig wedi'u trefnu gan John Parry, Owain Alaw, Brinley Richards a Phencerdd Gwalia. At hynny, yr oedd hanner cyntaf cyngerdd nos Fercher wedi'i neilltuo ar gyfer perfformio'r gantata gysegredig, 'Gweddi Habacuc', gan gôr undebol o Aberdâr, Dowlais a Merthyr a'r ddau unawdydd, Megan Watts a David Rosser, dan arweiniad y cyfansoddwr, John Ambrose Lloyd. Unig gŵyn *Y Cerddor Cymreig*[15] ynglŷn â'r perfformiad oedd fod y cyfeilydd, Owain Alaw, mewn llawer gwell cytgord â'r harmoniwm pan oedd ei gerddoriaeth ef ei hun yn cael ei pherfformio'n ddiweddarach! Fe ddylai Ieuan Gwyllt fod yn ddigon bodlon ar raglen o'r fath, ond o gofio ei fod yn ystyried 'Hob y Deri Dando' yn fygythiad i foes y genedl rhaid derbyn fod ei safonau braidd yn llym.

Mae un peth yn sicr, roedd ansawdd y darnau prawf a ddewiswyd ar gyfer y gwahanol unawdwyr—'Then shall the Righteous' (*Elijah*); 'From Mighty Kings' (*Judas Maccabaeus*); 'A forse è lui' (Verdi) a 'Brindisi Libiano' (Verdi) yn golygu na fedrai ond dyrnaid bach o gantorion profedig gystadlu am y gwobrau ac fe'u cipiwyd gan David Rosser, Aberdâr; Thomas Jones, Caerdydd a Miss Forey, Merthyr—enwau cyfarwydd iawn i eisteddfodwyr y De erbyn 1861. Sylweddolwyd y byddai rhaid dewis darnau prawf y byddai modd i gantorion ar eu prifiant ymgyrraedd atynt, a dyna fu'r drefn ar ôl 1861.

Yn Eisteddfod Genedlaethol Abertawe, 1863, y gwelwyd dechrau tra-arglwyddiaeth y corau ar y brifwyl. Yno, trechwyd Côr Undebol Cwm Tawe dan arweiniad Ivander Griffiths gan Gôr Undebol Aberdâr dan arweiniad Silas Evans mewn cystadleuaeth wefreiddiol. Ymhen blynyddoedd wedyn cofiai Twynog Jeffreys gynnwrf y gynulleidfa wrth glywed cantorion Aberdâr yn canu corawd Spohr, 'Praise the Lord our God':

> . . . gwnaeth y datganiad y dorf fawr yn wallgof-wyllt, a chyn i'r côr gyrraedd nôd olaf y darn yr oedd y dorf ar eu traed, a'r côr yn methu mynd ymlaen at y darn nesaf gan y banllefain di-ddiwedd.

Yn eu plith roedd H.F. Chorley, gohebydd cerdd yr *Athenaeum*, a farnai fod Cymru, bellach, yn rhan o'r 'immense movement in the cause of choral music'—ac nid oedd gwrthsefyll ei glod ef.[16]

Fodd bynnag, yr oedd yn amlwg ym Mhrifwyl 1861 fod dyddiau mawr 'Gwlad y Gân' ar wawrio. Trefnwyd tair cystadleuaeth i gorau cymysg heb fod yn llai na 30 mewn rhif, y gyntaf yn cynnig deg gini am ganu 'Thanks be to God' (*Elijah*), yr ail wyth gini am ganu 'A ninau y Disgyblion' ac 'O! cadw ni' (*Ystorm Tiberias*, Tanymarian) a'r drydedd chwe gini am ganu 'Hail us, ye Free' (Verdi). Rhannwyd y deg gini rhwng Côr Dirwestol Dowlais a Chôr Aberdâr dan arweiniad neb llai na Caradog; dyfarnwyd Côr Calfaria, Aberdâr yn orau o bedwar a gystadlodd am yr wyth gini, a Chôr Aberdâr drachrefn a enillodd y chwe gini trwy drechu Côr y Cymer. Yr oedd y brif gystadleuaeth wedi creu argraff fawr ar y gwrandawyr, gan gynnwys gohebydd *The Morning Star and Dial* a ddywedodd wrth ei ddarllenwyr:

> There is not the slightest doubt that if the singers of this valley were ever to visit London, or the Crystal Palace, they would create as much astonishment in the performance there of their national songs as did the Orpheonists or Bradford choristers, and as they have done among the visitors here now.[17]

Yn 1872 ac 1873 fe âi Caradog â 'Chôr Mawr y De' i'r Palas Grisial i wirio'r broffwydoliaeth honno.

Yn Eisteddfod Genedlaethol 1861 roedd y corau ar ddod i'w teyrnas a'r Cymry yn amlygu eu parodrwydd i ymddiried eu henw da i gantorion megis Edith Wynne a Megan Watts a fyddai'n sêr Llundeinig cyn diwedd yr 1860au. Roedd chwaeth gerddorol St. James's Hall a'r Academi Gerdd Frenhinol i ledneisio prifwyl cenedl a oedd ar drywydd dyddiau gwell. Fe olygai hynny y byddai'r alawon, ar ôl eu parlwreiddio gan Owain Alaw, Brinley Richards a Phencerdd Gwalia, yn dderbyniol, ond i'r cysgodion yr âi cerdd dant a'r delyn deir-rhes. Yn 1861 dim ond Llewelyn Williams (Pencerdd y De) a gystadlodd am ddwy wobr am ganu'r delyn deir-rhes ac wrth feirniadu galwodd Pencerdd Gwalia am adfer hen arfer hyglod Gwenynen Gwent yn Eisteddfodau'r Fenni o roi telyn newydd sbon i'r enillwyr.[18] Er gwaetha'i gefnogaeth ef, yr oedd y delyn deir-rhes, i bob pwrpas 'cyhoeddus', wedi darfod amdani pan ddaeth Nansi Richards ar ddechrau'r ganrif hon i'w dwyn eto i fri. Buasai'r brifwyl Fictorianaidd yn gywilyddus ddibris ohoni hi a cherdd dant.

Yn ysbryd eisteddfodau'r Carw Coch fe ddaeth y beirdd a'r llenorion i Aberdâr i godi hwyl ac yn ôl Nicander, a gadeiriwyd am awdl ar 'Cenedl y Cymry', ni welwyd 'erioed y fath yspleddach loddestfawr'. Cafodd le wrth ei fodd:

> Cefais dŷ, llety gwych llon—bîr a bwyd
> Heb arbedu, ddigon;
> A mawl o hyfrydwch fron
> Canaf i Ynys Cynon.[19]

Ac o gofio hefyd fod Llew Llwyfo wedi ennill 30 gini am arwrgerdd ar 'Caractacus, yn ei amddiffyniad o Ynys Prydain yn erbyn ymosodiadau y Rhufeinwyr', a'i fod yn ogystal yn cael ei dalu am ganu yn y cyngherddau, y mae'n hawdd credu fod y beirdd yn eu hwyliau gorau yn Aberdâr. Llew Llwyfo oedd eisteddfodwr mwyaf carismataidd ei oes ac ar ôl treulio cyfnod byr yn Aberdâr fel golygydd *Y Gwladgarwr* yr oedd yn fawr ei groeso yno. Rhyngddo ef a brawdoliaeth y Stag nid oedd dim i'w ddisgwyl ond hwyl.

Gostwng, fodd bynnag, a wnâi stoc y bardd yn yr Eisteddfod Genedlaethol o'r 1860au ymlaen. Fe'i gyrrid yntau, ef a'i Orsedd wacsaw, i'r cyrion gan y cantorion a'r utilitariaid am nad oedd yn ateb gofynion yr oes. Yn 1861, mae'n wir, cafwyd dau waith diamheuol boblogaidd a roes fri ar 'yr ochr lenyddol', sef bugeilgerdd Ceiriog, 'Alun Mabon', a thraethawd Dafydd Morganwg a fu'n gynsail i'w gyfrol enwog, *Hanes Morganwg*, a gyhoeddodd yn 1874. Clensiwyd poblogrwydd 'Alun Mabon' yn y fan a'r lle pan ganodd Llew Llwyfo 'Bugail Aberdyfi'', i fiwsig Gomer Powell, a'r fugeilgerdd hon ynghyd â'r rhieingerdd, 'Myfanwy Fychan', yw'r unig gerddi eisteddfodol yn y ganrif ddiwethaf y gellir yn ddiogel honni iddynt ennill darllenwyr wrth y miloedd. (Mae'n werth nodi yma fod Leonard Hughes o Dreffynnon wedi ennill decpunt ym Mhrifwyl 1885, sef gwobr Cymdeithas yr Eisteddfod Genedlaethol am ddyluniadau pin ac inc yn darlunio 'Myfanwy', ac iddo ym Mhrifwyl Bangor, 1890, baentio llun olew o'r teulu yn crynhoi i ddotio at Myfanwy'n faban a ystyrid y llun 'hanesyddol' Cymreig gorau i'w weld mewn cystadleuaeth eisteddfodol tan hynny.) Pan gyhoeddodd Elphin ei gomedi, *Y Bardd a'r Cerddor, neu Pwy Enilla'r Fun*, yn 1901, yr oedd yn protestio mewn difrif yn erbyn darostyngiad y beirdd wrth ganiatáu i Ap Ceridwen ddwyn Gwenllian Puw o afael John Handel Jones. Yn y Gymru 'real', fodd bynnag, roedd grym y gân yn ddiwrthdro fel y dywedodd David Jenkins yn gofiadwy yn 1882:

> No power has ever influenced the Welsh so much as music, except religion. The heart of the whole nation vibrates at her magic touch.[20]

Yr oedd y dirgryniadau hynny i'w teimlo ar eu grymusaf yn yr Eisteddfodau Cenedlaethol o 1861 ymlaen.

Y mae un ffaith arall ynglŷn â Phrifwyl gyntaf Aberdâr sy'n rhaid ei nodi—y ffaith bwysicaf, yn wir, oherwydd byddai pob Prifwyl yn ei sgil i lawr hyd at 1950 yn gaeth iddi. Fe ddefnyddiwyd ei llwyfan gan wŷr dylanwadol i gyhoeddi rhagoriaeth yr iaith Saesneg ac i bwysleisio, er brafied peth oedd anwylo'r Gymraeg, fod cynnydd a llwyddiant a pharch yn y byd y tu hwnt i gyrraedd heb Saesneg. Dyna oedd neges Henry Austin Bruce, A.S., a ddywedasai yn 1853 fod yr heniaith rwystrus yn 'very great evil', ac yr oedd Hussey Vivian, A.S., a Crawshay Bailey, A.S., hwythau am i'r Cymry hyrwyddo'u lles fel cymdogion i'r Saeson concweriol. Ym mhob dim pwysig Saesneg oedd iaith llwyfan Prifwyl 1861 er fod cyfansoddiad 'Yr Eisteddfod', a'r inc ond prin wedi sychu arno, yn deddfu'n gyntaf dim fod y sefydliad cenedlaethol wedi'i greu i ddyrchafu a phorthi'r Gymraeg. Yn wir, fe ddaeth lluniwr y cyfansoddiad, Gwilym Tawe, i Aberdâr i gyflwyno Hussey Vivian yn ei Saesneg mwyaf llifeiriol. Mater o ymarfer doethineb ar draul y Gymraeg fyddai'r drefn flynyddol yn yr Eisteddfod Genedlaethol o 1861 ymlaen.[21]

I Neuadd Farchnad Aberdâr fe ddaeth Huw Owen o Lundain i weld drosto'i hun a oedd modd defnyddio'r sefydliad cenedlaethol honedig i nerthu ei ymgyrch dros godi 'educational edifice' yng Nghymru a wnâi'r famwlad yn ased ymerodrol. Yn was suful o flaengarwr cwbwl utilitaraidd ei fryd, canfu botensial y brifwyl fel fforwm ar gyfer trafod anghenion y Cymry. Yr oedd yn llawer rhy bwysig i'w chyfyngu i gampau a stranciau beirdd a chantorion digon prin eu bri gan mwyaf. Gellid gwneud cymaint gwell defnydd ohoni. Yn 1862, impiodd 'Social Science Section' Saesneg ei hiaith wrth Eisteddfod Genedlaethol Caernarfon ac fe hydreiddiwyd y brifwyl wedyn gan ethos yr adran honno am ddegawdau. Yr oedd Prifwyl 1861 yn fwy nag Eisteddfod Genedlaethol swyddogol gyntaf Cymru; yr oedd yn ddechrau cyfnod a welodd ddefnyddio prif sefydliad diwylliannol y bobol i'w perswadio nad oedd eu hiaith mewn gwirionedd yn cyfrif ac y byddai'i dibrisio yn ennill iddynt. Byddai'r pwyslais, yng ngeiriau'r *Cardiff Times*, 23 Awst 1861, ar sicrhau 'an enlarged acquaintance with a language that embraces the literature, science, poetry, history, jurisprudence, and religion of the greatest people on the face of the earth'.

Erbyn i'r Eisteddfod Genedlaethol ailymweld ag Aberdâr, 25-28 Awst 1885, yr oedd Cymdeithas yr Eisteddfod Genedlaethol wedi'i sefydlu yn 1880, ychydig cyn marw Huw Owen, ac yr oedd y gyntaf o'r gyfres gyfredol o Brifwyliau wedi'i chynnal ym Merthyr Tudful yn 1881. Daethai tymor 'Yr Eisteddfod' i ben yn 1868 oherwydd dyledion ond cadwyd delfryd 'Y Genedlaethol' yn fyw yn yr 1870au, yn bennaf yn y Gogledd. Yn 1878, ymroes Huw Owen o'r newydd i greu Prifwyl flynyddol dan ofal corff cenedlaethol swyddogol a gwelodd sylweddoli ei fwriad yng Nghaernarfon yn 1880. Yn dilyn trafferthion 'Yr Eisteddfod' yn 1868 buasai'n barod i gydnabod, wrth chwilio am gymorth i glirio'r dyledion, fod seisnigeiddio Prifwyl y Cymry i'r fath raddau wedi bod yn gamgymeriad, ond fe fyddai Prifwyliau Cymdeithas yr Eisteddfod Genedlaethol—ac Adran y Cymmrodorion yn bytholi dylanwad 'Social Science Section' yr 1860au—yn fwy dibris fyth o'r Gymraeg. Yn Eisteddfod Genedlaethol Caerdydd, 1883, sicrhaodd yr ysgrifennydd, D. Tudor Evans, Cymro na chredai fod y Cymry yn genedl, na châi'r heniaith ddim parch—plymiodd i'w nadir eisteddfodol—ac y mae'n eironig fod y gymdeithas a sefydlwyd ym Mhrifwyl 1885 i geisio ennill troedle i'r famiaith yn yr ysgolion elfennol, sef Cymdeithas yr Iaith Gymraeg, wedi'i chymeradwyo yn un o gyfarfodydd Adran y Cymmrodorion lle teyrnasai'r Saesneg yn ddi-ble. Pa ryfedd fod ei rhaglen mor ochelgar.

Ond priodol yw nodi'n gyntaf fod Prifwyl 1885, o ran disgwyliadau'r oes, yn llwyddiant digamsyniol. Sicrhaodd Arglwydd Aberdâr iddi nawdd swyddogol Victoria ei hun, er mai cadw draw fel arfer a wnaeth Tywysog Cymru a'i fab a wahoddwyd yn ei le. Mewn llith olygyddol blaen ar 'Snobyddiaeth' dangosodd *Tarian y Gweithiwr*[22] nad dwl pob Cymro a Chymraes:

> Cenid yr udgyrn trwy holl wersyll y snobyddion o herwydd y bydd yr Eisteddfod yn cael ei chynal tan nawdd y Frenhines. Ond beth yw ystyr y 'nawdd' yma? . . . Mor bell ag y cyrhaedda ein gwybodaeth nid yw y nawdd y sonir am dano ond tegan gwag. Ni fydd seren ar gawl neb o'i herwydd. Nis gallwn edrych arno yn ddim ond tuedd i gynffona i'r pen coronog, ac i geisio addurno y Sefydliad â rhyw 'varnish' brenhinol heb fawr gwerth yn perthyn iddo.

Nid felly, wrth gwrs, y gwelai hyrwyddwyr y genedl bethau. Byddai ymweliad brenhinol yn talu ar ei ganfed i Gymru a'i phrifwyl!

Ta waeth, fe dalodd ail Brifwyl Aberdâr ei ffordd. Codwyd pafiliwn i eistedd wyth fil o bobol a gostiodd £1012.3.1. Roedd cyfanswm y treuliau yn £3252.0.7 ac ar ôl eu clirio roedd swm o £159.18.2 mewn llaw i'w drosglwyddo i Gymdeithas yr Eisteddfod Genedlaethol. Casglwyd £1033.14.7 mewn tanysgrifiadau, gwerthwyd gwerth

£1832.12.6 o docynnau a thalodd Mr E. Arnott £50 am ei 'Refreshment Contract'.[23] Gwaetha'r modd, nid yw'r fantolen yn datgelu ai'r Mr Arnott hwn a gafodd yr hawl i werthu diodydd meddwol ar y maes, chwaethach pa mor dda y talodd i'r sawl a sicrhaodd y cytundeb heb, a barnu yn ôl dicter *Tarian y Gweithiwr* at ddirwestwyr Aberdâr, i neb wneud dim i geisio rhwystro'r fenter. Heddiw, pan nad yw dirwest fawr mwy na gair mewn geiriadur, gellir gwneud 'cause celebre' o'r bwriad i godi stondin cwrw yn Y Bala, ond yn Aberdâr yn 1885 pan oedd dirwestiaeth eto'n rym (yn 1881 y pasiwyd Deddf Cau'r Tafarnau ar y Sul yng Nghymru) a phwyllgorau'r Brifwyl yn pyngad o weinidogion yr efengyl, gellid sicrhau trwydded heb fawr o drafferth. Ac nid oes sôn i neb feddwi ar y maes—er fod *Tarian y Gweithiwr*[24] yn sicr mai dyna a ddigwyddai er mawr golled i'r genedl:

> Cymeryd y tafarn i'r Eisteddfod a wnaed yn Aberdar, ceisio caniatad gan yr ynadon i droi y cae yn "grand hotel", fel y gallai y beirdd sychedig oeri eu tafodau gyda glaseidiau helaeth o frandi a dwfr. Os yw yr Eisteddfod i gael cefnogaeth dynion goreu y genedl, rhaid peidio ei throi yn dafarndy ar raddfa helaeth; y mae hyn yn sicr o gadw'r bobol oreu i ffwrdd, ac y mae yn darostwng y peth i raddfa rhedegfeydd ceffylau. Yr ydym wedi synu yn fawr at Aberdar.

Fodd bynnag, hyd yn oed pan laddwyd truanes o'r enw Tryphena Sansum gan drên pan wthiwyd hi oddi ar blatfform gorsaf y Great Western gan y dyrfa fawr a ddylifodd o'r pafiliwn nos Iau, 27 Awst, ar ôl bod yn gwrando ar berfformiad o oratorio ddramatig Alexander Mackenzie, *The Rose of Sharon*, ni feiwyd meddwon am y ddamwain angheuol i'r ferch o Devon a ddaethai i dreulio gwyliau gyda ffrindiau ger Aberdâr.

Ni raid gofyn beth y deuai'r miloedd i Aberdâr i'w fwynhau. Roedd y patrwm eisteddfodol wedi'i osod ers ymron chwarter canrif a byddai'n para'r un fath am ddegawdau. Canu oedd 'yn mynd â hi' fwyfwy. Yr oedd 'yr ochr lenyddol' yn cael meddiannu'r llwyfan pan ddôi'n awr y cadeirio a chafodd Watcyn Wyn dderbyniad tra brwd pan ddyfarnwyd ei awdl ar 'Y Gwir yn erbyn y Byd' yn orau. Roedd fel petai 'mystique' y prifardd yn dwysáu i'r graddau yr oedd ei ddarllenwyr yn prinhau, ac y mae darllen hanes dychweliad Watcyn

Wyn i Rydaman yn enghraifft drawiadol o gymdeithas yn mynnu gorseddu ei bardd heb gwestiynu ei 'ddefnyddioldeb' am eiliad.[25]

Y datblygiad mwyaf gobeithiol o safbwynt llenyddiaeth y brifwyl, fodd bynnag, oedd bod y Mri. D. Duncan a'i Feibion, Caerdydd, wedi cynnig gwobrau am stori gyfres Saesneg 'On Welsh Social Life, or on any Welsh Historical Event', a bod y Mri. Mills a Lynch, Aberdâr, wedi cynnig pum gini am 'Ffugchwedl Gymreig'. Buasai'r brifwyl o'r cychwyn yn gyndyn i hybu'r nofel ac o gofio'i sêl gynnar drosti rhoes y *South Wales Daily News*[26] (papur Duncan a'i Feibion) groeso arbennig yn ôl i Aberdâr i Lew Llwyfo:

> He was about the first of Welsh literary men to popularise the novel in Wales. This species of literary wealth was long regarded by the Welsh, with their overcharged and painfully acute religious sensibilities with more than suspicion—absolute and positive dislike . . . Even now the ordinary Welshman looks at the theatre and the evolution of English imagination with a shiver . . .

Diolch i'r Llew, llaciwyd gafael y rhagfarn yn erbyn nofel a drama:

> We are no longer in danger of being branded as irreligious outcasts if we read a page of Dickens in open sunlight, nor of being (in a metaphorical sense of course) hung, drawn, and quartered, if we are seen peeping at a play.

Gwaetha'r modd, ni chafwyd yr un stori Saesneg a haeddai'i gwobrwyo ac er i Dafydd Morganwg a Lleurwg ddyfarnu ffugchwedl T.G. Powell, Colebrook, Ohio yn orau o'r tair a ddaethai i law ni chyhoeddwyd na'u beirniadaeth hwy na'r gwaith buddugol. Ond o leiaf yr oedd Prifwyl 1885 wedi dangos ei bod o blaid y nofel ac am fod yn rhan o'r ymdrech i greu hinsawdd ffafriol i'w thwf—ymdrech na ddygai ffrwyth eisteddfodol am rai blynyddoedd eto.[27]

Y mae dwy gystadleuaeth ysgolheigaidd-lenyddol sy'n rhaid eu nodi yma hefyd am eu bod yn enghreifftiau gyda'r gorau yn y cyfnod o allu'r brifwyl i gynhyrchu gweithiau o bwys. Ni raid petruso dweud fod traethawd Thomas Evans (Cadrawd) ar 'The Folklore of Glamorgan' yn gyfraniad arloesol y canfu'r Athro John Rhŷs, y Parch. J. Spinther James a'r Dr Charles Wilkins ei werth yn glir wrth ddyfarnu gwobr o ddecpunt iddo a barn y Dr Brynley F. Roberts heddiw yw ei fod yn draethawd nodedig ac yn gasgliad o ddefnyddiau sy'n dal 'yn un gwerthfawr tu hwnt'.[28] Ac yn ail, beth ond testun rhyfeddod bellach yw'r ffaith fod deunaw wedi cystadlu yn 1885 am wobr o ganpunt a roddwyd gan Lywydd Cymdeithas yr Eisteddfod Genedlaethol, yr Ardalydd Bute, am gyfieithu *Alcestis* Ewripides i'r Gymraeg? Rhannodd y tri Athro—T.F. Roberts, Thomas Powel ac Ellis Edwards—y wobr rhwng yr Athro D. Rowlands (Dewi Môn), Aberhonddu a'r Parch. D.E. Edwardes, Begeli, ac ar draul yr Ardalydd Bute cyhoeddwyd y ddau gyfieithiad, ynghyd â'r gwreiddiol, mewn cyfrol hardd a argraffwyd gan Wasg Prifysgol Rhydychen, yn 1887. A geid yng Nghymru 1997 ddeunaw i gystadlu am gyffelyb wobr?[29]

Heb anghofio fod Prifwyl 1885 wedi cynnal Arddangosfa Celf a Chrefft a bod Arglwydd Raglaw Sir Ddinbych, Dr Cornwallis West, A.S., wedi traethu ar 'Art Culture in Wales, and its Future Development' gerbron y Cymmrodorion mewn ymdrech gymeradwy i hyrwyddo'r diddordeb araf gynyddol yn y celfyddydau cain yng Nghymru, i glywed y canu y tyrrodd y miloedd i Aberdâr. Wedi'r cyfan, yr oedd yn hafddydd ar 'Wlad y Gân'. Cawsant glywed perfformio *Samson* (Handel) a *The Rose of Sharon* (Mackenzie) gan 'sêr' y dydd, ynghyd ag Undeb Corawl Aberdâr a cherddorfa dan arweiniad Rees Evans. Yr hyn oedd glewion eu tîm rygbi concweriol i

Dan Beddoe.

Gymry'r 1970au, dyna ydoedd Eos Morlais, Ben Davies, Dyfed Lewis, Lucas Williams, Daniel Price, Lizzie Williams (Llinos y De), Mary Davies, Eleanor Rees a Madame Williams-Penn i eisteddfodwyr 1885, ac os oes rhaid gofyn pwy oedd y Gareth Edwards yn eu plith, yna Eos Morlais oedd hwnnw. Mewn dim o dro byddai 'bachgen lleol' 22 oed a enillodd yr unawd tenor—'Through the Forest' (Weber)—yn datblygu'n seren arall ar ôl ymfudo i America yn 1888—neb llai na Dan Beddoe (1863-1937) y mae ei lais wedi'i gadw i ni ar nifer o recordiau—ac fel pe na bai ei 'ymddangosiad' ef yn ddigon o destun diolch, wele Gwilym Thomas, yr aethai ei enw trwy'r gwledydd yn 1877 fel un o dri achubwr cawraidd Pwll Tynewydd, yn ennill yr unawd bariton—'If I forget thee' (Macfarren)—a thrachefn yn orau o 35 bas am ganu 'Now Heaven in fullest glory shone' (Haydn). Hawdd y gallasai eisteddfodwyr 1885 hwythau ganu 'Feed me till I want no more'—wedi'r cyfan, defnyddid emynau'n gyson i gadw trefn ym Mhrifwyliau Oes Victoria![30]

Ac ni chadwodd y cerddorion eu cannwyll dan lestr yn 1885, waeth pa mor llachar oedd disgleirdeb y cantorion. Mewn cystadleuaeth a oedd ym marn Dr Steiner a Phencerdd Gwalia y bwysicaf o safbwynt cyfansoddiant yn hanes y brifwyl, enillodd J.T. Rees, gynt o Gwmaman ger Aberdâr, wobr o ugain punt am bedwarawd llinynnol mewn pedwar symudiad, a mawr fu'r canmol, hefyd, pan ddyfarnwyd deg gini i John Henry Roberts (Pencerdd Gwynedd) am ei anthem, 'Duw sydd noddfa a nerth i ni', a osodwyd yn ddarn prawf i gorau yn Eisteddfod Genedlaethol Llundain, 1887. Cafwyd perfformiadau calonogol mewn cystadlaethau i fandiau cerddorfaol a bandiau pres ac enillwyd tair gini gan ffliwtydd a oedd i fynnu ei le ar lwyfannau proffesiynol gorau'r oes—Frederic W. Griffiths, R.A.M., oedd hwnnw ac iddo ef y mae'r diolch am y gyfrol hardd, *Notable Welsh Musicians (Of To-day)*, a gyhoeddwyd yn 1896. Heb os, yr oedd Aberdâr yn dal i fod yn fangre cerdd a chân ysbrydoledig a choronwyd hwyl Prifwyl 1885 gan gystadleuaeth gorawl y tystiodd y beirniaid, gan gynnwys Caradog ei hun, iddi fod 'a truly grand and national exhibition of choral singing'.[31]

Roedd gwobr o £150 a batwn i'r arweinydd buddugol i'w hennill am ganu 'Hark! the deep tremendous Voice' (Haydn), 'Beloved Lord, Thine eyes we close' (Spohr) a 'Vengeance, arise' (David Jenkins), a daeth chwe chôr (rhwng 150 a 200 o leisiau) i'r ornest—sef Cymdeithas Ffilharmonig y Rhondda (David Prosser, 'Prosser Bach' yn arwain); Côr Dowlais (Dan Davies); Cymdeithas Gorawl y Rhondda (M.O. Jones); Côr Undebol Glyn Ebwy (Tom Davies); Côr Merthyr (J. Evans) a Chôr Undebol Llanelli (R.C. Jenkins). Côr Dowlais (160 o leisiau) aeth â hi—'The performance of this choir was a matter of notable executive power in the midst of a day's work memorable for its complete exposition of national musical skill'—ac yn ail da roedd Côr Undebol Llanelli (180-190 o leisiau)—'a very fine body of voices, with rare powers of dignified, pointed expression'. Yn 1956, fe fyddai Cymdeithas Gorawl Llanelli yn rhagori ar gôr enwog R.C. Jenkins trwy gipio'r wobr gyntaf, ond ni fyddai'r gystadleuaeth i'w chymharu â gornest 1885. Mae'n wir y carai pum beirniad y flwyddyn honno weld gwelliannau—roedd tonyddiaeth y bechgyn a ganai alto yn ddiffygiol, byddai dau ddarn prawf yn ddigon ac roedd mawr angen cerddorfa i gyfeilio i gorau mor bwerus—ond yn anad dim carent fynegi eu gwerthfawrogiad 'of the undoubtedly artistic as well as earnestly used powers of the Welsh singers and musicians generally, who, by their well-directed efforts in the interest of the art, present the spectacle of an unequalled cultivation of music as based upon a splendid national impulse and abundantly testify to the unabated vitality of the Welsh Eisteddfod'. A thanlinellodd y pump mai angerdd crefyddol oedd nod amgen canu'r Cymry, gan hyderu 'that the lofty spirit in which sacred music is evidently cultivated in Wales will still continue as a great art-moving spring'.[32]

Yr oedd y 'big lung contests' heb os yn gallu codi pobol ar eu traed am y rhesymau gorau, ond y mae'n werth cofio fod y gornestau corawl yn gallu ennyn teimladau llai na dyrchafol hefyd. Yn 1956, cofiai Handel Harris, 80 oed, ei fod yn alto yn Undeb Corawl Penrhiw-ceibr ac Aberpennar, dan arweiniad y cigydd, James James, yn yr ail gystadleuaeth i gorau (80-150 o leisiau) lle'r oedd gwobr o ddeugain punt i'w hennill am ganu 'O! Arglwydd gwrando' (*Ystorm Tiberias*, Tanymarian) ac anthem Alaw Ddu, 'Canaf i'r Arglwydd'. Darnau cysegredig neu beidio, protestiodd Cymdeithas Harmonig Aberpennar, dan arweiniad D.C. Coleman, 'Coleman Bach', fod deg yn ormod o gantorion yng nghôr James James a setlwyd y broblem yn ddiseremoni trwy dynnu'r deg o blith yr altos—gan ladd pob gobaith am ennill. Hwtiwyd côr 'Coleman Bach' yn ddidrugaredd pan ddaeth eu tro i ganu (ond enillasant y wobr!) a phan aeth James James â'i gôr clwyfedig i'r llwyfan fe'u cyfarchwyd yn ddialgar â bloeddiadau o 'Faggots' a 'Sausages'. Os oedd yr Arglwydd yn gwrando mae'n siŵr Iddo gael hwyl anghyffredin o glywed cythraul y canu wrth ei waith! Fe fyddai hanes y brifwyl yn llawer tlotach hebddo mae'n wir.[33]

Ar ôl ceisio amdani'n ofer yn 1911, 1920, 1924 ac 1926, daeth y brifwyl yn ôl i Aberdâr yn 1956, ac ar yr wyneb ymddangosai fod y dref yn dal yn fagned grymus i'r corau. Disgwylid dros gant ohonynt (yn cynnwys corau plant ac ieuenctid) i gystadlu—deg o gorau cymysg yn y brif gystadleuaeth gorawl a deg yn yr ail, er enghraifft—a phymtheg o gorau merched. Disgwylid deg ar hugain o fandiau pres—mewn tri dosbarth—i gystadlu ar y diwrnod agoriadol a phum cerddorfa lawn i chwarae symudiad cyntaf 'Simffoni Anorffen' Schubert am wobr o £120 a enillwyd gan Gerddorfa Stewartry Kirkcudbright. Doedd dim o'i le ar ragolygon ochor gerddorol Prifwyl 1956.[34]

Ond ac eithrio prif gystadleuaeth y corau meibion a alwodd yn ôl am orig oes aur 'Gwlad y Gân', yr oedd lle i ofni fod y canu corawl eisteddfodol yn colli'i afael. Galarai'r *Western Mail* fod atyniadau'r sinema, y radio a'r teledu yn ei wanhau, tra anobeithiai Osian Ellis yn wyneb ceidwadaeth gystadleugar, ddiffrwyth y brifwyl: 'Parhawn yn gul ac yn llipa ein syniadau artistig, ac mae'r Eisteddfod Gymreig yn dioddef oherwydd moelni meddyliol'. Cymaint gwell oedd hi'n gerddorol yng Nghaeredin a Cheltenham. Barnai Andrew Yates fod canu *Meseia* eto fyth—a chanu'n sâl—ar noson ola'r brifwyl ar ôl perfformio'r *Dioddefaint yn ôl St. Mathew* (Bach) ar nos Iau, yn taro'r tant cysegredig hyd at syrffed, waeth pa mor glodwiw oedd talentau cantorion o ansawdd Norma Morgan, Helen Watts, David Galliver, Emrys Lloyd, Trevor Anthony, Nancy Bateman, Lynne Richards, Rowland Jones a Rhydderch Davies, ynghyd â Chôr yr Eisteddfod a Cherddorfa Simffoni Llundain. Darfuasai am yr hinsawdd diwylliannol a wnaethai gystadlaethau a pherfformiadau'r 1880au yn brofiadau i'w rhyfeddu. Yr oedd Cymru 1956 yn wlad arall ac oni newidiai ei chân yn fuan ni fyddai'r brifwyl yn werth y draul o'i chynnal. Dyna a glywid gan 'flaengarwyr' cerddgar 1956 heb iddynt sylweddoli, mae'n rhaid, fod eu tiwn hwythau yn diwn gron ers tro bellach.[35]

Fe fu'r ddrama yn destun siarad llawer bywiocach na'r gân, diolch i'r perfformiadau yn y Theatr Fach a'r Coliseum ynghyd â'r ffaith na chafwyd drama fydryddol i'w choroni er i wyth gystadlu, na drama hir i'w gwobrwyo chwaith er i naw gystadlu. Enynnodd y cystadlaethau chwarae drama—un act a hir—gryn ddiddordeb, gyda Chwmni Drama Theatr Fach Aberdâr yn ennill y naill gystadleuaeth â'u dewis ddrama, *Pan Redodd Guto*, Roberta Bowen (cyfieithiad W. Bryn Thomas), a Chwmni Falmouth Road, Llundain yn ennill y llall â'u perfformiad o *Awel Gref* Emlyn Williams (cyfieithiad J. Ellis Williams o *The Wind of Heaven*). Tynnodd perfformiadau'r gwahanol gwmnïau gwadd hwythau gynulleidfaoedd niferus i'r Coliseum lle bu Chwaraewyr y Theatr Fach a Chwmni'r Eisteddfod yn actio dramâu David Walters, sef *Yr Argae* (un act) ac *Wrth Afonydd Babilon*; Chwaryddion y Cyngor Celfyddyd (cynhyrchydd, Edwin Williams) yn perfformio *Hedda Gabler* Ibsen (cyfieithiad Thomas Parry a R.H. Hughes) ac yn goron ar y cyfan, Pwyllgor Cymreig Cyngor Celfyddyd Prydain Fawr (cynhyrchydd, Herbert Davies), yn cyflwyno *Gymerwch Chi Sigaret?* a *Siwan* Saunders Lewis. Pleser ychwanegol i Gardi oedd cael mynd i'r Theatr Fach i weld Cwmni Panel Drama Sir Aberteifi (cynhyrchydd, Mary Lewis), yn cyflwyno *Meini Gwagedd*, *Y Tri Dyn Dierth* a *Sŵn y Gwynt sy'n Chwythu* mewn noson o deyrnged i J. Kitchener Davies, a chael cymeradwyo rhai o'i hen athrawon yn Aberaeron—Mair Meganwy Jones, Nansi Jones a Tudor Jones—heb sôn am werthfawrogi artistri Dai Williams, Tregaron. I garedigion y ddrama roedd rhaglen Prifwyl 1956 heb os yn un llawn a roes lawer o fwynhad. Esgorodd, yn ogystal, ar drafodaeth go ergydiol.[36]

Pan wynebodd Dewi Lloyd Jones sefyllfa'r ddrama cyn agoriad y Brifwyl ni welai ddim i'w galonogi: 'Y mae bron â bod yn drai eithaf ar y ddrama Gymraeg cyn belled ag y mae ysgrifennu, chwarae a chynhyrchu yn bod'. Yn fyr, nid oedd 'celfyddyd drama' yng Nghymru a chrynhodd i ychydig frawddegau blin rwystredigaeth cenhedlaeth o ddrama-garwyr:

> Gyda ychydig iawn, iawn o eithriadau, nad ydynt yn ddigon niferus i greu corff o ddrama, nid oes gennym ddim i ymfalchïo ynddo fel celfyddyd drama. Pa hawl sydd gennym i ymfalchïo yn y gelfyddyd honno pan fo'n rhaid wrth gyfieithiadau i gynnal gŵyl ddrama Gymraeg,

> pan fo'n rhaid wrth gefnogaeth swyddogol i symbylu ysgrifenwyr i ysgrifennu, pan fo'n rhaid i awdur aros am bedair i bum mlynedd am y perfformiad cyntaf o ddrama a fo ychydig yn arbrofol? Dylem wrido wrth feddwl am ein haerllugrwydd.[37]

Fe fyddai'r ddibyniaeth ar gyfieithiadau i'w gweld yn rhy glir yn ystod wythnos y Brifwyl, heb sôn am y ffaith a nodwyd gan Emyr Edwards[38] na fuasai fawr o raen ar y cystadlaethau chwarae drama oni bai am bump o gwmnïau o Lundain a ddaeth i'r llwyfan gyda ffyddloniaid megis Cwmni'r Gwter Fawr, Brynaman (cynhyrchydd, Eic Davies) a Chymdeithas y Ddrama, Resolfen (cynhyrchydd, Jac Howells)—hwythau'n actio cyfieithiadau.

Yng nghyd-destun y cwynion hyn y mae'n haws deall y cyffro mawr a ddilynodd actio *Gymerwch Chi Sigaret?* a *Siwan*. Yn ôl nodyn yn 'Rhaglen y Dydd' roedd llawer yn y fantol:

> Dyma'r tro cyntaf yn hanes y Theatr Gymraeg i'r un Cwmni gyflwyno dwy ddrama ar gyfer Gŵyl Ddrama Gymraeg. Ymgais ydyw tuag at sefydlu Cwmni Repertoire Cymraeg neu arbrawf i weld a ydyw'r syniad yn ymarferol.

Roedd Herbert Davies, cynhyrchydd y ddau berfformiad, yn daer dros sefydlu theatr genedlaethol yng Nghaerdydd—prifddinas gydnabyddedig Cymru bellach—i actio dramâu Cymraeg a Saesneg ynghyd â chyfieithiadau o ieithoedd tramor, uchelgais a gefnogwyd gan *Y Cymro* a fynnai weld codi cronfa o £20,000 i'w sylweddoli, a chan D. Tecwyn Lloyd a farnai fod safon cynyrchiadau Herbert Davies cystal â dim a welsai yn Lloegr, yr Alban a'r Eidal. Gellid tybio fod breuddwyd y diweddar Howard de Walden, a fuasai mewn cylchrediad er 1914, i'w throi'n ffaith cyn hir. Os oedd *Look Back in Anger* John Osborne yn adnewyddiad ysbryd i'r theatr Saesneg yn 1956, siawns na allai Prifwyl 1956 fod yn rhagargoel o bethau gwych i ddyfod i'r theatr Gymraeg.[39]

Fodd bynnag, fel Dewi Lloyd Jones, â'i draed yn solet ar lawr yr agorodd Gwilym R. Jones sesiwn yn Y Babell Lên ar 'Dramâu Cymraeg Cyfoes'[40]—sesiwn orau'r wythnos heb os. Wynebodd yr anawsterau amlwg i gyd—heb gwmni cenedlaethol a theatrau proffesiynol o'r de i'r gogledd, heb nawdd, heb lywodraeth annibynnol i nerthu hunaniaeth y Cymry fe fyddai creu cynulleidfa i'r ddrama lwyfan yn oes y sinema a'r teledu yn annhebygol. Roedd yr hen batrwm wedi'i chwalu gan yr Ail Ryfel Byd ac yr oedd angen dramâu poblogaidd o'r newydd i greu cynulleidfa hyfyw ar gyfer dramodwyr difrifolach—a bwrw bod rhai o'r fath bellach i'w cael.

Craidd sylwadau Gwilym R. Jones oedd ei ddadl mai diffyg cred a ffydd oedd i gyfrif am dlodi'r ddrama Gymraeg wreiddiol. Roedd rhaid 'credu'n angerddol mewn rhywbeth cyn y gellwch chwi greu dramâu teilwng . . .' Dyw ein cenhedlaeth ni ddim yn credu'n ddiffuant mewn rhywbeth mwy na hwy eu hunain—a phobl felly sy'n creu dramâu a llenyddiaeth fawr'. Un o'r rheini oedd Saunders Lewis, un arall o'r awduron Catholig a oedd yn rhagori ar y Protestaniaid oherwydd grym eu cred. Yng nghyfnod Korea a'r Rhyfel Oer a'r bom atomig yr oedd angen angorion celfyddyd gymaint ag erioed, ond ymddangosai fod ffydd yng ngrym gwareiddiol celfyddyd hithau fel pe'n chwalu. Angen dramodwyr a chanddynt ofal am werthoedd ysbrydol oedd angen y ddrama Gymraeg, angen annifyrwyr o argyhoeddiad a dawn theatraidd i hoelio sylw. O'u cael hwy, yna fe ddôi'r cynhyrchwyr y dyheai Emyr Edwards am eu gweld—y cynhyrchwyr a chanddynt arddull bersonol bendant i osod stamp proffesiynoldeb ar y chwarae. Ni wn a oedd Huw Lloyd Edwards yn y sesiwn honno yn Y Babell Lên, ond fe fyddai ef, a rannodd y wobr am ddrama un act wreiddiol, yn mynd yn ei flaen i ysgrifennu'r math o ddrama y dadleuai Gwilym R. Jones drosti ac ymhen deng mlynedd fe fyddai *Saer Doliau* Gwenlyn Parry yn ennyn ymateb yn Eisteddfod Genedlaethol Aberafan a ddynodai ddechrau cyfnod cyffrous yn hanes y ddrama Gymraeg. Er gwaethaf hynny, trist yw gorfod cyfaddef fod gofidiau Dewi Lloyd Jones a Gwilym R. Jones yn dal i flino caredigion y ddrama lwyfan heddiw gymaint ag o'r blaen. Nid yw'r theatr genedlaethol ddim nes; yn wir, nid ydym ddim nes i benderfynu ai ateb ai dwysáu angen y ddrama Gymraeg a wnâi theatr genedlaethol.[41]

Wrth edrych yn ôl dros ddeugain mlynedd y mae gweld yn glir yr hyn nad oedd gan fyfyriwr ysgafala mewn prifwyl hwyliog mo'r awydd i'w weld, sef i gymaint graddau yr oedd gofid am yr iaith yn hydreiddio'r gweithgareddau. Fel y dywedodd D.O. Roberts,[42] cadeirydd y Pwyllgor Gwaith, Eisteddfod Saesneg mewn bro Gymraeg a gafwyd yn 1885; yn 1956 roeddent yn cynnal Eisteddfod Gymraeg mewn bro Saesneg. Aethai gobeithion Dan Isaac Davies yn 1885 i'r gwellt ac nid yw hynny'n ddim syndod o gofio pa mor betrus, onid ymddiheurol yn wir, yr oedd yn rhaid iddo ef a'i gefnogwyr fod wrth ddadlau dros roi cyfle i'r Gymraeg yn yr ysgolion elfennol. Yr oedd yn *rhaid* pwysleisio, rhag ennyn gwrthwynebiad, na fwriedid gwneud dim i estyn einioes yr heniaith 'by artificial means'. Yr oedd Cymdeithas yr Iaith Gymraeg, hyd yn oed, yn bod i ategu rhagoriaeth yr iaith Saesneg, ac fe wnaeth Syr George Elliot, A.S., ac Arglwydd Aberdâr yn siŵr eu bod, fel llywyddion y dydd, yn eilio'r mawl. Wedi'r cyfan, nid oedd neb llai na Matthew Arnold ar lwyfan Prifwyl 1885, mor fawr ei barch ag ydoedd yn 1866 pan gyhoeddodd yn ei ddarlithiau 'enwog', *On the Study of Celtic Literature*, mai gwaith cwbwl ofer oedd llenydda yn y Gymraeg ac na ddylai fod iddi ddyfodol fel iaith fyw. Mae'n rhaid mai er mwyn ei blesio ef y pwysleisiodd un arall o'r llywyddion, J.C. Parkinson, wrth draethu ar 'The Celtic Race and Literature', mai angen mwyaf Cymru oedd rhywun i ysgrifennu amdani yn Saesneg, rhywun i efelychu Thomas Moore a Syr Walter Scott: 'The special charms of the Principality and its inhabitants have never yet been embodied in an English work which is destined to be read and admired so long as English literature exits. The opportunity is a splendid one. Immortality, as well as immediate fame, is the reward of him who grasps it'. Heddiw, fe fyddai Parkinson yn bennaeth rhaglenni radio a theledu 'Cymraeg' yng Nghaerdydd a chywirdeb ei athrawiaeth ieithyddol yn ystadegol solet.[43]

Y mae'r Dr Brynley F. Roberts wedi dangos yn ei bennod ef beth ddaeth o'r Gymraeg yng Nghwm Cynon. Erbyn 1956 doedd dim amdani ond wynebu'r caswir, ymroi i adennill tir ledled Cymru, a dyheu. Wrth agor Y Babell Lên dywedodd Dilys Cadwaladr: 'Yr ydym yn deulu rhy fawr i farw, yn bobl rhy ryfedd i beidio â bod'; ac wrth gyfrannu i un o'r amryfal drafodaethau dywedodd y Dr Jac L. Williams fod y Cymry yn rhy lwfr i ladd y Gymraeg ac yn rhy lipa i'w hachub. Bu gobeithion a gofidiau'n bwhwman drwy'r wythnos rhwng y ddau begwn hynny.[44]

Roedd angen lleisiau newydd enillgar ar y Gymraeg fel y dadleuodd Gwilym R. Jones a'r Dr Kate Roberts, hithau, pan ddaeth nôl yn llywydd y dydd i'r dref y bwriodd ei chas arni gynt. Er saled gwlad oedd Cymru nid oedd ei chyflwr yn anobeithiol; gellid ailadeiladu a sicrhau fod yr ysgolion *i gyd* yn ysgolion Cymraeg, a diolchodd i'r di-Gymraeg am gefnogi'r Rheol Gymraeg. Angen awduron a chanddynt arddull ddisglair oedd pennaf angen llên Cymru, fel y dadleuodd yn *Y Faner*, a dim ond wrth ysgrifennu nofel, drama neu gofiant y datblygid arddull o'r fath. Dyna pam, yn ei barn hi, y dylid cyfyngu cystadleuaeth Y Fedal Ryddiaith i nofelwyr, cofianwyr a dramodwyr. Roedd yn rhaid wrth ddifrifwch amcan, fel y pwysleisiodd y Dr Pennar Davies, yntau, wrth draethu ar 'Y Bywyd Llenyddol Heddiw' gan alw am sefydlu Academi i noddi llên a beirniadaeth—dadl wrth fodd calon Alun Llywelyn-Williams a oedd newydd ddatgan yn *Y Faner* nad oedd cystadlaethau'r brifwyl, o safbwynt barddoniaeth, yn cynhyrchu fawr mwy na 'ffraethineb a deheurwydd'. O'r tu allan iddi hi y dôi cynnydd—ac wele'r Academi Gymreig yn ymddangos yn 1959.[45]

A beth am gynulleidfa i'r lleisiau newydd? Yr oedd cymaint yn dibynnu ar ddarparu addysg Gymraeg uwchradd fel y dadleuodd Syr Ifan ab Owen Edwards, y Dr Haydn Williams a'r Dr Jac L. Williams ym Mhabell y Cymdeithasau ac yr oedd llawn cymaint yn dibynnu, fel y pwysleisiodd y Dr Elwyn Davies wrth annerch ar 'Cyhoeddi Llyfrau Cymraeg', ar 'ystyried mesurau i ddysgu plant yr ysgolion uwchradd i brynu llyfrau llenyddol a magu awydd am lyfrgell bersonol, rhag ofn iddynt feddwl mai offer ysgolion, a phethau i'w benthyca a'u defnyddio dros dro, yw llyfrau'. Bu'r Dr Kate Roberts, hefyd, yn trafod llyfrau i'r ifanc ond gwaetha'r modd ni chofnodwyd ei hymateb i sylw'r Dr Eirwen Gwynn nad oedd na'r dychymyg na'r hiwmor gan awduron Cymraeg i apelio at ddarllenwyr ifanc. Y mae nifer yr ysgolion uwchradd Cymraeg wedi cynyddu er 1956 ac maent yn dal i gynyddu, ond y mae meithrin darllenwyr yr un mor anodd, os nad yn anos tasg yn 1997, a llawn mor anodd yw meithrin parch at iaith lafar raenus. A hithau'n un o'r beirniaid adrodd yn 1956 roedd Jennie Eirian Davies am i Gymdeithas Adrodd Cymru gynnal cyrsiau dan ofal John Gwilym Jones, W.H. Roberts a Cassie Davies, er enghraifft, oherwydd 'Heddiw, yn arbennig, y mae gofyn pwysleisio'r pwysigrwydd o ynganu'n lân a chywir. Oherwydd y mae cymaint o lefaru mursennaidd ymhobman—hyd yn oed ar y BBC'.

Mursennaidd! Pa ansoddair, tybed, a ddefnyddiai i ddisgrifio cymaint o'r 'llafar' a ddarlledir bellach yn gymeradwyol yn enw egalitariaeth? Ac y mae'r oes ddigidol ar wawrio. Duw a'n gwaredo![46]

Yr oedd ateb y Dr Iorwerth Peate i ddirywiad ansawdd y Gymraeg yn nodweddiadol radical—ac anymarferol. Mewn anerchiad diymatal ar 'Y Polisi Unieithrwydd' yn Y Babell Lên, sathrodd ar ddwy-ieithrwydd gan ddyfynnu Sant Iago o'i blaid: 'gŵr dau-ddyblyg ei feddwl sydd anwastad yn ei holl ffyrdd'. Hunanlywodraeth a chydraddoldeb swyddogol i'r heniaith oedd yr ateb, ac unieithrwydd yn y Gymru Gymraeg. Yr oedd yn ffyddiog y gallai'r Gymraeg fod yn unig iaith swyddogol Cymru ymhen un genhedlaeth dan ei 'gynllun' ef, ond yr oedd trwch ei wrandawyr o'r un farn â Harri Gwynn pan ddadleuodd ef yn *Y Cymro* mai Cymru Saesneg fyddai'r unig Gymru uniaith a welid mwyach. Cymru ddwyieithog gref oedd yr unig nod y gellid gobeithio'i gyrraedd o 1956 ymlaen ac yr oedd cyflwr yr iaith yng Nghwm Cynon yn ddigon o brawf nad ar chwarae bach y'i cyrhaeddid. Gobeithiai D.O. Roberts am 'ryw weledigaeth a fydd yn prysuro'r dydd y bydd holl blant y fro yn Gymry Cymraeg fel y gallont hwy, yn eu tro, groesawu'r Eisteddfod eto i Gwm Cynon', ond ar ôl sylwi ar gannoedd o'r brodorion gyda'r nos yn eistedd o gwmpas meini'r Orsedd 'yn gwrando ar fiwsig ysgafn oddi ar recordiau' heb osio cyrchu'r Pafiliwn i glywed canu Cymraeg, doeth y barnodd Idris Roberts fod 'angen rhywbeth llawer mwy na'r Eisteddfod Genedlaethol i droi cynhesrwydd Cymreig y cymoedd yn gynhesrwydd at y Gymraeg'. Gwerth y brifwyl, wrth gwrs, yw ei bod yn help i *ganfod* gwirioneddau o'r fath a gwneud sylweddoliad y 'rhywbeth llawer mwy' sydd ei angen yn fwy tebygol.[47]

Y mae'n werth nodi na fu gwrthdystio chwerw yn erbyn Y Rheol Gymraeg ym Mhrifwyl 1956. Mynegwyd amheuon yn ymatalgar gan y *Western Mail* a'r *Aberdare Leader* ond fe ddaeth Arglwydd Faer prifddinas Cymru i'r cyfarfod agoriadol yn gwbwl fodlon. Mae'n wir fod y *Guild for the Promotion of Welsh Music* wedi tramgwyddo trwy drefnu, heb ganiatâd, i'r Dr David Wynne draethu yn Saesneg ar ei simffoni newydd ar y maes ar brynhawn dydd Gwener, ond mynnwyd parch i'r Rheol Gymraeg a bu'n rhaid cynnal y ddarlith mewn capel cyfagos. Mae'n debyg i un cerddor anfoddog (ac anhysbys) ddweud, 'The sooner the Eisteddfod learns that music is greater than the Welsh language, the better', a chwarae teg iddynt, y mae dyrnaid o gerddorion er adeg lansio'r Rheol Gymraeg hyd at epiffani grwpiau pop ein hoes olau ni, wedi maldota'u hawl i fod yn 'ots' i'r rhelyw ohonom sy'n derbyn mai pwrpas y Rheol yw dangos bod adnoddau'r Gymraeg yn ddigonol ar gyfer byw bywyd cyflawn na raid iddo wrth 'imprimatur' y Saesneg. Y mae llawer gormod ohonom o hyd yn ansicr o resymoldeb, waeth beth am ddymunoldeb, byw bywyd yn Gymraeg. Y mae arnom angen prifwyl 'annormal' i'n hargyhoeddi o'r hyn y gallai bywyd Cymraeg 'normal' fod.[48]

Ymhen tridiau wedi dychwelyd o Brifwyl 1956 cyhoeddodd y *Western Mail* argraffiadau Gwyddel o'r enw Brian Gardner a gawsai'i hun ymhlith 'men walking around in white sheets and spectacles'. Bu'r Rheol Gymraeg yn flinder iddo, roedd y rhan fwyaf o'r canu a glywodd yn 'abysmal', roedd y dawnsio gwerin 'almost embarrasingly sincere' ac am yr arddangosfa gelf a chrefft, gydag ychydig eithriadau 'the exhibits were not above the standards associated with parish fetes and local sales of work'. A chymysgedd ryfedd oedd yr eisteddfodwyr y sylwodd arnynt, 'the ardent, artistic people of the valleys' ar y naill law ac ar y llall, 'the hangers-on; the "arty", "folky" intellectuals in their thick knitted sweaters, even more ardent but possibly less artistic, the university lecturers and the would-be BBC types'. Yr oedd y cyfan mor ddifrifol ac o'i chymharu â ffair geffylau Punchestown, lle na chymerai neb eu hunain o ddifrif, roedd y brifwyl mor grintach ei llawenydd: 'There you can smell the whisky drifting to you from across the moors as you approach, and there everybody meets everybody and has a thoroughly good time'. Yn naturiol, ni welodd *Y Faner* mo'r jôc a brysiodd golygydd y *Western Mail* i sicrhau'r Gwyddel na ddylai feddwl fod yr Eisteddfod Genedlaethol yn adlewyrchu talentau gorau Cymru. Yr oedd, oherwydd Y Rheol Gymraeg, yn fwy o 'esoteric gathering' na dim byd arall, 'only tapping a fraction of the resources of Wales'.[49]

Yr oedd yn braf sylweddoli fod y Gwyddel, y golygydd a minnau wedi bod yn yr un dref ond heb fynychu'r un brifwyl, diolch byth.

NODIADAU

[1]*Y Faner*, 15 Awst 1956, 1.

[2]*Y Cymro*, 16 Awst 1956, 1.

[3]ibid., 16 Awst 1956, 14.

[4]*Yr Ymofynydd*, 1861, 244.

[5]*Y Faner*, 11 Medi 1861.

[6]Hywel Teifi Edwards, *Arwr Glew Erwau'r Glo* (Llandysul, 1994), 80-83.

[7]D.M. Richards, *Rhestr Eisteddfodau hyd y flwyddyn 1901* (Llandysul, 1914), xxviii.

[8]*Yr Eisteddfod*, Cyf. I (1864), 269-75; *Gwaith Barddonol Hwfa Môn* (Llanerchymedd, 1883), 15-33.

[9]*Y Cymro*, 28 Awst 1861.

[10]ibid.

[11]*The Carnarvon and Denbigh Herald*, 19 Hyd. 1861; *Y Gwladgarwr*, 28 Medi, 23 Tach. 1861.

[12]Dafydd Morganwg, gol., *Gwaith Barddonol Alaw Goch* (Caerdydd, 1903), gw. y Rhagymadrodd; *Ceinion Essyllt*, (Caerdydd, 1874), 398-9.

[13]*The Cardiff and Merthyr Guardian*, 12 Hyd. 1861.

[14]*Y Cerddor Cymreig*, 1861, 47.

[15]ibid., 55.

[16]*The Athenaeum*, 12 Medi 1863, 346; *'CÔR MAWR CARADOG' Centenary Festival Brochure, Aberdare 2nd-8th, 1972, 15*

[17]*The Morning Star and Dial*, 23 Awst 1861.

[18]*Y Cerddor Cymreig*, 1861, 53.

[19]D. Eifion Evans, *Braslun o Fywyd a Gwaith Nicander* (Traethawd M.A. Prifysgol Cymru 1951), 296.

[20]Peter Lord, *Y Chwaer-Dduwies. Celf, Crefft a'r Eisteddfod* (Llandysul, 1992), 57-8; *National Eisteddfod Association Report, 1882*, 81.

[21]*The Aberdare Times*, 24 Awst 1861.

[22]*Tarian y Gweithiwr*, 16 Ebrill 1885.

[23]*Cofnodion a Chyfansoddiadau Buddugol Eisteddfod Aberdar, 1885*, liii.

[24]*Tarian y Gweithiwr*, 3 Medi 1885.

[25]ibid.

[26]*South Wales Daily News*, 26 Awst 1885.

[27]*Cofnodion a Chyfansoddiadau Buddugol Eisteddfod Aberdar, 1885,* lx-lxii, lxxiii.

[28]Brynley F.Roberts, *Cadrawd. Arloeswr Llên Gwerin* (Darlith Goffa Henry Lewis, Prifysgol Cymru Abertawe, 11 Tachwedd 1996), 13.

[29]*Cofnodion a Chyfansoddiadau Buddugol Eisteddfod Aberdar, 1885,* lxxvii, 239-53; Ceri Davies, *Welsh Literature and the Classical Tradition* (Cardiff, 1995), 119.

[30]*Cofnodion a Chyfansoddiadau Buddugol Eisteddfod Aberdar, 1885*, gw. 'Eisteddfod Record', lv-lxxxvi.

[31]ibid., gw. lx, lxii, lxviii, lxix.

[32]ibid., lxxiv, lxxix-lxxxi.

[33]*The Aberdare Leader*, 18 Awst 1956, 4.

[34]*The Aberdare Leader*, 4 Awst 1956, 10; *Y Faner*, 1 Awst 1956, 6.

[35]*The Western Mail*, 6 Awst 1956, 4, 13 Awst, 3; *Y Faner*, 1 Awst 1956, 6, 8 Awst, 5.

[36]*Rhaglen y Dydd* (Eisteddfod Genedlaethol Frenhinol Cymru, Aberdâr, Awst 6-11, 1956), 183-95.

[37]*Y Faner*, 8 Awst 1956, 5.

[38]ibid., 22 Awst 1956, 3.

[38]*Rhaglen y Dydd*, 191; *Y Cymro*, 16 Awst 1956, 5, 23 Awst, 5.

[40]*Y Faner*, 22 Awst 1956, 5.

[41]ibid.

[42]*Rhaglen y Dydd*, 7.

[43]*Cofnodion a Chyfansoddiadau Buddugol Eisteddfod Aberdâr, 1885*, gw. 'Presidential Addresses', lxxxix-cvii (a geiriau Parkinson, liii).

[44]*Y Faner*, 8 Awst 1956, 8, 15 Awst, 5.

[45]ibid., 8 Awst 1956, 2, 7, 15 Awst, 6; *The Aberdare Leader*, 4 Awst 1956, 3.

[46]*Y Faner*, 8 Awst 1956, 3, 15 Awst, 2, 5, 7.

[47]ibid., 15 Awst 1956, 5; *Y Cymro*, 16 Awst 1956, 14, 23 Awst, 15; *Rhaglen y Dydd*, 7.

[48]*The Western Mail*, 13 Awst 1956, 1; *The Aberdare Leader*, 18 Awst 1956, 4.

[49]*The Western Mail*, 14 Awst 1956, 4.

Côr Caradog a Buffalo Bill: diwylliant poblogaidd Cwm Cynon 1850-1914

Gareth Williams

Erbyn canol y bedwaredd ganrif ar bymtheg roedd poblogaeth Cwm Cynon, sef y saith milltir a hanner rhwng Hirwaun uchaf ac Aberpennar, wedi cynyddu deng waith drosodd o 1,486 yn 1801 i 14,998 erbyn 1851. Ymhen ugain mlynedd arall byddai bron wedi treblu eto gan fod 40,305 o drigolion yno yn 1871.[1]

Datblygiad diwydiannol y cwm a roddodd i Aberdâr a'r cylch yr enw o fod yn 'Awstralia Morgannwg'. Fel yn achos Merthyr yn y cwm nesaf ato, cynhyrchu haearn oedd cychwyn y diwydiannu hwnnw, a theulu Crawshay oedd yn gyfrifol yma hefyd. Sefydlwyd y gweithfeydd haearn cyntaf yn Hirwaun yn 1757 ond yn 1818 y daethant i ddwylo Richard Crawshay: yn yr un modd y meddiannwyd gweithfeydd Abernant (1819) a Llwydcoed (1823) gan deulu Fothergill, ac agorwyd Cwmni Haearn y Gadlys yn 1826 gan Matthew Wayne a fu'n rheolwr ffwrneisi Cyfarthfa dros Richard Crawshay cyn symud i Gwm Cynon.[2]

Glo, fodd bynnag, nid haearn, a daniodd gynnydd diwydiannol mwyaf cyffrous y cwm pan ddarganfuwyd gwythïen bedair troedfedd yng Nghwm-bach gan Wayne yn 1837, a gan Thomas Powell bum mlynedd yn ddiweddarach. Suddwyd pedair siafft arall yn y 1840au gan Powell, a roes ei enw i Powell Duffryn, y cwmni glo a fyddai erbyn dechrau'r ugeinfed ganrif yn fwy o ymerodraeth na busnes. Ganol y bedwaredd ganrif ar bymtheg cychwynnwyd mentrau eraill gan gyfalafwyr lleol, megis William Thomas yn Llety Shenkin (1843) a David Williams (Alaw Goch) yn Ynyscynon, Aberpennar, Cwmdâr ac Aberaman lle'r oedd Crawshay Bailey eisoes wedi agor gweithiau yn 1845 fel yr oedd mewnfudwyr eraill, megis Thomas Nixon, wedi gwneud yn y Werfa, a David Davies o Sir Gaerfyrddin ym Mlaengwawr. O ganlyniad i'r gweithgareddau hyn cynyddodd cynnyrch pyllau glo Cwm Cynon o 12,000 o dunelli yn 1841 i 2,070,920 o dunelli erbyn 1870. Mewn geiriau eraill, nes i'r Rhondda ddiwydiannu ar raddfa gyflym o'r 1870au ymlaen, Aberdâr oedd calon maes glo de Cymru.

Rhaid cofio bod pris cymdeithasol uchel i'w dalu am y cynnydd aruthrol hwn. Bu'r teiffws yn rhemp yn 1847, a chollwyd lliaws i'r frech wen yn 1848 a'r colera y flwyddyn ganlynol; dwy ar bymtheg a hanner oedd disgwyliad bywyd plant y dosbarth gweithiol yn Aberdâr yn y degawd enbyd hwn. Yn sgil Deddf Iechyd Cyhoeddus 1848 a fynnodd ymchwiliad i unrhyw ardal lle roedd y cyfradd marwolaeth wedi cyrraedd 23 ym mhob mil, cyflwynodd T.W. Rammell adroddiad yn 1850 a oedd yn llwythog ag ystadegau damniol ynglŷn â chyflwr cymdeithasol Aberdâr, gan briodoli ei chyflwr truenus i absenoldeb dosbarth canol hunanhyderus a sylweddol. Yn wahanol i Ferthyr a ddatblygasai'n gynt, prin fod dosbarth proffesiynol yn Aberdâr gan nad oedd y dref cyn 1850 ond clwstwr anhrefnus o bentrefi haearn a glo heb iddynt ganolbwynt nac ymwybyddiaeth o fuddiannau cyffredin a allai fod yn sail i draddodiad o weithgarwch cymunedol.

Gydag ymchwiliad Rammell yn dilyn yn dynn ar sodlau'r Llyfrau Gleision a oedd mor ddilornus o foesau trigolion Aberdâr yn arbennig, bu'r ddau adroddiad yn foddion i sbarduno bywyd ymhlith aelodau'r egin ddosbarth canol a oedd mewn bod—yn siopwyr, swyddogion y gweithfeydd, dynion proffesiynol a mân-ddiwydianwyr. Sefydlwyd Bwrdd Iechyd Lleol yr oedd David Davis, Blaen-gwawr, yn aelod amlwg ohono, yn 1854, a dechreuwyd ar y gwaith o ddarparu carthffosiaeth a chyflenwad dŵr, gosod strydoedd, a chodi adeiladau cyhoeddus fel Neuadd y Farchnad yn Aberdâr yn 1853 a Neuadd y Gweithwyr yn Aberpennar yn 1864. Nid y lleiaf ei ddefnyddioldeb o'r cyfleusterau hyn oedd y Neuadd Ddirwest yn Aberdâr a agorwyd yn 1858 i ddal 1,500, oherwydd yr oedd 103 o dai yfed yn Aberdâr yn 1853, 25 yn Abercynon ar gyfer poblogaeth o saith mil yn 1863, a 273 ohonynt drwy'r cwm yn 1872. Yn Nhrecynon yn 1858 roedd tafarn ar gyfer pob 156 o'r boblogaeth, ac addoldy ar gyfer pob 900.[3]

Ond yng nghanol yr holl angenoctid cymdeithasol ceid hefyd ferw diwylliannol a deallusol. Gan mai o siroedd gwledig dirwasgedig gorllewin Cymru y deuai mwyafrif y mewnfudwyr, roedd trwch y boblogaeth yn Gymraeg eu hiaith, eu hadloniant a'u haddoliad. Clywid diwylliant poblogaidd llenyddol a lleisiol y Cymry yn nhafarn y 'Mount Pleasant' yn Nhrecynon yn y 1830au, ac yn y 'Stag' lle cyfarfu cylch y 'Carw Coch' yn y 1840au. Ond ymgyrchai dirwest ac anghydffurfiaeth yn erbyn diwylliant afreolus y dafarn, y ffair a'r faled: codwyd pymtheg o gapeli yn y cwm rhwng 1840 ac 1870, ac o

1850 ymlaen gwelwyd yr eisteddfod yn symud o'r dafarn i'r capel, lle disodlwyd stepio gan y seiat, a chanu gyda'r delyn gan ganu corawl. Nid oedd y ddau ddiwylliant yn gwbl wrthgyferbyniol serch hynny: bu cystadleuaeth rhwng saith o gorau bach yn eisteddfod y 'Stag' yn 1846. Patrymid y calendr diwylliannol parchus gan y cyfarfodydd blynyddol a'r gymdeithas lenyddol, a phorthid y gweithgareddau hyn gan wasg Gymraeg ddiwyd. Canolfan argraffu a chyhoeddi prysuraf Cymru oedd Aberdâr ganol y bedwaredd ganrif ar bymtheg, ac o'i gweisg llifai newyddiaduron hyderus fel *Y Gwron Cymreig* (1854-60), *Y Gweithiwr* (1856), *Y Gwladgarwr* (1858-82) ac o 1875 tan 1934 *Tarian y Gweithiwr* a werthai rhwng deg a phymtheng mil o gopïau yn wythnosol erbyn diwedd y ganrif.[4]

Ei thyfiant diwydiannol, rhinweddau glo'r wythïen bedair troedfedd, ei chynnydd demograffig, ei bywyd diwylliannol afieithus—dyna'r hanfodion y seiliwyd 'Athen Cymru' arnynt. Nid ar chwarae bach yr eid ati i ymgyrchu dros y dyrchafol mewn amgylchfyd mor brin ei gysuron, ond ymgorfforiad o'r ymdrech honno oedd y Parchedig Ddr Thomas Price (1820-88), Bedyddiwr, diwinydd, ysgolhaig, llenor, golygydd, cyfundrefnwr a chynhaliwr diflino safonau ymneilltuaeth Gymraeg yn erbyn difenwyr bradwrus y Llyfrau Gleision, yn eu plith Ficer Aberdâr a oedd wedi bwydo'r comisiynwyr â chelwyddau noeth ynglŷn â buchedd a moes ei blwyfolion. Nid oedd darlith bedair awr ganddo'n ddim, boed ar Ryfel y Crimea neu ar wleidyddiaeth gyfoes, gartref a thramor, neu ar faterion diwydiannol, maes yr oedd ganddo wybodaeth syfrdanol amdano. Yn 1872, rhoddodd dyheadau cerddorol Aberdâr her i'r Parchg Ddr Thomas Price a oedd yn deilwng hyd yn oed o'i brysurdeb diymatal ef.[5]

Y ffaith syml oedd fod Aberdâr yn bair cerddorol. Ar seiliau'r hen adloniant anystywallt cododd diwylliant cerddorol newydd a fyddai eto'n lleisiol ac offerynnol, yn gymunedol a chydweithredol, yn dorfol, yn drefol, ar y cyfan yn drefnus, nid bob amser yn ddirwestol, ond bid siŵr yn boblogaidd, a chorawl. Nid oedd eto yng Nghwm Cynon neuaddau ysgol, na llyfrgelloedd cyhoeddus, na neuadd nac 'institiwt' i'r gweithwyr, nac ystafell filiards; prin bod adloniant masnachol o gwbl. Ar wahân i'r dafarn, y capel ac i raddau llai yr eglwys oedd yn darparu'r cyfan, ac yn gwneud hynny mewn ffordd hyderus ac arloesol.

Cymdeithas newydd, fentrus ac iddi gysylltiadau radical oedd Cwm Cynon. Dyma un o ganolfannau diwethaf Siartiaeth: yng Nghwm-bach y sefydlwyd y siop gydweithredol gyntaf yng Nghymru yn 1860. Aberdâr, ynghyd â Merthyr, oedd y sedd a gipiodd Henry Richard oddi ar y Ceidwadwyr yn enw ymneilltuwyr Rhyddfrydol Cymru yn 1868; yn Aberdâr, ac yn Aberaman yn arbennig, yr oedd pencadlys undeb glowyr yr A.A.M. (Amalgamated Association of Miners) yr oedd ganddo, ddwy flynedd ar ôl ei sefydlu yn 1869, 4,300 o aelodau yng Nghwm Cynon. A'r farn gyffredin yw mai yn Aberdâr y cynhaliwyd y Gymanfa Ganu gyntaf yn 1859 dan arweiniad Ieuan Gwyllt.[6]

Yn erbyn cefndir lle roedd y seciwlar yn cydoesi â'r sanctaidd, y traddodiadol â'r technegol, a'r faled yn goroesi i fyd busnes a masnach, nid oedd yr un maes yn fwy cymysgryw ei ffurffiau na'r un cerddorol, oblegid câi offerynwyr a lleiswyr proffesiynol gwâdd yr un croeso a chefnogaeth ag amaturiaid lleol cyfarwydd. Nid y sol-ffa oedd yn gyfrifol am boblogrwydd canu corawl, oherwydd ni chlywsid am y mudiad hwnnw cyn 1865 yn Aberdâr. Nid y capel oedd yr unig fan cyfarfod i gerddorion chwaith: byddai grŵp llinynnol Caradog yn cynnig eu gwasanaeth yn yr hyn a elwid yn 'soirées' hyd yn oed yn Aberdâr. Diau mai'r ffurf fwyaf poblogaidd ar ddifyrrwch a gyfunai elfennau o ddiwylliant 'uchel' a'r llai dyrchafol oedd yr eisteddfod, a gydiodd fel adloniant torfol yn y 1850au o flaen cynulleidfaoedd niferus yn y Neuadd Ddirwest a chapeli'r cylch a chyrraedd uchafbwynt yn Eisteddfod Genedlaethol Aberdâr yn 1861. Chwythwyd i'r llawr bafiliwn ar gyfer chwe mil ond llwyddwyd i gynnal yr ŵyl yn Neuadd y Farchnad, lle y clywyd canu gyda'r delyn, canigau Cymraeg a Saesneg, cytganau oratorio gan Handel, Mendelssohn a Tanymarian, a dau fand buddugol o Aberaman.

Serch hynny, nid oedd gan yr eisteddfod na'r capel fonopoli ar gerddoriaeth Cwm Cynon. Sefydlwyd traddodiad o wasanaethau a gwyliau corawl yn Eglwys Sant Elfan diolch i ymdrechion y Parchedig Evan Lewis, Ficer Aberdâr rhwng 1859 a 1866: rhifai'r corau unedig dros 200 o leisiau yng ngŵyl 1871. Drwy'r adeg, hefyd, bu cantorion o'r cwm yn cymryd rhan yng Ngŵyl Flynyddol Llandâf. Cyfrannodd yr Eglwys Babyddol hithau at ledu gorwelion cerddorol y plwyfolion trwy gynnal yr offeren yn ei ffurfwasanaeth gorawl lawn gyda chymorth aelodau Côr Undebol Aberdâr a band llinynnau;

canwyd gosodiadau o'r offeren gan Weber yn 1872 a Haydn y flwyddyn ganlynol.[7]

Roedd bywyd cyngerddol y dref yn fywiog, hefyd, ac enynnai unawdwyr lleisiol ac offerynnol o Lundain a thu hwnt gymeradwyaeth frwd cynulleidfaoedd lluosog yn y Neuadd Ddirwest. Yn 1861 canodd Madame Parepa, priod Carl Rosa, yn *Y Greadigaeth* (Haydn), ac ailymwelodd â'r dref y flwyddyn ddilynol gyda Signor Pezzi, prif sielydd cerddorfa La Scala, mewn rhaglen a oedd yn cynnwys sonata i'r sielo gan Beethoven, caneuon gan Mozart a Schubert, eitemau operatig, a 'Llwyn Onn' a ganwyd yn y dull 'bel canto' nes gyrru'r gynulleidfa i dir gwallgofrwydd.[8]

Uwchlaw popeth arall, fodd bynnag, roedd trigolion Aberdâr yn ffoli ar ganu corawl, ac yr oedd gwreiddiau hwnnw'n ddwfn yng nghanu cynulleidfaol anghydffurfiaeth. Yng nghapel Bethania y cynhaliodd Ieuan Gwyllt y gymanfa ganu enwadol gyntaf honno yn 1859, a gwaith David Rosser gyda chôr Bethania a fraenarodd y tir iddo. Y côr hwn a dyfodd yn Gôr Undebol Aberdâr ac olynwyd David Rosser fel arweinydd gan Silas Evans (1838-81) o Aber-nant.[9] Ef oedd arweinydd côr Nazareth, Aberdâr yn Eisteddfod Llun y Pasg yn Aberpennar yn 1862, pan gurodd ei gantorion ef gôr Bryn Seion, Cwm-bach, dan arweiniad Caradog, a dau gôr arall. Silas, hefyd, oedd arweinydd Cymdeithas Gerddorol Ddirwestol Aberdâr pan rannodd y wobr gyntaf â Chor Undebol Aberdâr, dan arweiniad Caradog ar y pryd, yn Eisteddfod Nadolig y Neuadd Ddirwest yn 1859. Dan Caradog yr enillodd y côr yn Eisteddfod Genedlaethol Aberdâr, 1861, ond fe chwalodd am gyfnod nes i Silas Evans ei atgyfodi er mwyn cystadlu yn Eisteddfod Genedlaethol Abertawe yn 1863, ac ennill ar ganu'r darnau prawf, 'Praise the Lord our God' (Spohr), madrigal gan John Thomas a'i drefniant o 'Gwŷr Harlech'.[10] Pan symudodd Silas i Abertawe yn fuan wedyn cynigiodd Caradog ei hunan yn olynydd iddo, ac erbyn 1869 rhifai'r côr gant a hanner o gantorion. Pwy oedd y Caradog hwn?

Tra bod gan drefi eraill gerfluniau'n coffáu cadfridogion a gwleidyddion, mae trigolion Aberdâr yn ymfalchïo mai cadfridog a ymenwogodd ar faes cerddoriaeth a gaiff ei goffáu gan gerflun o waith W. Goscombe John a ddadorchuddiwyd yn Sgwâr Victoria, Aberdâr, ar 10 Gorffennaf 1920. Erbyn hynny roedd Griffith Rhys Jones, a rhoi i Caradog ei enw iawn, yn gorwedd ym mynwent Pontypridd ers

Dadorchuddio cofgolofn Caradog yn 1920.

(J. F. Mear)

ymron chwarter canrif, ond roedd cant ac ugain o'i gôr yno yn y glaw, wedi dychwelyd o'r Unol Daleithiau, o Awstralia, a hyd yn oed o'r maes cenhadol yn China i anrhydeddu cof eu harweinydd gynt, yr un a osododd seiliau oes aur imperialaeth gorawl Cymru, a'r cyntaf i gyfeirio ati, yn 1878, fel 'gwlad y gân'.[11]

Ganed ef yn y 'Rose and Crown', Heol-y-felin, Trecynon ar 21 Rhagfyr 1834.[12] Erbyn ei farwolaeth ar 4 Rhagfyr 1897 roedd yn berchennog tafarnau ac yn gyfarwyddwr bragdy. Hynny yw, bu'r gŵr hwn a oedd yn ymgorffori'r berthynas agos rhwng canu corawl Cymreig, yr eisteddfod ac anghydffurfiaeth ddirwestol, drwy ei oes yn gysylltiedig â'r ddiod gadarn. Treuliodd gyfnodau o'i fywyd yn Nhrecynon, Aberdâr, Treorci, Treherbert, Llanybydder, Caerdydd a Phontypridd, a phriododd deirgwaith: bu ei wraig gyntaf, Sarah, farw yn 22 oed ychydig ar ôl priodi yn 1861, a'r ail, Gwenllian, yn 35 oed yn 1879, ond goroeswyd ef gan y drydedd, Margaret, a briododd yn 1881, gan iddi fyw tan 1923. Bu i 'Griff y Crown' a Gwenllian fab, Major John Griffith Jones ('ap Caradog'), cyfrifydd siartredig a safodd dros y Ceidwadwyr yn etholaeth Pontypridd yn 1922, cyn marw yn 62 oed yn 1928.[13]

Gof oedd 'Griff y Crown' wrth ei alwedigaeth, yn brentis i'w dad a oedd yn fecanic a gyfunai grefft y gof a'r saer coed. Efe a adeiladodd

Caradog

y 'Crown', er bod sôn amdano cyn hynny yn cadw'r 'Plough' ar Y Rhigos, lle, yn ôl un traddodiad, y ganed Griff. Yng ngwaith haearn Llwydcoed y gweithiai ei dad John (Jaci Jac), yntau'n fab i ficer Llanishen, Llysfaen a Llanedeyrn ger Caerdydd. Roedd ei fam yn ferch i David Hughes, pregethwr cynorthwyol gyda'r Bedyddwyr ym Mhontneddfechan, Glyn-nedd. Haerodd Griff, a adawodd yr ysgol yn ddeuddeg oed i fod yn daraw-wr gof yng ngwaith y Gadlys, fod 'peroriaeth y morthwyl a'r eingion' wedi bod yn foddion effeithiol i ddatblygu ei glust gerddorol. Er fod ei glyw yn drymach na'r cyffredin i bethau cyffredin, roedd yn anarferol o agored ac effro i gerddoriaeth. Erbyn cyrraedd ei ugeiniau roedd yn meddu ar ben nobl; torrai'i wallt yn fyr ac eilliai'n llyfn ar wahân i gudyn bach ar ei ên isaf. Wyneb gof oedd ganddo yn ôl Watcyn Wyn, un llydan ac agored, a pharod iawn i chwerthin er mor ddifrifol yr ymddangosai. Yn ôl y sôn gallai ddweud y pethau digrifaf a fyddai'n peri i'w gantorion dagu wrth chwerthin heb fod cysgod gwên ar ei wyneb ef. Gallai ei iaith fod yn lliwgar hefyd: 'anghoeth' oedd gair un aelod o'r Côr Mawr, Twynog Jeffreys, ac yn ôl Harry Evans roedd Caradog, 'er yn arweinydd o'i eni, yn brin o ddiwylliant'.[14]

Go anniwylliedig, o leiaf o safbwynt diwylliant 'uchel', oedd Trecynon man ei eni, lle gwahanol iawn, yn sicr, i'r hyn ydyw heddiw. 'Pentref glandeg . . . Hirwaun Wrgant' oedd disgrifiad rhamantaidd Watcyn Wyn ohono; mwy cywir oedd ei gyfeiriad at resi o dai gweithwyr, yr Hên Dy Cwrdd (Undodwyr oedd teulu Caradog) ac ambell addoldy arall, a thafarnau fel y 'Carw Coch' lle roedd y gân a'r crwth yn eu helfen. Dysgwyd Griff i chwarae'r crwth, neu'r feiolin, gan ei frawd hŷn, John, a gadwai ysgol yn nhafarn y 'Bird in Hand' cyn ei ddenu gan y rhuthr am aur i Awstralia yn 1854. Yn ôl y sôn daeth Griff yn feiolinydd da, er mai enghraifft nodweddiadol o ormodiaith hurt y cyfnod oedd ei alw'n 'Paganini Cymru'. Y mae'n dweud llawer am hiwmor, neu ddiffyg diwylliant Caradog, mai un o'i ddarnau mwyaf poblogaidd ar y feiolin oedd 'y Farm Yard', a medrai efelychu pob creadur ar y buarth i berffeithrwydd, er mawr ddychryn i'r 'hen dduwolion'.[15]

Er iddo fod yn aelod o grŵp llinynnol yn cyfeilio a chwarae ar ei liwt ei hun yn y 1850au, fel arweinydd corawl y daeth i amlygrwydd mewn gyrfa eisteddfodol yn ymestyn dros ugain mlynedd o 23 Mehefin 1853 pan aeth, ac yntau'n bedair ar bymtheg oed, â chôr o Drecynon i eisteddfod yn Aberafan, hyd 10 Mehefin 1873 pan arweiniodd y Côr Mawr am y tro olaf yn neuadd orwych y Palas Grisial: a thrwy ryfedd gyd-ddigwyddiad, 'Hallelujah to the Father' (Beethoven) oedd y darn prawf ar y ddau achlysur. Ei gôr cyntaf oll oedd Côr Bryn Seion, Cwm-bach, ond ei fuddugoliaeth eisteddfodol gyntaf oedd honno yn Aberafan heb ond dau ar bymtheg o gantorion, un ohonynt yn neb llai na'r Barnwr Gwilym Williams o Feisgyn yn ddiweddarach, a rhai o'r gweddill wedi dod drosodd o Ddowlais.[16] Yn ôl yr arfer roedd rhaid i bob côr gystadlu dan ffugenw, a gan mai 'Caradog ap Brân' oedd *nom-*

de-guerre arweinydd y côr buddugol o Drecynon, galwyd Caradog ymlaen i dderbyn y wobr o bum punt. Caradog fu Griff Jones byth wedyn. Digwyddodd hyn yn 1853, a'r hyn a'i gwnaeth yn bosib oedd agor, y flwyddyn honno, Reilffordd Dyffryn Nedd i gysylltu Aberdâr a Merthyr â Chastell-nedd, ac yna ag Abertawe: heb y 1500 o filltiroedd o gledrau a osodwyd yng Nghymru rhwng 1840 ac 1870 ni fuasai modd gwireddu breuddwyd Côr Undebol Deheudir Cymru.[17]

Daeth Caradog yn amlwg mewn eisteddfodau lleol ac ymunodd â Chymdeithas Philharmonig Aberdâr, a arweinid gan David Rosser, fel feiolinydd; gyda'r gymdeithas hon perfformiodd *Deuddegfed Offeren* Mozart yn y Neuadd Ddirwest yn 1858. Ffurfiodd grŵp llinynnau i gyfeilio yn yr Hen Dŷ Cwrdd yn Nhrecynon, cyn symud at Undodwyr Cwm-bach a dod yn godwr canu. Er mai Silas Evans oedd wrth y llyw pan gipiodd Côr Undebol Aberdâr y wobr yn Eisteddfod Genedlaethol Abertawe yn 1863, roedd Caradog wedi bod yn arwain y côr sawl tro er 1858. Ef, er enghraifft, oedd yr arweinydd yn eisteddfod Pontypridd ar y Llungwyn, 1861, pan gystadlodd dau gôr o Aberdâr am y wobr o wyth bunt am ddatgan 'Thanks be to God' (Haydn). Ni chlywsai *Y Cerddor Cymreig* 'well canu corawl yng Nghymru erioed' a'r Côr Undebol aeth â'r wobr. Ar ôl clywed y côr yn Llanelli yn 1867 credai un gohebydd y 'byddai yn werth i'n corau trwy y Dywysogaeth wneud ymdrech i glywed y côr hwn fel y caffont syniad clir am ganiadaeth corawl'.[18] Cododd y safon, a gwerth y gwobrau. Yn Abertawe ar y Groglith, 1868, curodd Côr Undebol Aberdâr dan arweiniad Caradog bedwar côr arall ar ôl datgan 'O Great is the Depth' (*St Paul*, Mendelssohn), ac ennill ugain gini a batwn arian i'r arweinydd, gan beri i'r beirniad, Alfred Stone, organydd a chorfeistr o Fryste, synnu at safon y canu a dweud na chlywsai ddim gwell.[19] Pan roes y côr gyngerdd yn y Drill Hall, Merthyr ym mis Medi 1869, neilltuwyd y rhan gyntaf ohono i gerddoriaeth seciwlar, a'r ail i gerddoriaeth gysegredig, a chafwyd 'The Heavens are Telling' (Haydn), 'O Great is the Depth' (Mendelssohn), 'Worthy is the Lamb' (Handel) a chorawdau oratorio tebyg: 'mae yn debyg nad oes un côr Cymreig a all wneud y fath gyfiawnder ag a wna y côr hwn â'r darnau nodwyd'.[20] Wedi canu 'Teilwng yw'r Oen' (yn Saesneg) a chytgan yr 'Amen' yr enillodd Caradog a'i gôr yng Nghasnewydd ddiwedd y flwyddyn honno, nes i'r *Cerddor Cymreig* gyfaddef: 'Rhaid i rai o gorau

Morgannwg a Mynwy ymdrechu i guro y côr hwn cyn hir onide mae yn sicr yr â pobl i feddwl ei fod yn anorchfygadwy. Dichon, o ran hynny, ei fod . . .'[21] Ar bwys llwyddiannau eisteddfodol y cyfnod hwn y daeth y dywediad, 'Aberdâr biau'r dydd', yn fath o ddihareb.

Yn 1870 symudodd Caradog o'r Fothergill Arms, Cwm-bach, i gymryd meddiant o'r Treorchy Hotel yn y cwm nesaf, ac yn fuan wedi ymsefydlu yno ffurfiodd gôr meibion, rhagredegydd yr enwog Gôr Meibion Treorci a ffurfiwyd gan William Thomas yn 1885. Nid oedd arwain côr meibion yn brofiad newydd i Caradog: er mwyn amrywio rhaglen cyngerdd byddai dynion ei gôr undebol yn aml yn ymffurfio'n gôr meibion, ac yn Llanelli yn 1867 canasant 'Comrades in Arms' (Adolphe Adam) a 'Cytgan y Milwyr' (Gounod), darnau a oedd eisoes yn ffefrynnau gan gynulleidfaoedd Cymreig, fel y maent hyd heddiw. Mae'n hysbys i William Thomas gytuno i dderbyn arweinyddiaeth y côr yn 1885 pe deuent o'r dafarn i'r ysgoldy i gynnal eu hymarfer.[22] Mae'n gwestiwn a fyddai hynny wedi mennu dim ar 'Griff o'r Crown'. Prin oedd y cyfleusterau cyhoeddus ar gyfer cynnal ymarferion, a'r ffaith mai dim ond capeli, gan mwyaf, oedd yn ddigon addas neu gyfleus i gynnal eisteddfodau a chyngherddau ynddynt sydd i raddau helaeth yn esbonio natur crefyddol a pharchus y traddodiad corawl Cymreig. Mewn capel, yn hytrach na neuadd ysblennydd, yn Nhreherbert ar 13 Ebrill 1871 yr arweiniodd Caradog berfformiad o *The Last Judgment* (Louis Spohr), y perfformiad llawn cyntaf o oratorio i'w glywed yng Nghymru.[23] Bid siŵr, prin oedd Palasau Grisial y cymoedd.

Fodd bynnag, yn 1872 hysbysebodd awdurdodau'r Palas Grisial yn Llundain ei fod yn fwriad ganddynt gynnal Cyfarfod Cerdd Cenedlaethol ym Mehefin a Gorffennaf. Roedd y Palas Grisial wedi'i ailgodi yn Sydenham ar ôl cyfnod byr yn Hyde Park lle y codwyd ef gyntaf ar gyfer Arddangosfa Fawr 1851, ac yn Sydenham y bu nes iddo losgi'n ulw yn Nhachwedd 1936. Fe'i cynlluniwyd gan Joseph Paxton, nad oedd yn bensaer o ran ei alwedigaeth ond yn hytrach yn brif arddwr Chatsworth House. Gellir maentumio ei fod fel canlyniad yn gwybod cryn dipyn am dai gwydr. Er nad fel neuadd ar gyfer perfformio cerddoriaeth y bwriadwyd y Palas, cynhaliwyd ynddo, serch hynny, nifer o weithgareddau seremonïol a brenhinol a oedd yn galw am gyfeiliant cerddorol gan fandiau a chorau anferth. O 1857 ymlaen cawsai cynulleidfaoedd o ugain mil eu gwefreiddio gan gorau unedig yng Ngŵyl Handel y Palas, a chyrhaeddodd yr elfen gystadleuol ei huchafbwynt ym Mhencampwriaeth Genedlaethol y Bandiau Pres a gynhaliwyd yno o 1900 tan 1936. Rhagwelwyd y datblygiad hwn mewn gwirionedd gan y cystadlu rhwng y bandiau pres a fu yno rhwng 1860 a 1863 pan enillodd Band Cyfarthfa y wobr gyntaf ar ail ddiwrnod yr ymryson yn 1860.[24] Gŵr o'r enw Willert Beale (1824-74) a gafodd y syniad o ddwyn cystadleuaeth debyg i'r maes corawl. Byrhoedlog oedd yr arbrawf, ond gan fod Beale yn arddel tras Gymreig mae'n briodol mai côr o Gymru a gadwodd y 'National Music Meetings' a gynhaliwyd yn 1872 ac 1873 rhag suddo'n llwyr i ebargofiant.

Amcan Beale oedd hyrwyddo ymwybyddiaeth gerddorol genedlaethol ddyfnach, ac ni chelodd iddo gael y syniad o weld llwyddiant yr Eisteddfod Genedlaethol yng Nghymru (ymwelodd â hi ym Mhorthmadog yn 1872), a mudiad corawl yr Orphéonistes yn Ffrainc (bu yn y Grand Concours International ym Mharis yn 1870). Ar yr un pryd, mynnodd fod ei brosiect ef yn fwy addysgiadol na'r ddau fudiad hynny oblegid ei fod yn gofyn am wybodaeth gerddorol o safon uwch. Ar Ddydd Calan, 1872, cyhoeddwyd yn y wasg Saesneg restr o noddwyr a thestunau ac amodau ar gyfer cystadlaethau mewn un dosbarth ar ddeg. Roedd y cyntaf ohonynt yn cynnig Her Gwpan gwerth mil gini (£1,050) a chanpunt o wobr i'r côr cymysg buddugol rhwng dau gant a phum cant o leisiau. Roedd cystadlaethau hefyd ar gyfer corau llai na dau gant mewn nifer, ac ar gyfer corau meibion. Llenwid mainc y beirniaid gan rai o gerddorion blaenaf yr oes, sef Julius Benedict, Joseph Barnby, Arthur Sullivan, John Liptrot Hatton a Henry Leslie, er mai'r tri a feirniadodd gystadleuaeth 1872 oedd W. Sterndale Bennett, John Hullah a Brinley Richards.

Meddyliodd rhai y byddai ffurfio côr Cymreig yn beth da; codwyd y pwnc yn *Y Gwladgarwr* ac o ganlyniad cyfarfu prif gerddorion y De yn y Neuadd Ddirwest yn Nhrecynon ar 12 Chwefror 1872 i ymgymryd â'r dasg.[25] Rhaid oedd wrth bwyllgor llywio wrth gwrs, ac enwebwyd yn gadeirydd Ficer Aberdâr, y Parchedig Ganon Jenkins, y Parchedig Ddr. Thomas Price yn drysorydd, a Brythonfab Griffiths, cofrestrydd priodasau Aberdâr a chyfreithiwr lleol, yn ysgrifennydd. Er bod nifer o arweinwyr galluog, yn wir hufen cerddorion de Cymru yn bresennol yn y cyfarfod cyntaf, barnwyd nad oedd neb yn fwy cymwys i fod yn arweinydd ar y côr arfaethedig na Caradog, a neb llai nag Eos Morlais, gyda Tom Williams Pontypridd yn eilio, a gynigiodd ei enw.[26] Ac er ei fod ar y cychwyn yn llai na brwd dros gystadlu 'gan nad oedd y wobr a gynigiwyd . . . yn werth y draul a'r llafur', derbyniodd Caradog yr enwebiad.[27]

I'w gynorthwyo yn ei waith, byddai'r cerddorion hynny a oedd yn cydnabod mai gan Caradog yr oedd y ddawn a'r bersonoliaeth i greu un côr unedig, yn gofalu am garfannau lleol.[28] Felly, yn ogystal â'r 37 o gantorion o'r Rhondda a oedd yn uniongyrchol dan ofal Caradog ei hun, byddai Rees Evans yn hyfforddi 75 o gantorion yn Aberdâr (craidd y Côr Undebol yr oedd ef bellach yn ei arwain ers i Caradog symud i Gwm Rhondda); D.E. Coleman yn gofalu dros 29 yn Aberpennar; Lewis Morgan 61 ym Merthyr; Richard Evans 36 ym Mhontypridd; Evan Bazely 11 yn Nhongwynlais; W. Matthews 37 yng Nghastell-nedd; Silas Evans 42 yn Abertawe; James Richards 38 yng Nghwmafan, David Richards 36 ym Maesteg ac Alaw Ddu 45 yn Llanelli. Wrth law hefyd i gyfrannu o'u profiad roedd yr Eosiaid—Morlais a Dâr. Collwyd rhyw gant o'r cantorion o'r 450 gwreiddiol yn ystod yr wythnosau o ragbaratoi, ond mae'n briodol mai yn y cwm a welodd y 'cop' cyntaf yng Nghymru, yn 1860, y lansiwyd y fenter gydweithredol gerddorol na welwyd mo'i bath na'i maint yng Nghymru erioed o'r blaen. Yn yr un modd roedd yn briodol mai gan Aberdâr roedd y gynrychiolaeth gryfaf gan mai'r dref honno oedd canolbwynt yr holl weithgareddau, a'r grym cymhellol y tu ôl iddynt. Ar ben hynny, ni chawn well syniad o ddaearyddiaeth gorawl de Cymru na thrwy nodi'r rhanbarthau a gynrychiolwyd yn y Côr Mawr. Ys dywedodd Ieuan Gwyllt, 'o ran gallu a medr cerddorol y mae yn cynnwys y rhan fwyaf o gantoresau a chantorion gorau yr ardaloedd a enwyd ac wrth ddweud hynny rydym yn dweud, wrth gwrs, fod ynddo nifer fawr o'r cantoresau a'r cantorion gorau yng Nghymru'. Ond mwy arwyddocaol fyth oedd 'fod llawer o'r rhai hyn nid yn unig yn gantorion da ond yn ddynion gwybodus, deallgar a choeth'.[29]

O'r safbwynt ariannol, penderfynwyd y dylai pob aelod o'r côr dalu swllt yr un ym mhob rihyrsal. Dros y ddwy flynedd nesaf byddai treuliau'r côr yn rhyw chwe mil o bunnoedd, a dechreuwyd ar y gwaith o godi rhywfaint o'r swm hwnnw mewn gwahanol ymarferion ar 4 Mehefin yn Abertawe, 12 Mehefin ym Mhontypridd, 20 Mehefin ym Merthyr (ar gyfer y sawl a oedd am deithio o Sir Fynwy i glywed y côr) a'r rihyrsal olaf yn y Neuadd Ddirwest yn Aberdâr ar 1 Gorffennaf. Y bwriad oedd cynnal y cyfarfod olaf yma am ddau o'r gloch, ond cymaint oedd yr awydd i glywed y côr fel y penderfynwyd ail ganu am 5, ac eto am 8 a 9 o'r gloch i ateb gofynion oriau gwaith gwahanol weithwyr: dyna bedwar cyngerdd mewn un diwrnod i bedair cynulleidfa wahanol, ond trwy hynny codwyd dau gan punt at y treuliau. Y diwrnod canlynol teithiwyd i Lundain mewn trên arbennig ac iddo ddeunaw o gerbydau—tystiolaeth bellach mai côr y cledrau oedd Côr Caradog—a phan ddaeth nifer fawr o Gymry Llundain i'w cyfarfod yn Paddington, ymrôdd pawb i ganu 'Ymdaith Gwŷr Harlech' nes oedd swyddogion yr orsaf wedi eu cwbl ddrysu. Dryswch fyddai un o nodweddion yr hyn a oedd i ddigwydd.

O'r wyth darn a baratowyd, dewisodd y beirniaid glywed tri, sef 'In tears of grief' (y gytgan olaf o'r *Dioddefaint yn ôl Sant Mathew*, gan Bach); hen ffefryn eisteddfodol yng Nghymru, 'Then round about the starry throne' (o *Samson* Handel); a 'The Night is Departing' (o'r *Emyn o Fawl* gan Mendelssohn). O'r nodyn cyntaf roedd gwres a llawnder y sŵn a gynhyrchai'r côr yn syndod i'r Saeson, a synnent hefyd at frwdfrydedd y cantorion a thanbeidrwydd eu lliaws cefnogwyr yn y gynulleidfa.[30] Yr oedd Ieuan Gwyllt 'yn sicr na chlybu y Palas Gwydr erioed y fath ganu â hwn. Chwarae teg iddo, gwnâi yntau bob peth a fedrai i'w dynwared a'u cynorthwyo. Cipiai i fyny eu seiniau gydag awyddfryd, ac ni ollyngai ei afael ohonynt nes byddai wedi eu cludo dros eithafoedd ei holl gonglau'.[31]

Roedd y *Tonic Sol-Fa Reporter* o'r farn fod un llais o Gymru yn gyfwerth â thri llais o Lundain.[32] Yn ôl yr hanes, roedd y nodyn cyntaf a drawyd gan y côr yn 'Round about the starry throne' mor ofnadwy o effeithiol nes i wŷr Cerddorfa Philharmonic Llundain a oedd yn cyfeilio godi eu pennau mewn arswyd nes bron cael eu bwrw allan o diwn ac o drefn. Ond ar y côr y disgynnodd yr anffawd honno: wrth ganu'r darn gan Mendelssohn, fel pe o dan ddylanwad y cyffro roeddent hwy eu hunain yn ei greu, cododd y traw.[33] 'Listen to the band' gwaeddodd Caradog arnynt—mynn eraill mai Brinley Richards a waeddodd o'i sedd ar fainc 'ddiduedd' y beirniaid—ond nid oedd y seindorf, nad oedd wedi cael ond un rihyrsal brysiog ac annigonol gyda'r côr ychydig funudau yn unig cyn y gystadleuaeth, yn ddigon cryf i wrthsefyll y rhyferthwy lleisiol sydyn, a gan i'r cantorion fethu adfer y traw'n gywir gofynnodd Caradog am ganiatâd i ail ganu.[34] Canwyd yn ogoneddus yr ail dro ac aeth y dorf yn wenfflam. Plesiwyd y beirniaid, hefyd, o leiaf y beirniaid swyddogol; roedd rhai lleisiau answyddogol yn ddilornus o ddiffyg mynegiant y côr: 'There was really very little expression of any sort; in the high notes the sopranos sometimes screamed and the tenors often forced the chest register in a very untuneful way. The Handelian runs were done in the gliding fashion of the rawest amateurs'. Ym marn sylwebydd arall o Sais, serch hynny, 'the subdued piano, the inspiring fortes, the extended rallentandos, the slight variations of tempo here and there were all evidence of a teacher's eye'.[35]

Yr hyn a drawodd y mwyaf llygeidiog oedd nid menyg gwyn Caradog ond ei gamp wrth arwain y gytgan gan Bach. Roedd y côr wedi arfer canu'r darn gyda thri churiad, gan ei fod wedi'i sgrifennu mewn ¾ a'r rhan fwyaf o'r nodau yn haneri (quavers), ac felly yr oedd band llinynnol Merthyr wedi arfer ei chwarae yn y rihyrsals. Yn y gystadleuaeth, ysywaeth, gofynnodd arweinydd y gerddorfa, Mr Manns, i Caradog guro chwe churiad yn y mesur, sef ⅜. Gan nad oedd y côr yn gyfarwydd â chwech, na'r band â thri, 'I will do it in both ways' meddai Caradog wrth Manns, a thrwy guro chwe churiad ar gyfer yr offerynwyr ag un llaw, a thri churiad i'r cantorion â'r llall, aethpwyd trwy'r darn yn llwyddiannus.[37]

Roedd y wasg Gymraeg wrth gwrs ar ben ei digon. Nid ar bwys y fuddugoliaeth ynddi'i hun, er pwysiced honno, na chwaith y cwpan, er hardded hwnnw, 'cwpan aur coeth wedi ei sicrhau mewn cerfwaith arian pwysig, wedi ei haddurno'n brydferth . . . a thariannau disglair i gerfio enwau'r corau buddugol arnynt'.[38] Yr hyn a ddynodwyd yn bennaf gan y fuddugoliaeth oedd bod cam y Llyfrau Gleision wedi ei unioni. Nid oedd y Cymry mor gyntefig a di-rinwedd wedi'r cwbl, nac yn brin o'r awydd i ddyrchafu eu hunain trwy'r celfyddydau, ac addysg—yn 1872 agorodd Coleg Aberystwyth ei ddrysau am y tro cyntaf. Aethai chwarter canrif heibio er brâd adroddiad y comisiynwyr addysg, a gallodd hyd yn oed y *Times* gydnabod gorchest y Palas Grisial: 'When it is remembered that this chorus is almost entirely drawn from the labouring classes of the Principality, miners, colliers etc. their wives, daughters and relatives—we cannot but wonder at the excellence they have attained, an excellence unattainable except through assiduous and continued study'.[39]

Yr oedd hyn yn fêl ar fysedd Ieuan Gwyllt wrth neilltuo cryn ofod i 'Gystadleuaeth Gerddorol y Palas Gwydr' yn *Y Cerddor Cymreig*: 'Nid ychydig oedd ein difyrrwch wrth weled syndod ein cymdogion fod côr o'r dosbarth gweithiol, yn cael ei arwain gan ôf, yn canu mor rhagorol. Ychydig a wyddant hwy amdanom ni yn y Dywysogaeth, onide buasent yn deall mai ein dosbarth gweithiol ni sydd yn gwneud pob peth o'r braidd. I'r dosbarth gweithiol y rhaid i ni edrych am ein pregethwyr, am ein llenorion, am ein beirdd, am ein cerddorion'. Aeth ymlaen i gyfuno'r llongyfarchol a'r hunangofiannol: 'O'r dosbarth gweithiol y codir i ni ddynion i lenwi ein pulpudau, i ddysgu ein plant, i olygu ac i ysgrifennu i'n cylchgronnau a'n newydd-iaduron, i ysgrifennu ein caneuon ac i gyfansoddi ein canigion, ein hanthemau a'n cydganau, i arwain ein corau, i feirniadu ac i gystadlu'. Yn ei hwyliau gallai Ieuan Gwyllt swnio fel Marx a Mazzini yn canu deuawd:

> Yr ydym yn ddiolchgar i gôr y Deheudir am agoryd llygaid ein cymdogion, ie, a llawer o'n cydwladwyr hefyd, i ganfod safle ein cenedl a'r gwaith a wneir ganddi. Y mae corff cenedl y Saeson wedi arfer meddwl yn isel a siarad yn ddiystyrllyd am y Cymry. Cymerant yn ganiataol nad oes na gwaith na gwybodaeth na dychymyg yng Nghymru mwy nag yn y bedd. Profodd y côr hwn fod yma fywyd, fod yma allu, a bod yma waith, ac nad ydyw y Cymry yng Nghymru i'w dirmygu mwyach . . . y mae cyfnod arall wedi dechrau ac nid ychydig fydd effaith buddugoliaeth y Côr Cymreig tuag at godi y Cymro yn ei wlad ei hun [ac] yng ngolwg y byd'.[40]

Rhaid mai Rhagluniaeth ei hun, yn amlwg, a drefnodd mai un o'r darnau prawf oedd 'The Night is Departing.

'Dal yr hyn sydd gennyt, fel na ddygo neb dy goron' oedd cyngor Ieuan Gwyllt i 'Gôr y Deheudir'. Dyna bryder eraill hefyd. Mewn derbyniad i'r côr a gynhaliwyd wedi'r fuddugoliaeth anogwyd y cantorion gan Henry Richard, A.S., i beidio â gorffwys ar eu rhwyfau. Er mwyn dal eu gafael ar y cwpan roedd angen iddynt 'fynd adref a thalu mwy o sylw' na'r tro cyntaf. Ategwyd hyn gan John Hullah, oedd yn un o'r beirniaid. Ystyriai ef y Cymry yn ddiguro o ran llais, clust a theimlad cerddorol, ond nid oedd hynny'n ddigon: 'a great deal more was wanting before they did justice to the gifts God had given them', a'r 'great deal' hwnnw oedd gwaith caled gyda'r arweinydd.[41]

Fel y gellid ei ddychmygu cafodd y côr groeso banllefus nôl yn y cwm. Tyrrodd cannoedd i'r orsaf yn Aberpennar, a miloedd i'w disgwyl yn Aberdâr. Chwythwyd cyrn, fflachiodd goleuadau, taniwyd gynnau, addurnwyd yr hewlydd a'r adeiladau cyhoeddus, ac, mewn dull a ddeuai'n gyffredin wrth groesawu dychweledigion o'r meysydd chwarae neu'r cylch sgwâr, wrth i aelodau'r côr gerdded bob yn ddau drwy'r prif strydoedd, cafwyd clwstwr o fandiau lleol i chwarae 'See the Conquering Hero Comes'. Mewn ffaith, roedd yr arwr concweriol wedi gadael y trên ym Mynwent y Crynwyr er mwyn dal un arall i'w gartref yn Nhreorci, lle y cludwyd ef drwy'r pentref ar gadair eisteddfodol y Parchedig Gurnos Jones, cyn iddo gael cyfle i dynnu ei wynt ac ystyried y cam nesaf.[42]

Prin bod angen ei ystyried o gwbl. Cyhoeddwyd yn syth y bwriedid amddiffyn y wobr a enillwyd pe gellid sicrhau'r safon ar y pedwar darn prawf ar gyfer 1873, sef 'The many rend the skies' (*Gwledd Alecsander*, Handel), 'I wrestle and pray' (motet gan Bach), yr 'Hallelujah' (o *Mynydd yr Olewydd*, Beethoven), 'See what love hath the Father' (*St. Paul*, Mendelssohn) a 'Come with Torches' (*Walpurgisnacht*, Mendelssohn). Ym mis Tachwedd 1872 hysbyswyd cyfarfod o bwyllgor y côr 'bod rhai o'r adrannau hyd yn hyn yn llac a diymdrech' ac ymysg y cyfryw yr oedd Merthyr a Dowlais.[43] Penderfynwyd na ellid caniatáu hynny—yn arbennig wedi deall y byddai cystadleuydd arall yn y maes y tro hwn, sef côr Cymdeithas y Tonic Sol-Ffa dan Joseph Proudman a oedd yn rhifo rhyw dri chant a hanner o gantorion—a threfnwyd bod arholwyr i ymweld â'r gwahanol adrannau.[44] Os oedd gan y Canon Jenkins grap ar hanes eglwysig byddai wedi cymeradwyo'r cam hwn fel efelychiad o ofwyon esgobol yr Eglwys Fore. Yr esgobion a enwebwyd i'r gwaith o nithio'r mân us o'r llafur cerddorol oedd Eos Rhondda, Dewi Alaw a Richard Jones (i fod yn gyfrifol am gylch Aberdâr), Alaw Ddu (Llanelli), David Thomas (Merthyr), Silas Evans (Abertawe), a Caradog ei hun, a wnaeth esiampl o un adran gyfan yn y Rhondda trwy eu diarddel am eu diffyg paratoad. Er gwaethaf y pwyslais ar gynnal safon deilwng, cymaint oedd y brwdfrydedd fel bod o gwmpas 450 o leisiau yn y côr terfynol, ac yn sgil hyn cododd mater costau'r fenter ei ben yn gynnar—heb sôn am y ffaith bod pwyllgor y Palas Grisial wedi hawlio ugain punt gan y côr fel iawndal am unrhyw niwed i'r Cwpan tra oedd ym meddiant y Cymry. Amcangyfrifwyd y byddai pob rihyrsal undebol yn costio £147, a'r daith i Lundain £4,500.[45] Cododd aelodau'r côr dros ddwy fil ar eu liwt eu hunain, a chafwyd y gweddill nid gan y bonedd lleol ond gan werin gyffredin a wyddai y byddai pob un o'r cantorion yn gorfod colli cyflog wythnos, a gwario cyflog mwy nag wythnos yn Llundain. Ond yn ôl y cerddor D. Emlyn Evans, dyna'r patrwm yn ne Cymru (roedd y sefyllfa ychydig yn well yn y gogledd, mae'n debyg), y bonedd a'r dosbarth proffesiynol, gyda rhai eithriadau, 'yn cadw'n ddieithr, heb mewn unrhyw ffordd rannu neu gyfrannu at ddyheadau'r bobl gyffredin'.[46]

Mewn cyfarfod yn Chwefror, 1873, cyhoeddodd Caradog fod Undeb Corawl De Cymru yn bwriadu dal eu gyfael ar y cwpan. Cafwyd araith sentimental gan Henry Richard, mwy yn null Arglwydd Tonypandy nag Apostol Heddwch, i'r perwyl bod 'John Bull yn teimlo yn garedig at y Taffi' ac na ddylai'r Cymry gredu yr edrychid i lawr arnynt yn Lloegr am eu bod yn Gymry, tra rhoddodd ei gyd-aelod seneddol, Richard Fothergill, fynegiant gobeithlon i'r gred fod canu'n gyfrwng i leddfu anawsterau diwydiannol y cyfnod—gwelodd tri mis cyntaf 1873 streic ym maes glo de Cymru—gan ddal 'yr adferir pethau i'w trefn cyn bo hir ac y daw y gweithwyr eto i adnabod eu gwir gyfeillion'.[47]

Er gwaethaf, neu o herwydd y streic yn y maes glo, gwnaed yn siŵr nad oedd y cantorion yn brin o gyfle i ganu'n gôr unedig. Cawsant rihyrsal yn Neuadd Gerdd Abertawe ganol Mai, ac un arall ddechrau Mehefin o flaen 20,000 a dalodd bum can punt i'w clywed yn y glaw yng Nghastell Caerffili. Roedd y gwrandawyr 'yn lluosog' yng Nghasnewydd ac ym Merthyr.[48] Clywyd hwy ddwywaith yn Llanelli, unwaith yn yr Atheneum ac eto yng nghapel y Bedyddwyr: honnwyd na 'chlybuwyd y fath ganu corawl erioed yn Llanelli'[49] a gwnaed pedwar ugain punt o elw tuag at gostau'r côr. Ar 2 Gorffennaf canwyd ddwywaith yn y Drill Hall, Caerdydd, a chynhaliwyd y ddau rihyrsal olaf yn Aberdâr ar 7 Gorffennaf pan gyflwynwyd i'r côr roddion o gannoedd o ddoleri gan Gymry America. Codwyd mwy o arian eto trwy ganu yn y Colston Hall ym Mryste ar y ffordd i Lundain (ar ôl croesi'r Hafren ar ddiwrnod garw) ac yn y gynulleidfa yn gwrando arnynt roedd y tenor enwog Sims Reeves, a chanwr llai adnabyddus, y Shah o Persia.

Cyrhaeddwyd y Palas Grisial ar gyfer y gystadleuaeth ar ddydd Iau, 10 Gorffennaf,[50] a gwelwyd o'r cychwyn fod yr holl ragbaratoi—yr ymarferion, yr anelu at safon uwch, diarddel y gweiniaid—wedi talu. Côr Proudman, a adwaenid fel y Paris Prize Choir oherwydd iddynt yn 1867 ennill cystadleuaeth yno, a dorrodd lawr y tro hwn yn 'Come with torches'. Cyn belled ag yr oedd y Cymry yn y cwestiwn, fodd bynnag, roedd ffrwyn ar y brwdfrydedd, rheolaeth ar y rhyferthwy o sain, a chafwyd enghraifft o ddisgyblaeth newydd y côr pan gymerodd Caradog ail symudiad yr 'Hallelujah' yn arafach nag oedd erioed wedi gwneud mewn ymarfer (canodd côr Proudman raglen dri-chwarter-awr, a chôr Caradog raglen hanner awr gwta). Ac ni chodwyd yn uwch nag 'mf' yng nghytgan Bach. Dywedodd John Curwen wrth Ieuan Gwyllt nad 'yr un côr oedd yn canu y tro hwn'[51] a dyna farn y beirniaid—Syr John Goss, Julius Benedict a Joseph Barnby. Cymaint yn wir oedd yr argraff a wnaed ar Barnby fel yr haerodd y flwyddyn ganlynol yn Eisteddfod Tonypandy lle y clywodd bump o gorau yn canu'r 'Hallelujah'—y beirniad a'r darn gosod yn dangos dylanwad amlwg y Palas Grisial—fod canu corawl Cymru y gorau yn Ewrop ac na allai ei gôr ef, er yn rhifo 1200 o gantorion, ddim cynhyrchu y fath effaith â chôr Caradog y flwyddyn gynt.[52]

Anffurfiol, a dweud y lleiaf, oedd eu hymddygiad ar lwyfan y Palas Grisial. Cymerasant ddeugain munud i ymffurffio, ond o'r diwedd rhoddodd Caradog arwydd iddynt sefyll. Yna trodd yr arweinydd i wynebu'r gynulleidfa, a gwelwyd bod llun i'w dynnu. Aeth deng munud arall heibio cyn i'r côr ddechrau canu. Yn ôl un tyst 'gwisgai pob aelod yn ol ei fancy ei hun. Nid oedd na lliw na thoriad na defnydd na gwasgod, na rhiband, na maneg, na dim arall, ond yn hollol fel yr oedd pobl yn dewis; ac am lyfrau, ychydig iawn o'r rhai hynny yn y golwg o gwbl'. A hynny oherwydd bod y darnau unwaith eto wedi eu dysgu ar gof, ac felly yng ngeiriau tyst o'r flwyddyn gynt, 'pan yn canu, nid oes i'r Côr ond un arweinydd—un meddwl—un awdurdod: y mae holl feddwl ac ewyllys y côr wedi eu gosod megis mewn ymddiried yn yr arweinydd.'[53] Eithr nid y ddibyniaeth lwyr ar Caradog, nac ychwaith y lleisio grymus oedd yn syndod i'r Saeson y tro hwn, ond eglurder y geiriau a'r pwyslais ar gytseiniaid. Rhaid cofio mai iaith ddieithr oedd y Saesneg i fwyafrif helaeth y côr: a chymryd carfan Aberdâr yn unig, byddai 13% o'r cylch yn dal yn uniaith Gymraeg ar ddechrau'r ugeinfed ganrif. Ond Saesneg oedd iaith yr oratorio yng Nghymru, serch cyfieithiadau Ieuan Gwyllt. Oni bai bod geiriau gwreiddiol Cymraeg i ddarn gan gyfansoddwr o Gymro, buasai'n arfer gan y Cymry ganu yn Saesneg, hyd yn oed pan fyddai geiriau Cymraeg ar eu cyfer. Yn Eisteddfod Genedlaethol 1910 methai Emlyn Evans ddeall: 'Why will Welsh choirs, the majority of whose members have practically no knowledge of any other language than their own native Welsh, persist in singing their test piece in English—a foreign tongue to them?'[54] Er bod corau Cymreig yn canu yn Saesneg o'r 1840au ymlaen, roedd campau'r Côr Mawr yn Llundain yn gyfrwng grymus i atgyfnerthu'r traddodiad. Canlyniad arall oedd cychwyn traddodiad newydd, sef gwahodd cerddorion Llundeinig i feirniadu yng Nghymru. Gwelwyd hynny gydag ymweliad Joseph Barnby â Thonypandy, a derbyniodd Proudman y dyfarniad yn ddigon grasol iddo yntau gael gwahoddiad i gyd-feirniadu mewn eisteddfod yn Aberdâr y Nadolig canlynol.[55]

Mewn cyfarfod arbennig noson y fuddugoliaeth dan gadeiryddiaeth yr anochel Henry Richard, cyfarfod i gyflwyno'r cwpan yn ffurfiol i Caradog, gwnaed penderfyniad i gystadlu eto yn 1874, ond ar ôl dod adref—i gyfeiliant mwy o fanllefau gwyllt—brigodd anghytundeb i'r wyneb. Roedd Merthyr, Aberdâr, Llanelli, Maesteg a Chwmafan dros gystadlu, a Silas Evans nid yn unig o blaid ond yn awyddus hefyd i gwrdd â chorau tramor. Ond roedd lleisiau dylanwadol yn erbyn, megis M.O. Jones, Treherbert, a chynrychiolwyr Aberpennar a Phontypridd; yn bwysi-cach fyth, dyna farn Caradog ei hun, a dyna ddiwedd ar y mater, o leiaf o safbwynt y De.[56] Ond nawr roedd awydd gref i gystadlu yn y Palas Grisial ymhlith cantorion y Gogledd. Ar 20 Medi 1873 ffurfiwyd Undeb Corawl Gogledd Cymru i'r perwyl yma, a ffurfiwyd dosbarthiadau ar batrwm y De. Rhoddodd dosbarth Bangor a Bethesda gyngerdd yn Neuadd y Penrhyn ym mis Mawrth 1874, a'r Undeb cyfan o 440 o leisiau ei gyngeredd cyntaf ar Sadwrn y Sulgwyn yng Nghapel Moriah, Caernarfon, dan arweiniad William Parry, Penbedw. I ddim pwrpas: ni chynhaliwyd cystadlaethau corawl eto yn y Palas Grisial.[57]

Daeth Undeb Corawl De Cymru i ben a seithug fu'r ymgais i'w adfer yn 1885. Fodd bynnag, ni ddaethai gyrfa Caradog i ben. Ffurfiodd gorau lle bynnag yr oedd yn digwydd byw ar y pryd. Treuliodd ei flynyddoedd olaf ym Mhontypridd, lle'r arweiniodd berfformiadau o *Y Greadigaeth* (Haydn), *Athalie* (Handel), *Emyn o Fawl* (Mendelssohn) a'r heriol *Israel in Egypt* (Handel) a berfformiwyd yn Eisteddfod Genedlaethol Pontypridd yn 1893 i

Cwpan y Palas Grisial.
(Llyfrgelloedd Rhondda Cynon Taf)

gyfeiliant cerddorfa o drigain offerynnwr. Ar awgrym Caradog, cadeirydd y pwyllgor cerdd, penderfynwyd defnyddio'r gerddorfa hefyd i gyfeilio i'r brif gystadleuaeth gorawl, y tro cyntaf i hynny ddigwydd yn hanes yr Eisteddfod. Yr un flwyddyn cafodd groeso tywysogaidd gan Gymry America yn Ffair y Byd yn Chicago, lle o'r 'foment yr adnabu'r gynulleidfa Caradog fe'i meddiannwyd fel petai'n dorf cyngerdd roc'. Ef oedd y dewis naturiol i fod yn gadeirydd cyntaf Cymdeithas Cerddorion Deheudir Cymru yn Nhachwedd 1895, ac yn yr un mis arweiniodd un o'r cyngherddau hynny sy'n dal yn boblogaidd yng Nghymru hyd heddiw, sef gŵyl corau meibion unedig: 500 o gantorion o Gastell-nedd i Gaerfyrddin yn canu 'Comrades in Arms', 'Martyrs of the Arena', 'Pererinion' (Joseph Parry) a 'Cytgan y Milwyr' (Gounod).[58]

Pan symudodd Caradog i Dreorci, ei olynydd fel arweinydd Undeb Corawl Aberdâr oedd Rees Evans. Fe'i ganed yn 1835 yn Cross Inn, ar gyrion Rhydaman, ei dad yn gantor da ac yn godwr canu gyda'r Annibynwyr. Yn 1852 aeth i fyw i Aberafan lle gallai'n hawdd fod wedi clywed côr Caradog yn cystadlu am y tro cyntaf yn eisteddfod 1853. Dair blynedd yn ddiweddarach symudodd i Gaerdydd ac ymuno â chôr Rhys Lewis, ei athro yno. Yn 1860 priododd, a symud i Aberdâr i

Rees Evans.

ddilyn ei alwedigaeth fel teiliwr, a daeth yn arweinydd y gân yn Siloa, capel yr Annibynwyr. Fel Caradog roedd Rees Evans yntau yn 'grythor', hynny yw, yn chwaraewr ffidil, ac fel Caradog hefyd defnyddiodd yr offeryn hwn i ddysgu'r gwahanol leisiau eu rhan. Gwyddai mai 'nid y nod uchaf y gellid ymgyrraedd ato oedd llwyddiant eisteddfodol'. Wrth edrych yn ôl yn ddiweddarach dros ddeng mlynedd ar hugain, credai Rees Evans fod llwyddiant y Côr Mawr 'yn anffodus'. Creodd gweniaith y beirniaid Llundeinig hunanfodlonrwydd yng nghylchoedd corawl Cymru, ac o ganlyniad 'aethom yn ddifater'. Rhaid oedd sylweddoli bod amser yr hwyl a'r 'climaxes' wedi pasio.[59]

Nid ar chwarae bach, fodd bynnag, y byddai neb yn darbwyllo cantorion y cwm mai trwy droi eu cefnau ar eisteddfodau y gellid codi'r safon. Dan fatwn Gwilym Cynon daeth Côr Aberdâr yn ail, a chôr Eos Cynlais o'r Rhondda yn drydydd, yn Eisteddfod Genedlaethol Penbedw (Birkenhead) yn 1878. Dyna'r achlysur pan dderbyniodd aelodau'r ddau gôr o'r De gardiau galar gan gefnogwyr Eryri buddugol. 'Er cof annwyl', yn ôl un, 'am drancedigaeth Gogoniant Gerddorol B'rdâr a Rhondda, yr hwn a ymadawodd â'r fuchedd hon ar Ben y Bercyn brydnawn dydd Mercher, Medi 18fed, 1876. Yng nghanol ein bywyd yr ydym yn angau'. 'Galarus Goffa!!!', ebychodd galargarden arall, 'am ogoniant ymadawol Corau y De . . . Llef a glybuwyd ar y Bercyn, galar ac wylofain mawr. Noa yn wylo ac yn brefu fel llo am blant B'rdâr ac ni fynnai ei gysuro'.[60]

Nid côr Rees Evans oedd hwnnw gan ei fod ef wedi penderfynu rhoi'r gorau i gystadlu yn syth wedi'r ail ymddangosiad yn y Palas Grisial, a hynny mewn ymateb i ensyniadau'r wasg Saesneg bod corau Cymru yn canu cytganau heb fedru meistroli gweithiau llawn. Ymroddodd Rees Evans yn awr i'r dasg honno. *Offeren Mozart yn G, y Ddeuddegfed*, i gyfeiliant Seindorf Cyfarthfa, Llinynnau Aberdâr, piano a dau harmoniwm oedd y cyntaf (Nadolig 1874) mewn cyfres nodedig o gyngherddau blynyddol a arweiniwyd ganddo hyd at 1895, pan ddilynwyd ef gan ei fab, W.J. Evans. Barn *Y Gerddorfa* am y cyngerdd yn 1874 oedd y byddid ymhen blynyddoedd i ddod yn ei gyfrif fel 'dechreuad cyfnod newydd ar gerddoriaeth gorawl yn Neheudir Cymru'. Aethpwyd ymlaen i berfformio nid yn unig gampweithiau Handel, Haydn a Mendelssohn, ond gweithiau a oedd ond yn raddol ddod yn gyfarwydd i gynulleidfaoedd Cymru, megis *Stabat Mater* (Rossini), *Joseph* (George Macfarren) a *The Rose of Sharon* (Alexander Mackenzie), ynghyd â gweithiau'r ddau Parry, Hubert a Joseph, yr oedd y wasg Saesneg more chwannog i gymysgu rhyngddynt. Denwyd unawdwyr o safon Brydeinig i'r cyngerddau hyn, a nifer o Gymry yn eu plith: i Ŵyl Gerddorol Flynyddol Côr Undebol Aberdâr yng nghyfnod Rees Evans daeth Mary Davies, Maggie Davies, James Sauvage, Maldwyn Humphreys, Ben Davies, Lucas Williams, Eos Morlais a David Hughes ('of whom an Aberdarian audience never tires'). Prawf pellach mai hon oedd un o gymdeithasau corawl gorau Cymru yw'r ffaith i Joseph Parry ddewis

TEMPERANCE HALL, ABERDARE.

PATRONS:

The Right Hon. LORD ABERDARE; C. R. M. TALBOT, Esq., M.P.; Sir H. HUSSEY VIVIAN, M.P.; HENRY RICHARD, Esq., M.P.; C. H. JAMES, Esq., M.P.; Rev. R. B. JENKINS, M.A., Vicar of Aberdare; JAMES LEWIS, Esq., J.P.; W. T. LEWIS, Esq., J.P.; D. P. DAVIES, Esq., J.P.; F. R. HOWELL, Esq.; J. C. BROWN, Esq.

Aberdare Choral Union.—Eleventh Annual Oratorio Concerts.

THREE GRAND PERFORMANCES

OF HANDEL'S

ORATORIO 'SAMSON'

WILL BE GIVEN AT THE ABOVE HALL, ON

Thursday & Friday, Dec. 25th & 26th, 1884

ARTISTES:—SOPRANO:

MADAME DUVAL-WORREL.

Contralto: MADAME SPENCER JONES.

TENORI:

FIRST DAY: MR. TOM WILLIAMS (EOS CYNON).

SECOND DAY: EOS MORLAIS.

Basso: Mr. LUCAS WILLIAMS.

CHORUS: ABERDARE CHORAL UNION. ORCHESTRA: CYFARTHFA STRING BAND,

(By kind permission of W. T. CRAWSHAY, Esq.), assisted by MR. HOOPER, of Gloucester, and others.
Leader: MR. G. C. BAWDEN.

Pianoforte and Solo Violinist: Miss META SCOTT. Harmonium: Mr. W. J. EVANS.

CONDUCTOR: MR. REES EVANS.

Admission:—Reserved Seats (2nd day only), 4/-; Front do., 3/-; Second do., 2/-; Third do., 1/-

Doors open at 2.30 each afternoon, and 7 in the evening. Concerts to commence at 3 in the afternoon, and 7.30 in the evening. Carriages may be ordered for 5.30 and 10 o'clock. The Hall will be comfortably heated. Entrance to Reserved Seats and Cloak-room through Canon Street.

☞ Tickets for Reserved Seats may be secured at Messrs. Farrant & Frost's, Canon Street, where a plan of the Hall may be seen. Tickets may also be had of Mr. J. Williams, Hairdresser, Commercial Street; Mr. D. E. Coleman, Mountain Ash; Mr. T. Howells (Hywel Cynon), Aberaman; Mr. George, Chemist, Hirwain; also of most of the principal tradespeople of the town, and members of the Choir.

W. LLOYD AND SON, PRINTERS, BOOKSELLERS, ETC., CANON STREET, ABERDARE.

mynd â chant o'i lleisiau hi i Gaergrawnt yn 1878 i berfformio ei waith corawl, *Jerusalem*, yr oedd datganiad cyhoeddus ohono yng Nghapel Coleg y Brenin lawn bwysiced â'r weithred o'i gyfansoddi er sicrhau iddo radd Doethur mewn Cerddoriaeth. Agwedd arall ar safonau uchel côr Rees Evans oedd y penderfyniad hyderus i logi offerynnwr o'r Tŷ Opera Brenhinol yn Llundain ar gyfer cyfeiliant y corn yn 'The Trumpet Shall Sound'.[61]

Bu Rees Evans, a fu farw yn Nhachwedd 1916 yn 81 oed, yn arwain Undeb Corawl Aberdâr am bedair blynedd ar hugain, ac yn arwain corau yn y cylch am bymtheg ar hugain o flynyddoedd. Yn 1878, ef a gynhyrchodd y perfformiad cyntaf 'in character' o *Blodwen* Joseph Parry.[62] Cyn bo hir byddai traddodiad bywiog o berfformio opera yng Nghwm Cynon. Yn 1869 daeth Daniel Jones, a aned yng Nghil-y-cwm yn 1852, o Lundain i fyw yn Aberdâr; erbyn 1882 roedd wedi ffurfio'r Aberdare Glee Society i ganu baledi a chanigau. Trwy ddenu merched atynt i gymryd rhannau benywaidd, partïon meibion fel un Daniel Jones oedd yn bennaf gyfrifol am lwyfannu operàu a chantatas gydag adnoddau lleol. Adeg y Pasg, 1889, bum mlynedd ar ôl i gwmni D'Oyly Carte dreulio wythnos yn Aberdâr yn perfformio operâu, perfformiwyd *David a Goliath* (David Jenkins) yn Neuadd Ddirwest Aberdâr, 'the first occasion in which a dramatic cantata was given in character, with full scenic and stage accessions, by any Welsh society'. Dyma gychwyn cyfres flynyddol arall yng Nghwm Cynon, y tro hwn o berfformiadau operatig: yn 1890 *The Bohemian Girl* (Balfe), yn 1891 *Maritana* (Wallace), yn 1892 *Il Trovatore* (Verdi), ac yn 1893 *Martha* (Flotow)—erbyn hyn gydag unawdwyr o gwmni Carl Rosa a chwmni Leslie Crotty. Prawf pellach bod y dwymyn opera wedi cydio yn y cwm oedd sefydlu cwmni opera yn Nhrecynon a lansiodd gyfres o berfformiadau o weithiau Gilbert a Sullivan pan berfformiwyd *H.M.S. Pinafore* yn 1897.[63]

Os cysylltir enw Rees Evans (Rees Evans and Son, Ladies and Gentlemen's Tailors, 45 Commercial Street, Aberdâr) ag Undeb Corawl Aberdâr, roedd y 'Son', W.J. Evans (1866-1947), yn gwneud enw iddo'i hun gyda chymdeithas gorawl Cwmaman a ffurfiwyd yn 1900. Cymuned glòs, gymdogol, ynysig oedd Cwmaman, pentref a dyfodd o gwmpas y gwaith glo y dibynnai'r trigolion arno am eu bywoliaeth, a swyddogion y pwll yn chwarae rhan lawn ym mywyd cymdeithasol y fro. Yn wir, roedd rheolwr y pwll, D.E. Davies (Dewi Mabon), yn eisteddfodwr brwd, yn arweinydd yr Aman Glee Society ac yn ffigwr amlwg a phoblogaidd yn niwydiant a diwylliant yr ardal fel ei gilydd. Erbyn 1912 roedd Cymdeithas Gorawl Cwmaman dan Edward Lewis a gymerodd fatwn W.J. Evans yn 1908, yr un mor weithgar ag erioed ond ar yr olwg gyntaf yn dal yn yr un rhigol: y Nadolig hwnnw perfformiwyd *Jephtha* (Handel) a *Bryn Calfaria* (J.H. Roberts). Eto i gyd, roedd gan y gwrandawyr safonau cadarn: ar yr achlysur hwn nid oedd y tenor, Mr Francis Glyn, B.A. (Oxon.) ai peidio, 'not of the class to which Cwmamanites are accustomed, and was decidedly a non-success with the audience . . . Welsh audiences very soon show their approval or disapproval of an artist and the fact that he was not encouraged by the crowd had a tendency to dishearten Mr Glyn.'[64] Erbyn hyn, roedd W.J. Evans, cyn-arweinydd côr Cwmaman a chôr meibion Cynon United a orchfygodd gôr meibion enwog Orffiws Manceinion yn Neuadd Albert, Llundain, yn Chwefror 1905, ac arweinydd Cymdeithas Gerddorfaol Aberdâr, y buddugwyr yn Eisteddfod Genedlaethol Pontypridd 1893, yn cyfarwyddo côr Siloa, Aberdâr. Ar Ddydd Nadolig, 1913, perfformiwyd y *Christmas Oratorio* (J.S. Bach), gorchest syfrdanol i gôr capel, yn arbennig os ydym am goelio honiadau mynych Henry Walford Davies yn y 1920au na wyddai'r Cymry ddim am Bach.[65]

Byddai gan Caradog, petai'n fyw, rywbeth i'w ddweud am hynny hefyd—oni chanodd y Côr Mawr fotet gan J.S. Bach yn y Palas Grisial yn 1873?—ond bu farw ar 4 Rhagfyr 1897. Cafodd angladd gyhoeddus enfawr. Mae'n arwyddocaol mai'r cynhebrwng hwnnw oedd y mwyaf a welsai'r cwm erioed, ac na welwyd ei debyg nes y talwyd y gymwynas olaf mewn dull cyffelyb i un arall o arwyr y fro a oedd yn cynrychioli diwylliant poblogaidd tra gwahanol, ond a oedd yn eilun i'r un bobl a ddilynai'r corau fel gwrandawyr a hyd yn oed fel cantorion. Yr arwr hwnnw oedd y beiciwr, Jimmy Michael (1877-1904). Nid canu côr meibion oedd diléit pob un o'r dynion ifanc a heidiodd i gymoedd y De i chwilio am gyflog uwch na'r hyn a geid yn eu cynefin gwledig, fel y tystia cynnydd yr Aberaman Star Cycling Club a'r Aberdare Workmen's Bicycle Club a sefydlwyd yn 1884. Dyma gyrchfan caredigion yr olwyn yn hytrach na'r opera neu'r oratorio, lle magwyd cenhedlaeth o bencampwyr rhyngwladol fel Jimmy Michael ei hun, a'r brodyr Tom, Arthur a Sam Linton, a oedd wedi ymfudo i Gwm Cynon

Arthur Linton (1872-96).

Jimmy Michael (1875-1904).

Jimmy Michael, Pencampwr y Byd yn 1896, trwy lygaid Toulouse Lautrec.

o Wlad yr Haf. Aeth Arthur Linton dan ddaear yn ddeuddeg oed yng nglofa Treaman; yn ei oriau hamdden bu'n gweithio ar ei gyflymder a'i gryfder ar feic sefydlog yn nhafarn y 'Swan', Aberaman. Pencadlys yr Aberaman Men's Cycling Club oedd gwesty'r 'Lamb and Flag', dan lywyddiaeth radlon John Jones (Shoni Railway), a daeth Arthur yn gapten y clwb yn 1893, y flwyddyn y torrodd y record can milltir deirgwaith cyn troi'n feiciwr proffesiynol a rasio yn Ffrainc a'r Eidal yn erbyn y pencampwyr Huret a Bonino. Ym mis Rhagfyr, 1894, anrhydeddwyd ef â swper crand yn y 'Lamb and Flag', a chyflwynwyd iddo gyfarchiad goliwiedig a'i bortread mewn olew, cyn iddo ddychwelyd i rasio ym Mharis, Bordeaux a Marseilles. Ei orymdrech yn y râs o Bordeaux i Baris a'i lladdodd, yn hytrach na'r teiffoid a nodwyd yn swyddogol, a bu farw yn 1896 yn 24 oed.[66]

O Aberdâr ei hun y deuai Jimmy Michael, yntau yn hen gyfarwydd â rasio yn New Orleans, Efrog Newydd, Berlin, Cologne, y Buffalo Velodrome ym Mharis, a chyrchfannau tebyg lle y cystadlai 'marchogion yr olwyn' yn erbyn ei gilydd. Fel Arthur a Tom Linton, beiciwr proffesiynol oedd Jimmy Michael a fu farw yn 1904 yn 29 oed. Roedd rhyng-gystadlu am arian yn elfen ganolog a naturiol yn niwylliant poblogaidd y cymoedd, boed ar lwyfan eisteddfod, y trac seiclo, y rhedegfa—neu'r maes chwarae. Yng Nghwm Cynon y plannodd pêl-droed proffesiynol wreiddiau dwfn yn gynnar. Roedd Aberdâr ac Aberpennar ymhlith aelodau cychwynnol Cynghrair Pêl-droed De Cymru yn 1890, ac estynnwyd gwahoddiad i nifer o glybiau Cynghrair Lloegr i dalu ymweliad cenhadol â'r cwm yn ystod y degawd: yn 1899 bu Aberdâr mor ddigywilydd â churo Sheffield United 2-1. O Aberaman y daeth Hugh Jones, y Cymro cyntaf i chwarae yng Nghynghrair Lloegr, ac Aberaman oedd y tîm cyntaf o dde Cymru i gystadlu am Gwpan Lloegr yn 1903, y cyntaf hefyd i gyrraedd rownd derfynol Cwpan Cymru, eto yn 1903 (a cholli 8-0 i Wrecsam). Roedd Aberdâr yn y rownd derfynol am y ddwy flynedd nesaf.[67] Gydag ymestyn Cynghrair Lloegr yn dair adran wedi'r Rhyfel Mawr, derbyniwyd Aberdare Athletic iddi yn 1921, er mai colli eu lle ymhen pedair blynedd fu eu hanes wrth i'r Dirwasgiad erydu seiliau economaidd a chymdeithasol y cwm.

Roedd rygbi eisoes wedi hen wreiddio ym mhridd diwydiannol croesawus glannau'r Cynon, gyda chlwb Aberpennar yn chwarae eu tymor cyntaf mor gynnar â 1875 yn erbyn Treherbert, Cross Keys, Quins Caerdydd ac Aberdare Crusaders. Roedd poblogrwydd gornestau rygbi ffyrnig Cynghrair Morgannwg, a ddenai filoedd erbyn diwedd y ganrif, yn fodd i feithrin agweddau tra phroffesiynol. Ysgymunwyd clwb Aberaman o Undeb Rygbi Cymru yn 1901 am dalu chwaraewyr a'u gorfodi i ail-ffurfio fel Cynon Stars, a thorrodd storm am ben clwb Aberdâr yn 1907 pan ddatgelodd ymchwiliad i'w sefyllfa ariannol eu bod nid yn unig yn cynnig arian i ddenu chwaraewyr o glybiau eraill, ond eu bod yn ogystal yn llwgrwobrwyo eu cystadleuwyr i golli.

Ni ddylem synnu felly mai yn Aberdâr, gyntaf oll, y datblygodd rygbi'r gynghrair yng Nghymru yn y 1900au, mai Aberdâr oedd un o'r chwe chlwb rygbi proffesiynol yn ne Cymru yn 1908, ac mai yn y dref honno, y flwyddyn honno, y chwaraeodd 'tri ar ddeg' Cymru gêm rygbi broffesiynol yn erbyn Seland Newydd, ac 'un ar ddeg' Cymru gêm bêl-droed broffesiynol yn erbyn Iwerddon. Enillwyd y naill 9-8 a'r llall 1-0 gan y cochion.

Dyma arwyddion sicr fod diwylliant y capel dan fygythiad, a hwnnw'n deillio o newid demograffaidd a chymdeithasol. Cynyddodd poblogaeth y cwm o 34,000 yn 1880 i 53,000 erbyn 1914, cynnydd o 56%. Erbyn hynny, roedd 41% o drigolion glannau'r Cynon wedi eu geni y tu allan i'r cwm. Er yr hanai dros eu hanner (56.6%) o siroedd Caerfyrddin, Ceredigion a Brycheiniog, deuai 10% o Loegr. Yn yr un cyfnod, tystiolaeth cyfeiriaduron busnes megis Slater's a Kelly's yw bod cynnydd o 66% yn y dosbarth proffesiynol a gwasanaethol, yn cynnwys meddygon, deintyddion, fferyllwyr, ffotograffwyr, torrwyr gwallt, cryddion, a pherchnogion siopau. Erbyn 1901 roedd saith siop sglodion yn Aberaman, pedair ar ddeg yn Aberdâr, tafarnau coffi Bracchi ymhobman, a siopau Boots, Lipton, a W. H. Smith bellach yn gyfarwydd i bawb.[68]

Yn yr amgylchfyd prynwriaethol ('consumerist') hwn roedd y gymdeithas gapelgar Gymraeg yn gorfod cystadlu ag atyniadau eraill. Nid yr eisteddfod oedd yr unig ddifyrrwch ac nid oedd honno'n gyfyngedig i'r capel chwaith. Agorwyd Neuadd Gyhoeddus Aberdâr yn 1897 ar gyfer dramâu, cyngherddau ac adloniant ysgafn ac amrywiol.[69] Buasai'r syrcas deithiol yn galw heibio ers blynyddoedd, ond ni welwyd dim tebyg i ymweliad sioe 'Wild West' Buffalo Bill Cody ag Aberdâr yn 1903 pan syfrdanwyd 22,00 o wylwyr cegrwth.[70] Caed difyrrwch o fath gwahanol eto yn 1909 pan oedd 'Bioscope' William Haggar i'w weld yn Neuadd y Farchnad yn Aberdâr, Neuadd Gyhoeddus Cwmaman a'r Grand Theatre yn Aberaman—mannau lle byddid erbyn 1910 yn dangos ffilmiau byw. Mewn geiriau eraill, roedd pob dim—nwyddau, difyrion, emosiynau—i'w prynu yng Nghwm Cynon ar drothwy'r Rhyfel Mawr.

Tenau, ar yr olwg gyntaf, yw'r llinyn sy'n cysylltu Caradog â Buffalo Bill, er bod i'r naill fel y llall nodweddion theatrig a deinamig. Ond roedd y cwm yn dal i ganu; gwnâi Rees Evans a'i fab, W.J., yn siŵr o hynny. Ac nid lleisiau yn unig a glywid. Yn sgil llewyrch diwydiannol daeth nid yn unig feiciau, ond hefyd offerynnau cerdd, o fewn cyrraed mwy o bobl. Roedd wyth cymdeithas gerddorol yn Aberpennar yn 1899-1900: côr meibion, côr merched, dau gôr ieuenctid, cerddorfa a thri band.[71] Roedd y bandiau yn eu hanterth. Enillasai band Aberaman droeon yn yr Eisteddfod Genedlaethol er Prifwyl 1861 yn Aberdâr, ac yr oedd sawl band Gwirfoddolwyr, megis '8th Volunteer Band' Aberaman a'r 'Aberdare Rifle Volunteer Band', ynghyd â Band Prês Ysguborwen (Aberdâr) a thri band arall yn Hirwaun erbyn 1875. Y flwyddyn ganlynol ffurfiwyd Band Arian enwog Institiwt Cwmaman, ac wrth i'r ugeinfed ganrif wawrio roedd bandiau'n frith ac i'w gweld ar bob achlysur cyhoeddus. Pan orymdeithiodd y glowyr mewn gwrthdystiad yn 1902 cawsant gefnogaeth soniarus bandiau arian Aberdâr ac Aberaman, a bandiau pres Cwmaman ac Aberpennar.[72] Roedd i'r gymdeithas ei safonau o hyd: collodd Institiwt Gerdd Band Cwmaman ei thrwydded yn 1907 'ar gyfrif ymddwyn meddw ac afreolus'.[73] Mae'n siŵr na fyddai 'Griff y Crown', sydd o hyd â'i gefn at y 'Black Lion' yn Aberdâr, wedi goddef ymddygiad o'r fath chwaith.

NODIADAU

[1]Martin Barclay, 'Aberdare 1880-1914: Class and Communities'. (Traethawd M.A. Prifysgol Cymru, Caerdydd, 1985), 68.

[2]Ieuan Gwynedd Jones, *Communities* (Llandysul, 1987), 266-268.

[3]Barclay, 109-110; Richard Arnold, 'The Pubs, Clubs and Breweries of Aberdare' yn *Old Aberdare*, cyf. 2 (Aberdâr, 1982), 107-126; R. Ivor Parry, *The History of Aberdare* (anghyhoeddedig, dim dyddiad, Llyfrgell Ganolog Aberdâr, 137).

[4]Gwilym P. Ambrose, 'The Aberdare Background to the South Wales Choral Union', *Glamorgan Historian*, IX (1980), 191-202; Brynley F. Roberts, 'Argraffu yn Aberdâr', *The Journal of the Welsh Bibliographical Society*, IX, 1973-4, 1-53.

[5]Ieuan Gwynedd Jones, 264-283, 317.

[6]K.O. Morgan, *Wales in British Politics 1868-1922* (Caerdydd, 1983), 206; E.W. Evans, *The Miners of South Wales* (Caerdydd, 1961), 102; W.W. Price, 'Y Gymanfa Ganu Gyntaf', *Yr Ymofynnydd*, Mehefin, 1957, 85-87; *idem.*, 'Y Gymanfa Ganu', *Y Tyst*, 7 Tachwedd, 1957.

[7]Ambrose, 194-198.

[8]Ambrose, 196-197.

[9]'Silas Evans' yn W.W. Price, *Biographical Index*, (Llyfrgell Genedlaethol Cymru), cyfrol 8, 244-245.

[10]John Haydn Davies, 'Rhondda Church Music in Victorian Times' yn K.S. Hopkins (gol.), *Rhondda Past and Future* (Ferndale, 1975); *Y Cerddor Cymreig*, Hydref, 1863, 58-59.

[11]*Y Cerddor* , 1920, 108, *South Wales News* 12 Gorffennaf 1920; John Haydn Davies, 45.

[12]Seilir y manylion bywgraffiadol am fywyd Caradog ar ysgrif M.O. Jones, yn *Y Cerddor*, Chwefror, 1898, 14-15; W.W. Price, *Bibliographical Index* (Ll.G.C.), cyfrol 14, 55, 259-263; John Haydn Davies, 141-147; a'r wybodaeth sydd yn rhaglen dathlu canmlwyddiant y Côr Mawr, *Côr Mawr Caradog Centenary Festival Brochure* (Aberdâr, 1972), yn Ll.G.C.

[13]Gweler tabl achyddol Caradog a luniwyd gan W. W. Price, 'Casgliad W.W. Price, Llyfrgell Ganolog Aberdâr, B 33/1(i). Yn ôl un a'i hadnabu, 'rhyw Liberal Conservative' oedd Caradog. W.R. Protheroe, *Griffith Rhys Jones* (Aberdâr, 1911), 5.

[14]Watcyn Wyn, 'Caradog', *Ceninen Gwyl Ddewi*, 1898, 46; Twynog Jeffreys, 'Cor Mawr' . . . *Festival Brochure*, 15; Harry Evans yn *Wales*, 1911, 186.

[15]Am y 'Farmyard Fantasia' gweler John Haydn Davies, 145-6; ar ddychryn 'yr hen dduwolion', *Y Cerddor*, 1898, 30. Mae'n debyg yr âi'r gynulleidfa'n wan gan chwerthin pan fyddai Caradog â'i ffidil yn efelychu yr asyn, y llo, y twrci a chreaduriaid eraill y buarth:

Er gwneud y lle yn hwyliog
Cewch glywed crwth Caradog
Fe wna y dyrfa oll ar dân
Wrth actio cân y ceiliog

(John Haydn Davies, 145)

[16]*Y Cerddor*, 1924, 84.

[17]Philip Jenkins, *A History of Modern Wales 1536-1990* (Llundain, 1992), 225, 244; John Davies, *Hanes Cymru* (Llundain, 1990), 395.

[18]*Y Cerddor Cymreig*, Mai 1867, 29.

[19]*Y Cerddor Cymreig*, Mai 1868, 21.

[20]*Y Cerddor Cymreig*, Tachwedd 1869, 86.

[21]*Y Cerddor Cymreig*, 8, 1870, 6.

[22]John Haydn Davies, 140; 'A Brief History of the Treorchy Male Voice Choir 1883-1897', *Excelsior* (cylchgrawn Côr Meibion Treorci) 1994, 42-47.

[23]*Y Cerddor Cymreig*, Mai 1871, 38, *Y Cerddor*, Chwefror 1898, 15.

[24]Michael Musgrave, *The Musical Life of the Crystal Palace* (Caergrawnt 1995), 190-196.

[25]*Y Cerddor Cymreig*, Mawrth 1872, 23.

[26]'Côr Mawr' . . . *Festival Brochure*, 8. 'Ein meistr ni bob un' oedd disgrifiad Eos Morlais o Garadog wrth gynnig ei enw.

[27]*Y Cerddor*, Chwefror 1898, 14.

[28]Y ddwy brif ffynhonnell a ddefnyddiais ar gyfer traethu hanes y Côr Mawr yn 1872 yw'r adroddiad llawn gan Ieuan Gwyllt yn *Y Cerddor Cymreig*, Awst 1872, 57-61, ac adroddiadau o'r *Aberdare Times* rhwng Ebrill a Gorffennaf 1872.

[29]*Y Cerddor Cymreig*, Awst 1872, 60.

[30]Mendelssohn, mae'n debyg, oedd eilun Caradog: 'Am ddarnau Mendelssohn y carai siarad

bob amser . . . ymhyfrydai bob amser ddod yn ol at yr Iddew', W. Protheroe, 13. Y darnau eraill a baratowyd oedd 'By slow degrees' (*Belshazzar*, Handel), y 'Nightingale Chorus' (*Solomon*, Handel), 'Dixit Dominus' (Leonardo Leo), 'In Exitu Israel' (Samuel Wesley), a'r madrigal 'All creatures now are merry minded' (John Bennett).

[31]*Y Cerddor Cymreig*, Awst 1872, 58.

[32]*Tonic Sol-Fa Reporter*, 15 Gorffennaf 1872, 213.

[33]*Y Gerddorfa*, 1872, 18.

[34]*Y Cerddor*, 1904, 32.

[35]*Y Cerddor Cymreig*, Awst 1872, 58; *Tonic Sol-Fa Reporter*, loc. cit.

[36]Protheroe, 11.

[37]Watcyn Wyn, 50.

[38]Watcyn Wyn, 51. Mae'r Her Gwpan i'w weld, er 1974, yn Amgueddfa Werin Cymru yn Sain Ffagan. Am na fu cystadlu amdano yn 1874, ad-feddiannwyd ef gan Gwmni'r Palas Grisial. Yn 1900, ar awgrym Syr Arthur Sullivan, un o gyfarwyddwyr y cwmni, penderfynwyd ei gynnig i'r 'National Brass Band Championships', a bu'r bandiau'n ymryson amdano tan 1939. Bu am flynyddoedd wedyn yn casglu llwch yng nghrombil County Hall, Llundain, nes i Illtyd Harrington, gŵr o Ferthyr a oedd yn ddirprwy arweinydd yr LCC, arwain ymgyrch i ddychwelyd y cwpan i Gymru. 'This is like one of the great scrolls of Egypt going home', meddai, *Western Mail* 27 a 28 Mehefin 1974.

[39]Dyfynnwyd gan yr *Aberdare Times*, 13 Mehefin 1872.

[40]*Y Cerddor Cymreig*, Awst 1872, 59.

[41]*Aberdare Times*, 13 Gorffennaf 1872.

[42]*Aberdare Times*, 19 Gorffennaf 1873, T. Alban Davies, 'The Crystal Palace Challenge Trophy', *Cerddoriaeth Cymru*, iv, Gwanwyn 1972, 24-37.

[43]*Y Cerddor Cymreig*, 1873, 6.

[44]Yr oedd angen hynny. Yn ôl D. Emlyn Evans, *Y Cerddor Cymreig*, 1898, 126, 'codwyd cantorion ar y ffordd i Lundain [yn 1872] nad oeddynt wedi bod yn yr un ymarfer'.

[45]'Côr Mawr' . . . *Festival Brochure*, 8-9.

[46]*Musical Herald*, Ebrill 1892, 100.

[47]*Y Cerddor Cymreig*, 5, 1873, 11. Roedd 160,000 o lowyr De Cymru ar streic rhwng Ionawr a Mawrth 1873.

[48]*Y Gerddorfa*, 1873, 86; *Western Mail*, 28 Mehefin 1873.

[49]*Y Cerddor Cymreig*, 1873, 38.

[50]Ceir adroddiadau llawn yn *Cerddor y Tonic Sol-ffa*, 5, 1873, 30-31, (llythyr 'John Sol-ffa at ei gefnder') a Brinley Richards (gol.) *The South Wales Choral Union at the Crystal Palace in Sydenham and at Marlborough House . . . July 1873: Reports and Criticisms* (Llundain, dim dyddiad). Mynegwyd syndod (t.15) na fyddai corau Birmingham, Manceinion, Bradford a Leeds yn cystadlu. A chwynodd y *Tonic Sol-fa Reporter* (Tachwedd 1872, 329) pan dderbyniwyd enwau'r cystadleuwyr: 'We should be glad to hear of other entries. Where are the Potteries Prize Choirs and the West Riding Prize Choir? Cannot Edinburgh, or Newcastle, or Manchester, or Bristol, or Sheffield do battle in this choral fight? . . .'.

[51]*Cerddor y Tonic Sol-ffa*, 5, 1873, 31; *Y Cerddor*, 1904, 32.

[52]*Cerddor y Tonic Sol-ffa*, 1874, 43. Hwyrach mai cydbwysedd—neu anghydbwysedd—lleisiol y côr yn 1873 a gyfrannodd at sicrhau'r 'effaith' y soniodd Barnby amdani: rhifai'r sopranos tua 105, yr altos 92, y tenoriaid 126 a'r baswyr 124. Byddai angen sain nerthol gan y menywod i gystadlu â'r rhyferthwy o leisiau gwryw.

[53]*Tonic Sol-Fa Reporter*, 15 Gorffennaf 1873, 213. *Cerddor y Tonic Sol-ffa*, 1873, 31; *Y Cerddor Cymreig*, Awst 1872, 60.

[54]Papurau D. Emlyn Evans, 'Music in Wales 1899—1912', pedair cyfrol o doriadau papur newydd, Llyfrgell Genedlaethol Cymru 8033D—8036D. Cyfrol 4, 24 Medi 1910.

[55]*Cerddor y Tonic Sol-ffa*, 1874, 1. Ymhlith y Saeson derbyniwyd y dyfarniad o blaid y côr Cymreig yn rasol ymostyngol. Yn ôl y *Morning Post*, 'the disinterested spectator forgot even the dearness of coal and shared the pleasures enjoyed by the Welsh miners in their triumph', *Tonic Sol-Fa Reporter*, 1 Awst 1873, 229.

[56]*Y Gerddorfa*, Tachwedd 1874, 113; *Western Mail*, 23 Hydref 1873.

[57]Llyfrgell Genedlaethol Cymru, papurau W.J. Parry 108.

[58]*Western Mail*, Hydref 16, 21, 1885, Chwefror 27, Gorffennaf 11, 1886; Hywel Teifi Edwards, *Eisteddfod Ffair y Byd Chicago 1893* (Llandysul, 1990), 104, 134-36; *Y Cerddor*, Rhagfyr 1895, 139.

[59]*Y Cerddor*, Awst 1905, 87. Am yrfa Rees Evans, gweler *Aberdare Almanack* (1893), 23-27, yng Nghasgliad W.W. Price, Llyfrgell Ganolog Aberdâr, B 33/6.

[60]*Y Gerddorfa*, 1878, t.70.

[61]*Aberdare Times*, 30 Mawrth, 6 Ebrill, 13 Ebrill, 1878; *Merthyr Express*, 2 Rhagfyr, 30 Rhagfyr (David Hughes) 1893.

[62]*Aberdare Times*, 8 Mehefin 1878. Ni wyddai'r *Western Mail* am y rhagflaenydd hwn i'r hyn a dybiai oedd y perfformiad cyntaf o'r math hwn yn Aberdâr ddeunaw mis yn ddiweddarach. 'Aberdare', meddai bryd hynny, 'is to be congratulated on being the first of our Welsh towns to take Moloch by the horns'. *Western Mail*, 17 Rhagfyr 1879.

[63]*Merthyr Express*, 23 Ebrill 1892; *Aberdare Times*, 27 Ebrill 1897; *Aberdare Almanack* (1893), 27-29.

[64]*Aberdare Times*, 4 Ionawr 1913.

[65]Dyma'r tro cyntaf i'r 'Christmas Oratorio' gael ei berfformio yng Nghymru, o leiaf gan gôr amatur. (*Y Cerddor Cymreig*, 1914, 18.) Yn ystod y blynyddoedd dilynol byddai Côr Cwmaman yn rhagori hyd yn oed ar hynny, trwy berfformio'r 'Christmas Oratorio', y 'B Minor Mass' *a'r* 'St Matthew Passion'. Glöwr ym mhwll Cwmaman oedd eu harweinydd, Edward Lewis (1879-1941). D.L. Davies, *A History of Cwmaman Institute 1866-1993* (Aberdâr, 1995), 62-3. Mab W.J. Evans, ac felly ŵyr Rees, oedd Ifor L. Evans, Prifathro Coleg Prifysgol Cymru, Aberystwyth rhwng 1934 a 1952.

[66]Stephen P. Cooke, 'Triumph and Tragedy—the Aberaman cyclists', yn *Old Aberdare*, 5 (1988), 54-72; R. Ivor Parry, 'Sidelights on Aberdare', *Glamorgan Historian*, 10 (1974), 67.

[67]B. Lile a D. Farmer, 'The early development of Association Football in South Wales 1890-1906', *Trafodion y Cymrodorion*, 1984, 208-9.

[68]M Barclay, 49.

[69]*Aberdare Times*, 29 Medi 1897. Mae'n arwyddocaol mai'n syth o Gasllwchwr i Drecynon yr aeth Evan Roberts yn mis Tachwedd, 1904, i lansio ei Ddiwygiad.

[70]*Aberdare Times*, 4 Gorffennaf, 11 Gorffennaf 1903.

[71]R. Ivor Parry, *History of Aberdare*, 139.

[72]Casgliad W. W. Price, M3/1 'Bands'; *South Wales News*, 26 Awst 1926 (dathlu hanner canmlwyddiant Band Cwmaman); *Aberdare Leader*, 12 Gorffennaf 1902.

[73]*Aberdare Leader*, 5 Ionawr 1907.

Eos Dâr (1846-1915)
'Y Canwr Penillion Digyffelyb'

D. Roy Saer

O edrych yn ôl, ymddengys bod y flwyddyn 1885 yn un arwyddocaol yn hanes canu penillion, a hyn oherwydd i'r Eisteddfod Genedlaethol, am yr eildro yn ei hanes, ymweld ag Aberdâr.

Ers llawer blwyddyn cyn hynny, dau Ogleddwr, yn bennaf, a fuasai yn eu tro yn gweithredu'n swyddogol yn y Brifwyl yn y maes hwn, neb llai na Llew Llwyfo ac Idris Vychan. Pan ddychwelodd yr Eisteddfod i Gwm Cynon, achos codi aeliau, mae'n siŵr, fu gweld gwahodd Hwntw cymharol ddibrofiad, Eos Dâr, i wisgo mantell y ddau hen awdurdod cydnabyddedig ar gelfyddyd mor arbenigol. Yn wir, mae'n gwestiwn a fyddai'r newyddian hwn wedi cael ei big i mewn o gwbl ar y pryd onibai fod iddo gyswllt agos ag Aberdâr ei hunan. Ond os parwyd peth syndod gan osod arno'r fath anrhydedd yn 1885, pwy ar y ddaear a allai fod wedi rhag-weld ar yr adeg honno y byddai'r eos deheuol hwn maes o law yn teyrnasu fel canwr penillion swyddogol y Brifwyl am chwarter canrif gron, hyd ei farw yng nghyfnod y Rhyfel Byd Cyntaf!

* * *

Cofnodwyd manylion ei fywyd yn fras yn *Y Bywgraffiadur Cymreig hyd 1940*[1] ac yn llawnach o dipyn yn 1909 yn *Y Cerddor*,[2] fel na raid manylu'n ormodol yn awr. Yn nhref Gaerfyrddin, ac yn 1846, y ganed yr Eos—Daniel Evans wrth ei enw bedydd—ond, gyda golwg ar ei weithgarwch diwylliannol ymhellach ymlaen, cam allweddol yn ei fywyd fu i'w deulu ymfudo i Aberdâr pan oedd Daniel ond wyth oed. Yno cafodd ei dad waith yn swyddfa *Y Gwron* a *Seren Gomer*—lle gweithredai Llew Llwyfo fel is-olygydd, gyda llaw. Buan y datblygodd Daniel yn alto, ac yn ddiweddarach yn denor, yng Nghôr Undebol Aberdâr, neu 'Côr Griff o'r Crown' (sef Caradog) fel y'i gelwid yn lleol. Troes yn unawdydd eisteddfodol llwyddiannus ac yn 1866 urddwyd ef yn 'Eos Dâr' yng Ngorsedd 'Eisteddfod y Cymry', Castell-nedd. Cafodd y fraint o berthyn i 'Gôr Mawr Caradog' pan enillodd hwnnw ei fuddugoliaethau hanesyddol yn y Palas Grisial, Llundain, yn 1872 ac 1873.

Yn 1876 symudodd Daniel dros y mynydd i weithio fel peiriannydd dirwyn yn un o byllau glo'r Maerdy yn y Rhondda Fach, lle treuliodd y rhan fwyaf o'i oes wedyn. Erbyn hyn yr oedd yntau'n arweinydd corawl a pharhaodd i arwain *Glee Society* Aberdâr trwy sawl llwyddiant eisteddfodol. Yn yr un cyfnod arweiniodd Gôr Ferndale i fwy nag un fuddugoliaeth, a phan agorwyd capel mawr Siloa gan yr Annibynwyr yn Y Maerdy ef a gymerodd at awenau cerddorol hwnnw, gan lwyfannu gweithiau fel 'Mordaith Bywyd', 'Y Mab Afradlon', 'Blodwen', 'Judas Maccabeus' ac eraill. Arweiniai, wedyn, mewn cymanfaoedd canu a beirniadu mewn eisteddfodau lleol—ac ar ben y cwbl perfformiai fel yr unawdydd tenor mewn gweithiau megis 'Messiah', 'Elijah' a 'Judas Maccabeus'. Erbyn hyn yr oedd eisoes wedi coroni ei yrfa fel canwr 'clasurol' drwy ennill yn Eisteddfod Genedlaethol Penbedw (Birkenhead), 1878, ar unawd 'Baner Ein Gwlad'.

Eos Dâr (1846-1915).
(Amgueddfa Werin Cymru)

Tuag 1909, ar ei ymddeoliad o'i waith yn y lofa, symudodd i Ferthyr, tref enedigol ei ail wraig, lle daeth yn flaenor y gân yng nghapel Annibynnol Bethesda. O fis Medi 1913 ymlaen bu'n ffigwr canolog—gan weithredu fel cadeirydd y pwyllgor llywio—yn y cynlluniau pwysig i godi cofadail o Garadog ac i drefnu aduniad o gyn-aelodau'r 'Côr Mawr' a oedd wedi goroesi. Yn *Y Darian* bryd hynny[3] croesawyd gweld yr Eos 'mor fywiog, chwim ac ysmala a chynt', ond o fewn deunaw mis arall, ac yntau ond naw a thrigain oed, bu ef farw, ar 16 Mawrth 1915.

Dychwelwyd ei gorff i'w gladdu yn Y Maerdy, ac yno cafodd y cymwynaswr a'r dinesydd ymroddedig hwn angladd a fynychwyd gan rai o enwogion y genedl ac a welodd draddodi teyrnged dwymgalon iddo gan yr Archdderwydd, Dyfed, ei hunan.

* * *

Canfyddir, felly, fod gweithgarwch cerddorol yn ganolog i fywyd Eos Dâr a bod i'r gweithgarwch hwnnw lawer gwedd. Ymddengys, fodd bynnag, mai fel canwr penillion y gwnaeth ei gyfraniad mwyaf nodedig oll i ddiwylliant ein cenedl. Teilynga'r cyfraniad hwnnw ei bwyso a'i fesur yn ofalus. Arwyddocaol, i ddechrau, yw'r ystadegau eu hunain o ran ei ymwneud â'r Brifwyl. Ac eithrio achlysur ei *debut* yn 1885, pan gymerodd ran fel Canwr Penillion seremonïau'r Orsedd, wele'r ffigurau:[4]

Nifer yr Eisteddfodau (1889-1913):		25
Beirniadu (6 thro ar y cyd):		20 gwaith
Canu yng Ngorsedd:		20 (?) gwaith
Canu mewn Seremonïau Cyhoeddi:		20 (?) gwaith
Canu o'r llwyfan, yn ystod y dydd:	o leiaf	8 gwaith
Canu mewn Cyngherddau Hwyrol:	mewn	10 eisteddfod
Ei lun yn y Rhaglen Swyddogol (o 1901 ymlaen)		6 gwaith

O Eisteddfod Genedlaethol Aberhonddu, 1889, ymlaen, pum gwaith yn unig nas gwahoddwyd, a hynny ymhob achos mewn Eisteddfodau a gynhaliwyd yn y Gogledd (gan gynnwys Lerpwl), lle dyfarnwyd yr anrhydedd i feibion mwy lleol neu ranbarthol eu cysylltiadau (Eos y Berth ym Mangor, 1890, a Llandudno, 1896; W.O.

Jones, Eos y Gogledd, yn Lerpwl, 1900, a Bangor, 1902; a Jacob Edwards yn Wrecsam, 1912).

Yr oedd gweithgarwch Eos Dâr yn y Brifwyl ar ei lawnaf yn ystod y cyfnodau 1891-95 a 1903-11, gan gyrraedd uchafbwyntiau trawiadol yng Nghaernarfon, 1894 ac 1906, a Bae Colwyn, 1910—y trithro hyn, sylwer, yn y Gogledd. O 1906 ymlaen datblygodd yr arfer o wahodd ail ganwr neu gantores i gytrannu rhai o'i amrywiol ddyletswyddau. Y tro olaf iddo gymryd rhan yn 'y Genedlaethol' oedd yn Y Fenni yn 1913: yno, wrth gwrs, rhaid fu creu lle hefyd i ddau o *proteges* Llanofer, sef Pedr James a Dafydd Roberts (Telynor Mawddwy). Diddorol fyddai gweld pa drefn a gawsai ei mabwysiadu yn 1914, ond gohiriwyd yr ŵyl oherwydd cychwyn y Rhyfel Mawr—ac erbyn ei hadfer ym Mangor y flwyddyn wedyn yr oedd yr Eos, ers rhai misoedd, yn ei fedd.

Heblaw am ei gyfraniad yn y Brifwyl canai'n gyson ar hyd a lled Cymru mewn dathliadau Gŵyl Ddewi ac amryfal gyfarfodydd eraill—yn wir, honnai Brynfab[5] ei fod wedi llunio 'cannoedd' o benillion i'r Eos 'ar gyfer pob math o achlysuron'.[6] Am lawer blwyddyn cyn marw Watcyn Wyn[7]—yn 1905—bu galw mawr yng Nghymru, ac weithiau dros Glawdd Offa hefyd, am raglen hwnnw, 'Noson gyda'r Delyn', lle cyfrannai Eos Dâr fel datgeinydd a Tom Bryant fel telynor—ac ar ôl colli Watcyn Wyn aeth yr Eos ei hunan ar grwydr fel darlithydd a datgeinydd yn un.[8] Dywedir, ymhellach, iddo hybu canu penillion gyda'r delyn yn Ysgolion Uwchradd y Rhondda a thu hwnt.[9]

* * *

Beth am ansawdd a natur ei gyflwyniadau fel datgeiniad? Heb ddwywaith amdani yr oedd perfformiadau'r Eos yn arddangos rhychwant cyflawn o ddoniau llwyfan. Yn sylfaen i'w ragoriaeth yr oedd iddo lais soniarus, fel y tystir yn unfryd gan yr ansoddeiriau a ddefnyddiodd eraill wrth ei edmygu: 'swynol a chlochaidd', 'peraidd', 'clir, croyw a threiddgar', 'rhagorol', a 'most sweet and melodious'[10]—ac mae'n debyg i'w lais bara felly ar hyd ei oes. 'Nid i'r lleisiwr goreu y rhoddir y wobr, . . .' a ddywedasai Idris Vychan yn ei wers-lyfr ar ganu gyda'r tannau,[11] ond bu meddu ar lais mor bersain yn fonws amhrisiadwy i'r Eos drwy gydol ei yrfa.

Yn ymhlyg yn nyfarniad digyfaddawd Idris Vychan yr oedd yr egwyddor fod i gelfyddyd canu penillion flaenoriaethau gwahanol. Wrth iddo ef osod allan ddeg o 'Reolau Cystadleuaeth mewn Eisteddfod',[12] yr hyn a bwysleisiwyd ganddo oedd (a) medru cadw ar gof gyflenwad helaeth ac amrywiol o benillion a cheinciau, (b) medru, ar fyr rybudd o'r gainc, briodi a chyd-acennu'r naill a'r llall yn llyfn ac esmwyth, ac (c) osgoi geiriau di-chwaeth! O ran ateb y gofynion sylfaenol hyn hefyd, ymddengys bod Eos Dâr yn gyffyrddus ei le gyda'r radd flaenaf o ddatgeiniaid.

Fel llefarydd, yn ychwanegol, fe'i hystyrid 'yn eiriwr diail', a '. . . gallai wneyd peth na fedr rhai cantorion o fri, sef cynanu y geiriau yn glir a hyglyw'.[13] Ond er mwyn cyfleu sylwedd ei benillion yn fwy effeithlon fyth, datblygodd ef ei grefft yn llawer dyfnach na hynny.

Mewn ysgrif goffa iddo yn *Y Darian*[14] aeth ei hen gyfaill Brynfab cyn belled ag awgrymu 'fod Eos Dâr wedi rhoi elfen newydd ym mywyd ac yng nghanu penillion'. Haedda'r portread hwn o swyddogaeth arloesol yr Eos ei ddyfynnu'n helaeth:

> Nis gwn pan un ai Watcyn Wyn ai yr Eos a welodd yr angen am hynny. Yr oedd angen am rywbeth heblaw crefft sych i ddiddori cynhulliad hyd yn oed gyda chyfaredd y delyn. Clywais Llew Llwyfo ac Eos y Berth yn datganu gyda'r tannau droion. Yr oedd y ddau yn feistri ar eu gwaith, cyn belled ag oedd a fynnai y parabl a'r cwestiwn. Ceid mwy o amrywiaeth mesurau caeth a rhydd gan y Llew, na chan Eos y Berth, a thaflai fwy o ynni a theimlad i'w ddatganiad. Ond hen benillion ystrydebol a glywid bob amser gan y Llew, a darnau o awdlau Dewi Wyn o Eifion a'i gydoeswyr a geid fynychaf gan Eos y Berth. Er fod y gelfyddyd yn ei pherffeithrwydd gan y ddau, yr oedd datganu yr un darnau o hyd yn tueddu i ddiflasu yr hwyl gyffredinol.
>
> Gwnaeth cydweithrediad hapus Gilbert a Sullivan argraff neilltuol yng ngherddoriaeth ein cymdogion o'r tu arall i Glawdd Offa, a bu cydweithrediad Watcyn Wyn ac Eos Dâr yn foddion i greu cyfnod newydd ac ysprydiaeth newydd yn y canu gyda'r tannau yn ein cyfarfodydd a'n prif wyliau. Dichon na ddeuwn byth i wybod pa un o'r ddau a welodd yr angen am benillion newydd a tharawiadol i greu hwyl a diddordeb ymhlith y Cymry yn gyffredinol. Wedi i Watcyn ac yntau ddechreu cydweithio, diweddodd y cyfnod ystrydebol ar y llwyfan cenedlaethol. Rhaid fod y cawl yn eithriadol o dda cyn y ceir blas tebig i flas arno wedi ei ail dwymo. Ond nid oedd perigl am ddiflasdod yn

natganu Eos Dâr ar eiriau y bardd o Frynaman. Fe wyr pob Cymro llengar fel y medrai y bardd osod bywyd yn ei benillion, a medrai yr Eos roi bywyd pellach ynddynt drachefn wrth eu canu gyda'r tannau. Nid barddoniaeth yw yr unig hanfod i bennill telyn, a gwyddai Watcyn Wyn hynny yn eithaf da. I'r sawl sydd yn gyfarwydd a'i weithiau, ni raid dweyd fod ergyd hapus ymhob pennill o'i eiddo, ac ar yr ergyd hwnnw y byddai yr Eos yn sicr o wneud ei waith i bwrpas. Diflas yw cân hir, bydded cystal ag y bo, o ran cyfansoddwr a datgeinydd. Ond rhwng Watcyn a'r Eos nid oedd lle i ddiflasdod yn swn y delyn. Gallasai yr Eos ganu nes byddai allan o wynt, cyn y blinasai torf fawr arno yn canu. Yr oedd ei destyn yn newid gyda phob pennill, ac odid fawr na fuasai rhyw ergyd lleol, neu gyffyrddiad a rhyw amgylchiad adnabyddus yn dod i fewn i drydanu y gwrandawyr.

Ac yr oedd i grefft yr Eos un dimensiwn ychwanegol:

Medrai [?Meddai] yr Eos ar y dawn parod o gymeryd mantais ar ryw amgylchiad o ryw bennill a feddai. Yr oedd yn wahanol i bob datgeinydd arall—medrai daro gair neu enw i fewn ar darawiad i ateb pwrpas neilltuol. Os byddai yn brin o ergyd, pan fyddai ei angen, newidiai waith y bardd i wneud y diffyg i fyny.[15]

Ar yr un pryd, swm a sylwedd hyn oll yw na ddylid ceisio tafoli cyfraniad Eos Dâr ar wahân i'w bartneriaeth artistig gyda Watcyn Wyn. Yn ffodus fe erys cofnod allweddol i gyd-weithgarwch y ddau, sef y llyfryn *Cân a Thelyn*, a gyhoeddwyd gan y gŵr o'r Gwynfryn yn 1895. Bum mlynedd yn ddiweddarach, mewn darlith gerbron Anrhydeddus Gymdeithas y Cymrodorion, cyflwynodd Watcyn Wyn ei argraffiadau o'r hen benillion traddodiadol, gan gyfeirio at bwysigrwydd 'y stori', ieithwedd naturiol, 'ergyd canol y llinell' ('yr hen ergyd Cymreig') ynghyd â 'rhyw anadl cynghanedd yn cynorthwyo' ynddynt. Mynnodd hefyd amdanynt fod:

amgylchiadau lleol, a digwyddiadau perthynol i'r ardal, a chyfeiriadau at rai o'r cwmni, yn cael sylw neullduol ac arbenig. Nid canu hen benillion o hyd, ond penillion wedi eu cyfansoddi yn 'newydd spon' ar gyfer yr amgylchiad.[16]

Anelu at nyddu 'penillion telyn' yn llinach y traddodiad hwn, felly, a wnaeth Watcyn Wyn yn ei swyddogaeth hanfodol fel *librettist* Eos Dâr. O edrych ar enghreifftiau perthnasol yn *Cân a Thelyn*[17] fe welir

Watcyn Wyn.

mai 'penillion achlysur'—hynny yw, topicaliaid—ydoedd ei gynnyrch. O ran *genre*, canu mawl oedd hwn yn y bôn, yn lleisio gwladgarwch a brogarwch diwylliannol, ond â'i gywair wedi ei ysgafnhau gan elfen o arabedd a thynnu coes diniwed. Prin y gellid hawlio iddo amlygu dychymyg llachar iawn, ac yr oedd ei berthnasedd o'i hanfod yn fyrhoedlog, ond ymddengys i'r fath ganu daro deuddeg yn ddi-ffael pan gyflwynid ef gan yr Eos â'i bersonoliaeth fywiog, chwareus, a'i reddf i liwio a phwyntio'n ystyrlon. A derbyn mai rhyw neges dros dro a oedd ganddo, yr oedd eto'n ganu cymdeithasol tra llwyddiannus o fewn i'w gyd-destun perfformiol. I ambell gyfeiriad, mae'n debyg fod rhan yr Eos yn cyfateb i eiddo Dafydd Iwan neu Max Boyce rai cenedlaethau'n ddiweddarach.

Fel arfer ni ddefnyddiai'r Eos ond dyrnaid cyfyng o geinciau i ddatganu arnynt. Meddai ef ei hun yn *Cân a Thelyn*: 'Datgenir penillion yn ymarferol ar yr alawon canlynol,—Pen Rhaw, Serch Hudol, Nos Calan a Llwyn Onn'.[18] Ddeugain mlynedd yn ddiweddarach cadarnhaodd Lewis Thomas, Pontyberem, mai ar y rhain, gan amlaf, y clywsai'r Eos yn canu: 'Y cof cyntaf sydd gennyf am ganu penillion yn y De ydyw cof am Eos Dâr . . . "Pen Rhaw" oedd ei hoff gainc, ond clywais ef yn canu ar geinciau eraill, megis "Serch Hudol", "Nos Galan" a "Llwyn Onn".'[19] O'i gyfalawon, ni chadwyd, hyd y gwyddys, ond un enghraifft, sef honno a ddefnyddiwyd ganddo, ar gainc 'Pen Rhaw', wrth ganu gerbron Tywysog a Thywysoges Cymru ar lwyfan Eisteddfod Genedlaethol Caernarfon, 1894.[20] Yr hyn a welir yma yw cyfuniad o amrywiol ddulliau:

a) cryn dipyn o ddilyn llwybr yr alaw, a hefyd, bron yn ddi-ffael, daro'r un nodyn â hi—neu wythawd iddo—ar y prif guriadau.
b) darnau o harmoneiddio syml mewn cyfalaw.
c) pytiau o ganu sawl sillaf yn olynol ar yr un nodyn.

Arddangosir, felly, elfennau o 'ddull y De' a 'dull y Gogledd' fel ei gilydd—gan gadarnhau nad oedd i'r termau hyn, wedi'r cwbl, ystyr hollol gaeth yn rhywogaethol, fwy nag yn ddaearyddol.

Ynghlwm wrth ei sylw ar geinciau canu'r Eos nododd Lewis Thomas—tad y Fonesig Amy Parry-Williams, gyda llaw—y ffaith a ddilynai'n naturiol, sef mai 'Mesurau rhyddion a ganai yn gyffredin (yn arbennig Mesur Pen Rhaw) . . .'[21] Ategiad o hyn a geir wedyn ar dudalennau *Cân a Thelyn*—ond ynghyd â phrawf fod penillion Watcyn Wyn ar yr un pryd yn gyforiog o gyseinedd ac odlau mewnol.

Un arall a ganai lawer ar benillion yr un bardd ydoedd Madam Martha Harries o Rydaman. Diddorol sylwi i Lewis Thomas honni amdani: 'Canai . . . fwy yn null y De na'r Eos, . . .'[22] Wedi dweud hynyna, fodd bynnag, y casgliad anochel am Eos Dâr ym maes canu penillion yw mai cynrychiolydd ydoedd yntau, yn bennaf, o'r hyn a elwid yn 'ddull y De'.

Fel datgeinydd meistrolgar, er iddo fodloni ar ddewis cyfyng o geinciau a mydrau, yr oedd yr Eos a'i statws yn gwbl ddiogel. Ond mater gwahanol—ac un llawer mwy cymhleth—ydoedd delwedd y canu penillion ei hunan.

Hyd yn oed ymysg cynheiliaid y gelfyddyd, arddelid mwy nag un set o ganonau. Yng nghyfnod yr Eos yr oedd digon o amrywiaeth rhwng 'dull y De' a 'dull y Gogledd' i beri i'r Brifwyl neilltuo cystadlaethau ar wahân i'w gilydd iddynt (er y câi'r un beirniad gloriannu'r ddau ddull). Fel a ganlyn, yn 1896, y disgrifiodd y cerddor D. Emlyn Evans y cyferbyniad mwyaf sylfaenol rhyngddynt:

> Strictly speaking, the South Wales form is not Pennillion Singing proper, being simply a tuneful ballad-like melody,

ond tra gwahanol oedd:

> the North Wales manner—the one generally understood when Pennillion Singing is referred to. Here the singer must not only, not sing the melody—except occasional notes, and those chiefly cadential—but he must neither start with it, nor on the first beat of the bar, or musical measure.[23]

Esgorai hyn, yn ei dro, ar wahaniaethau trawiadol eraill, yn enwedig gan fod traddodiad y Gogledd hefyd yn defnyddio mwy o amrywiaeth o fesurau barddol, gan roi lle i'r caeth yn ogystal â'r rhydd.

Pwysleisiodd Idris Vychan yn ei draethawd na ddylid cynnwys y ddau ddull o fewn i'r un gystadleuaeth—pan wnaed hynny yn Eisteddfod Llundain, 1855, er enghraifft, fe droes y chwarae'n chwerw.[24] Yn ddiplomatig, ni ddywedodd Idris ar ei ben fod y naill ddull yn rhagori ar y llall. Er iddo nodi mewn rhan arall o'i draethawd fod 'ambell i linell yn y mesurau caethion yn fwy anhawdd o lawer i'w gosod i eistedd ar yr alaw yn rheolaidd, trwy fod accen y gynghanedd yn newid . . .',[25] bodlonodd, wrth gyfeirio at ddull y De, ar ddatgan 'Ni ystyrir hwn fel "canu gyda'r tannau"', gan ychwanegu bod 'gwahaniaeth dirfawr' rhwng y ddau ddull.[26] Pan gyhoeddodd Nicholas Bennett ei *Alawon Fy Ngwlad* yn 1896—hynny yw, ar adeg pan oedd Eos Dâr wedi hen ennill ei blwy fel datgeiniad a beirniad ar lefel genedlaethol—ni roes ofod i'r un Hwntw yn ei oriel 'Pennillion Singers',[27] ac yn 1913 cadarnhawyd yng nghyfrol Robert Griffith mai 'O'r braidd yr ystyrrir dull y De yn ganu penhillion o gwbl erbyn hyn'.[28] Hwyrach fod gosodiad yr olaf yn egluro paham na ddewisodd yntau enwi Eos Dâr ymhlith y niferus gantorion penillion a gatalogiwyd yn ei waith llafurfawr.

Yr oedd y problemau a wynebai gelfyddyd canu penillion, fodd bynnag, yn fwy dyrys na chwestiwn sylfaenol y ddau ddull—er iddi ymddangos bod rhai o'r anawsterau yn fwy cysylltiedig â 'dull y Gogledd'.

I ddechrau, tra bod sefydliad yr Eisteddfod yn troi'n fwyfwy parchus ei ddelfrydau, yr oedd canu penillion yn ei chael yn anodd anghofio'i wreiddiau mewn cynefin mwy gwerinol, cartrefol ac anffurfiol. Ebe Idris Vychan, er cydnabod i'r sefyllfa wella, 'Y mae datganu pennillion o chwaeth isel yn fai mawr yn llawer o'n datceiniaid',[29] a gofalodd am roi lle i'r bygythiad canlynol ymysg ei ddeg rheol: 'Pwy bynag a ddatgano eiriau isel a masweddol, fod iddo gael ei gondemnio yn y fan, a'i droi allan i'r awyr agored'.[30] (Man a man, wrth gwrs, fuasai troi'r offeryn cyfeilio allan ar yr un pryd, gan fod y delyn hithau'n tystio i hen gyswllt y traddodiad â'r dafarn.)

Hyd yn oed heb i bethau fynd dros ben llestri o anweddus, doedd dim dwy amdani fod canu penillion, ynghanol holl weithgarwch difrifddwys a rhwysgfawr y Brifwyl,[31] wedi magu delwedd *comic relief*. Anodd, mewn gwirionedd, i'r gelfyddyd gario'r dydd ar y llwyfan Eisteddfodol. Doedd canu geiriau ysgafn o unrhyw fath—heb ymostwng i ganu maswedd—ddim yn anrhydeddus yng ngolwg pawb. Ar y gorau, i rai, *genre* is-lenyddol—os nad islaw llenyddol—oedd yr Hen Benillion beth bynnag. Ac, yn ôl Brynfab, cyfyng oedd apêl y canu cynganeddol yntau:

> Canu yn 'null y Gogledd'—canu englynion, cywyddau, etc., oedd o dan yr hen drefn, a chanu yr un hen bethau, [?byth] ac hefyd. Dichon fod mwy o angen cywreinrwydd ac asgwrn gen ystwyth gyda'r pethau hynny,ond nid oedd chwrnellu cydseiniaid i fodolaeth yn ennyn diddordeb y dyrfa yn gyffredinol. Yr oedd y cynghaneddwyr yn medru mwynhau y cleciadau, gan nad beth am y canu; ond i'r sawl na wyddent ddim am gynghanedd, nid oedd y canu gyda'r tannau yn nemawr o fudd na difyrwch.[32]

I'r gwrthwyneb, y mae lle i gredu (neu i ofni) y *gallai*'r datganiadau cynganeddol fod yn destun cryn 'ddifyrrwch' iddynt hwythau—ond nid yn yr ystyr garedig. I gychwyn, er cymaint y pwys a roid ar eirio a chynanu eglur, yr oedd y canu caeth yn llai tebygol o fod yn ddealladwy i'r lliaws. Arwyddocaol hefyd, efallai, yw cyfeiriadau chwareus Brynfab at 'chwrnellu cydseiniaid i fodolaeth' a'r angen am 'asgwrn gen ystwyth', yn enwedig o ystyried bod yr hen ganu penillion—ar brydiau, beth bynnag—yn symud yn lled garlamus. (Onid adleisio hyn a wna recordiad ffwrdd-â-hi Mr Harry Drew o Hen

Benillion, ar gainc 'Serch Hudol', yn nechrau'r ganrif bresennol, er enghraifft?)[33] Gydag edmygedd y cydnabu D. Emlyn Evans:

> the number of syllables, words, and lines an accomplished Pennillion Singer can put in a bar or two, when occasion demands, is very remarkable,[34]

ond nid anodd dychmygu y gallai arddangos y sgiliau arbennig hyn droi'n ganu treth-tafod, gan swnio'n ysgytwol o ddigri i rai. (Wedi'r cwbl, wrth roi'r sylw sylfaenol i acennu—a hynny, gyda llaw, yn esgor ar amrywiol batrymau rhythmig rhwng y prif guriadau—yr oedd y canu hwn yn nes at draddodiad *puirt-a-beul* y Gwyddelod a'r Albanwyr, 'adrodd pwnc' yr addoldai Cymraeg, neu ganu *rap* cydwladol y dwthwn hwn, nag ydoedd at werthoedd cerddorol Eidalaidd yr Eisteddfod a'r Cyngerdd Mawreddog.)

Dichon, wedyn, fod hen drefniant cystadleuol y datgeiniaid, sef 'y canu cylch',[35] yn troi'n faen melin ychwanegol am wddf y traddodiad. Fe'i bwriedid, wrth gwrs, i arddangos clyfrwch y datgeiniaid i'r eithaf, ond anochel, efallai, fod ei batrwm ymrysonol—lle brwydrai'r

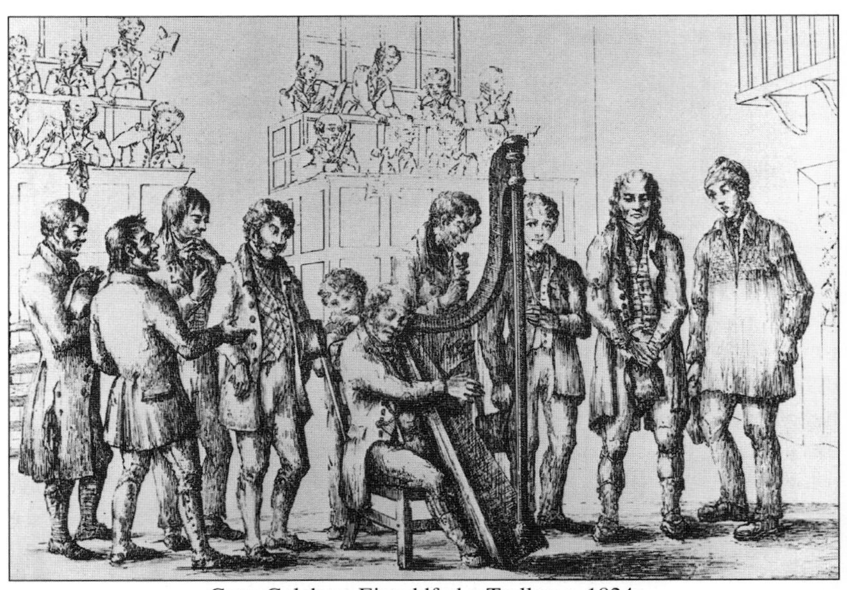

Canu Cylch yn Eisteddfod y Trallwng, 1824.

(Amgueddfa Werin Cymru)

cystadleuwyr i 'ganu'i gilydd allan'—yn ennyn llawn cymaint o grechwen ag o gymeradwyaeth. (Dadlennol, gyda llaw, fu gweld un arbenigwr o'r cyfnod presennol yn ei ganmol fel y 'grefft ryfeddol hon' ond un arall yn ei fedyddio 'yn ddiddanwch ofer—mwy o syrcas na chelfyddyd'.)[36]

Ar yr ochr gerddorol yn gyffredinol, y tebyg yw mai argraff lled anffodus a wnâi canu penillion ar y gwybodusion uchel-ael. Yn unpeth, tueddai'r traddodiad i rygnu'n gynyddol ar ddyrnaid yn unig o geinciau—a'r rheini'n ddigon cyfyng eu cordiau. Canfyddai Idris Vychan y gwendid: 'Yr un alawon a geir yn mhob Eisteddfod bron megis Pen Rhaw, Serch Hudol, Merch Megan, Castell Rhuthyn, etc. Gwir fod yr alawon hyn yn hen alawon campus i ddatganu arnynt, ond, oni ddylid cael mwy o amrywiaeth?'[37] (Ar y telynorion, yn hytrach na'r datgeiniaid, y gosodai Idris y bai, gyda llaw.)

Am natur y cyfalawon, wedyn, cyfyngu sylw i fater acennu cymwys a wnaeth ei ddeg rheol, heb drafod y cyfalawon o unrhyw safbwynt cerddorol arall. Gresyn o'r mwyaf, wrth gwrs, nad oes bellach fodd *clywed* rhai o ddatgeiniaid y ganrif o'r blaen yn perfformio. Yn absenoldeb hynny ni ellir ond pwyso'n rhwystredig ar ambell sylw perthnasol o'r gorffennol, ynghyd â thystiolaeth nifer o enghreifftiau cerddorol a gyhoeddwyd ar bapur (yn bennaf, yn nhraethawd Idris Vychan a chasgliad cynharach Owain Alaw, *Gems of Welsh Melody*, 1860-64).

Am ddadansoddi manylach ar osodiadau'r ddwy ffynhonnell o safbwynt cerddorol, gellir troi at ysgrifau'r arbenigwyr Meredydd Evans a Phyllis Kinney, Aled Lloyd Davies ac Osian Ellis.[38] A chyfyngu sylw yn awr i lwybr cerddorol y llais ynddynt, yr argraff gyffredinol a ddyry'r gosodiadau hyn yw eu bod, yn dorfol ac yn unigol, yn amrywio rhwng symud rhywfaint i fyny ac i lawr (gan ddilyn alaw'r gainc, bryd hynny!) ynteu sefyll yn llonydd (hynny yw, heb newid traw am lawer o nodau). Nid yw'n eglur i ba raddau yr oedd yma ganu o'r frest, neu ganu 'ar y pryd'. Mewn darlith arloesol i'r Cymrodorion yn 1913 yr hyn a nododd Isallt (Dr. R. Roberts, o Lan Ffestiniog) oedd fod disgwyl i'r lleisiwr:

> to render, either an already 'set' twin-harmonious melody, or improvise and embroider a melodic strain to the tune played . . .[39]

Pa faint o greu gwirioneddol fyrfyfyr—yn ystyr traddodiad *jazz*, dyweder—a berthynai i ganu penillion bryd hynny sydd gwestiwn pryfoclyd. (Y siawns yw fod y gyfalaw, i raddau helaeth os nad yn gyflawn, ym meddwl y rhan fwyaf o ddatgeiniaid ymlaen llaw.) Ond diddorol i'r eithaf, *o safbwynt ychwanegol*, fyddai gwybod pa mor symudol neu lonydd (hynny yw, pa mor un-dôn-og yn llythrennol) ydoedd rhediad cerddorol y cyfalawon trwyddynt draw—oherwydd y mae lle i gredu bod hynny ynghlwm wrth ffactor bwysig arall.

Mynnodd Idris Vychan yn ei draethawd: 'Nid canu yr *alaw* bydd y datceiniad, ond rhoi *adroddiad* (*recitation*) ar gân;'[40]—a chyfeiriodd D. Emlyn Evans, yn 1896, at 'recitation being the leading principle in Pennillion Singing . . .',[41] gan hefyd gadarnhau sylw cynharach gan 'Pencerdd Gwalia':

> Pennillion Singing, as Mr John Thomas states, is somewhat similar to the parlante singing heard at the Italian comic opera . . .[42]

Isallt, fodd bynnag, a ddywedodd fwyaf am y pwnc hwn yn benodol:

> The term "cantillation of penhillion", which has been suggested as an English name for this form of Welsh chanting or llafarganu, is so appropriate . . .[43]

Manylodd ymhellach:

> The words should not be sung as a musical rendering, but rather cantillated or recited in a singing strain, as nearly as possible as if they were spoken.

Ac ategodd wedyn:

> As the words . . . are of even more importance than the music . . . really the *penhillion* singer is more of a reciter than of a vocalist.

Yng nghwrs yr un ddarlith y cyfeiriwyd at:

> the reciting euphonic voice peculiar to the *penhillion* singer.

Tybed ai rhywbeth o'r fath a glywyd, hefyd, rai blynyddoedd yn ddiweddarach, ar garol mewn gwasanaeth plygain yn eglwys Llanfihangel-yng-Ngwynfa, sir Drefaldwyn:

> Adroddir am barti o Fawddwy yn myned i Lanfihangel ac yn canu mewn dull mor anarferol nes y taerai pawb mai adrodd yr oeddynt.[44]

A thybed, ymhellach, ai aelodau o deulu Perthyfelin, Cwm Cywarch—datgeiniaid penillion cydnabyddedig—oedd yr 'adroddwyr' hyn.

Ceir tystiolaeth fod y sianto undonog wrth ganu gyda'r delyn yn hen draddodiad yng ngogledd Cymru. Dros ganrif yn gynharach na darlith Isallt sylwasai Iolo Morganwg arno, gan ei gyferbynnu â dull canu'r De:

> The ancient Northwalian singing is a kind of chaunt which is to this day retained, and it is adapted to every kind of verse and stanza . . .In singing to the harp whatever tune is played whether solemn or gay, slow or brisk the songster sings his very various kinds of stanzas . . . to the same dull chaunt, which to say the best that can [be] said of it, is nothing better than a tollerable drone to the harp . . . In South Wales the manner of singing is for the instrument to play the song's appropriate tune which, and not a chaunt, the singer also uses.[45]

Mater perthynol arall a gafodd sylw Isallt ydoedd soniaredd y llais:

> It is also maintained that there is a certain quality of voice possessing a *timbre*, not necessarily musical, but essential to this kind of singing or cantillating, and that no more than about one in ten of the public are endowed with it.[46]

Ni ddynodir yma ba fath o *timbre* ond mae'n werth gofyn ai un o ddeiliaid yr athroniaeth uchod a glywodd y cerddor a'r beirniad David Jenkins mewn eisteddfod 'yn y Gogledd' yn haf 1909:

> Y ddau oreu am leisiau da, llawn a chyfoethog, a glywsom, ydynt Mr Dew, Porthaethwy, a Mr Evan Jones, Blaenau Ffestiniog. Mae yn wir i ni glywed un arall fu yn meddu ar lais da; ond, rywsut, tra yn arfer canu gyda'r tannau, aeth i gynyrchu ei lais trwy ei ffroenau, fel yr oedd yn deneu, oer, a ffroenawl; gobeithiwn nad aeth i wneyd hyn dan yr argraff mai wrth ganu felly y deuai yn boblogaidd fel canwr pennillion. Beth bynag, dirywiodd ei lais yn fuan.[47]

Pa un ai trwy gynllun Rhagluniaeth ynteu ddyfais bersonol, yr oedd yn rhengoedd yr hen ddatgeiniaid, gwaetha'r modd, amryw frain yn ogystal ag eosiaid. I'r cyfeiriad hwn ymddengys bod Idris Vychan ei hunan gyda'r gwannaf o'r gweinion. Am ei lais—neu ei ddiffyg llais—ef, dichon fod yr hyn *na* fynegodd Nicholas Bennett yn awgrymog. Yn *Alawon fy Ngwlad*, wrth gatalogio datgeiniaid-penillion enwocaf y genedl, dewisodd gydnabod 'sweet voice' Iolo Trefaldwyn, 'good voice' Eos Môn a 'remarkable tenor voice' Eos Crwst.[48] Am lais Idris Vychan, fel lleisiau saith canwr arall a ddyrchafodd i'w oriel, ni ddywedodd yr un dim!—a hyn er iddo ddisgrifio Idris fel y 'chief of Pennillion Singers'. Ond rai blynyddoedd yn ddiweddarach traethwyd y gwir yn ddi-flewyn-ar-dafod gan yr arbenigwr David Jenkins. Wrth drafod 'canu gyda'r tannau' y mentrodd ef gyhoeddi:

> Nid ydym heb ofni fod yr enghreifftiau ydys wedi gael yn nglŷn â'r Eisteddfod Genedlaethol yn peri i rai o'n cantorion feddwl mai un o anhebgorion y dull hwn o ganu ydyw meddu ar lais gwichlyd ac ansoniarus, am fod "Idris Fychan"yn digwydd bod a llais gwael ganddo, ac amryw ereill sydd wedi bod yn fuddugol yn ein prif wyliau.

Ai gor-ddrwgdybus fyddai gofyn a oedd Idris yn gwarchod rhywfaint ar ei gefn ei hunan wrth bwysleisio 'Nid i'r lleisiwr goreu y rhoddir y wobr . . .'? Bid a fo am hynny, aeth David Jenkins rhagddo i holi'n bryderus:

> . . . paham na ddysga ein lleiswyr goreu ganu gyda'r delyn? Gan amlaf, lleiswyr cyffredin sydd yn canu pennillion telyn! Paham? Mantais annrhaethol fyddai pe dysgid cywyddau a chaneuon o farddoniaeth Gymreig gan leiswyr da, ie, rhai a fedrant barablu yr iaith yn groew, gyda lleisiau clochaidd ac eglur.

Ychwanegodd:

> Credwn y talai eu ffordd i'n prif Faritoniaid ddysgu y grefft, ac y byddai yn lawer fwy derbyniol gan y lluaws, na'u clywed yn canu nifer o ganeuon ystrydebol y Saeson.

A dychwelyd at y cyfalawon am eiliad neu ddwy. Hyd y gwyddys, cysyniad hollol ddiarth i'r hen ddatgeiniaid fuasai creu cyfalaw a allai sefyll ar ei phen ei hun fel alaw gain. Rhaid gofyn gyda hyn pa faint o ddychymyg cerddorol fel y cyfryw a amlygid yn eu creadigaethau, a pha argraff a wnâi'r rheini ar wrandawyr a oedd wedi eu magu fel arall ar alawon mwy datblygedig, rhai'n adlewyrchu estheteg y canu 'clasurol' cydwladol. A chofier mai cylchdro cymharol fyr a oedd i lawer o'r ceinciau penillion ac mai 'gosodiadau' yn ailganu ar yr un cylchdro (yn hytrach na gosodiadau estynedig) oedd cyfalawon y cyfnod. Yma, eto, dichon fod tipyn o agendor rhwng amcanion celfyddydol y datgeiniaid eu hunain a disgwyliadau artistig eu cynulleidfa.

Am y cyfalawon, pa mor llonydd neu symudol bynnag eu cyfeiriad neu siâp, rhywbeth a gynhyrchid 'ar y glust' oeddynt, yn rhan o grefft lafar a ddaethai i lawr o'r gorffennol. Ym mhrofiad y datgeiniaid, amherthnasol fuasai medru *darllen* cerddoriaeth neu lunio 'gosodiad' ar bapur. Nododd Idris Vychan, a hynny ym mharagraff agoriadol ei draethawd: 'Ychydig o'n datceiniaid oedd, ag sydd yn awr yn alluog i ddarllen cerddoriaeth', cyn ychwanegu 'er hynny, "Trêch natur na dysgeidiaeth".'[50] Mater o falchder, felly, oedd hyn iddo ef, ac nid siomedigaeth. Yn llyfrau cerddorion mwy 'hyfforddedig', fodd bynnag,—ac yn gynyddol fel yr âi Oes Victoria yn ei blaen—dyna deilyngu marc du arall wedyn i'r traddodiad canu penillion.

* * *

Fel y gwelai Idris Vychan y sefyllfa, ar y 'cerddorion' eu hunain yr oedd y diffyg:

> Ond ychydig o gerddorion sydd yn deall ail i ddim am briod-ddull canu yr hen Gymry—y canu cenhedlaethol, sef 'canu gyda'r tannau'.[51]

Dichon fod yr arbenigwr,wrth haeru hyn, yn llygad ei le. A bod yn deg, gwneud cam dybryd â chanu penillion y cyfnod fuasai meddwl ei fod yn amddifad o ddoniau a sgiliau. Y gwir syml amdani yw fod canonau canu penillion, yn y bôn, *mor* wahanol i eiddo datganiadau cerddorol eraill. Er gwell neu er gwaeth dyma gelfyddyd na ellid yn hawdd gysoni ei gwerthoedd â chwaeth y *milieu* Eisteddfodol a oedd ohoni. Lletchwith, a dweud y lleiaf, fuasai ceisio trefnu priodas hollol gymharus.[52]

Mor gynnar â chwedegau'r ganrif condemniodd Dr Thomas Nicholas y canu penillion fel rhyw waddol o'r cynfyd a oedd 'more and more out of joint with the spirit of modern times'.[53] A chynifer o safonau celfyddydol a chymdeithasol yn milwrio yn erbyn y traddodiad, gorchest neilltuol Eos Dâr, law yn llaw â Watcyn Wyn ac yna Brynfab, fu darparu a chyflwyno math o ganu penillion a oedd yn gymeradwy—neu led-gymeradwy, o leiaf—gerbron cynulleidfa ddosbarth-canol ei ddydd. Yr oedd cymwysterau ac adnoddau cerddorol yr Eos yn urddasol, geiriau'r penillion yn ddealladwy a didramgwydd, a pherfformiadau'r datgeinydd yn slic. A defnyddio un o ymadroddion llywodraethol ein hoes ni heddiw, yr oedd y cynnyrch a'i gyflwyniad fel ei gilydd yn *user-friendly*.

O reidrwydd, cyfaddawdol fu'r orchest, a hithau'n gorfod ateb tueddfryd cynulleidfa fwy llednais a soffistigedig na hen werin yr aelwyd gefn-gwlad a'r dafarn. Yn y broses o barchuso'r traddodiad yr oedd yn ofynnol llyfni a dofi rhywfaint arno—a gellid honni iddo, i ambell gyfeiriad, gael ei ysbaddu. Hwyrach mai anochel talu'r fath bris os oedd y traddodiad i oroesi o gwbl ar lwyfan yr Eisteddfod, os nad *oddi ar* y llwyfan hwnnw yn ogystal.

* * *

Wrth i Eos Dâr, fel datgeiniad, beirniad a darlithydd, rychwantu traddodiadau canu penillion y Gogledd a'r De—a chofier mai efe oedd y Sowthyn cyntaf i wneud ei farc mor amlwg yn y maes—ac wrth iddo helpu i drawsblannu'r canu llafar gwlad hwn i'r llwyfan cyhoeddus,llwyddodd hefyd i bontio rhwng yr hen a'r newydd, sef rhwng y gorffennol a'r dyfodol.

Erbyn wythdegau'r ganrif o'r blaen, yn ôl prif hanesydd yr Eisteddfod, yr oedd arwyddion eglur fod celfyddyd canu penillion yn diffodd, a'i draddodiad yn dirwyn i ben:

> Ni raid amau na sydynrwydd na llwyredd dirywiad y gelfyddyd. Yng nghyfarfod agoriadol y Cymrodorion yn Eisteddfod Genedlaethol Caerdydd, 1883, cyfeiriwyd at Idris Vychan fel yr olaf o'r gwir ddatgeiniaid. Gyda'i farw ef 'roedd yn fwy na thebygol y darfyddai am ganu penillion hefyd, oherwydd nid oedd sôn am ddilynwyr iddo yn unman.[54]

Yn 1885 y gwelodd Idris gyhoeddi ei draethawd awdurdodol, a oedd ar un olwg—er cryfed ei ddyheadau a'i argymhellion—fel pe bai'n canu cnul y traddodiad. A thystiolaeth drist o ategol a roed yn *Alawon fy Ngwlad* (1896) wrth restru 'Famous Welsh Harpists and Pennillion Singers': o blith yr un datgeiniad ar ddeg a enwyd yno, yr oedd saith eisoes wedi mynd i'w hir gartref (a hynny, bron ymhob achos, er ys talm), tra bod un arall, Eos Ebrill, wedi cyrraedd Oed yr Addewid.[55] Yr oedd, yn wir, berygl fod y traddodiad yntau yn marw ar ei draed.

Trwy gyd-ddigwyddiad, yn 1885 hefyd yr ymddangosodd Eos Dâr gyntaf fel Datgeiniad swyddogol yr Orsedd. Ac o ddiwedd yr wythdegau ymlaen, am genhedlaeth gyfan, ef oedd prif gynrychiolydd y traddodiad hwn ar y pedestal uchaf. Wedi amser Idris Vychan, a gladdwyd yn 1887, cyfraniad yr Eos fu'r cyfrwng amlycaf a chadarnaf i gario'r traddodiad drwodd at weithgarwch cymwynaswr allweddol arall, Dafydd Roberts, Telynor Mawddwy.

Diolch i'r telynor dall, a gyhoeddodd *Y Tant Aur* yn 1911 a (chyda P.H. Lewis) *Cainc y Delyn* yn 1915 ac ailwampiad o'r *Tant Aur* y flwyddyn wedyn, fe atgyfnerthwyd seiliau'r traddodiad o'r newydd, mewn modd ymarferol, gan baratoi'r ffordd ar gyfer yr holl ddatblygiadau cyffrous a drawsnewidiodd ganu penillion yn yr ugeinfed ganrif.[56] Gyda hyn, mae'n wir, dychwelwyd awenau'r traddodiad i ddwylo'r Gogleddwyr—ond, erbyn ei farw ym Mawrth 1915, yr oedd yr Eos o Gwm Cynon wedi chwarae rhan gwbl dyngedfennol i gynnal a chadw'r gangen unigryw hon ar ganiadaeth frodorol y Cymry. Gyda golwg ar y chwarter canrif blaenorol, hawdd y teilyngai ef y deyrnged a dalwyd iddo wrth adrodd ar gyfarfod Cymrodorion Aberdâr ddiwedd yr wythnos y bu farw, fel 'y canwr penillion digyffelyb'.[57]

NODIADAU

*Gan fod yr ysgrif uchod yn canolbwyntio ar Ddeheuwr, a'i fod yntau'n perthyn i gyfnod mor bell yn ôl, dewiswyd cadw at yr ymadrodd 'canu penillion' drwyddi draw, yn hytrach na'r cyfystyron 'canu gyda'r tannau' neu 'ganu cerdd dant'.

[1]Tud. 207.

[2]Ysgrif gan 'T.T.', 'Ein Cerddorion (Rhif 134): Eos Dar, Mardy', *Y Cerddor*, XX, Hydref 1909, 110-11.

[3]Rhifyn 2 Hydref 1913.

[4]Seilir yr ystadegau ar dystiolaeth Rhaglenni Swyddogol yr Eisteddfod Genedlaethol.

[5]Ar Brynfab, gw. Dafydd Morse, 'Thomas Williams (Brynfab, 1848-1927)', *Cwm Rhondda*, gol. Hywel Teifi Edwards (Llandysul, 1995), 134-52.

[6]Brynfab, 'Eos Dar', rhan II, *Y Darian*, 8 Ebrill 1915.

[7]Ar Watcyn Wyn, gw. *Y Bywgraffiadur Cymreig hyd 1940*, 1011-12, a W.J. Phillips, 'Watcyn Wyn', *Cwm Aman*, gol. Hywel Teifi Edwards (Llandysul, 1996), 26-42.

[8]Brynfab, loc.cit.

[9]Lewis Thomas, 'Canu Penillion yn y De', *Allwedd y Tannau*, 1 (Lerpwl, 1936), 17.

[10]Gw. yr awdur 'T.T.', op.cit., 111; Lewis Thomas, loc. cit; a'r *Aberdare Leader*, 20 a 27 Mawrth 1915.

[11]*Hanes ac Henafiaeth Canu gyda'r Tannau* (Llundain, 1885), 43. (Sylwer, gyda llaw, i'r gwaith gael ei gynhyrchu, yn wreiddiol, ar gyfer Eisteddfod Genedlaethol Caer, 1866.)

[12]Ibid., 42-3.

[13]*Y Darian*, 25 Mawrth 1915, a'r *Aberdare Leader*, 27 Mawrth 1915.

[14]Rhifyn 8 Ebrill 1915.

[15]Ibid.

[16]W.H. Williams (Watcyn Wyn), 'Canu Penillion', *Transactions of the Honourable Society of Cymrodorion*, (= Trans. Cymru.), Sesiwn 1899-1900 (Llundain, 1900), 112-17.

[17]Watcyn Wyn, *Cân a Thelyn* (Abertawe, 1895), 17-26, 29-30 a 37-43.

[18]Ibid., 14.

[19]Lewis Thomas, loc. cit.

[20]Gw. *Cân a Thelyn*, 40-1.

[21]Lewis Thomas, loc. cit. Sylwer, eto i gyd, i'r Eos ei hunan nodi am y gainc 'Pen Rhaw': 'Gellir datganu englynion, cywyddau, &c., ar yr alaw uchod'. *Cân a Thelyn*, 14. A chofier hefyd fod prinder amrywiaeth ar fesurau yn hen broblem, ac yn gyffredinol. Yn ôl traethawd Idris Vychan, gyda golwg ar y 24 mesur barddol: 'Nid ydyw y datceiniaid presenol yn alluog i ddatganu eu haner'. (t.31)

[22]Lewis Thomas, op.cit., 18.

[23]D.E.E. (sef D.Emlyn Evans), 'Pennillion Singing', *Alawon fy Ngwlad*, gol. Nicholas Bennett, 2 (Y Drenewydd, 1896), 11.

[24]Idris Vychan, op. cit., 45.

[25]Idris Vychan, op. cit., 43.

[26]Idris Vychan, op.cit., 45.

[27]Cyf. I, xiii-xviii. Yn ail gyfrol yr un cyhoeddiad, condemniodd D.Emlyn Evans yn hallt ar ganu 'dull y De': 'As a musical or an artistic performance . . . this is much inferior to the North Wales manner . . .', 11.

[28]Idris Vychan, *Llyfr Cerdd Dannau* (Caernarfon, 1913), 412.

[29]Idris Vychan, op. cit., 41.

[30]Idris Vychan, op.cit., 43.

[31]Am drafodaeth fanwl ar yr Eisteddfod Genedlaethol a'i gwerthoedd yn ei chyfnod cynnar, gw. Hywel Teifi Edwards, *Gŵyl Gwalia* (Llandysul, 1980). Rhoir yno sylw i ddirywiad y traddodiad 'cerdd dant' ar dud. 208-12 a 430.

[32]'Eos Dar', *Y Darian*, 25 Mawrth 1915.

[33]Disg Harry Drew, 'Penillion Singing', Gramophone Concert Record, G.C.-2-2649.

[34]'Pennillion Singing', *Alawon Fy Ngwlad*, gol. Nicholas Bennett, 2 (Y Drenewydd, 1896), 111.

[35]Ar y 'canu cylch' gw. Aled Lloyd Davies, *Cerdd Dant: Llawlyfr Gosod* (Caernarfon, 1983), 16.

[36]Aled Lloyd Davies, ibid., ac Osian Ellis, 'Hanes y Delyn yng Nghymru', *Allwedd y Tannau*, 51 (1992), 61.

[37]Idris Vychan, op. cit., 51.

[38]Gw. Meredydd Evans a Phyllis Kinney, 'Hanes a Datblygiad Canu gyda'r Tannau', *Gwŷr wrth Gerdd* (Y Trallwng, 1981), 85-6; Aled Lloyd Davies, *Hud a Hanes Cerdd Dannau* (Y Bala, 1984), 8-11, ac Osian Ellis, 'Hanes y Delyn yng Nghymru', *Allwedd y Tannau*, 51 (1992), 55-62.

[39]R. Roberts (Isallt), 'Penhillion Singing with the Harp, or, Canu Gyda'r Tannau', *Trans. Cymm.,* Sesiwn 1912-13 (1913), 149.

[40]Idris Vychan, op. cit., 6.

[41]D.E.E. (sef D. Emlyn Evans), op. cit., 11.

[42]Ibid.

[43]R. Roberts (Isallt), op. cit.—daw'r pedwar dyfyniad o dud. 148, 152, 161 ac 152. Nododd John Parry (Bardd Alaw) fwy nag unwaith mai ar y pumed, yn bennaf, y llafargenid. Meddai ef, er enghraifft, yn *A Selection of Welsh Melodies* (Llundain, 1809), 55: 'the Singer as it were chants an Accompaniment chiefly on the Dominant or 5th of the Key'.

[44]Enid P. Roberts, 'Hen Garolau Plygain', *Trans. Cymm.*, Sesiwn 1952 (1954), 54.

[45]G.J. Williams, *Iolo Morganwg* (Caerdydd, 1956), 60-1.

[46]R. Roberts (Isallt), op. cit., 160.

[47]David Jenkins, 'Canu gyda'r Tannau', *Y Cerddor*, XIX, Medi 1909, 97.

[48]'Famous Welsh Harpists and Pennillion Singers', *Alawon Fy Ngwlad*, xiv, xv a xvii.

[49]David Jenkins, loc. cit.

[50]Idris Vychan, op. cit., 1.

[51]Ibid.

[52]Am ddelfrydau cerddorol yr Eisteddfod, gw., yn arbennig, y bennod 'Gwlad y Gân, Gwêl Dy Gynnydd' yn Hywel Teifi Edwards, *'Gŵyl Gwalia'* (Llandysul, 1980), 189-299.

[53]Hywel Teifi Edwards, *Yr Eisteddfod*, (Llandysul, 1976), 78.

[54]Hywel Teifi Edwards, *Gŵyl Gwalia* (Llandysul, 1980), 211.

[55]Tud. xiii-xviii.

[56]Am hanes y datblygiadau hyn, gw. Aled Lloyd Davies, *Hud a Hanes Cerdd Dannau* (Y Bala, 1984).

[57]'Cymrodorion Aberdâr', *Y Darian*, 25 Mawrth 1915.

John Davies (Pen Dar)

Ceri Treharne

Un o blant bwrlwm Cymreictod Cwm Cynon yn ail hanner y ganrif ddiwethaf oedd John Davies (Pen Dar: 1864-1940) a anwyd yn Y Gadlys, Aberdâr. Mewnfudwyr i'r ardal o Langyfelach, ger Abertawe oedd ei rieni. Daniel Davies a Hannah Davies oedd eu henwau a symudodd y ddau i Aberdâr rhywbryd cyn 1881, oherwydd yn y flwyddyn honno roeddent yn ymgartrefu yn 49 Oxford Street, Y Gadlys. Saer coed oedd ei dad mewn pwll glo lleol. John oedd y plentyn hynaf ac ar ei ôl ef ganwyd Mary Jane, Thomas, William, Daniel, Ann a Margaret.

Aeth John Davies i weithio ym mhwll glo'r Gadlys yn ddeuddeg oed, ac yn fuan wedyn gwelodd un o'i ffrindiau gorau yn cael ei ladd mewn damwain erchyll. Bu'n gweithio mewn sawl pwll glo yn ardal Aberaman am 32 o flynyddoedd ond nid oes cofnod yn nodi'r union byllau. Yn ystod y cyfnod hwnnw priododd Martha Jane Griffiths a ganed naw o blant iddynt. Bu farw tri yn ifanc iawn ond datblygodd dau ohonynt yn gymeriadau adnabyddus yn eu hardal. Roedd Ben Davies yn athro ysgol ac yn frwd iawn dros y ddrama yn Aberdâr. William Davies oedd enw'r ail fab adnabyddus ac adwaenid ef fel Cynonlais am fod llais canu da ganddo. Bu John Davies a'i deulu yn byw yn 9 Llewellyn Street, 27B Regent Street, 35 Cemetry Road, 33 Windsor Street ac o 1931 hyd ei farw yn 56 Llewellyn Street (Brook Villa).

Yn y flwyddyn 1908, pan oedd yn 44 oed, dechreuodd John Davies ar ail yrfa yn Swyddog Presenoldeb Ysgolion, neu 'Whipper-in' gyda Phwyllgor Addysg Aberdâr. Bu yn y swydd hon tan 1938 ac felly bu'n gweithio am dros 60 o flynyddoedd. Ni ellir dychmygu'r fath beth heddiw ond nid oedd yn anghyffredin yn nyddiau John Davies. Nid oedd sôn am ymddeoliad cynnar ers talwm oherwydd rhaid oedd gweithio er mwyn byw. Er ei fod mor brysur, roedd llu o ddiddordebau gan John Davies. Bu'n aelod yng nghapel y Bedyddwyr yn Y Gadlys ar hyd ei oes. Roedd hefyd yn frwd dros Sosialaeth. Yn ddyn ifanc, hyd yn oed, roedd yn weithgar yn wleidyddol. Roedd yn un o gynrychiolwyr cyntaf y Cyngor Masnach a Llafur ac yn 1902 fe'i penodwyd yn ail gadeirydd y cyngor hwnnw. Roedd yn gefnogwr triw i Keir Hardie fel un a hudwyd gan ei areithiau. Etholwyd ef yn Gynghorwr Llafur ar Gyngor Dosbarth Aberdâr, ac roedd yn perthyn i'r corff a oedd yn gyfrifol am gyhoeddi'r *Labour Pioneer* ym Merthyr. Eto i gyd, nid gwleidyddiaeth yn unig oedd ei fyd. Ymddiddorai yn niwylliant Cymru ac ef oedd un o aelodau mwyaf blaenllaw Cymrodorion Aberdâr.

Yr hyn sydd mor drawiadol ynghylch John Davies yw ei fod yn awdur cynhyrchiol. Er ei fod yn gweithio'n llawn-amser fe gyhoeddai erthyglau yn y papur lleol yn wythnosol am gyfnod hir, gan ysgrifennu o dan yr enw Pen Dar o 1912 hyd 1940. Roedd yn enwog trwy Gwm Cynon fel hanesydd. Hanes lleol oedd ei ddiléit ac yn *The Aberdare Leader* rhannai ei wybodaeth â'r darllenwyr yn wythnosol. Bu'n ysgrifennu yn y *Leader* o 22 Mawrth 1924 hyd ei farw ym mis Chwefror, 1940. Am un mlynedd ar bymtheg bu'n ysgrifennu erthyglau Saesneg gan gyfrannu'n helaeth at fywyd diwylliannol

John Davies (Pen Dar).
(Llyfrgelloedd Rhondda Cynon Taf)

Aberdâr. Ond nid yr erthyglau yn *The Aberdare Leader* oedd cyhoeddiadau cyntaf Pen Dar. Ym 1912 dechreuodd gyhoeddi'n gyson yn y papur Cymraeg, *Tarian y Gweithiwr*. Argraffwyd y papur hwn a'r *Leader* yn yr un swyddfa yn Aberdâr ac ni ellir anwybyddu pwysigrwydd y dref fel canolfan i'r wasg yn ystod y ddeunawfed a'r bedwaredd ganrif ar bymtheg.

Y mae Pen Dar wedi'i anghofio ar ôl ei farw. Yn wir, mae rhywun yn meddwl am W.W. Price fel hanesydd lleol enwocaf Aberdâr yn ystod ail hanner y ganrif ddiwethaf a dechrau'r ganrif hon. Ond yn ei ddydd, roedd Pen Dar yr un mor enwog â Price ac ni ddylid anghofio na chafodd Pen Dar addysg ffurfiol gan iddo fynd i weithio yn ddeuddeg oed. Mewn cyfrol a gyhoeddwyd gan Gymdeithas Hanes Cwm Cynon, sef *Old Aberdare. Volume Five* (1988), gwelais erthygl gan John Mear ar Pen Dar a'i golofn Saesneg yn y *Leader*. Wedi cysylltu ag ef fe'm gwahoddwyd i'w dŷ i weld y 'memorabilia' sydd ganddo o gyfnod Pen Dar. Roedd ganddo stori ddiddorol i'w dweud. Mae ei wraig yn casglu ac yn gwerthu hen bethau yn Aberdâr a rhai blynyddoedd yn ôl fe brynodd gynnwys hen dŷ yn Y Gadlys. Pan aeth yno a dechrau edrych o amgylch y tŷ, digwyddodd weld llyfr hanes prin mewn ystafell. Galwodd ei gŵr yno am ei fod yn ymddiddori mewn hanes lleol ac yno, mewn un ystafell, roedd holl nodiadau Pen Dar, ei lyfrau a'i lythyron. Ymddangosai nad oedd dim wedi ei daflu. Merch yng nghyfraith Pen Dar oedd yn arfer byw yno a thrwy lwc roedd Mr Mear wedi clywed am Pen Dar ac yn sylweddoli gwerth y cyfan oedd yno. Efallai y byddai rhywun heb fawr o ddiddordeb mewn hanes lleol wedi taflu'r cyfan. Fodd bynnag, roedd hi'n fraint cael edrych trwy nodiadau personol Pen Dar a chael gweld ei ddyddiadur a'r erthyglau papur newydd a gadwodd mewn llyfrau. Ar sail y defnyddiau hyn yr ysgrifennodd Mr Mear ei erthygl.[1]

Nid ysgrifennu ar gyfer papurau newydd yn unig a wnâi Pen Dar. Ym 1914 cyhoeddodd ddrama, sef *Pai Johnny Bach*. Ymddangosodd y ddrama hon am gyfnod o bum mis yn *Tarian y Gweithiwr* fel rhan o'r golofn, 'Pwll y Gwynt'. Crwtyn ifanc sy'n cael ei orfodi i fynd i weithio yn y pwll glo er mwyn helpu i gynnal ei deulu yw Johnny Bach ac mae'r ddrama, fel y cawn weld, yn dadlau achos Sosialaeth. Roedd parch mawr i Pen Dar yn Aberdâr ac ymddangosai ambell lythyr yn *Tarian y Gweithiwr* ac yn *The Aberdare Leader* yn ei ganmol am ei waith da. Dyma a ddywedodd rhywun di-enw amdano: 'Mae yn ddirwestwr egwyddorol ac ymarferol, ac yn llenor aiddgar, deallgar a blaenfynedol.'[2]

Awgryma John Mear iddo ysgrifennu erthyglau di-enw ar gyfer y *Leader* ym 1924, ond nid oes modd profi hyn. Dechreuodd ei golofn yn gyson yn y papur hwnnw ar 22 Mawrth 1924 ac yn y golofn gyntaf un ceir hanes capel Y Gadlys. Tra oedd yn löwr, ni châi lawer o amser i ganolbwyntio ar ei brif ddiddordeb, sef hanes lleol. Ond wedi iddo gael ei benodi'n 'whipper-in' ym 1908 roedd mwy o amser ganddo i astudio'r maes ac i ysgrifennu ar faterion eraill yr ymddiddorai ynddynt. Yn ei erthygl gyntaf yn y *Leader* ceir hanes capel Y Gadlys ac â'r hanes yn ei flaen am wythnosau wedi hynny. Yn ei golofn wythnosol, edrych yn ôl ar Aberdâr a'i phobl a wna. Ar 8 Mai 1924, pennawd y golofn yw 'Aberdare 50 years ago—a new yarn about old things'; ond erbyn 17 Mai 1924, 'Looking Backwards' yw'r pennawd iddi a dyna fu wedyn hyd y diwedd. Mae ôl ymchwil manwl ar ei golofn Saesneg, ac ymhyfrydir ym mhopeth sy'n ymwneud ag Aberdâr.

Bu Pen Dar yn löwr am flynyddoedd a cheir sawl colofn ar hyd y blynyddoedd yn canolbwyntio ar byllau glo'r ardal. Cofiai'n rhy dda, er pan oedd yn grwtyn ifanc iawn, bod marwolaeth yn hollbresennol yn y gymuned lofaol. Cofiai ei rieni'n mynd ag ef i Ferndale ar ôl y drychineb yn y pwll glo pan laddwyd 53 o lowyr ar 19 Mehefin 1869. Yn bedair a hanner blwydd oed, aeth Pen Dar yno i dalu teyrnged i'r sawl a fu farw: 'I was only four and a half years of age at the time. But the impression of the scenes are still vivid in the memory.'[3] Dechreuodd ar ei yrfa fel glöwr yn hen bwll Y Gadlys: 'It is there I experienced the first longing and the dreariness of a hard long day without seeing my mother.'[4] Clywn am farwolaeth un o'i ffrindiau gorau yn yr un golofn. Yn grwtyn, fel Pen Dar, syrthiodd yn y gwaith a rhedodd ceffyl a dwy ddram yn llawn glo drosto. Lladdwyd Morris, mab Tom Ceffyl Bach, a gwelodd Pen Dar y cyfan. Roedd y farwolaeth yn erchyll ond rhaid oedd parhau i weithio; fodd bynnag, mae'n amlwg o'r disgrifio manwl flynyddoedd wedi'r ddamwain na allai Pen Dar anghofio'r digwyddiad.[5]

Serch hynny, nid storïau trist a digalon yn unig a geir am brofiadau'r awdur dan ddaear. Wrth sôn am y gwahanol gymeriadau a weithiai ym mhyllau'r Gadlys y mae'n peri chwerthin yn aml. Mae edmygedd yn ei lais wrth adrodd hanes y rhai a weithiai mor galed er mwyn ennill ychydig o arian i gynnal teulu. Mae'n cofio Tom Dynevor, prif haliwr y pwll, fel gweithiwr da a chydwybodol. Jenkin Giles oedd y goruchwyliwr, er mai un fraich yn unig oedd ganddo. Roedd ar y plant a weithiai yn y pwll ei ofn, gan gynnwys Pen Dar, am ei fod yn gymeriad mor gryf. Serch hyn, mae Pen Dar yn ei ganmol am ei fod yn Gristion da: 'He was a faithful member of Carmel (Calvinistic Methodist), and a regular attendant in church meetings.'[6] Ai dyna oedd yn bwysig i'r awdur? A ellid maddau camweddau a phechodau am fod rhywun yn mynychu'r capel neu'r eglwys yn gyson? Bu Pen Dar yn gapelwr ar hyd ei oes ac efallai ei fod yn mesur pobl yng ngoleuni ei ddaliadau crefyddol. Cawn farn bellach ar y mater yn ei golofn Gymraeg ac yn ei ddrama yn arbennig.

Pan oedd yn fachgen ifanc roedd ardaloedd Llwydcoed a Sguborwen yn Aberdâr yn llawn sŵn a bwrlwm pyllau glo a gweithfeydd haearn. Mae tinc drist yn ei lais wrth gofnodi bod y gwaith haearn wedi cau er 1874 neu 1875. Bu'n gweithio ym mhwll glo Dyllas am rai blynyddoedd ond nid oedd ysbryd milwriaethus yno, a chan ei fod yn Sosialydd nid oedd hyn yn plesio. Roedd ef o blaid streicio ac yn aelod brwd o'r 'Fed' (y South Wales Miners' Federation). Nid oedd gan lowyr pwll glo Dyllas lawer o ddiddordeb mewn streicio er mwyn sicrhau gwell amodau gwaith. Bu Pen Dar yn löwr mewn sawl pwll glo yn ardal Aberdâr gan gasglu stôr o wybodaeth ym mhob un. Yr hyn y mae'n llwyddo i'w wneud mor dda yn ei golofn yw cyfleu bwrlwm Aberdâr flynyddoedd yn ôl. Roedd yr ardal yn llawn diwydiant a phobl ac mae colofnau lawer wedi eu cysegru i byllau glo'r ardal a'r bobl a fu'n gweithio ynddynt. Am ryw reswm, yr enw ar un pwll yn Aberaman oedd 'Knicky Knacky'. Pwll bach a hen-ffasiwn ydoedd ac mae Pen Dar wrth ei fodd yn adrodd ei hanes. Cofiai pa mor beryglus oedd gweithio yn y 'Knicky Knacky'. Roedd dramiau'n rhedeg yn wyllt a cheffylau yn dianc o afael y glowyr. Cofiai un glöwr yn fwy na'i gyd-weithwyr eraill. Johnny Bach oedd ei enw, a haliwr ydoedd. Er lleied ydoedd, roedd llais mawr ganddo, a chofiai ef yn siarad â'i geffylau fel petaent yn blant iddo. Bu farw Johnny mewn damain yn y pwll. Daw'n amlwg wrth ddarllen ei golofn fod Pen Dar yn edmygu'r rhai a weithiai gydag ef a'i fod wedi mwynhau ei brofiadau fel glöwr.[7]

Capel y Gadlys lle bu Pen Dâr yn aelod ffyddlon.

(Llyfrgelloedd Rhondda Cynon Taf)

Hyd at Hydref, 1925, byddai Pen Dar yn siarad â'i gynulleidfa yn uniongyrchol trwy ei golofn yn *The Aberdare Leader*, ond ar 31 Hydref 1925 ymunodd 'partner' ag ef ac o hynny ymlaen braint y gynulleidfa oedd cael gwrando arnynt yn siarad. Cymeriad dychmygol oedd Dai, wrth gwrs, ond fe'i defnyddiwyd megis 'alter ego' Pen Dar er mwyn cyfleu gwybodaeth hanesyddol trwy gyfrwng sgyrsiau. Byddent yn sgwrsio am y gorffennol a'r presennol ac yn hoff o gymharu'r ddau gyfnod. Yr awgrym oedd mai math o ysbryd o'r gorffennol oedd Dai. Roedd Pen Dar yn astudio'r hen bapurau newydd yn llyfrgell Aberdâr pan ymddangosodd person wrth ei ochr. Dai ydoedd hwnnw ac yn wreiddiol cynnig gwybodaeth ynglŷn â hanes glowyr Aberdâr oedd ei swyddogaeth. Ond ehangodd y swyddogaeth honno ac o'r foment y cyflwynwyd Dai roedd y rhan fwyaf o wybodaeth hanesyddol Pen Dar yn cael ei throsglwyddo mewn sgwrs ag ef. Yn ôl yr awdur, galwai Dai yn ei dŷ yn wythnosol er mwyn cael sgwrs. Fel y dywedwyd, cymeriad dychmygol ydoedd ond ni sylweddolai pob darllenydd hynny.

Wedi cyflwyno Dai, fe fu colofn Pen Dar yn boblogaidd dros ben. Dechreuodd siarad â gwahanol gymdeithasau am hanes lleol ac ym mis Tachwedd, 1935, darlledwyd ei sgwrs, 'Atgofion Hen Löwr', ar y radio. Yn anffodus, nid oes recordiad o'r darllediad wedi goroesi. Fodd bynnag, ef a enillodd y wobr yn Eisteddfod Genedlaethol Castell-nedd, 1934, am ysgrif ar 'Atgofion Hen Löwr', ac mae honno, sef ffynhonnell y sgwrs radio, wedi goroesi. Dai sy'n siarad yn nhafodiaith Cwm Cynon a dywed ei fod yn hen ddyn a'i fod yn cofio streic 1858/9 a'r caledi a ddaeth i ran ei deulu pan fethodd ei dad gael gwaith ar ôl y streic. Yn ôl Dai, bu'n rhaid iddo fynd i weithio'n grwtyn ifanc oherwydd prinder arain, yn union fel Johnny Bach yn y ddrama *Pai Johnny Bach*. Nid oedd ganddo ddewis:

> Ond fe ddath yr amsar i fi i ddechra gwitho, ac O! dyna'r amsar y gwelas i mam mewn trwpwl. Y fi yn becan am gal mynd i witho gyta 'nhad, er mwyn cal arian y pai, i roi i mam, a galls'wn i ddim a godda i weld mam yn colli dagra pan fysa nhad yn dod sha thre ar ddydd Satwn y pai, heb hannar dicon o arian i dalu'r siop.[8]

Dengys Pen Dar yn yr ysgrif fod ganddo ddawn i gyfuno'r dwys a'r digrif, oherwydd cyfeiria at y merched a weithiai ar ben y pwll a'r sgarmes a fu rhwng Dai ac un colier arall ar ôl iddo sarhau merch ifanc yr oedd Dai yn hoff ohoni. Ond y gwaith dan ddaear y mae Dai yn ei ddisgrifio gan mwyaf a dywed nad oedd yn hapus pan ddaeth peiriannau i'r pyllau glo. Roedd yn well ganddo'r ceffylau ac yn ei dyb ef gweithiai'r glowyr yn ddigon da cyn dyfodiad y peiriannau. Pan ddechreuodd ar ei yrfa fel glöwr, roedd y berthynas rhwng y gweithwyr a'r meistri yn dda:

> Fe fysa'r mistir yn dod i ben y pwll ac yn napod i withwrs, yn cyfarch hwn fel hyn, a'r llall fel arall. A phan fydda rhyw jobin spesial i gal 'i neud, a isha sopyn o ddynon decha idd 'i neyd a, fe fydda mistir yn addo ecstra pâi, a chwpwl o bunnodd i gal cwrw-lwans. Dyna'r ffordd odd hi y 'slawar dydd, y machan i.[9]

Ond yn anffodus, gwaethygodd y sefyllfa yn dilyn cyfres o streiciau ym 1871, 1875, 1893 a 1898. Mae Dai yn cofio Mabon yn datblygu'n ffigwr dylanwadol, ond hefyd mae'n siarad am do iau o lowyr a drodd yn fwy milwriaethus ar ôl sefydlu'r 'Fed'. Nid dim ond hel atgofion am ddatblygiadau gwleidyddol yr oes a wna Dai yn yr ysgrif. Mae hefyd yn pwysleisio bod ochr dywyll i fywyd glöwr wrth iddo gofio ffrwydradau pan fu farw nifer fawr dan ddaear. Bu farw tri o'i gyfeillion a dywed na all anghofio erchylltra'r marwolaethau ac felly mae'r ysgrif yn gorffen ar nodyn trist a chignoeth.

Ac nid dim ond cyfraniad llenyddol a wnaeth Pen Dar. Pan sefydlwyd Cymrodorion Aberdâr ym 1907 roedd ymhlith yr aelodau cyntaf, a bu'n aelod am flynyddoedd lawer. Mae cardiau aelodaeth W.W. Price wedi eu cadw yn llyfrgell y dref ac arnynt cyhoeddwyd amcan y Cymrodorion: 'Deffro gwladgarwch, noddi ein llenyddiaeth, symbylu ymchwiliad i'n hynafiaethau, yn enwedig yn eu cysylltiadau lleol, a gwylio hyrwyddiant ein hiaith a materion cenedlaethol'. Pen Dar oedd llywydd y gymdeithas ym 1926-7 ac yn ei anerchiad siaradodd am hanes Aberdâr. Roedd gwledd Gŵyl Dewi Sant yn draddodiad ac yn y flwyddyn yr oedd Pen Dar yn llywydd yr Athro Ifor L.Evans oedd y siaradwr gwadd. Bu'n aelod o'r pwyllgor droeon, yn ogystal â phwyllgor Cymdeithas Cymrodorion Plant Aberdâr a gynhaliai Eisteddfod y Plant yn flynyddol.

Aduniad 'Côr Mawr Caradog' yn 1933. (Pen Dâr yw'r ail o'r chwith yn y rhes gefn).

(Llyfrgelloedd Rhondda Cynon Taf)

Mae'n amlwg fod hybu a hyrwyddo Cymreictod yn bwysig iddo a threfnodd nifer o ddigwyddiadau a oedd yn coffáu Cymry enwog Aberdâr. Galluogai ei golofn Saesneg ef i wasanaethu ei gyd-drefwyr: 'By means of this column we have been able to do rather great things historically for our dear old town of Aberdare.'[10] Ym 1933 trefnodd aduniad o Gôr Mawr Caradog, trigain mlynedd wedi eu buddugoliaeth yn y Crystal Palace, yn Llundain. Brodor o Aberdâr oedd yr arweinydd, Griffith Rhys Jones (Caradog), a chasglodd gôr o lowyr a'u teuluoedd ynghyd i fynd i gystadlu yn Llundain ym 1872 a 1873. Roedd y gŵr enwog yn destun rhyfeddod i Pen Dar a chofiai'r cyffro yn y dref wrth i'r côr ddychwelyd ar ôl eu buddugoliaeth:

> I remember well seeing Watkyn Wynn's great song to the 'Côr Mawr' being published in a diary for the year 1874. That song confirmed the idea of the 'Côr Mawr' being an Aberdare choir. Snatches of that song have clung to my memory ever since.
>
> 'Yn Aberdâr y ganwyd y Côr Mawr
Yn Aberdâr y magwyd y Côr Mawr'[11]

Yn dilyn aduniad y côr ym 1933, Pen Dar oedd yn gyfrifol am drefnu'r seremoni a gynhaliwyd i ddathlu canmlwyddiant geni Caradog ym mis Rhagfyr, 1934.

Yn ei golofn, cyfeiriodd at y casgliad o bortreadau o hen enwogion Aberdâr a arddangoswyd yn y Swyddfa Addysg yn y dref—yn arbennig portreadau o hen ysgolfeistri Ysgol y Comin. Roedd canmol 'y gwŷr enwog gynt' yn fater o bwys i Pen Dar ac ar 5 Awst 1938 arweiniodd bererindod i fynwent Aberdâr i dalu gwrogaeth i bump ohonynt a gladdwyd yno, sef David Williams (Alaw Goch), y diwydiannwr a'r bardd; Thomas Evans (Telynog), bardd enwocaf Aberdâr; Dafydd Morganwg, bardd a hanesydd; Griffith Rhys Jones (Caradog) a James James (Iago ap Ieuan), cyfansoddwr Anthem Genedlaethol Cymru. Daeth rhyw fil i'r fynwent i wrogaethu gyda Pen Dar a Syr Rhys Williams, ŵyr Alaw Goch. Daethant ynghyd i lawenhau: 'This will not be an occasion for mourning, but for rejoicing—in the memory of the great work done by five big men, who had much to do with Aberdare in the old days.'[12]

Bu Pen Dar wrthi'n ddyfal yn ceisio sicrhau na fyddai pobl Aberdâr yn anghofio eu bod yn perthyn i gymdeithas ddiwylliedig. Un o'i fuddugoliaethau enwocaf oedd sefydlu'r amgueddfa dros dro ar y cyd â'r hanesydd W.W. Price. Roedd diogelu creiriau'r gorffennol yn hollbwysig iddo. Un o gredoau Pen Dar oedd bod y sawl a oedd wedi gweithio'n dda ac wedi byw'n onest yn haeddu parch tra oedd yn fyw a choffâd ar ôl marw. Dyna pam ei fod yn rhestru'r rhai a fu'n flaenllaw gynt yn y pyllau glo a'r capeli. Fel y dywedodd Dai: 'You know very well, that since we began these talks together the names of scores of people have been mentioned in connection with old Aberdare, who would have been entirely forgotten and lost forever, if it were not for this record of ours.'[13] Yn y golofn yn *The Aberdare Leader* dangosodd fod ei wybodaeth am hanes Aberdâr yn eang dros ben. Bu'n olrhain datblygiad y dref fel canolfan ddiwydiannol a diwylliannol ac roedd ei fryd ar glodfori'r cymeriadau a fu'n byw yno. Creodd naws ac awyrgylch yr hen ddyddiau yn wych, mewn iaith a oedd yn llifo'n gwbl naturiol. Efallai nad oedd mor enwog â'i gyfaill, W.W. Price, y tu hwnt i Gwm Cynon, ond ni ellir ond synnu at faint ei gyfraniad yn ei ddydd.

Cafodd oes hir ond yn anffodus, tra'n ymweld â'i deulu yn Llundain, fe'i tarawyd yn wael. Bu farw ar 2 Chwefror 1940 a chyhoeddwyd y golofn am y tro olaf yn *The Aberdare Leader* ddiwrnod yn ddiweddarach. Ynddi, adroddodd Dai am freuddwyd a gafodd pan ddaeth rhai o hen enwogion Aberdâr yn ôl. Wrth i 'Ariola' eu galw ati, diolchodd Dai iddi, ond cyn i'r golofn ymddangos mewn print roedd Pen Dar wedi ymuno â hwy.[14]

Yn y papur y cyfrannodd gymaint iddo, ymddangosodd sawl teyrnged iddo. Ysgrifennodd un o'r golygyddion am faint y golled:

> It is hard for us here in the 'Leader' Office to become reconciled to the fact that we shall not see his familiar face again, that happy rosy face with so few lines and with the snowy white moustache and the bright eyes beaming over round spectacles; that we will never hear again his cheery greeting as he walks in.[15]

Yn y rhifyn cyntaf wedi'i farwolaeth cawn hanes ei fywyd yn fyr ac yna pwysleisir iddo ysgrifennu i'r *Leader* am chwarter canrif: 'He had an unusual gift of presenting local historical events in an entertaining fashion, and the introduction of "Yr hen bartnar Dai" was a capital idea.'[16] Ac yn ôl y deyrnged, nid pobl Cwm Cynon yn unig a ddarllenai golofn Pen Dar, ond pobl ledled y byd. Derbyniai lythyron o America, Awstralia a De Affrica gan alltudion yn dweud eu bod wrth eu bodd yn darllen am hen gymeriadau Aberdâr a'u bod yn synnu at frwdfrydedd yr awdur wrth glodfori eu cartref:

> The warm spirit, the enthusiasm for the great men of the past, the love for his native town that always glowed in his articles, were some of the most admirable qualities in Pen Dar.[17]

Yn *The Aberdare Leader* ar 17 Chwefror 1940 ceir hanes ei angladd. Fe'i claddwyd ger enwogion Aberdâr yn sŵn sawl teyrnged. Yn yr angladd dywedodd y Parch T. Richards ei fod yn Gristion da am ei fod bob amser mor barod i helpu. Ond yr hyn sydd amlycaf yn y gwahanol deyrngedau yw'r modd y mae pawb yn nodi hoffter Pen Dar o'i fro enedigol. Yn ddiau, roedd yn hanesydd lleol dawnus a bu hanes Aberdâr yn destun rhyfeddod iddo ar hyd ei oes. Yn ôl y Capten D.D. Jones, a ysgrifennodd o Lundain, roedd y diolch i Pen Dar am ddangos 'how wealthy Aberdare had been in giants of industry, giants of social effort, and giants of native culture.'[18] Roedd diwylliant Cymru yn bwysig iddo ac fel y dywedwyd bu'n aelod o'r Cymrodorion am flynyddoedd. Yn nheyrnged y gymdeithas honno mae cerdd i Pen Dar gan Ab Hefin ac ynddi cyfeirir at ei golofn yn *Tarian y Gweithiwr* a'i gyfraniad wythnosol yn *The Aberdare Leader*:

. . . Aberdâr, bro y dewrion,—a garai
O gywiraf galon,
Gwin ei ieuanc egnïon
Aberthai ef wrth borth hon.

Yma yn hir bu'n mwynhau
Hoen bythol mewn hen bethau;
Ceinion yr oesoedd cynnar,
A bore dydd Aberdâr.

. . . Braf iddo huno yng nghol
Aberdariaid brodorol.
I dir sy deg dros y don,
Fry i ŵyl anfarwolion,

Yn iach deulu uwch dulawr
Ceir e ymysg y Côr Mawr.
O'i wrhydri âi adref,
A Dai a gâi gydag ef. [19]

Dechreuodd Pen Dar ysgrifennu ei golofn Gymraeg yn *Tarian y Gweithiwr* ym mis Mawrth, 1912, ddwy flynedd cyn y Rhyfel Mawr, blwyddyn cyn trychineb Senghennydd ac ychydig dros flwyddyn ar ôl terfysgoedd Tonypandy. Roedd yn gyfnod o newid gwleidyddol, crefyddol a chymdeithasol. Pan ysgrifennai ym 1912-13 nid oedd y Blaid Lafur wedi disodli'r Blaid Ryddfrydol fel plaid lywodraethol, ond roedd Sosialaeth yn ennill tir, yn enwedig yn y cymoedd diwydiannol. Roedd Sosialaeth yn apelio at genhedlaeth newydd o lowyr a oedd yn gwrthryfela yn erbyn caledi ac anghyfiawnder trefn ddiwydiannol ddi-ildio, ac er bod y mwyafrif ohonynt wedi eu magu yn y capeli nid oeddent yn fodlon â diffyg gweithredu'r arweinwyr crefyddol yn wyneb annhegwch cymdeithasol, ac ystyrient y Blaid Lafur yn gyfrwng i fynegi eu crefydd mewn ffordd ymarferol. Fodd bynnag, nid oedd yr arweinwyr crefyddol i gyd yn erbyn datblygiadau gwleidyddol yr oes a cheisiodd y Methodistiaid fabwysiadu credoau mwy cydnaws â'r oes. Ceisiodd un Methodist, Samuel E. Keeble, ddeffro cydwybod ei bobl trwy ddangos bod Undebwyr a Sosialwyr yn Gristnogion am eu bod yn gweithredu ar ran y gweithwyr, ac nid er eu lles hunanol eu hunain. Erbyn yr 20au roedd gweinidogion blaenllaw, megis T. Alban Davies a Niclas y Glais, yn condemnio'r system gyfalafol ac nid oedd y gwrthdaro rhwng y capeli a'r Blaid Lafur mor ffyrnig. Ond yn y cyfnod yr ysgrifennai Pen Dar ynddo nid oedd Sosialaeth ac Anghydffurfiaeth yn gweithio law yn llaw. Mewn cymdeithas a oedd yn llawn tlodi a thrueni gallai'r ddau rym fod wedi dod ynghyd i gondemnio'r system, ond ni ddigwyddodd hynny a dewisodd miloedd o weithwyr Sosialaeth yn lle'r capel.[20]

Ac felly yn y cyfnod hwn yr ysbrydolwyd Pen Dar i ysgrifennu colofn Gymraeg yn y papur a gynhyrchwyd yn Aberdâr. Dewisodd yn deitl 'Pwll y Gwynt' a phenderfynodd seilio'i golofn ar ddatblygiadau cymdeithasol a gwleidyddol yr oes fel yr effeithient fywydau trigolion brith un pentref glofaol dychmygol. Pan ddechreuodd ysgrifennu roedd digon o ddeunydd ganddo i greu gwaith creadigol bywiog.

Roedd 14 Mawrth 1912 yn ddyddiad pwysig yn ei hanes, oherwydd cyhoeddwyd ei golofn, 'Pwll y Gwynt', am y tro cyntaf yn *Tarian y Gweithiwr*. Papur ydoedd i lowyr y Deheudir ac yn Aberdâr y cyhoeddid ef. Trafodai holl faterion pwysig y diwydiant glo ynghyd â hanes pentrefi'r maes glo. Roedd yn ei anterth yn ystod 80au'r ganrif ddiwethaf ond erbyn 1912 nid oedd y papur yn apelio fel y bu. Gellir dadlau mai'r rheswm am hyn oedd ei fod yn bapur i'r glöwr Mabonaidd yn hytrach na'r glöwr militant; hynny yw, pregethai wleidyddiaeth Mabon, arweinydd dylanwadol y glowyr o'r 1870au ymlaen, ac aelod seneddol Cwm Rhondda o 1885 tan 1920. Credai William Abraham (Mabon) fod y glöwr yn elwa trwy gyfaddawdu ac nid oedd yn argymell streicio, er bod amodau gwaith a thâl bychan y glöwr yn gwbl annerbyniol. Fodd bynnag, erbyn y 1890au nid oedd areithiau Mabon yn hudo fel cynt a gwelwyd y glöwr yn troi'n ffigwr gwleidyddol. Un a fyddai'n ymladd yn frwd dros ei hawliau oedd y gweithiwr newydd, a phan sefydlwyd y South Wales Miners' Federation (y 'Fed') ym 1898, nid oedd troi yn ôl.

Ac yntau'n Sosialydd cynnar a fyddai'n gynghorwr Llafur cyn ei farw, da y gwyddai Pen Dar y 'gwir' am y cymoedd glo. Gweithiodd dan ddaear a gwelodd fod perthynas glòs yn cael ei ffurfio rhwng y glowyr yn ystod oriau tywyll. Gwelodd farwolaethau erchyll a dewrder eithriadol ym mhyllau Aberdâr. Ond gwelodd, hefyd, annhegwch a phenderfynodd weithredu yn wleidyddol ac yn llenyddol yn erbyn yr annhegwch hwnnw. Yn wahanol i nifer o'i gyd-awduron Cymraeg, roedd Pen Dar wedi'i eni a'i fagu mewn cymdeithas lofaol. Fe'i hadwaenai 'o'r tu mewn'. Un o'r wlad oedd y Parchedig Gwilym Tilsley a ysgrifennodd Awdl Foliant enwog i'r glöwr ar gyfer Eisteddfod Genedlaethol 1950. Ond un a fagwyd yng nghanol bwrlwm diwydiannol Aberdâr oedd Pen Dar. Bu'n byw yno ar hyd ei oes a phrofodd holl felyster a chwerwder y gymdeithas liwgar honno. Mae ei golofn, 'Pwll y Gwynt', yn portreadu pentref glofaol yn ystod ail ddegawd y ganrif hon. Pwysleisir mai hanfod y pentref, Pontygwynt, yw'r pwll glo ond nid yn y pwll y gorwedd prif ddiddordeb yr awdur. Y gymdeithas a'i holl gymeriadau lliwgar sy'n gwneud y golofn mor ddeniadol.

Creodd Pen Dar golofn fywiog i ryfeddu trwy ddefnyddio'i dafodiaith i ganiatáu i ni weld a chlywed trigolion Pontygwynt yn ymateb i faterion y dydd—y materion y mae ef, fel cyn-löwr a 'whipper-in', fel Sosialydd a chapelwr, ac fel brodor sydd wedi llwyr ymserchu yn ei gwm, am ymateb iddynt. Y cywair digrif yw cywair llywodraethol y golofn, ond nid digrifwch di-feind ydyw. Y mae brwydr y glöwr dros gyfiawnder yn ganolog i stori Pontygwynt o'r foment y clywir Dafydd Ifans yn dweud wrth ei wraig, Marged, ei fod 'wedi penderfynu ymladd hyd at farw i gael gwared o'r gyfundrefn anghyfiawn sydd yn peri y dioddefaint yma'.[21] Difrifol o ddoniol yw sylwadau'r glowyr wrth drafod 'turncoats' adeg y streic a'r cam a wnaeth y 'Librals' â Tom Mann wrth ei garcharu, ac y mae'r disgrifiad o'r cyfarfod pan aeth y glowyr ati'n ofer i geisio dewis 'Miners' Agent' o blith y deg ymgeisydd yn enghraifft dda iawn o ddefnyddio hiwmor i danlinellu pwysigrwydd penodi'r math iawn o berson i ofalu am les y glöwr. Byddai'n rhaid iddo, er enghraifft, brotestio ar eu rhan yn erbyn rheolwyr Pwll y Glo a Phwll y Gwynt a oedd yn peryglu bywydau eu gweithwyr wrth i'r naill bwll geisio codi mwy o lo na'r llall mewn blwyddyn. 'Mad Friday' oedd pob dydd Gwener dan drefn o'r fath—diwrnod y damweiniau pan oedd *rhaid* cyrraedd y targed wythnosol.[22]

Helyntion streic ac undeb yw prif fater y golofn dros y misoedd cyntaf ac yna canolbwyntir sylw ar ddiffygion capel Ninefeh a'r gweinidog gwantan, Mr Gwallt-hir Jones. Nid oes amau difrifoldeb Pen Dar wrth alw i gof y comisiwn a roes Duw i Jonah. Am rai wythnosau ceir hanes 'Dosbarth Cymdeithasol Ninefeh' sy'n rhoi cyfle i Pen Dar drafod ansawdd bywyd yr eglwys a mynegi ei ddicter o weld cyfalafwyr, sy'n gwasgu rhenti o groen glowyr ar streic, yn ei lordio hi yn y capel. Ceir y caswir gan Ben Jona, un o aelodau gorthrymedig Ninefeh:

> Ma pob un yn y byd yn gwpod nawr taw drwy chwys a gwad y gwithwrs tlawd, ac ar draul canodd a miloedd o fywyda tadau anwl, a brodyr gwirion, mae y dynon hyn wedi gwneyd i cyfoeth, ac yn lle condemnio a rhegi y gyfundrefn sydd wedi galluogi y dynon hyn i ymgyfoethogi i'r fath raddau y mae ein blaenoriaid crefyddol yn gwthio ar draws eu gilydd am y cynta' i fegian a chrafu am ran o'r cyfoeth llygredig hwn, er cael organs newydd a libraries, ac yn wath na'r cwbwl, i roi arian i gwni wages y pregethwrs.[23]

Y mae'n anodd gan lowyr cyffredin fel Ben Jona ddeall pam fod Duw'n cynnal y fath drefn, a daw'n amlwg beth yw agwedd Pen Dar at ddisgyblaeth eglwysig pan adroddir hanes disgyblu Mari Liws yng nghapel Jerusalem am genfigennu at het Lisa Abel ac ymddwyn yn amharchus. Y mae'r Parchedig Naaman Cwmscatan Jones yn ei cheryddu yn enw'r eglwys, a dyna, yng ngolwg Pen Dar, hyd a lled ei awdurdod moesol. Y mae'n gwybod pwy y gall fentro'u ceryddu. Ni fyddai Mr Gwallt-hir Jones yn eglwys Ninefeh, er enghraifft, yn breuddwydio am geryddu Mr Never Sweat, rheolwr Pwll y Gwynt, a oedd wedi bygwth sacio Dai Capgoch pan aeth ato i ofyn am bedwar mis o 'back pay'. Ac oherwydd agwedd o'r fath y mae Twm Pen Tip yn annog ei gyd-lowyr i gadw draw o gapel Ninefeh.[24]

Gwneir defnydd gogleisiol o ddadlennol o siop barbwr Ben Gato a bacws Gwenni, lle caiff y dynion yn y naill ddoethinebu ar bynciau llosg, megis her damcaniaeth esblygiad i awdurdod y Beibl, a lle caiff y gwragedd yn y llall glоncan yn ddigywilydd am rai fel Mrs Tiptop sy'n hel dynion a Mrs Sipdrop sy'n ffond o'r botel. Mae Morgan y Seren yn siop y barbwr yn ymgorfforiad o'r glöwr darllengar na chaiff fyth mo'i gyfle mewn bywyd oherwydd ei amgylchiadau, ac mae Gwenni yn ymgorfforiad o'r sylwebydd pentrefol sy'n 'gwybod busnes pawb' ac yn blaen ei thafod. Caiff Pen Dar gryn hwyl wrth ddisgrifio Mr Strait-poke, y 'whipper-in', yn ceisio gorfodi Mrs Bidam, Mrs Pobty a Mrs Tafodhir i yrru eu plant i'r ysgol, a chaiff fwy o hwyl wrth adael i'r gwragedd glebran am bicil Mr Gwallt-hir Jones a gollodd ei drowsus ar y trên, yn ôl Mrs Clecibox, ar ôl cael llety chweiniog. Tynnodd ei drowsus i'w ysgwyd ond daeth chwa o wynt a'i gipio. Cyrhaeddodd orsaf Pontygwynt mewn cyflwr llai na pharchus a phan ddigwydd ddod heibio pan yw Mrs Clecibox yn gwneud cyff gwawd ohono, nid yw hi'n cywilyddio o gwbl. I'r gwrthwyneb, y mae'n hollol agored yn cynnig brandi iddo, gan ddweud mai Mr Sandman, un o ddiaconiaid Ninefeh, sy'n ei werthu iddi, ac ar ôl iddo'u gadael yn ddig y mae'r gwragedd, megis corws mewn drama, yn uno i'w gondemnio fel rhagrithiwr diotgar.[25]

Y mae'n amlwg fod yr eglwys, yng ngolwg Pen Dar, yn ddiffrwyth a dyna pam y mae mor barod i watwar Mr Gwallt-hir Jones. Fel y Rhyddfrydwyr sydd wedi bradychu'r gweithwyr, y mae Mr Gwallt-hir Jones a'i debyg wedi bradychu'r Gristnogaeth ac o'r herwydd wedi gyrru'r gweithwyr i'r gorlan Sosialaidd—neu hyd yn oed i'r sinema y mae ei hapêl at yr ifanc a'r hen fel ei gilydd yn destun trafod yn

Ninefeh ac yn y bacws. Mae Tomos Moses ac Evan Caleb am 'dorri mas' pob aelod sy'n mynychu'r sinema ond mae Wiliam Shaun yn tynnu sylw at y ffaith fod pregethwyr yn pechu'r un fel ond eu bod yn ddigon cyfrwys i fynd i Gaerdydd neu Lundain i fwynhau'r ffilmiau. Jones y Baker, fodd bynnag, sy'n rhoi stop ar y trafod trwy gynnig y dylid diarddel pob perchennog sinema, gan ddechrau gyda Mr Sandman, y diacon. Ni all Mr Gwallt-hir Jones ond cilio, gan ddweud: 'Er nad yw a yn cymeryd llawer o ddiddordeb yng ngwaith yr eglwys mae'i cheque o bob mish yn cuddio lluaws o bechodau.' Fel pob gwir ddychanwr, awydd gweld yr hyn sy'n werthfawr yn ei olwg wedi'i ddiwygio a'i adfer sydd wrth wraidd ymosodiad Pen Dar ar weinidog Ninefeh.[26]

Nid oes gofod i fanylu ar yr holl ddigwyddiadau sy'n sionci bywyd Pontygwynt: Bili Mishdir yn annerch 'mass meeting' am y frwydr dros y 'minimum wage' yn nannedd cefnogaeth y Rhyddfrydwyr i'r meistri cyndyn, ac yn annog pawb i ymuno â'r Undeb; y glowyr yn ceisio dewis meddyg ac yn gobeithio y byddai yswiriant iechyd Lloyd George yn eu gwaredu rhag Dr Pills a Dr Salse; Dai Tra-la-la yn cadeirio cyfarfod lecsiwn lleol ac yn cydnabod fod gwahanol safbwyntiau yn bod, megis safbwynt Mrs Clecibox y 'snuffriget', ond Morgan Bach y Ruskin, glöwr a siaradwr da, a ddewisir yn ymgeisydd am sedd ar y Cyngor Dosbarth; cyfarfod cyhoeddus doniol iawn i drafod darparu 'baths' pen-pwll pan brotestiodd Ifan Ianto nad oedd am 'spray bath' am ei fod yn Fedyddiwr; a chyfarfod o Gymdeithas Gymraeg Pontygwynt lle trafodir rhagolygon y Gymraeg—pwnc a oedd yn agos iawn at galon Pen Dar ac yntau'n aelod selog o Gymrodorion Aberdâr. Gwyddai fod y Gymraeg yn colli teyrngarwch y Cymry cyffredin ac mae'n arwyddocaol fod Twm Tatws yn gadael y cyfarfod wedi'i glwyfo ar ôl i'r Parchedig Sbectol Huws ddadlau dros gadw'r Gymdeithas yn gymeradwy i foneddigion. Prin fod gofyn dweud mai ar ochr Twm Tatws y mae Pen Dar yn sefyll. Y mae'r golofn 'Pwll y Gwynt' yn floedd dros gyfoeth Cymraeg gwerin ddiwydiannol Cwm Cynon ac y mae'n drueni mawr na fyddai wedi parhau am flynyddoedd.[27]

Digwyddiad mawr olaf y golofn yw trip trigolion Pontygwynt i lan y môr yn Abertawe, ac o ran afiaith yr hanes amdano nid yw'n ormod dweud ei fod yn galw i gof drip godidog Dylan Thomas i Borthcawl yn 'A Story'. Gallasai Pen Dar ddatblygu yn awdur digrif o bwys. Yr oedd yn un â'i gynefin, yr oedd ganddo feddwl y byd o'i gyd-drigolion a gallai gydymddwyn â'u gwendidau dynol. Ni allai ddioddef anghyfiawnder a gormes a rhagrith, ac yn 'Pwll y Gwynt' rhoes ei ddigrifwch ar waith yn eu herbyn. Yn ei ddwylo ef yr oedd yn arf tra effeithiol.[28]

Yn ôl fel y gellid disgwyl, gan mai'n wythnosol yr ymddangosai colofn 'Pwll y Gwynt', o episod i episod y mae'n mynd yn ei blaen. Eir o un digwyddiad i'r llall, ond yr hyn sy'n cydio'r digwyddiadau wrth ei gilydd yw gofal Pen Dar am les cymdeithas. Treialon cymdeithas lofaol a geir yn y golofn a'r rheini'n dreialon difrifol fel arfer. Yr hyn a fyn yr awdur yw cymdeithas gyfiawn, ond gwêl nad oes cyfiawnder yn y diwydiant glo nac yn y capeli. Ei ofal am y gymdeithas sy'n gyrru Pen Dar o un sefyllfa i'r llall a dyna pam y cawn hanes cyfarfodydd ffrwydrol y glowyr un wythnos ac adroddiad yn ymwneud â phryderon aelodau Ninefeh ynghylch agwedd yr eglwys yr wythnos ganlynol. Yn ei golofn gwelir sut y mae'r gwahanol gymeriadau yn ymdopi â'r sefyllfa y maent ynddi. Cydnabyddir fod cyfalafiaeth yn gyrru pobl i'r eithaf am nad oes modd goroesi'n ddibrotest mewn hinsawdd economaidd mor galed. Gorfodir bechgyn ifanc i ddechrau gweithio er mwyn ennill mwy o arian, a gorfodir rhai menywod i werthu eu hunain pan mae arian yn brin. Dyna hanes Mrs Tiptop, a rhyw ugain mlynedd yn ddiweddarach troediodd James Kitchener Davies yr un llwybr yn ei ddrama, *Cwm Glo*. Aeth Marged, y ferch ifanc, i Gaerdydd i buteinio. Lles cymdeithas sy'n bwysig i Pen Dar ac mae'n gas ganddo feddwl bod y system gyfalafol yn difa bywydau cannoedd o deuluoedd ar hyd a lled y cwm.

Ysgrifennwyd y golofn yn nhafodiaith Cwm Cynon, tafodiaith y byddai trwch y glowyr a ddarllenai *Tarian y Gweithiwr* yn ei deall yn burion. Fel arfer, ysgrifennai awduron Cymraeg mewn iaith lenyddol, safonol ond mae'n amlwg mai bwriad Pen Dar oedd apelio at ei bobl ei hun, at lowyr a'u teuluoedd yn eu hiaith eu hunain. Er mwyn llunio portread creadadwy o bentref glofaol yn llawn cymeriadau lliwgar rhaid oedd 'siarad eu hiaith'; pwy all ddychmygu Twm Pen Tip a Gwenni'r Bacws yn siarad Cymraeg llenyddol? Mae'r awdur yn ein cyflwyno i'w wleidyddiaeth yn ei dafodiaith, gan beri fod ei ddaliadau

Sosialaidd, a oedd yn beryglus a bygythiol yng ngolwg y rhai da eu byd, yn swnio'n naturiol ddaionus a theg. Fe'u cyflwynir mewn iaith bob dydd am eu bod yn rhan o fywyd beunyddiol miloedd o lowyr erbyn ail ddegawd y ganrif hon. Wrth gydnabod fod yr hinsawdd wleidyddol yn newid, dywed glowyr Pwll y Gwynt mai parti i gynrychioli'r gweithwyr oeddent eisiau. Yn ôl William Shaun, roedd y Blaid Lafur yn atyniadol: '. . . parti o ddynon o'n plith ni ein hunen, dynon sy yn gwpod beth yw tlodi, a gwitho'n galed am arian bach, i lywodraethu ym mywyd dynion . . .'[29] Nid yw Pen Dar yn pregethu'n wleidyddol ond yn gynnil mae'n gwneud i ni feddwl am newidiadau gwleidyddol yr oes mewn ffordd ymarferol. Mae'n ein darbwyllo nad yw Rhyddfrydiaeth yn helpu'r glöwr ac mai Sosialaeth piau'r dyfodol, yn enwedig yn y De diwydiannol. Pe bai wedi cyflwyno Sosialaeth mewn ieithwedd bropagandyddol byddai wedi codi braw ar lawer o'i ddarllenwyr ac roedd yn ymwybodol o hynny. Roedd ei dafodiaith yn ateb cred Sosialaidd Pen Dar i'r dim, oherwydd y mae'n gyfrwng campus i 'dorri pobol lawr' a phleidio cydraddoldeb. Rhoddir pawb ar yr un lefel ac fe all ddiraddio, fel y mae'n diraddio Mr Gwallt-hir Jones. Yr hyn a wna tafodiaith yw chwalu rhith. Ni ellir cuddio y tu ôl i iaith grand a gwelir cymeriadau 'fel y maent'.

Er nad yw Pen Dar gystal awdur â'i ragflaenydd, Daniel Owen, neu Kitchener Davies ar ei ôl, mae ei gyfraniad llenyddol yn werthfawr. Mewn colofn wythnosol llwyddodd i lunio portread amlweddog o fywyd mewn pentref glofaol ar ddechrau'r ganrif. Bron nad ydyw'n bentref opera sebon gyda'i gymeriadau lliwgar a'i helyntion amrywiol. Mae'n cyfuno'r dwys a'r doniol trwy ddangos eithafion mewn cymuned. Ar un llaw mae marwolaeth, dioddefaint a thlodi enbyd ac ar y llaw arall ceir gorfoledd y trip i Abertawe, y sgyrsiau difyr yn y bacws a siop y barbwr, a chymuned glòs sy'n cyd-dynnu. Ochr yn ochr â hanes Abel Jona yn cysgu yn y capel, clywn am ddirywiad crefydd yn gyffredinol a chan fod Pen Dar yn gapelwr cydwybodol mae'n deall pam fod y bobl wedi cefnu ar y capel. Mae digon o amrywiaeth yn y golofn a dyna sy'n ei gwneud yn fywiog. Wedi'r cyfan, digon hawdd fyddai ysgrifennu colofn yn adlewyrchu dim ond caledi a thrueni'r gymdeithas lofaol, ond dangosodd Pen Dar fod yn y gymdeithas honno lu o gryfderau a bod ei phobl yn bobl arbennig iawn.

Ar ôl adrodd hanes y trip i Abertawe, llanwodd Pen Dar golofn 'Pwll y Gwynt' o 28 Awst tan 11 Rhagfyr 1913 â drama a gyhoeddwyd ym 1914 dan y teitl *Pai Johnny Bach*. Drama ydyw am ymdrech Dafydd Ifans a'i deulu—sef y teulu cyntaf i ni ei gyfarfod yng ngholofn Pen Dar—i gael dau ben llinyn ynghyd, a down wyneb yn wyneb â rhai o gymeriadau blaenllaw eraill y golofn, megis Gwenni'r Bacws a Mr Gwallt-hir Jones, gan mai'r un gwirioneddau sydd gan Pen Dar i'w cyhoeddi. Mab Dafydd Ifans yw Johnny, crwtyn sydd fel ei dad yn amharod i ildio i ormes y drefn gyfalafol, a gallwn fod yn weddol sicr fod cryn dipyn o brofiad y Pen Dar ifanc yn Johnny. Treialon un teulu mewn cyfnod anodd o ddiweithdra yw mater *Pai Johnny Bach*, ac mae'n adlewyrchu'r frwydr rhwng crefydd capel-ganolog a Sosialaeth a ymladdwyd yng nghymoedd y De yn ystod degawdau cynnar yr ugeinfed ganrif. Barnai'r Parch. John Jenkins, rheithor Cilrhedyn, mewn cyflwyniad i'r ddrama, fod Pen Dar wedi'i waddoli 'â'r ddawn gyfoethog i ddeall teimladau dyfnaf y ddynoliaeth, a'r ddawn brinach fyth o allu eu disgrifio mewn dull nad yw byth yn methu ennill ymddiriedaeth ac edmygedd ei ddarllenwyr'.[30]

Mewn ysgrif enwog a ymddangosodd yn y *Welsh Outlook* yn 1919, sef 'The Deacon and the Dramatist', esboniodd J.O. Francis, Cymro a anwyd ym Merthyr Tudful, sut yr aeth dramodwyr dechrau'r ganrif ati i chwalu'r grefyddolder ormesol a oedd yn difa'r 'pethau byw' mewn crefydd ac yn caniatáu i ragrith ddinistrio bywydau. Crefyddolder, nid crefydd, oedd y drwg ac mae'n sicr mai dyna oedd safbwynt Pen Dar, hefyd. Saesneg oedd cyfrwng J.O. Francis, ond dangosodd Pen Dar mewn tafodiaith egnïol fod modd i'r Gymraeg fod yr un mor ddi-dderbyn-wyneb. Sylwodd M. Wynn Thomas[31] ar gyfoesedd dramâu Francis, W.J. Gruffydd, R.G. Berry a D.T. Davies, ar eu hawydd i wynebu cyfnod o drawsnewid: 'In fact, one of the distinguishing features of the serious drama, when it appeared, was its preoccupation with the present, considered as a period of unprecedented social change.'[32] Dengys *Pai Johnny Bach* yr un consyrn yn union.

Ym 1912, enillodd J.O. Francis y gyntaf o wobrau canpunt yr Arglwydd Howard de Walden â'i ddrama *Change*, a gyfieithwyd i'r Gymraeg gan Magdalen Morgan ym 1929 dan y teitl, *Deufor Gyfarfod*. Er mai Rhyddfrydwr oedd Francis roedd yn effro i newidiadau gwleidyddol a chymdeithasol ac yn arbennig i'r gwrthdaro rhwng Anghydffurfiaeth a Sosialaeth. Perfformiwyd ei ddrama yn Llundain ac Efrog Newydd cyn ei hactio yng Nghaerdydd yn yr Ŵyl Ddrama a gynhaliwyd yn y New Theatre ym mis Mai, 1914. Yno, gwnaeth argraff fawr ar y gynulleidfa. Nid bwriad Francis oedd cadw'r glöwr rhinweddol ar ei orsedd yn ôl ffasiwn llenyddiaeth Gymraeg. Mewn gwirionedd, wrth ddangos y gwrthdaro rhwng John Price a'i feibion ei fwriad oedd rhybuddio rhag eithafiaeth, rhag ffanaticiaeth grefyddol a gwleidyddol. Mae rhywrai bob amser yn gorfod talu pris ffanaticiaeth ac yn *Change* mae teulu cyfan yn ei dalu.[33]

Ysgrifennwyd drama Pen Dar flwyddyn ar ôl i J.O. Francis ennill gwobr yr Arglwydd Howard de Walden. Mae'n siŵr iddo ddarllen *Change*, ac roedd yntau'n ymwybodol o newidiadau cymdeithasol a gwleidyddol yr oes. Yn wir, mae drama'r gŵr o Aberdâr hefyd yn troi syniadau yn gig a gwaed. Mae'r awdur, fel Francis, yn gweld y tu hwnt i'r ystrydebau. Ynddi, ceir unwaith eto bortread o'r math newydd o löwr militant sy'n dechrau amau ei ffydd. Drama saith act yw *Pai Johnny Bach*. Mae'r glöwr, Dafydd Ifans, yn undebwr a chapelwr selog ac y mae'n ddi-waith. Ar ddechrau'r ddrama y mae ei fab, Johnny, yn fawr ei gyffro wrth edrych ymlaen at fynd dan ddaear i helpu ei rieni dalu eu ffordd. Daw Morgan Jim, y casglwr rhent, heibio i fygwth taflu'r teulu allan i'r hewl, gan ddychrynu'r fam a gwylltio Johnny. Daw Dafydd Ifans adref mewn pryd i daflu Morgan Jim allan o'r tŷ, gan ddangos nad gŵr i ildio i ormes ydyw. O'r cychwyn, swyddogaeth Johnny Bach a'i deulu yw cynrychioli'r holl deuluoedd cyffelyb yn y cymoedd sydd ar drugaredd cyfalafiaeth farus sy'n awchu am waed, boed ifanc neu hen. Mae Dafydd Ifans yn talu pris ei onestrwydd. Am iddo siarad dros hawliau'i gydweithwyr adeg y streic 'ma'r gaffars yn dial arno i nawr'. Trwyddo ef y mae Pen Dar yn condemnio melltith 'victimisation', ac y mae Dafydd Ifans yn dwyn Bob Lewis, glöwr cywir-galon Daniel Owen, i gof. Fodd bynnag, yn wahanol i Bob sy'n cael ei garcharu ar gam, yn ofer y daw Morgan Jim â'r Cwnstabl Penwag i arestio Dafydd Ifans. Roedd ef wedi achub y cwnstabl rhag boddi pan oedd yn grwt yn gweithio ym Mhwll y Gwynt, ac felly daw'r gyfraith i sefyll o'i blaid ar sail adnabyddiaeth bersonol o'i werth fel dyn da.[34]

Llawn mor bwysig â'r frwydr yn erbyn cyfalafiaeth yw'r frwydr yn erbyn crefydd ddirywiedig sy'n derbyn wyneb ac yn rhoi i feistri gwaith diegwyddor barch a bri. Cynrychiolir honno yn y ddrama eto gan Mr Gwallt-hir Jones, gweinidog capel Ninefeh, a'r drydedd act, pan edliwir iddo'i barodrwydd i gyfaddawdu ag anghyfiawnder er mwyn lles ariannol ei gapel, yw craidd y ddrama. Y mae gofal Pen Dar am werth y grefydd y bu'n ffyddlon iddi ar hyd ei oes i'w glywed yn glir yng ngeiriau Dafydd Ifans a Gwenni'r Bacws—sy'n fath o gyfuniad o Mari Lewis a Nansi'r Nant—wrth iddynt geisio cywilyddio'r gweinidog a oedd yn ddigon parod i fygwth disgyblu Gwenni dafotrydd a Twm Bola Cwrw tra na fynnai gydnabod pechodau Mr Stoutman a Mr Leathercap. Roedd eu statws hwy'n hawlio parch ond gwae'r glöwr a geisiai wella'i stad fel y gwyddai Dafydd Ifans yn dda: '. . .wedi i fi ddechra sefyll yn stiff dros fy iawnderau, dimando dram am ddram gyda phob un arall, a mynid cal y minimum wage am bob dydd yr own i'n gwitho, dyma fi'n cal 'y ngalw yn dyrant, disturbar, ac yn hen ddiawl discontented.'[35]

Y mae Pen Dar, yn amlwg, ar yr un trywydd â W.J. Gruffydd, J.O. Francis, R.G. Berry a D.T. Davies, ac yr oeddynt i gyd yn ddyledus i Daniel Owen am godi'r trywydd hwnnw. Wyneb yn wyneb ag anghenion dybryd pobl ar drugaredd materiolaeth, pam fod yr eglwysi mor aneffeithiol ac mor ymddangosiadol ddi-hid? Parhâi'r cwestiwn i boeni'r Parch. T. Alban Davies, a ddaethai i'r Rhondda o Sir Gaerfyrddin, wrth iddo wynebu trueni'r tridegau:

> I felt that the churches were silent. I realized that they had suffered in reduced income, that ministers were tempted to leave their churches—indeed many did—so as not to become a burden to them. But there was something far, far deeper. Nobody was undertaking responsibility for this human situation . . . Surely the churches had something to say at this juncture, something that had to do with the human situation in the valley.[36]

Dyna'n gymwys y cwestiwn a glywir yn *Pai Johnny Bach*.

Fel Dafydd yn mynd i wynebu Goliath yr â'r crwtyn tair ar ddeg oed i'r pwll i ennill cyflog. Y mae'i fam mewn gwewyr meddwl yn gofidio am ei ddiogelwch ef ac am gyflwr ysbryd ei gŵr sy'n suro at fywyd am ei fod heb waith. Roedd hi wedi gobeithio gweld Johnny yn beiriannydd, ond fel yr esbonia Dafydd Ifans yn chwerw, ni fwriadwyd addysg ar ei gyfer ef a'i debyg. Pan lwydda Dafydd Ifans i gael gwaith o'r diwedd fe'i rhybuddir gan Gwenni i ddal ei dafod er ei les ei hun, ond nid yw am dewi: 'Na, Gwenni, nid mindo'i Number One nath Iesu Grist . . . Ac os w i yn ffaelu a chal 'y nwylo'n rhydd yn Ninefeh, o herwydd fod y manager a'r bosses erill yno, w i'n gallu neyd ticyn bach o waith tu fas, ac yr w i'n siwr fod Duw yn bendithio y gwaith hyny.' Profir cywirdeb ei gred ar unwaith pan ddaw Mr Sandman y siopwr heibio i fynnu ei fod yn clirio'i hen gownt, ac nid yw Dafydd Ifans yn petruso edliw iddo'i drachwant a'i ragrith. Y mae, fodd bynnag, yn addo clirio'r ddyled pan ddaw Johnny Bach â'i bai cyntaf adref. Fel un o'r cyfranddalwyr ym Mhwll y Gwynt disgwyliai Mr Sandman i'w angen ef gael ei ddiwallu yn gyntaf dim. Nid yw diogelwch Johnny o ddim gofid iddo.[37]

Cyn derbyn ei bai cyntaf niweidir y crwtyn yn dost a daw adref yn hanner marw. Ond ymhen chwe mis mae wedi gwella ac yn act ola'r ddrama cynhelir parti yn ei gartref. Gwenni, Twm Bola Cwrw a Mr Gwallt-hir Jones yw'r gwesteion ac maent yno i ddathlu adferiad Johnny. Yn fwy na hynny, maent yno i gydnabod daioni Cristnogol ymarferol Dafydd Ifans. Math o gwrdd diolchgarwch i gydnabod ffrwyth Cristnogaeth Sosialaidd yw'r parti ac fel dau bechadur achubedig y mae Mr Gwallt-hir Jones a Twm Bola Cwrw yno i fod yn dystion i ewyllys Gwenni sydd am adael ei 'chyfoeth' i Johnny Bach yn dâl iddo am ei ddaioni. Nid crefydd Ninefeh sy'n achub pobl yn nrama Pen Dar. I'r gwrthwyneb, esiampl Dafydd Ifans a'i fab sy'n dangos trwy eu gweithredoedd beth ddylai gwir grefydd fod. Y mae Twm Bola Cwrw yn adennill ei hunan-barch ac yn '. . . meddwl sticio yn gwmpni Dafydd Ifans a Johnny bach hyd nes bo'r hen want cwrw wedi cal i drechu altogether', ac mae Mr Gwallt-hir Jones yn cael ei gadw yn y gobaith y gellir adfer pwrpas i Ninefeh. Melodrama yw *Pai Johnny Bach*; petai'n ffars byddai'r gweinidog wedi'i adael yn destun sbort (cofier sut y collodd ei drowsus ar y trên!), ond nid oedd gwneud crefydd a chapel yn destun sbort yn agos at fwriad Pen Dar. Am weld diwygiad yr oedd ef, diwygiad ar sail priodas rhwng Sosialaeth a Christnogaeth a wnâi grefydd eto'n berthnasol yn y cymoedd.[38]

Saif *Pai Johnny Bach* rhwng *Change* J.O. Francis a *Cwm Glo* J. Kitchener Davies, ond o'i chymharu â'r dramâu enwocach hynny y mae'n para'n optimistaidd yn wyneb treialon yr oes. Daw *Change* i ben ar aelwyd sydd wedi'i chwalu gan eithafiaeth a daw *Cwm Glo* i ben ar aelwyd sydd wedi'i chwalu gan dlodi, sinigiaeth a seithuctod.

Anobaith sy'n teyrnasu ar y naill aelwyd fel y llall. Gobaith, fodd bynnag, piau aelwyd Johnny Bach. Neges y ddrama yw y gellir gwrthwynebu gorthrwm cyfalafiaeth trwy ymarfer ffydd Sosialaeth Gristnogol, megis ffydd Dafydd Ifans sy'n ennill y dydd ond nid heb iddo brofi cyfnod o chwerwedd ysbryd. Dyna obaith Pen Dar fel y gwelir yn glir yn y drydedd act, yr act greiddiol, sy'n trafod llesgedd crefydd y cyfnod. Daliai i obeithio y gallai'r capeli roi arweiniad drwy hyrwyddo gwerthoedd Sosialaidd. Methodd y capeli â gwneud hynny, ond ystyriai Pen Dar mai dyna'r ffordd i ddenu'r glowyr yn ôl i'r capeli, a thrwy Sosialaeth Gristnogol byddai'r glowyr yn eu tro yn dod i weithredu ar ran eu cyd-ddyn. Os ydyw dramâu J.O. Francis a Kitchener Davies yn well dramâu o ran saernïaeth a phlot, nid ydynt yn fwy o ddifri. Mae *Pai Johnny Bach* lawn cymaint o ddifri â'r ddwy ddrama arall. Fel gyda Kitchener Davies, y system gyfalafol sy'n cynddeiriogi Pen Dar ond rhaid cyfaddef nad yw ei ddrama mor realistig â *Cwm Glo*. Mynnodd weld diniweidrwydd a daioni yn trechu ariangarwch a rhagrith. Mynnodd 'achub' y sefyllfa a dangos nad oedd yn rhaid i'r Gristnogaeth gilio o flaen llif materoliaeth.

Pan droes Pen Dar ym 1924 i ysgrifennu colofn Saesneg yn *The Aberdare Leader*, fe gollodd y Gymraeg un o'r sylwebyddion mwyaf darllenadwy ar fywyd y De diwydiannol. Nid fel 'dyn dŵad' yr ysgrifennai am drigolion Cwm Cynon. Gweithiodd yn eu plith am drigain mlynedd yn löwr a 'whipper-in' ac mae darllen ei golofn, 'Pwll y Gwynt', yn ddigon o brawf ei fod mor gyfarwydd â ffordd o fyw'r gwragedd ag ydoedd â ffordd o fyw eu gwŷr. Ymuniaethai'n llwyr â'i gymdeithas; fel capelwr selog a Sosialydd o argyhoeddiad poenai am eu cyflwr ac fel awdur a fendithiwyd â synnwyr digrifwch parod gallai sylwi ar eu 'pechodau' yn debyg iawn i'r ffordd y sylwodd Dylan Thomas ar 'bechodau' trigolion Llaregyb.

O'i osod wrth ymyl dau awdur arall o'r cwm a ysgrifennodd yn Saesneg, sef Alun Lewis a Robert Morgan, y ddau yn feirdd a storïwyr byr o bwys, mae'n amlwg nad yw Pen Dar yn sefyll ar yr un lefel llenyddol â hwy. Er hynny, mae digon o dystiolaeth yn ei golofnau Cymraeg a Saesneg fod ganddo yntau adnoddau awdur dawnus. Ac o safbwynt y Gymraeg byddai wedi gwneud cyfraniad gwir bwysig petai wedi dal ati i lenydda'n dafodieithol am fywyd Cwm Cynon. Rhaid pwysleisio'r gair 'petai', oherwydd fel y dangosodd Hywel Teifi

Edwards yn *Arwr Glew Erwau'r Glo*, araf iawn fu llengarwyr Cymraeg i gydnabod gwerth tafodiaith fel cyfrwng llenyddiaeth o bwys ac mae'n ddigon posibl y byddai Pen Dar wedi ceisio ysgrifennu'n fwy safonol petai wedi dal ati yn y Gymraeg. Mae'n arwyddocaol fod 'Atgofion Hen Löwr' a enillodd wobr iddo yn Eisteddfod Genedlaethol Castell-nedd, 1934, yn dipyn llai sionc a lliwgar o'u cymharu â chynnwys wythnosol 'Pwll y Gwynt'. Ar ôl dweud hynny, mae'n rhaid dweud eto fod y Gymraeg ar ei cholled pan droes Pen Dar i ysgrifennu yn Saesneg am hanes lleol. Byddai sgyrsiau Cymraeg rhyngddo ef a 'Dai' yn drysorau erbyn heddiw.

Gwaetha'r modd, collodd Pen Dar ei gynulleidfa Gymraeg pan ddaeth *Y Darian* i ben yn 1934 ond mae'n wir dweud nad ysgrifennodd fawr ddim yn Gymraeg ar ôl cyhoeddi *Pai Johnny Bach* ym 1914. Mae'n ymddangos iddo gadw'r Gymraeg ar gyfer ei gapel a chyfarfodydd y Cymrodorion a throi at y Saesneg i drafod helyntion y dydd. Wedi'r cyfan, fel Sosialydd ymroddgar fe wyddai mai Saesneg fyddai iaith Sosialaeth o 1914 ymlaen, ond roedd wedi dangos yn 'Pwll y Gwynt' bod modd ei defnyddio fel cyfrwng poblogaidd i ddadlau dros egwyddorion Sosialaidd ac i gondemnio trachwant cyfalafwyr a rhagrith Rhyddfrydwyr a oedd, yn ei olwg ef, yn rhy barod i gyfaddawdu â chyfalafiaeth. Mae'n bwysig sylweddoli fod pwrpas difrifol i'r defnydd a wnâi Pen Dar o ddigrifwch tafodieithol oherwydd roedd yn trafod amgylchiadau pobl real mewn byd real. Defnyddiodd y Parch. W. Glynfab Williams dafodiaith y Rhondda yn storïau *Ni'n Doi*, storïau am Dai a Shoni yn y Rhyfel Mawr, at bwrpas ffars, ond comedïwr oedd yn defnyddio tafodiaith yn 'Pwll y Gwynt'. Digrifwr difrifol ei amcan oedd Pen Dar.

Mae un peth yn sicr, yn Gymraeg ac yn Saesneg roedd ei fryd ar ganu clodydd trigolion Cwm Cynon, eu hamddiffyn rhag cam a chadw'n fyw y cof am ffordd o fyw caled, dewr a difyr. Roedd Pen Dar yn hoff o'r bobl y bu'n byw a gweithio yn eu plith ar hyd ei oes ac nid oes lle i gredu iddo erioed fod mor ddiflas ei fyd â'r truan, Moses Martin, yn stori Robert Morgan, 'The Whipperin'. Mae'n hawdd dychmygu Pen Dar yn ymdopi â phob math o bobl fel glöwr a 'whipper-in'.

Mewn cerdd, stori a drama y mae Robert Morgan wedi ymateb yn rymus i'r cyfnod diwydiannol yn hanes Cwm Cynon. Yn Gymro

Cymraeg aeth ei dad yntau dan ddaear yn grwt naw mlwydd oed, a dilynodd Robert Morgan ef cyn ymfudo i Loegr i ddilyn gyrfa athro ac i fynegi fel awdur, arlunydd a cherflunydd y profiadau a'i ffurfiodd yn ne Cymru. Mewn rhagair i gasgliad o'i storïau, *In the Dark* (1994), dywedodd Moelwyn Merchant y byddai'r darllenydd yn darganfod:

> . . . laid out before him a whole way of life, its unique and prolific vocabulary, its flaws, its heroisms and its ultimate triumphs. The struggle will be over, like a battle won, but it springs living from the pages and for this we are deeply grateful.[39]

My Lamp Still Burns yw'r teitl a roes Robert Morgan i'r hunangofiant a gyhoeddodd ym 1981. Mae'n wir nad yw lamp Pen Dar mor llachar â lamp ei ddilynydd, ond roedd yn lamp Gymraeg werth ei chael ac mae ei golau o hyd yn help i ni synhwyro ansawdd bywyd yn un o gymoedd glofaol y De.

NODIADAU

[1]Ceir braslun o'i fywyd gan John Mear, 'John Davies (Pendar)' yn *Old Aberdare. Volume Five* (Aberpennar, 1988), 1-54.

[2]*Tarian y Gweithiwr*, 17 Ebrill 1913, 1.

[3]*The Aberdare Leader*, 8 Tachwedd 1924, 2.

[4]ibid., 21 Mehefin 1924, 2.

[5]ibid.

[6]John Mear, op. cit., 10.

[7]*The Aberdare Leader*, Medi 1924, Mai 1925.

[8]John Davies, 'Atgofion Hen Löwr', yn *Straeon ac Ysgrifau Buddugol yn Eisteddfod Castell Nedd 1934* (Lerpwl, 1935), 62.

[9]ibid., 65.

[10]*The Aberdare Leader*, 20 Awst 1938, 3.

[11]ibid., 16 Awst 1924, 2.

[12]ibid., 6 Awst 1938, 2.

[13]ibid., 30 Gorffennaf 1927, 2.

[14]ibid., 3 Chwefror 1940.

[15]ibid., 10 Chwefror 1940, 2.

[16]ibid.

[17]ibid.

[18]ibid., 17 Chwefror 1940, 2.

[19]ibid.

[20]Dylan Morris, 'Sosialaeth i'r Cymry—Trafodaeth yr ILP', *Llafur*, 2 (1985), 56-8.

[21]*Tarian y Gweithiwr*, 14 Mawrth 1912, 8.

[22]ibid., 11 Ebrill 1912, 9 Mai 1912.

[23]ibid., 20 Mehefin 1912

[24]ibid., 18 Gorffennaf 1912, 5 Medi 1912.

[25]ibid., 3 Hydref 1912, 5 Rhagfyr 1912.

[26]ibid., 15 Mai 1913, 1.

[27]ibid., 9 Ionawr 1913, 23/30 Ionawr 1913, 20 Chwefror 1913, 20/27 Mawrth 1913, 3 Ebrill 1913, 22/29 Mai 1913, 5/12 Mehefin 1913, 2.

[28]ibid., 7 Awst 1913, 7.

[29]ibid., 22 Awst 1912.

[30]John Davies, *Pai Johnny Bach* (Aberdâr, 1914), 2.

[31]M.Wynn Thomas, *Internal Difference* (Caerdydd, 1992), 1-24.

[32]ibid., 4.

[33]Hywel Teifi Edwards, *Arwr Glew Erwau'r Glo* (Llandysul, 1994), 169-79.

[34]John Davies, *Pai Johnny Bach*, 12, 16-20.

[35]ibid., 30-37, 39, 41.

[36]T.Alban Davies, 'Impressions of Life in the Rhondda Valley', yn *Rhondda Past and Future*, gol. K.S. Hopkins (Ferndale, 1975), 15-16.

[37]John Davies, *Pai Johnny Bach*, 51, 53-55.

[38]ibid., 65-70.

[39]Robert Morgan, *In the Dark* (Llandysul, 1994), 8.

Arloeswr Dwyieithedd: Dan Isaac Davies

J. Elwyn Hughes

Pe bai Dan Isaac Davies yn byw yn ein plith ni heddiw, byddai ei syniadau a'i ddywediadau, ei ddulliau gweithredu a'i ymgyrchu, ei dacteg, ei synnwyr cyffredin a'i ddoethineb, i gyd yn nodweddion amlwg a'i gosodai ymhlith ein cyfoeswyr mwyaf blaenllaw yn y frwydr dros y Gymraeg. Roedd yn ŵr a oedd ymhell o flaen ei oes, gŵr a siaradai iaith heddiw, gŵr a chanddo weledigaeth ac argyhoeddiad. Drwy ddysgu gwersi pwysig o'r gorffennol, eu cymhwyso ar gyfer y presennol, ac ychwanegu at hynny nifer o syniadau ac argymhellion adeiladol ac ymarferol cyfoes, paratôdd y ffordd ar gyfer creu Cymru ddelfrydol yn y dyfodol.

Mae hanes Dan Isaac yn dechrau mewn cartref eithaf tlawd yn Castle Street, Llanymddyfri—cartref Isaac a Rachel Davies. Roedd ganddynt bump o blant a'r hynaf oedd Dan Isaac, a aned ar 24 Ionawr 1839. Gan na allai'i rieni fforddio i'w anfon i un o'r pum ysgol breifat yn yr ardal a chan nad oedd Ysgol Frutanaidd yn y gymdogaeth ar y pryd, yn yr Ysgol Sul, fel mwyafrif plant ei gyfnod, y derbyniodd ei addysg fore. Yn yr Ysgol Sul honno yng Nghapel Salem yr Annibynwyr yn Llanymddyfri, dysgid y plant i ddarllen Saesneg i ddechrau, gyda'r Beibl a'r Hyfforddwr yn werslyfrau, ac mae'n amlwg iddi gael dylanwad arbennig ar Dan Isaac, fel y casglwn ymhellach ymlaen.

Yn Ionawr 1848, ac yntau'n naw oed, roedd Dan Isaac Davies ymhlith disgyblion cyntaf yr Ysgol Frutanaidd a gawsai ei sefydlu yn y dref, lle cynigid addysg yn rhad ac am ddim. Mae'n rhaid pwysleisio mai Saesneg oedd iaith yr ysgol hon fel y rhan fwyaf o'r ysgolion eraill yng Nghymru yn y cyfnod hwnnw ac nid oes amheuaeth nad oedd nifer o'r plant â'r Gymraeg yn iaith gyntaf iddynt o dan anfanteision mawr.

Yn un ar ddeg oed, dyrchafwyd Dan Isaac i fod yn ddisgybl-athro—prawf, wrth gwrs, ei fod ymhlith y disgyblion disgleiriaf yn yr ysgol. Wrth ymgymryd â'r 'swydd' hon, bu'n rhaid iddo lenwi ffurflen yn addo y byddai bob amser, yn ystod ei bum mlynedd o brentisiaeth, yn gwasanaethu ei brifathro yn ufudd a ffyddlon. Ni ddylai fod yn absennol o'r ysgol o gwbl ond o achos gwaeledd,

> and he shall conduct himself with honesty, sobriety, and temperance, and not be guilty of any profane or lewd conversation or conduct, or of gambling, or any other immorality.

Câi'r disgybl-athro ei hyfforddi gan brifathro'r ysgol, a châi gyfle i weld gwersi'n cael eu rhoddi ac i draddodi rhai ei hun. Câi ddwy awr o hyfforddiant ychwanegol gan yr athro bob nos a châi ei arholi yn yr *Annual Examination*. Wedi bod drwy'r felin hon, cafodd Dan Isaac ei dderbyn yn fyfyriwr i Goleg Borough Road, Llundain, ac fe ddechreuodd yno yn 1856.

Ym Mai 1857, pan oedd ar ei flwyddyn olaf yn y coleg, bu farw ei dad ac ar ysgwyddau deunaw oed Dan Isaac y syrthiodd y cyfrifoldeb trwm o edrych ar ôl ei fam a'i deulu, yn ogystal ag etifeddiaeth o £300, fwy neu lai, o ddyled. Bu'n rhaid gwerthu'r cartref a chafwyd £522 amdano ond roedd y blaidd yn dal wrth y drws. Yna, yn ffodus iawn, bu Dan Isaac Davies yn llwyddiannus yn ei gais am swydd prifathro a gallai'r teulu bach fforddio i fyw unwaith eto.

Pan benodwyd Dan Isaac Davies, ac yntau'n 19 oed, yn brifathro Ysgol y Comin, Aberdâr, Ysgol Frutanaidd a adeiladwyd yn 1848, symudodd y teulu i gyd i Aberdâr: ei fam, ei frawd, William, a'i dair chwaer, Ann, Margaret a Mary. Roedd gan y prifathro ifanc ddau gynorthwywr yn yr ysgol, John Rees a Gomer Jones, dau a ddaeth yn Arolygwyr Ysgolion yn ddiweddarach. Bu dyfodiad Dan Isaac i'r ardal o fudd nid yn unig i'r ysgol a'i disgyblion ond i gymdeithas y cylch yn gyffredinol. Dechreuodd yr ysgol ffynnu a gwelwyd ar unwaith bod y prifathro ifanc yn athro wrth reddf, yn drefnydd medrus ac yn frwdfrydig a thanbaid ym mhopeth a wnâi.

Pan ddechreuodd yn Ysgol y Comin, rhyw 64 o blant oedd yn mynychu'r ysgol; erbyn diwedd ei flwyddyn gyntaf yno, sef 1858, codasai'r nifer i 181, ac erbyn 1866, wyth mlynedd yn ddiweddarach, roedd 728 o blant ar lyfrau'r ysgol. Roedd yr Arolygwyr Ysgolion yn hael eu clod yn eu hadroddiadau am yr ysgol:

> . . . Mr Davies is personally well qualified for the office of teacher, maintains exact order without harshness, and communicates instruction

> with unusual force, precision and animation . . . The Aberdare British School, from being a very indifferent one, has been revised by Mr Davies to a condition of first class efficiency . . . The School is now so full that many candidates for admission have to be excluded, and those who are admitted can only keep their places by regular attendance. It is in every respect one of the best schools of its class.

Y mae un ymadrodd am Dan Isaac Davies yn adroddiadau'r Arolygwyr y dylid sylwi'n arbennig arno, sef ei fod yn rhedeg ei ysgol *'with unusual energy and very great success'*. Gwelwn ymhellach ymlaen mor nodweddiadol yr oedd hyn o holl fywyd a gwaith Dan Isaac.

Wrth i Ysgol y Comin ddatblygu a thyfu mor gyflym, bu'n rhaid ystyried penodi rhagor o staff a'r ychwanegiad cyntaf, yn 1864, oedd Margaret Maud Edwards o Flaina, Sir Fynwy, a benodwyd i ofalu am y genethod a'r babanod. Fel y digwyddodd, daeth Dan Isaac a Margaret Maud yn fwy na dim ond cydweithwyr a phrin ddeng mis wedi ei phenodi, sef ar 4 Ionawr 1865, priodwyd y ddau yng Nghapel Ebenezer, Trecynon, Aberdâr.

Ochr yn ochr â'i ddyletswyddau beunyddiol yn Ysgol y Comin, yr oedd cylch diddordebau Dan Isaac o fewn y gymdeithas yn un eang iawn. Roedd ef, a'i wraig, yn aelodau blaenllaw a ffyddlon yng Nghapel Ebenezer: roedd hi'n athrawes Ysgol Sul yno, yntau'n arolygydd yr Ysgol Sul, yn ysgrifennydd y *Band of Hope*, yn ddiacon, yn ysgrifennydd yr eglwys, ac yn cymryd diddordeb mawr yn y mudiad dirwestol. Yn ychwanegol at hyn, cynhaliai Ysgol Nos i rai a oedd wedi gorfod gadael yr ysgol yn ifanc oherwydd amgylchiadau teuluol; roedd yn Ysgrifennydd Undeb Dirwestol Gwent a Morgannwg ac ysgrifennai'n gyson i'r wasg hyd yn oed yn y dyddiau cynnar hyn yn ei hanes. Mae'n amlwg hefyd mai ef oedd un o brif ysgogwyr y mudiad i sefydlu Undeb Ysgolion Sabathol Plwyf Aberdâr.

Mae'n syndod iddo gyflawni'r cyfan a grybwyllir uchod cyn iddo fod yn 25 oed a bu ei gyfnod yn Aberdâr yn un gweithgar, ffrwythlon, cynhyrchiol a hapus iawn. Cafodd yno gyfle i ennill profiad athro a phrifathro, i arbrofi â gwahanol ddulliau o addysgu, i ehangu ei orwelion yn gymdeithasol, ac i gyflawni llu o weithgareddau a oedd wrth fodd ei galon. A dyna brentisiaeth gynhwysfawr a chyfoethog ym mhob ystyr. Dyma fel yr ysgrifennodd Ifano Jones amdano:

> As a schoolmaster, he was from the beginning head and shoulders above his fellows in the district, alert, independent in thought, and prompt in action, always living and moving in an atmosphere of his own. His youthful enthusiasm for the education of the people never hesitated, and was never delayed by doubt or fear.

Yn Nhŷ'r Ysgol, ar 14 Mai 1866, ganed iddo ef a'i wraig eu plentyn cyntaf, Mary Margaretta, ac i ddathlu'r achlysur cafodd y plant i gyd yn Ysgol y Comin hanner diwrnod o wyliau dridiau'n ddiweddarach. Ychydig cyn y Nadolig, 1866, fodd bynnag, cyhoeddodd Dan Isaac y byddai'n gadael Ysgol y Comin ym mis Ebrill 1867 gan iddo gael ei benodi i swydd arall:

> I became an intermediate teacher at Swansea, at the school known as the Swansea Normal College,

meddai, wrth ddechrau'r bennod newydd nesaf yn ei hanes. Yn Aberhonddu y sefydlwyd y coleg hwn i ddechrau ond rhoddwyd y gorau iddo ar ôl ryw bum mlynedd. Cynhaliodd y prifathro, Dr Evan Davies, yr ysgol ymlaen ei hun fel ysgol ramadeg a symudodd i Abertawe. Ef oedd y prifathro yn 1866 ond penderfynodd droi ei ddiddordebau i'r gyfraith a throsglwyddodd ei gyfrifoldeb yn Abertawe i Dan Isaac Davies a gŵr arall o'r enw William Williams.

Dan Issac Davies a'i wraig Margaret.

(Liyfrgell Genedlaethol Cymru)

Yn yr Ivy Lodge, eu cartref newydd, y ganed eu mab, Arthur Morley, yn 1869, yn yr un flwyddyn ag yr enillodd Dan Isaac radd B.Sc. mewn Ffisioleg ym Mhrifysgol Llundain. Roedd wedi dechrau astudio gwaith y cwrs fel myfyriwr allanol pan oedd yn Aberdâr ac wedi llwyddo yn rhan gyntaf ei arholiad saith mlynedd yn gynharach, yn 1862.

Cafodd crefydd lawer iawn o'i sylw eto yn Abertawe ond mewn ffordd ychydig yn wahanol y tro hwn. Daeth dan ddylanwad y Parchedig Ddr Thomas Rees, gweinidog Ebenezer, Capel yr Annibynwyr, a gŵr arall o'r enw David Davies, a'i perswadiodd, rywsut neu'i gilydd, fod y Gymraeg yn prysur farw ac mai'r ffordd orau i hyrwyddo'r enwad Annibynnol yng Nghymru oedd i Gymry Cymraeg sefydlu achosion Saesneg. Nid oes amheuaeth nad oedd y ddau ddyn hyn, ac eraill a oedd yn coleddu'r un syniadau, wedi gweld bod Dan Isaac yn ŵr arbennig iawn ac ni fuont fawr o dro'n gwneud defnydd llawn o'i egni a'i frwdfrydedd afieithus i sefydlu eu hachos Saesneg yn Abertawe.

Dyma'r cyfnod, felly, pryd y tanseiliwyd holl ddaliadau blaenorol Dan Isaac Davies o safbwynt y Gymraeg. Diflannodd y sêl honno a fu unwaith mor nodweddiadol o'r prifathro ifanc ac anghofiodd am ei gynghorion i'w staff yn Ysgol y Comin i arfer cymaint ag y bo modd o'r Gymraeg i addysgu'r plant. Bellach, daethai i ystyried y Gymraeg yn ddim amgenach nag iaith y gorffennol heb fod iddi unrhyw ddyfodol o gwbl. Mae'n amlwg fod hynny wedi bod ymhlith y rhesymau iddo fod mor barod a bodlon i droi ei gefn ar Gymru a chwilio am waith dros y ffin yn Lloegr.

Dim ond am ychydig fisoedd yn unig y bu'n bennaeth ar y Coleg Normalaidd, fel y parheid i'w alw, ac er iddo ddal i fyw yn Abertawe tan 1870, ym mis Chwefror 1868, cafodd ei benodi yn Arolygydd Cynorthwyol i'r Prif Arolygydd Ysgolion, Joseph Bowstead (a oedd wedi ysgrifennu adroddiadau ffafriol iawn am Dan Isaac pan ymwelai ag Ysgol y Comin). Meddai, wrth gyfaill, pan gynigiwyd y swydd iddo:

> Yr wyf yn gweled, os derbyniaf y cynigiad yma, y byddaf yn cynorthwyo athrawon Cymru mewn dwy ffordd. Byddaf yn profi i'r Cyngor Addysg yn Llundain mai'r dynion gorau i'w gosod yn arholwyr yw'r rhai sydd eu hunain yn gwybod trwy brofiad beth yw'r gwaith yn yr

ysgolion hyn *ac mai'r dynion gorau i Gymru yw'r rhai sydd yn gwybod Cymraeg a Saesneg yn drwyadl . . .*

Ac mae'r geiriau hyn yn dangos nad oedd yr hen fflam angerddol a hunanaberthol tuag at Gymru a Chymraeg wedi diffodd yn llwyr yng nghalon Dan Isaac Davies.

Roedd y swydd newydd hon yn agor pennod newydd eto yn hanes ein gwrthrych. Yn 1870, symudodd ef a'r teulu i fyw i Cheltenham. Yn 1874, pan fu farw Margaret, ei wraig, daeth ei fam, Rachel, i fyw ato i edrych ar ôl Mary Margaretta, a oedd yn 8 oed, ac Arthur Morley, a oedd yn 5 oed. Arhosodd y teulu yn Cheltenham tan 1877 cyn symud i Fryste, lle buont yn byw tan 1883. Pan fu ei fam farw yn 1880, roedd pethau'n well o safbwynt edrych ar ôl y plant tra oedd ef yn gweithio gan ei fod wedi ailbriodi yn ystod y flwyddyn honno â Ffrances ddiwylliedig o'r enw Esther Constance Mirault. Ganed iddynt ddau blentyn ym Mryste.

Rhyw bennod dywyll ydi hon yn hanes Dan Isaac Davies; gan mai Arolygydd Cynorthwyol ydoedd, doedd ei adroddiadau ddim yn cael eu cofnodi dan ei enw yng Nghofnodion y Cyngor ar Addysg. Does fawr ddim tystiolaeth chwaith am ei fywyd teuluol (ar wahân i'r ychydig a grybwyllais yn barod), nac am ei fywyd cymdeithasol a chyhoeddus rhwng 1870 ac 1883. Yr un ffaith sicr yw ei fod, erbyn dechrau'r 1880au, yn teimlo galwad Cymru'n gryf arno ac nid anodd fu ei berswadio i dderbyn swydd yn yr hen wlad—yn Is-Arolygydd Ysgolion, dyrchafiad na chawsai'r un athro ysgol elfennol cyn hynny. Roedd i weithio dan y Prif Arolygydd William Edwards yng nghylch Merthyr Tudful ac roedd ardal ei oruchwyliaeth yn cynnwys gogledd-ddwyrain, canolbarth a de Sir Forgannwg, rhannau o orllewin Sir Fynwy a hanner dwyreiniol Sir Frycheiniog, ynghyd ag ychydig lefydd yn Siroedd Maesyfed a Henffordd.

A dyma ddechrau pennod newydd eto yn ei hanes—y bwysicaf o bell ffordd. Wedi tair blynedd ar ddeg o alltudiaeth wirfoddol, cafodd Dan Isaac siom felys pan ddychwelodd i Gymru:

> When I returned to Wales, I returned under the impression that I should find the Welsh language fast receding, almost disappearing; but at every step since my return on the 1st of October 1882 . . . I have found that the Welsh language has turned the corner . . .

Synnwyd ef gan y newid a welai yn yr agwedd tuag at y Gymraeg:

> . . . it has passed out of a time of . . . an English-teaching reaction . . . into a time of a bilingual teaching reaction.

Yn dilyn y cyfnod pan roddwyd lle blaenllaw i'r iaith Gymraeg, cyfnod Thomas Charles o'r Bala a'i Ysgolion Sul, aethpwyd drwy ganrif o ddifaterwch a chas tuag at yr iaith, ond gwelai Dan Isaac Davies obaith yn 1882 pan deimlai fod pobl o'r diwedd yn gweld gwerth mewn dwyieithrwydd. Gwelai fywyd newydd yng ngwythiennau rhai o Gymry mwyaf blaenllaw'r cyfnod ac fe ddeffrowyd ei ynni a'i egni unwaith eto, yn ganmil cryfach y tro hwn pan sylweddolodd fod gwaith i'w wneud a llawer o broblemau i'w datrys cyn y gellid bodloni ar Gymru ei ddydd. Meddai:

> When I returned from England, I found 'Y Genedl Gymreig' published at Caernarfon and the 'Red Dragon', the National Magazine of Wales, published at Cardiff. Was it not natural to assume that during my absence North Wales and South Wales, English and Welsh Welshmen had, by common assent, decided that there was in existence in our days—a Welsh nation?

A dyna un o'i dactegau pwysicaf yn dod i'r amlwg—defnyddio seicoleg gadarnhaol i ysbrydoli a pherswadio, rhoi darlun gobeithiol i erlid unrhyw amheuon, goleuo llwybr llwyddiant a hudo gwerin a bonedd ar ei hyd.

Bu yn ei swydd newydd am oddeutu blwyddyn cyn dychwelyd i fyw i Gymru gyda'i deulu ac erbyn diwedd 1883, roedd wedi ymgartrefu yn 7 East Grove, Caerdydd. Yn ystod y flwyddyn honno o deithio rhwng Lloegr a Chymru ac o orfod aros mewn gwahanol ardaloedd o fewn ei gylch arolygu, gwnaeth Dan Isaac yn fawr o'r cyfle i ymgynefino â rhai o'r datblygiadau diddorol a ddigwyddai, neu *na* ddigwyddai, ym myd yr iaith Gymraeg ac, yn arbennig felly, o safbwynt ei lle yng nghyfundrefn addysg y dydd. Roedd yn ymwybodol iawn o Adroddiad Aberdâr yn 1881, a bwysleisiai'r ddarpariaeth ddifrifol a chwbl annigonol ar gyfer addysg uwchradd ac uwch yng Nghymru ac a argymhellai sefydlu cyfundrefn newydd o ysgolion, gan gynnwys ysgolion sir, gyda chefnogaeth grant gan y

Llywodraeth i'w cynnal, ac a argymhellai hefyd sefydlu colegau i ddarparu addysg uwch. Ond doedd fawr sylw'n cael ei roi i sefyllfa'r Gymraeg. Wrth deithio o ysgol i ysgol, roedd Dan Isaac Davies mewn sefyllfa ddelfrydol i gael profiad ymarferol o'r defnydd, neu'n hytrach y *diffyg* defnydd, a wneid o'r Gymraeg, yn arbennig o safbwynt yr ysgolion elfennol, wrth gwrs, a hynny mewn cyfnod pan oedd rhai o Gymry pwysicaf a mwyaf dylanwadol yr oes yn dechrau dangos diddordeb yn y Gymraeg.

Un o'r digwyddiadau cyntaf o bwys i dynnu sylw Dan Isaac Davies oedd darlith y Parchedig D. Jones Davies, M.A., i'r Cymmrodorion yn Ionawr 1882 ar 'The Necessity of Teaching English through the medium of Welsh in Elementary Schools in Welsh-speaking districts'. Prif neges y darlithydd, a'r hyn a apeliai fwyaf at Dan Isaac Davies, oedd y dylid gwneud defnydd helaeth o'r iaith Gymraeg i addysgu Saesneg i blant Cymru fel eu bod yn gallu cystadlu ym mhob ffordd â phlant Saesneg uniaith a dderbyniai eu haddysg drwy gyfrwng eu hiaith eu hunain. Pan gyhoeddwyd y ddarlith yn *Y Cymmrodor*, tynnodd Thomas Powel, y Golygydd, sylw'r darllenwyr at ymdrechion 'The Society for the Preservation of the Irish Language' ac at yr hyn oedd yn digwydd yn y byd addysg yn Iwerddon.

Bu darllen dadleuon ac argymhellion Davies a Powell yn foddion i greu argraff ddofn a pharhaol ar feddwl Dan Isaac Davies ond 'wnaeth y Cymmrodorion ddim i hyrwyddo'r achos nac i bwyso am y newidiadau a argymhellwyd. Adeg traddodi a chyhoeddi'r ddarlith, yr oedd yr Ardalydd Bute, Henry Richard, A.S., Y Barnwr Gwilym Williams, a'r Archddiacon John Griffiths, ymhlith Is-Lywyddion y Gymdeithas, roedd Isambard Owen a Marchant Williams (un o gyn-ddisgyblion Dan Isaac Davies yn Aberdâr, gyda llaw) yn aelodau o'r Cyngor, a Cadwaladr Davies, Yr Athro John Rhŷs, Thomas Gee a Dafydd Morganwg, i gyd yn aelodau o'r Gymdeithas. Crybwyllir enwau'r dynion hyn yn arbennig oherwydd mai hwy, o 1885 ymlaen, fu rhai o golofnau cadarnaf yr union gymdeithas y gellid bod wedi ei sefydlu yn 1882 o ganlyniad i bapur Jones Davies a sylwadau Thomas Powel. Collasant y cyfle yr adeg honno ond, yn bennaf dan ddylanwad a grym ysgubol Dan Isaac Davies yn 1885, fe'u llusgwyd i ganol y frwydr a bu eu cyfraniad yn hael a brwd er mwyn ceisio sicrhau llwyddiant i'r achos.

Yng Nghaerdydd y cynhaliwyd yr Eisteddfod Genedlaethol yn 1883—un o'r Eisteddfodau mwyaf Seisnigaidd a gynhaliwyd erioed, mae'n debyg. Doedd Dan Isaac ddim yn bresennol yn yr Eisteddfod ond gwnaeth areithiau gwladgarol Llywyddion y Dydd argraff arno, yn enwedig araith yr Ardalydd Bute, a ddywedasai:

> . . . I take the occasion to exhort you not to let go the tongue of your fathers . . . cling to the language of your fathers, and . . . seek through it the development of literary power and intellectual culture . . . For a man to speak Welsh, and willingly not to be able to read and write it, is to confess himself a boor.

A'r geiriau hynny oedd y sbardun terfynol a oedd yn angenrheidiol ar Dan Isaac Davies i weld yn glir y llwybr a oedd yn ymagor o'i flaen. '*I vowed there and then*', meddai, '*that no effort of mine, calculated to remove this stigma from our people, should be wanting*'.

Ond arhosodd yn dawel am ychydig—yn myfyrio'n hir a phwyllog ac yn mesur a phwyso'n fwriadol-ofalus cyn penderfynu ar unrhyw gynllun na dull o weithredu. Ac yna, i roi rhagor o lo ar ei dân, traddododd yr Athro Thomas Powel ddarlith i'r Cymmrodorion yn Llundain yn 1884 ar y testun, 'The Advisability of the Teaching of Welsh in Elementary Schools in Wales' ac, o ganlyniad i'r ddarlith hon, sefydlwyd Is-bwyllgor o'r Cymmrodorion ym mis Mehefin 1884. Lluniwyd dau holiadur ynghylch dysgu'r Gymraeg a'i defnyddio fel cyfrwng ac roedd Dan Isaac Davies yn un o'r rhai a ymatebodd—gydag atebion manwl a chynhwysfawr. Roedd yn gwbl bendant y gellid dysgu darllen ac ysgrifennu Cymraeg ochr yn ochr â dysgu darllen ac ysgrifennu Saesneg ond y byddai'n rhaid darparu gwerslyfrau priodol ar gyfer gwneud hynny.

Cyflwynwyd *Preliminary Report* y Cymmrodorion ar fater yr iaith yn ystod yr Eisteddfod Genedlaethol yn Lerpwl yn 1884 pan benderfynwyd nad oedd digon o frwdfrydedd dros ddefnyddio'r Gymraeg fel cyfrwng i ddysgu Saesneg ac y dylid canolbwyntio ar ddysgu'r Gymraeg fel pwnc arbennig. Wedi holi pennaeth pob ysgol elfennol yng Nghymru a Sir Fynwy yn ystod misoedd Chwefror a Mawrth 1885, cafwyd bod y mwyafrif o blaid dysgu'r Gymraeg fel pwnc arbennig yn yr ysgolion.

Erbyn hyn, roedd Dan Isaac yn cael ei gydnabod, gan Marchant Williams, er enghraifft, fel:

> the now acknowledged leader of the bilingual movement,

a chafodd wahoddiad i draddodi darlith gyntaf y tymor i'r Cymmrodorion yn Llundain yn Ebrill 1885.

A dyma fwrw Dan Isaac Davies am y tro cyntaf i reng flaen y frwydr. Wedi'r myfyrio, yr ailgynnau a'r mud-losgi, dyma'r cyfle o'r diwedd i'r tân fagu fflam, a derbyniodd yntau'r sialens yn awyddus a pharod. 'Bilingual Wales' oedd testun ei ddarlith ac roedd yn ddarlith bwysig iawn; yn gyntaf, oherwydd bod ei chynnwys a'i holl gynllun yn bur wahanol i ddim a gafwyd cynt ac, yn ail, am ei bod yn dangos y paratoi trylwyr a wnaethai cyn ei thraddodi, sicrwydd ei resymeg, synnwyr cyffredin ei ddadleuon, ei hyder diamheuol, a'i benderfyniad diysgog i fynnu llwyddiant a dim llai.

O ganlyniad i'r ddarlith hon, dechreuodd ohebu'n gyson ag Isambard Owen, meddyg blaenllaw yn Llundain a saernïwr prifysgolion—a hynny i bwrpas penodol iawn, fel y nodir ymhellach ymlaen. A dyma'r achlysur hefyd a roes fod i'r llythyru cyson a'r berthynas waith ryfeddol rhwng Dan Isaac a Beriah Gwynfe Evans. Mewn cyfnod o lai na dwy flynedd, rhwng Gorffennaf 1885 a Mai 1887, ysgrifennodd Dan Isaac Davies o leiaf 127 o lythyrau, rhai ohonynt yn faith iawn, at Beriah Gwynfe Evans. Bu'n gohebu ag eraill hefyd, wrth gwrs: Stephen Evans, Cadeirydd Cymdeithas y Cymmrodorion, yr Archddiacon John Griffiths, a T. Marchant Williams, gan gynnwys hefyd o leiaf 73 o lythyrau at Isambard Owen yn ystod yr un cyfnod.

Nid oedd y ddarlith yn Llundain ond y gyntaf o lu o anerchiadau a draddododd Dan Isaac ar Gymru ddwyieithog a phynciau perthynol. Oddi ar y llwyfan hwn, hefyd, y plymiodd i fyd y wasg—yn Gymraeg ac yn Saesneg—i ddadlau a gwyntyllio ei syniadau, ac i genhadu dros yr hyn y credai mor frwd ynddo. Yn 1885, rhwng 10 Mehefin a'r 26 Awst, ysgrifennodd gyfres o lythyrau pur faith i *Baner ac Amserau Cymru* a chyfres o chwe llythyr hir yn y *Western Mail* yn ystod Awst a Medi yr un flwyddyn. Rhoddai bwys mawr ar y wasg—drwy'r cyfrwng hwn y gwelai'r ffordd orau i gyrraedd at feddyliau a chalonnau'r lluoedd ac i ddylanwadu cymaint ag y bo modd arnynt.

Roedd wedi amseru ei gyfresi o lythyrau yn gwbl fwriadol—y gyfres yn *Baner ac Amserau Cymru cyn* yr Eisteddfod Genedlaethol yn Aberdâr a'r rhai yn y *Western Mail yn ystod ac ar ôl* yr Eisteddfod.

Mae ei lythyrau—y llythyrau personol a gadwyd mewn gwahanol gasgliadau a'i lythyrau at y wasg—yn hynod ddadlennol. Drwyddynt, deuir i adnabod Dan Isaac Davies fel tactegwr medrus, gŵr diplomatig a adwaenai'r natur ddynol ac a oedd yn ymwybodol o dymheredd cymdeithasol a gwleidyddol ei oes. Roedd yn ŵr o argyhoeddiadau dyfnion a chanddo ddaliadau pendant, diamwys o safbwynt y Gymraeg a lle'r iaith yn y gyfundrefn addysg, a mynnai rannu ei brofiadau â gwerin Cymru a'u hargyhoeddi oll ac un, pe medrai, o'r goleuni a wawriodd arno ef wedi iddo fyw am flynyddoedd dan gochl o gamsyniadau a chyfeiliorni.

Dywedodd wrth y Cymry mai arnyn nhw eu hunain yr oedd y bai na châi'r Gymraeg ei lle yn yr ysgolion ac na cheid grant am ei haddysgu, gyda'r canlyniad bod y Sais neu'r Cymro di-Gymraeg yng Nghymru yn cael llawer mwy o fanteision na'r Cymro Cymraeg o'i ddyddiau ysgol ymlaen drwy'i fywyd. Nid oedd y gyfundrefn addysg yng Nghymru, meddai, yn ddim mwy na chynllun 'wedi ei baratoi gan Saeson ar gyfer Lloegr' ac fe ddylai Cymru gael *'a certain degree of educational autonomy'*.

Wrth nodi bod llawer o Gymry Sir Forgannwg

> yn dwyn eu plant i fyny yn anwybodus o'r Gymraeg, yn y grediniaeth y bydd eu hanwybodaeth o iaith eu rhieni yn fantais fydol iddynt

mae'n pwysleisio bod yn rhaid

> lladd y teimlad o gywilydd sydd yn meddiannu llawer Cymro oherwydd ei fod yn medru Cymraeg. Yr hyn y dylai ymfalchïo ynddo, fel cuddiad ei gryfder, y mae yn awr yn fynych yn gostwng pen o'i herwydd.

Mae'n barod iawn i feio'i gyd-Gymry am eu difaterwch a'u diffyg 'balchder gwladgarol' a bu'r un mor barod i ymosod ar haen uchaf y gymdeithas yng Nghymru am eu diffyg cefnogaeth i'r achos Cymraeg a'u hagwedd besimistaidd, afiach tuag at ddyfodol yr iaith. Ond ceisio apelio at synnwyr cyffredin ei ddarllenwyr a wna gan amlaf, ac mae'n amlwg iawn ei fod yn gwbl ymwybodol o natur groendenau ei gyd-Gymry ar fater yr iaith. Ni fyn eu tramgwyddo drwy weiddi'n groch arnynt na'u beirniadu'n *rhy* hallt a didrugaredd am eu holl ddiffygion a'u difaterwch. Prin yw'r adegau y mae'n codi gwrychyn ei ddarllenwyr drwy ymosod yn uniongyrchol-frwnt arnynt. Gwnaeth ddefnydd yn hytrach o dacteg codi-calon a chreu hyder drwy honni bod y Gymraeg ar gynnydd chwim ledled Cymru a bod

> y teimlad Cymraeg yn cryfhau ac yn mwyhau, y gallu i ysgrifennu'r hen iaith yn lledaenu, ac adnoddau newydd a gwerthfawr at alwad llenyddiaeth Gymraeg o lawer cyfeiriad . . . Y mae'r byd yn agored i'r Cymro yn ogystal ag i'r Sais; a chyda dwy iaith, y mae gwell mantais iddo ei feddiannu, os bydd yn gyfartal â'r Sais mewn gallu naturiol a datblygiad addysgol.

Roedd am gynorthwyo ei gyd-Gymry i gael gwared â'r cymhleth israddol eu bod yn salach pobl na'r Saeson a'r syniad bod yn rhaid efelychu popeth a ddeuai o Loegr fel pe bai'n berffaith, a phwysodd arnynt i droi at wledydd a chenhedloedd eraill i ddod o hyd i arferion da.

Yn ei gyfres o naw o lythyrau yn *Baner ac Amserau Cymru* rhwng Mehefin ac Awst 1885 dan y teitl '1785, 1885, 1985', ceisiodd brofi gwerth gwersi'r gorffennol gan gyfeirio'n benodol at gyfraniad amhrisiadwy'r gwroniaid o Landdowror a'r Bala, a'i gwestiwn i'r Cymry oedd 'Pa fodd y dylem ymddwyn yn 1885, fel y bydd ein dyrchafiad cenedlaethol o 1885 i 1985 yn fwy na'n dyrchafiad cenedlaethol o 1785 i 1885?' Roedd ei dechneg wrth geisio perswadio ac argyhoeddi ei ddarllenwyr yn un ddiddorol anghyffredin. Sylwn, yn y dyfyniadau a ganlyn, ar ffurfiant ei frawddegau ac yn enwedig ar y defnydd celfydd a wneir o'r cysylltair 'ond' (a '*but*' yn y darn a ddyfynnir o'r Saesneg:

> nid am yr iaith yr ydym yn bryderus ond am y bobl sydd yn taflu o'u dwylo yr unig arf y mae Rhagluniaeth wedi ei roddi iddynt ym mrwydr bywyd nad ydyw'r Sais yn feddiannol arno.
>
> nid cadw'r iaith yn fyw ydyw cwestiwn y dydd, ond ei hiawn-ddefnyddio tra bo hi byw.
>
> a ydyw'n bosibl cyfnewid ychydig ar ein cynllun o addysg gened-laethol— nid er mwyn cadw'r iaith yn fyw, ond er mwyn dyrchafu'r Cymro.
>
> The advocates of the utilization of the Welsh language are not moving in this matter in the interests of the Cymraeg, but in the interests of the Cymro. They do not desire to sacrifice the Welshman on the altar of his

> ancient tongue, but to use the latter as a step by which he may rise to higher things even in a secular or business sense.

Roedd yn cynnig i'r Cymry rywbeth amgenach na dim ond amddiffyn haniaeth. Soniai am ddyrchafu'r Cymro, am bethau uwch a gwell, am lwyddiant bydol. Roedd ymagwedd o'r fath yn llawer mwy tebygol o ennill cefnogaeth y gŵr cyffredin, digon tlawd ei fyd, nag erfyn am ei gydymdeimlad i achub iaith na welai iddi unrhyw werth ymarferol, diriaethol. Rhwystr oedd y Gymraeg iddyn nhw—pa werth apelio i achub yr hyn a ystyrid yn rhwystr? Ond roedd Dan Isaac Davies yn seicolegydd craff ac wedi taro ar yr union ffordd i ennill y werin i'w ochr—apelio at boced y Cymro oedd y dull cyflymaf a sicraf o gael ei faen i'r wal; y geiniog oedd diwedd y gân yn 1885 hefyd!

Roedd yn sylweddoli, wrth gwrs, fod dylifiad cynyddol y Saeson i Gymru yn un o'r problemau mwyaf a wynebai'r Gymraeg. Ychydig sydd ganddo i'w ddweud am y dulliau ar gyfer dysgu Cymraeg fel ail iaith ond rhydd bwyslais mawr ar yr angen nid yn unig i'r Cymry fagu eu plant eu hunain yn ddwyieithog ond i fod o gymorth i ddenu'r di-Gymraeg i ddysgu'r iaith ac i weld gwerth ynddi fel gris cymdeithasol. Gwyddai fod angen brwydro mewn sawl cyfeiriad ac ni chyfyngodd ei hun i fyd addysg yn unig. Tynnodd sylw at:

> y pwys o chwanegu gwybodaeth o'r Gymraeg at y cymwysterau eraill sydd yn anhepgorol mewn swyddogion yn y Dywysogaeth.

Teimlai'n gryf iawn fod y Cymry wedi bod

> yn ddiofal, yn esgeulus, yn euog dros ben, pan yn gadael cynifer o swyddogion yng Nghymru sydd yn anwybodus o iaith y bobl . . .

Onid oedd y rhain yn cymryd y swyddi y dylai plant Cymry eu llenwi! Wfftiai, hefyd, fod meddygon di-Gymraeg yn cael swyddi mewn ardaloedd yng Nghymru—beth am sefydlu Ysgol Feddygol yng Nghymru, meddai, lle gallai'r holl fyfyrwyr ddysgu siarad Cymraeg. Yn wir, yn un o'i lythyrau i'r *Western Mail*, aeth gamau lawer ymhellach na hyn, eto mewn ffordd ryfeddol o ddeheuig:

> Is it or is it not true that a strong feeling is springing up in Wales in favour of having bilingual public servants—as judges or stipendiary magistrates, as justices of the peace, as county officials from the lord-

> lieutenant through all grades to the rank and file of the police force, as members of Parliament, as town officials, as railway officials, as post officials, as Government officials, as doctors, as lawyers, as barristers, as bishops, as clergymen, as schoolmasters of every grade, as editors, reporters and correspondents even of English newspapers, etc. Is it not true that as educational advantages have increased these posts have fallen increasingly of recent years into the hands of bilingual Welshmen?

Ond mae'n berffaith deg â'r di-Gymraeg bob amser ac yn mynnu y dylid eu cynorthwyo i ddysgu'r iaith cyn gynted ag y bo modd, ac mae'n erfyn ar athrawon Cymru i gynnal dosbarthiadau nos i'r perwyl hwnnw (a chael eu talu am wneud hynny, wrth gwrs).

Ond ymhen dwy flynedd wedyn, yn 1887, y daw ei gynllwyn cyflawn i'r golwg pan ddywed:

> Rhodder rhybudd . . . i'r perwyl hwn: 'At holl rieni Cymru: Ar ôl y flwyddyn 18—, ni fydd swydd gyhoeddus i'w chael yng Nghymru—ond mewn amgylchiadau neilltuol iawn—os na fydd yr ymgeisydd amdani yn medru Saesneg a Chymraeg'

Rhoes sylw manwl hefyd i gyflwr cyhoeddi a gwerthu llyfrau Cymraeg. Mynnai fod yn rhaid darparu llyfrau pwrpasol yn Gymraeg ar gyfer plant ysgol ac, i wireddu hynny, bod yn rhaid wrth arian, awduron a menter ar ran y cyhoeddwyr. A beth am lyfrau ar gyfer y cyhoedd yn gyffredinol?

> Gwerthid mwy o lyfrau Cymraeg hefyd pe ceid cynllun i'w cael yn rhwyddach ac yn gynt. Anodd iawn ydyw cael llyfrau Cymraeg mewn llawer man . . . Pe bai maelfa neu ystordy . . . lle gellid cael unrhyw lyfr Cymraeg, gellid eu gwasgaru trwy Gymru mor rhwydd â llyfrau Saesneg . . .

Aeth tua phedwar ugain mlynedd heibio cyn y sylweddolwyd breuddwyd Dan Isaac Davies a sefydlu Canolfan Llyfrau Cymraeg yn Aberystwyth dan nawdd Cyngor Llyfrau Cymru.

Er nad oedd am i'r Gymraeg fod yn erfyn politicaidd—

> Nid â Rhyddfrydwyr, nac â Cheidwadwyr, yr wyf yn ymwneud—ond â CHYMRY—

sylweddolai pa mor bwysig oedd cael cefnogaeth yr aelodau seneddol i gyd i hybu'r achos ac i fynnu lle anrhydeddus i'r Gymraeg yn y gyfundrefn addysg. Yr oedd, mewn gwirionedd, yn awyddus i Gymru gael ei chyfundrefn addysg ei hun ac mewn un llythyr, fe aeth gam ymhellach na hynny:

> Pe byddai holl aelodau seneddol Cymru yn deall ei gilydd ar y mater hwn, yn deall fod teimlad dwys yn y wlad mewn perthynas iddo, a'i fod yn ein bryd i ail-unioni'r cam a wneir yn awr, yn anfwriadol â llawer o Gymry unieithog, nid oes un cwmpeini yng Nghymru y tu hwnt i ddylanwad PLAID GYMREIG, unedig.

Ac eto, wrth gyfeirio at Henry Richard, mewn llythyr at Isambard Owen:

> Does not H.R.'s letter bring out the need of Home Rule? Why should Welsh questions be shelved because they are wearisome to Englishmen? Even H.R. himself appears to measure the importance of a Welsh question by the English standard! It is time we had a Welsh Council of some kind.

A dyna'r llwyfan yn barod iddo allu cyflwyno, yn ei gyfres o lythyrau yn *Baner ac Amserau Cymru* a'r *Western Mail* yn 1885, ei syniad o ffurfio cymdeithas i weithredu er mwyn cywiro'r diffygion y bu'n tynnu sylw atynt. Yn yr Eisteddfod Genedlaethol yn Aberdâr ym mis Awst y bwriadai sefydlu'r gymdeithas ond gan ei fod yn awyddus i bawb, ac athrawon Cymru'n arbennig, wybod ymlaen llaw beth yn union oedd ei amcanion a'i gynlluniau, penderfynodd gyhoeddi ei gyfres o lythyrau yn llyfryn. Yr hyn na wyddai ei ddarllenwyr oedd ei fod eisoes *wedi* ffurfio'r gymdeithas i bob pwrpas a'i fod wedi trafod y manylion a'r cynlluniau ynglŷn â hi gyda chyfeillion fel Dr Isambard Owen a Beriah Gwynfe Evans mor bell yn ôl â mis Ebrill 1885.

Wrth gwrs, fe sylweddolai Dan Isaac Davies fod angen aredig y maes yn ddwfn cyn y tyfai ffrwyth a bod yn rhaid wrth alluoedd arbennig i hau hadau argyhoeddiad ym meddyliau'r Cymry. Aeth ati i ddylanwadu ar eraill a allai, yn ei farn ef, oherwydd eu swyddi, eu dylanwad, eu statws a'u cymwysterau arbennig fel areithwyr, llenorion a dynion cyhoeddus, dreiddio ymhellach i galonnau a meddyliau'r Cymry a thrwy hynny sicrhau cefnogaeth a llwyddiant i'r achos.

Gwelai Dan Isaac Davies fod Dr Isambard Owen yn meddu'r cymwysterau angenrheidiol i fod yn ŵr blaen y gymdeithas arfaethedig. Yr oedd Dr Owen yn ŵr galluog tu hwnt, ei enw a'i ddylanwad yn ddiamheuol, ei wybodaeth am yr achos yn eang ac roedd yn siaradwr cyhoeddus blaengar. Roedd Dan Isaac Davies â'i lygaid, hefyd, ar gael Ysgrifennydd egnïol a chydwybodol i'r gymdeithas newydd a rhoes ei fryd ar Beriah Gwynfe Evans i lenwi'r swydd hon. Meddai am yr athro hwn, mewn llythyr at Isambard Owen:

> He has the needful zeal and the literary ability necessary to the effective advocacy of our cause in Welsh and English. He possesses a thorough knowledge of Welsh Wales, having had twenty years' experience in Carmarthenshire . . . He would command the respect and sympathy both of his professional brethren and of the general public.

Roedd y Cadeirydd a'r Ysgrifennydd (a Beriah a etholwyd yn Drysorydd hefyd!), felly, yn barod i'w gwaith, ac roedd Thomas Gee wedi cyhoeddi, ar ei gost ei hun, fil o gopïau o lyfryn Dan Isaac Davies ar gyfer eu dosbarthu cyn y cyfarfod pwysig, dan nawdd y Cymmrodorion, yn yr Eisteddfod yn Aberdâr, ddydd Iau, 27 Awst 1885. Teitl y llyfryn hwnnw oedd: *1785—1885—1985! Neu, Tair Miliwn o Gymry Dwy-Ieithawg mewn Can Mlynedd. Cyfres o lythyrau gan Dan Isaac Davies, B.A.* [sic]. Pan ymddangosodd ailargraffiad yng ngwanwyn 1886, ychwanegwyd y geiriau 'Yr Iaith Gymraeg' uwch ben y teitl gwreiddiol a, hefyd, o dan enw'r awdur, 'gyda Hanes Sefydliad Cymdeithas yr Iaith Gymraeg, &c., &c., &c.' ac yr oedd 'Pris 6ch' ar y clawr. Yr un cywiriad angenrheidiol oedd newid y B.A. ar ôl enw Dan Isaac Davies yn B.Sc.

Yn y cyfarfod yn Eisteddfod Aberdâr (a gynhaliwyd yn gyfan gwbl yn yr iaith Saesneg!), yn dilyn anerchiad gan Beriah Gwynfe Evans ar y testun 'The Utilization of the Welsh Language for Educational Purposes in Wales', cafwyd trafodaeth a fu'n ffafriol iawn i'r mudiad ac yn llwyddiant diamheuol i holl arloesi a chenhadu Dan Isaac Davies. Cynigiodd yr Archddiacon John Griffiths, Llandaf, eu bod yn sefydlu cymdeithas i hyrwyddo'r defnydd o'r iaith Gymraeg mewn addysg ac eiliwyd gan William Abraham (*Mabon*) a oedd yn un o ymgeiswyr y Blaid Ryddfrydol yn y Rhondda ar y pryd.

Daeth y cyfarfod i ben gydag araith fer gan Dr Isambard Owen:

> I believe for my own part, and I am supported by many practical teachers, that the introduction of Welsh into the schools would in no way hinder the acquirement of English; but even supposing that a little extra

> labour were involved, would not the game from a practical point of view be worth the candle, if, at the same time, the frank recognition of the Welsh language as a subject worthy of being taught in the schools should, as I believe it would, help to give Welsh children a fuller confidence, and a better faith in their own nationality, and help them in acquiring habits of self-reliance and self-respect, wthout which success in life is hardly in these days to be attained . . .

Yng ngeiriau Dan Isaac Davies ei hun, dyma oedd canlyniad uniongyrchol y cyfarfod:

> . . . Arnaf i, fel un oedd wedi galw sylw y genedl yn y Faner a'r Western Mail—yn y Gogledd yn gyntaf, ac wedi hynny yn y De, yn Gymraeg ac yn Saesneg, mewn newyddiaduron Rhyddfrydol a Cheidwadol—y gosodwyd y cyfrifoldeb o gario allan benderfyniad gwresog, unol, y cyfarfod cyhoeddus cenedlaethol.

Y diwrnod canlynol, cynhaliwyd cyfarfod dan gadeiryddiaeth Dan Isaac Davies i roi ffurf a threfn ar y Gymdeithas newydd—'The Society for the Utilization of the Welsh Language'. Amcan pennaf y Gymdeithas oedd defnyddio'r iaith Gymraeg yn offeryn addysg yng Nghymru. Cafodd hanes ffurfio'r Gymdeithas sylw helaeth yn y wasg—yn Gymraeg ac yn Saesneg—ac wrth i ni gloi'r bennod hon, fel petai, ar wythnos brysur a llwyddiannus Dan Isaac Davies yn Eisteddfod Aberdâr, mae'n werth i ni ddyfynnu o'i ragair i'r llyfryn a gyhoeddwyd ganddo yr wythnos honno:

> Yn ôl pob tebyg, bydd mwy na thair miliwn o bobl yng Nghymru yn 1985. A fyddant hwy oll o deimlad Cymraeg, a lliaws ohonynt yn medru Cymraeg? Dyna'r nod y carwn i ni, fel cenedl, ymgyrchu ato.

Cyfnod o weithgarwch caled, o ohebu cyson ac o baratoi trylwyr fu'r wythnosau'n dilyn yr Eisteddfod. Cyn y cyfarfod nesaf, i drefnu Cyfansoddiad y Gymdeithas, roedd yn rhaid lledaenu gwybodaeth am y Gymdeithas, ennill aelodau newydd, ennill cefnogaeth athrawon Cymry—a oedd yn allweddol bwysig yn ei olwg—heb esgeuluso chwaith bwysigrwydd y cyhoedd yn gyffredinol, gan roi pwys mawr ar y ddau begwn, fel petai—y werin a'r pwysigion—ac ar roi sylw anrhydeddus *iawn* i wŷr dylanwadol y wasg.

Pwysleisiodd Dan Isaac Davies ei resymau dros sefydlu Cymdeithas yr Iaith Gymraeg (fel y daethpwyd i'w galw):

> Er mwyn cynorthwyo plant y Cymry unieithog i ddysgu Saesneg yn gynt, ac yn well—er mwyn rhoddi cyfle i blant ein cymdogion, a'r dyfodiaid i'n gwlad, ddysgu iaith eu gwlad fabwysiedig—er mwyn cynorthwyo ein masnachwyr dyfodol i ehangu eu masnach drwy gynyddu eu gallu ieithyddol—er mwyn y datblygiad meddyliol sydd yn cydfyned â'r gallu ieithyddol a dardda o'r arferiad cyffredinol o ddwy iaith—er mwyn cryfhau y teimlad cynyddol fod tegwch tuag at y tlawd, yr egwan, a'r hen, yn galw am fwy o swyddogion dwyieithog o ddydd i ddydd—er mwyn, yn y modd hyn, baratoi swyddi i'r plant Cymraeg; y rhai a gymhellwn yn daer i fynychu ein hysgolion o bob gradd, ac er mwyn eu cymhwyso i lenwi y fath swyddi—er mwyn cryfhau ein hasgwrn cefn cenedlaethol—ac er mwyn sicrhau safle fwy parchus i'n cenedl ymhlith cenhedloedd eraill . . .

Yn dilyn Cyfarfod Cyffredinol cyntaf y Gymdeithas yng Nghaerdydd ar ddydd Iau, 22 Hydref 1885, cynhaliwyd pleidlais i ethol 40 o aelodau ar Gyngor y Gymdeithas. Yr Archddiacon John Griffiths a dderbyniodd fwyaf o bleidleisiau, gyda Dan Isaac yn ail iddo. Ymhlith y gwŷr blaenllaw ac adnabyddus eraill a etholwyd yn aelodau yr oedd Beriah Gwynfe Evans, Y Prifathro J. T. Jones, Yr Athro Thomas Powel, Dr Isambard Owen, T. Marchant Williams, Thomas Gee, Dafydd Morganwg, W. Cadwaladr Davies, Y Barnwyr Gwilym Williams a Brynmor Jones, a'r Prifathro Reichel—gwŷr dylanwadol bob un ohonynt. Ac er i'r Arolygaeth wrthod i Dan Isaac Davies a'i gyd-arolygwyr fod ar Gyngor y Gymdeithas, gwyddai fod yr arolygwyr eu hunain, gan gynnwys y Prif Arolygydd yng Nghymru, gant y cant y tu ôl iddo.

Erbyn diwedd 1885, roedd Dan Isaac Davies yn gallu edrych yn ôl gyda balchder ar yr hyn a gyflawnwyd, yn gyffredinol ac yn bersonol ganddo ef ei hun, er ein bod yn gwybod nad oedd ei wraig yn fodlon iawn ar y sefyllfa gan nad oedd byth yn gweld ei gŵr bron. Oni fyddai oddi cartref gyda'i waith, neu gartref yn gweithio ar ei adroddiadau, neu'n amlach na pheidio ar faterion y Gymdeithas (gan gynnwys ysgrifennu'r llythyrau cyson at Isambard, Beriah ac eraill), yna byddai allan yn darlithio ar waith y Gymdeithas i wahanol gymdeithasau (er enghraifft, i Gymdeithas y Gwŷr Ifainc yng Nghapel Saesneg Charles Street, Caerdydd, i gynulleidfa yng Nghrucywel, i'r Cambrian Society, i Gymmrodorion Tredegar, ac yn y *Royal Institutions* yn Abertawe ac yn Lerpwl.)

Ar ben hynny, wrth gwrs, roedd â'i fys mewn sawl brywes arall. Roedd yn un o sylfaenwyr y Cambrian Society (ac fe wnaeth ddefnydd tactegol o'r gymdeithas hon i hyrwyddo ei brif ddiddordeb). Cymdeithas Gymreig yn hytrach na chymdeithas Gymraeg oedd hi, fodd bynnag, ac aeth Dan Isaac Davies, ynghyd â Dafydd Morganwg ac eraill, ati i sefydlu Cymmrodorion Caerdydd (cymdeithas a ystyriai'n gangen o Gymdeithas yr Iaith Gymraeg). Nid cyd-ddigwyddiad, mae'n debyg, oedd i'r Gymdeithas hon benderfynu:

> Fod cais yn cael ei anfon at Gorfforaeth Caerdydd, yn taer erfyn arnynt, pan yn apelio at yr Ysgrifennydd Cartrefol am ynad cyflogedig i Gaerdydd, i geisio ganddo, os bydd pethau eraill yn gyfartal, roddi'r flaenoriaeth i ymgeisydd yn deall yr iaith Gymraeg.

Ef hefyd oedd y tu ôl i sefydlu Undeb Ysgolion Sabothol Cymreig Caerdydd. Galwodd gyfarfod o gynrychiolwyr holl Ysgolion Sul Cymraeg Caerdydd ym mis Ebrill 1886 a'r canlyniad fu sefydlu'r Undeb. Ond mae Dan Isaac Davies yn cyfaddef yn un o'i gyfresi newydd o lythyrau i'r *Western Mail* yn 1886:

> Iawn ydyw dweud . . . na ellid gwneuthur yng Nghaerdydd yr hyn a wnaed . . . dros yr Ysgolion Sabothol oni bai fod Cymdeithas yr Iaith Gymraeg wedi ei ffurfio. Merch i hon ydyw Undeb Ysgolion Sabothol Cymraeg Caerdydd.

A pha ryfedd iddo grwydro i wahanol fannau i genhadu dros sefydlu Undebau cyffelyb i Undeb Ysgolion Sabothol Caerdydd—yn Abertawe, Pontypridd, Caerffili a Phen-y-bont ar Ogwr, er enghraifft.

Roedd 1886 yn flwyddyn arbennig o brysur yn ei hanes. Roedd ganddo gynlluniau i'r Gymdeithas ledaenu ei dylanwad a chyrraedd y nod a osodwyd iddi yn 1885 ac, ar ben hynny, roedd Comisiwn Brenhinol wedi ei sefydlu i archwilio i sefyllfa a chyflwr addysg yng Nghymru a Lloegr. Ac un o frwydrau pwysicaf Dan Isaac Davies yn y cyswllt olaf hwn oedd cael Cymro Cymraeg yn aelod o'r Comisiwn. Meddai mewn llythyr at Beriah:

> I am bringing all the pressure I can to bear on the friends of Wales in London who have it in their power, if they exert themselves, to get a Cymro quietly appointed.

Fel y digwyddodd pethau, roedd enw Henry Richard, A.S., eisoes ymhlith yr enwau ar Gomisiwn Syr Richard Cross. Ond gan nad oedd ffydd Dan Isaac Davies yn arbennig o gryf yn y gŵr hwn, ymgymerodd ef ei hun â'r dasg o'i gymryd dan ei adain i'w hyfforddi a'i argyhoeddi. Aeth i Lundain i siarad ag ef a chawn hanes y cyfarfod mewn llythyr oddi wrth Dan Isaac at Beriah Evans:

> I had a long talk with Mr Richard—fully two hours . . . My impression is that we shall have a friend at Court . . . H.R. will take care that Welshmen shall have an opportunity of giving evidence . . .

Lluniodd gynllun gofalus a manwl ar gyfer rhoi tystiolaeth ger bron y Comisiwn yn ogystal â pha ddogfennau, papurau a gwybodaeth berthnasol i'w cyflwyno i'r Comisiynwyr. Yn y dystiolaeth ysgrifenedig a gyflwynwyd, nodwyd bod 800 o aelodau'n perthyn i Gymdeithas yr Iaith Gymraeg, y rhan fwyaf ohonynt yn gysylltiedig ag addysg ac yn cynrychioli pob enwad crefyddol a phob plaid wleidyddol yn ddiwahân.

Tua'r un pryd ag yr ymboenai am y Comisiwn, yr oedd ganddo hefyd haearn arall yn ei dân, sef yr angen i ddarparu gwerslyfrau addas yn Gymraeg ar gyfer yr ysgolion, a hynny, yn ei farn ef, gan bwyllgor o athrawon ysgolion elfennol Cymru. Ac fe gafodd ei faen i'r wal unwaith eto gan i Gyngor Cymdeithas yr Iaith Gymraeg fabwysiadu ei awgrymiadau a phenderfynu mynd ati i gyhoeddi cyfres o werslyfrau pwrpasol. Yn ychwanegol at hyn, mewn cyfres arall o lythyrau yn y wasg, mae'n pwysleisio'r angen i ddefnyddio'r Gymraeg fel cyfrwng i ddysgu pob pwnc i blant ysgolion Cymry.

Yn 1886, hefyd, y daeth llwyddiant i un rhan o'i gynlluniau, pan gynhaliwyd yr arholiadau cyntaf un, gyda chefnogaeth yr Adran Addysg, ar y Gymraeg fel pwnc penodol mewn naw o ysgolion yn ardal Gelli-gaer, gyda chanlyniadau calonogol iawn a oedd yn argoeli'n dda ar gyfer lledaenu'r arfer ledled Cymru. Ac roedd yr ymarfer hwn yn rhoi rhywbeth cwbl ddiriaethol i Gymdeithas yr Iaith Gymraeg i'w gynnig i Gomisiwn Cross fel tystiolaeth o lwyddiant addysgu a dysgu'r Gymraeg.

Soniais o'r blaen am y cymdeithasau yr oedd ynglŷn â hwy yng Nghaerdydd. Yn ei olwg ef, un achos *mawr* oedd y cyfan; pan oedd yn hyrwyddo un gymdeithas, yr oedd hefyd yn hybu buddiannau cymdeithas arall a thrwy hynny y mudiad cyfan. Tair merch lwyddiannus Cymdeithas yr Iaith Gymraeg oedd y Cambrian Society, Cymmrodorion Caerdydd ac Undeb yr Ysgolion Sabothol Cymraeg. Bu gofal Dan Isaac Davies ohonynt oll yn fawr ac angerddol; gwyliodd hwy'n tyfu, yn datblygu ac yn llwyddo. Ymegnïodd yn ddyfal a chyson dros bob un ohonynt gan aberthu arian, amser, llafur, a hyd yn oed ei fywyd yn y diwedd, heb unwaith ddymuno unrhyw fath o gydnabyddiaeth yn breifat nac yn gyhoeddus. Trwy'r fam-gymdeithas—Cymdeithas yr Iaith Gymraeg—a'i merched llai nerthol, mwy lleol, felly, y dewisodd Dan Isaac Davies geisio sylweddoli ei freuddwyd. Tyfodd bonyn praff a llu o ganghennau o'r hedyn cyntaf a blannodd Dan Isaac Davies ac yr oedd arwyddion pendant y byddai 1887 yn flwyddyn nodedig iawn yn hanes addysg yng Nghymru.

Yn ystod misoedd cyntaf 1887, ymddangosodd Dr Isambard Owen, T. Marchant Williams, yr Archddiacon John Griffiths, a Dan Isaac Davies ger bron Comisiwn Cross i gyflwyno'u tystiolaeth a chawsant bob cyfle i gyflwyno'u hachos yn gyflawn a chyfansawdd tu hwnt.

Cyflwynwyd tystiolaeth ffafriol dros ben o safbwynt y defnydd a wnaed eisoes o'r Gymraeg yn yr ysgolion gan William Williams, y Prif Arolygydd Ysgolion, ond tyst gelyniaethus iawn i'r achos oedd y Rheithor Daniel Lewis o Ferthyr. Mynegodd ef ei farn heb flewyn ar dafod:

> I am not in sympathy with the movement which is now set on foot to introduce Welsh textbooks into the curriculum of Welsh Elementary Schools. I think that it would considerably handicap both teachers and scholars . . .

ac nid mantais, meddai, fyddai defnyddio'r Gymraeg fel cyfrwng i ddysgu Saesneg yn yr ysgolion:

> I feel that it would retard the knowledge of English.

Y mae un o gwestiynau'r Arglwydd Norton i'r Rheithor yn dangos yn glir pa mor anwybodus ac anghymwys oedd ambell aelod o'r

Comisiwn ac y mae ateb llipa, ystrydebol Daniel Lewis yn ei dro yn arwydd amlwg o agwedd llawer o Gymry llugoer pob oes:

> *There is no practical object or use, is there, in keeping up the Welsh language?*—No, I think that there is not any very great use in it, still I should be sorry to do anything to put it down.

Wrth gwrs, onid oedd cymhellion y Rheithor, ac yntau'n Gymro mor dwymgalon, yn gwbl anrhydeddus?

> Of course, I do not desire it to be understood that I am in any way wishful to put down the Welsh language. I am as strongly in love with everything that is Welsh as any man living in Wales. I was brought up as a Welshman . . . but I am speaking in the interest of the rising generation.

Nid y Rheithor Daniel Lewis o Ferthyr oedd yr unig Gymro mor ymddangosiadol genedlgarol yn y cyfnod hwnnw (nac wedyn, chwaith, o ran hynny), ond ni thaflwyd llwch i lygad y Comisiynwyr a thystiolaeth Dan Isaac Davies a'i gyfeillion a gariodd y dydd a gwyddom, oddi wrth un sylw byr mewn llythyr oddi wrth Dan Isaac Davies at Dr Isambard Owen, fod yr arloeswr dwyieithedd wedi ei blesio'n arw gan yr hyn a ganiatawyd gan Gomisiwn Cross ar gyfer y Gymraeg yn yr ysgolion.

Gwaetha'r modd, cafodd Dan Isaac Davies annwyd trwm wrth ddychwelyd o Lundain ar ôl rhoi ei dystiolaeth o flaen y Comisiwn. Parhaodd i weithio, serch hynny, a throdd yr annwyd yn niwmonia, a bu farw bnawn Sadwrn, 28 Mai 1887, yn 48 oed.

Yn yr adroddiadau am ei farw yn y wasg, defnyddiwyd geiriau ac ymadroddion megis 'arloeswr', 'dyngarwr', 'Cymro twymgalon', 'un o'r Cymry ffyddlonaf erioed a droediodd y ddaear', 'Cymro eneidfawr', ac fe nodwyd iddo farw 'â'r cryman yn ei law, gorfu iddo adael y fedel ar ganol y goron, ymhell cyn cyrraedd pen y dalar'.

Roedd angladd Dan Isaac Davies, ddydd Mawrth, 31 Mai 1887, yn un o'r rhai mwyaf a welsai dinas Caerdydd erioed. Nid y weddw a'r teulu a drefnodd yr angladd oherwydd dywedodd Mrs Davies wrth gylch o gyfeillion ei diweddar ŵr pan oeddent yn trafod y trefniadau:

> Gadawaf y cyfan i chi—y mae yn fwy o eiddo i chwi na mi—rhoddodd ei fywyd dros ei genedl—bu farw wrth weithio drosoch chi, y Cymry!

Cynhaliwyd y gwasanaeth coffa cyhoeddus ar ddiwrnod yr angladd yng Nghapel Tabernacl, Caerdydd, ac erbyn dau o'r gloch y pnawn, roedd y capel yn orlawn. Roedd y gwasanaeth yng ngofal yr Athro T.F. Roberts, a chafwyd anerchiadau gan dri aelod seneddol yn ogystal â'r Barnwr Gwilym Williams, Meisgyn, y Prifathro Viriamu Jones, a Maer Caerdydd. Aeth y gwasanaeth ymlaen tan 3.30 p.m. ac yna, yng nghanol glaw trwm, ffurfiwyd gorymdaith mewn trefn bwrpasol o holl gynrychiolwyr y cymdeithasau a'r mudiadau y bu Dan Isaac Davies yn gysylltiedig â hwy. Cychwynnodd yr orymdaith ar ei thaith o'r Hayes i lawr drwy Working Street, St John's Square, Heol y Frenhines, Park Place a Richmond Terrace, at gartref Dan Isaac Davies, lle cynhaliwyd gwasanaeth byr uwch ben yr arch. Yna parhawyd â'r orymdaith drwy Gaerdydd nes cyrraedd Mynwent Thornhill am 5.30 p.m. Yna, saith o gyfeillion agosaf Dan Isaac Davies yn cludo'r corff at lan y bedd lle cynhaliwyd gwasanaeth dan arweiniad y Parchedig J. Williamson. Ac felly y terfynwyd y diwrnod bythgofiadwy hwnnw i drigolion Caerdydd a Chymru. Milltir o orymdaith, rhwng dwy a thair mil o bobl o bob rhan, ac angladd teilwng o unrhyw dywysog.

Bu farw Dan Isaac Davies yng nghanol berw buddugoliaeth a gadawodd ar ei ôl sialens i'w olynwyr nid yn unig i ddiogelu'r hawliau a ganiateid i Gymru a'r Gymraeg yng Nghôd Addysg Diwygiedig 1889 ond i sicrhau bod yr athrawon a'r Byrddau Ysgolion ac, yn wir, y Cymry'n gyffredinol, yn derbyn her y dyfodol gyda'r holl fanteision a gynigid gan eu cyfundrefn addysg newydd. Nid oes gen i fy hun unrhyw amheuaeth na fyddai pethau wedi bod yn wahanol iawn ar y Gymraeg—yn y byd addysg ac, yn wir, yn gyffredinol—pe na bai Dan Isaac Davies wedi marw mor anamserol.

Dan Issac Davies.
(Llyfrgell Genedlaethol Cymru)

'Yn Wladgarol, Iaithgarol a Chenedlgarol' Cymdeithas Cymrodorion Aberdâr

Brynley F. Roberts

Ar Graig-cefn-parc fydd nemor neb
  Yn sôn am Gymrodorion,
Ar Graig-cefn-parc mae iaith fy mam
  Yn faeth ac yn foddion . . .
Nid Cymrodorion sy ar y Graig,
  Cymry glân sydd yno.

Ymhelaethodd Crwys ar y pennill hwyliog, hunanfoddhaus hwn mewn brawddeg gwta yn ei atgofion yn 1950: 'Y mae'r bywyd mor Gymreig fel na freuddwydiodd neb am sefydlu Cymdeithas y Cymrodorion yno erioed', meddai.[1] O gymharu ei gwm Tawe ef ac ardaloedd eraill—ym Morgannwg yn arbennig—lle'r oedd yr iaith ar drai, y gwahaniaeth a welai oedd cymeriad ymwybodol y bywyd Cymraeg yno o'i gyferbynnu â Chymreictod naturiol Craig cefn-parc: Cymrodorion oedd y naill, Cymry glân y lleill. Dichon yn wir fod yr elfen hunan-ymwybodol yn fwy amlwg ar adegau na'r ymdrech warcheidiol ac amddiffynnol a oedd yn gymysg â hi, ond nid yw'n anodd, ychwaith, ymglywed â balchder Crwys yn ei werin Gymraeg rhagor yr ymgyrchwyr dosbarth-canol cymrodoraidd (neu ba enw bynnag a arferai'r cymdeithasau Cymraeg hyn). Oherwydd yr oedd y cymdeithasau newydd hyn yn wahanol iawn i'r hen gymdeithasau 'Cymreigyddol' a oedd yn nodwedd mor gyffredin ym mywyd diwylliannol Cymru yn hanner cyntaf y bedwaredd ganrif ar bymtheg.

Yn sgil y cymdeithasau Cymreigyddion a'r eisteddfodau taleithiol a sefydlwyd yn ganlyniad i ymdrechion yr 'hen bersoniaid llengar' (ar y cychwyn) cododd, ledled Cymru, gymdeithasau llenyddol lleol a barhaodd y traddodiad newydd hwn ac a wreiddiodd y gweithgarwch ym mröydd a chymdogaethau'r wlad.[2] Ni chawsant ddaear fwy ffrwythlon i fwrw gwreiddiau nag ym Morgannwg a Gwent lle'r oedd presenoldeb, ac yna enw, Iolo Morganwg yn ysbrydoliaeth. Cydiodd yr hanes a ddisgrifiwyd ganddo ef—hanes talaith a blaenoriaeth ei beirdd, ei llên a'i barddas—yn nychymyg beirdd lleol y gymdeithas fywiog, gymysg a oedd yn tyfu yn y cymoedd ac a gâi ei hatgyfnerthu'n feunyddiol gan y mewnfudo cyson o ardaloedd Cymraeg eraill. Gwelent eu hunain yn etifeddion breiniol y gwir draddodiad barddol a gynrychiolid gan Gadair Morgannwg, ac nid oes amheuaeth, faint bynnag y troes ein hoes ni i ddilorni'r dychmygion hyn a ffolinebau eithaf 'derwyddon' Pontypridd, na fu'r ymwybyddiaeth hon yn rym cynhaliol yn niwylliant y cymunedau diwydiannol newydd ac yn ddolen gyswllt rhyngddynt a'r hen fywyd Cymraeg gwledig yn y blaendiroedd hyn. Aeth y beirdd ati i ddysgu barddrin ac ennill addysg yn y grefft farddol mewn cymdeithasau lleol ac i ymarfer eu dawn mewn cylchwyl, gorsedd ac eisteddfod ac er i lawer o'r cyfarfodydd hyn ddatblygu'n achlysuron cyhoeddus a noddid gan wŷr tiriog a diwydianwyr lleol ac a fynychid gan 'foneddigion cymmeradwy' a 'rianod harddbryd, gwiwbarch' yn 'gynnulleidfa dra chyfrifol'—porthid yr eisteddfodau gan awyrgylch eisteddfodau'r Fenni a oedd yn fath o fam-gymdeithas—ysgolion beirdd a moddion addysg gymdeithasol boblogaidd (a radicalaidd ar adegau) oedd y cymdeithasau Cymreigyddion neu Gym(m)rodorion hyn a gynrychiolir yn Aberdâr a'r cyffiniau gan Gymreigyddion Hirwaen Wrgant (1830), Cymreigyddion Brynhyfryd (1837) a Chymreigyddion y Carw Coch (1846).[3] Parhawyd y traddodiad hwn o hyfforddi beirdd hyd yn oed pan enynnodd cyfarfodydd mewn tafarndai wg y mudiad dirwest yn ail hanner y ganrif a chymdeithas lenyddol o'r hen fath oedd Ysgol Farddol Aberdâr ar droad y ganrif ac ar ôl hynny. Cymdeithas o feirdd, yn cael eu hyfforddi gan athro cydnabyddedig, Ab Hefin, ac yn trafod gwaith a llwyddiannau ei gilydd oedd yr 'ysgol' ac ni ellir peidio ag ymglywed â balchder digon cyfiawn y gwerinwyr ymneilltuol, capelgar hyn, yn lowyr, torrwr gwallt, goruchwyliwr parc ac ysgrifennydd, eu bod yn cynnal hen arfer yn eu cyfansoddi a'u cyd-drafod.[4] Yr oedd bywyd llenyddol, neu farddonol o leiaf, ffyniannus yn Aberdâr a'i phentrefi cylchynol ar ddechrau'r ugeinfed ganrif: yn wir, parhâi felly ymhell i ugeiniau'r ganrif hon fel y tystia *Cyfoeth Cwm* D. Jacob Davies.[5]

Mynegiant o asbri bywyd cymunedau ifainc oedd y cymdeithasau llenyddol ac eraill o natur ddyngarol, hynafiaethol ac addysgiadol (rhyddymofynnol) a gododd yn y cymoedd a'r trefi. Tyfodd poblogaeth Morgannwg o 177.7 o filoedd yn 1841 i 239.7 o filoedd yn 1851 ac yn gyson ar ôl hynny ar raddfa o tua 28% bob deng mlynedd nes cyrraedd 1,130.7 mil yn 1911. Yr oedd poblogaeth plwyf Aberdâr wedi dyblu yn y degawd 1841-1851 o 6,471 i 14,999; dyblodd eto yn y degawd nesaf i 32,299 yn 1861. Cynyddodd poblogaeth y dosbarth trefol ar ôl hynny—38,431(1891), 43,365 (1901), 50,830 (1911). Hyd at yr 1870au o rannau eraill o Gymru y deuai'r mewnfudwyr, ac er bod y sefyllfa'n newid ar ôl hynny a mewnfudwyr o Loegr ac Iwerddon yn tyfu'n amlycach, yr oedd y mewnfudo cynharach wedi sicrhau sylfaen bur gadarn i'r Gymraeg yn y cwm. O'r boblogaeth o 43,365 yn 1901 yr oedd 5,382 yn uniaith Gymraeg a 23,097 yn honni graddau o ddwyieithrwydd: hynny yw, yr oedd dwy ran o dair o'r boblogaeth yn medru'r iaith. Erbyn 1911 yr oedd y ganran (ond nid y cyfanswm) wedi gostwng i tua 59% (3,068 yn uniaith, 26,794 yn ddwyieithog). Gellir amau i ba raddau yr oedd y gostyngiad araf hwn o flwyddyn i flwyddyn yn amlwg i drigolion y cwm, a rhaid cofio na fyddai'r un gostyngiad ymhob un o'r pentrefi, fel y mae'n debygol nad ymdeimlo â bygythiad i'r iaith a'i diwylliant oedd prif symbyliad y grŵp a ddaeth at ei gilydd nos Wener, 4 Hydref 1907, 'i ystyried y priodoldeb o sefydlu Cymdeithas Gymraeg'. Dichon yn wir mai dilyn ffasiwn yr oeddent, oherwydd y mae mwy o naws 'Cymru Fydd' i'w chlywed yn y bwriadau cychwynnol na phryder am y sefyllfa ieithyddol leol.[6]

Galwyd y cyfarfod 'ar gais nifer o gyfeillion oedd yn teimlo diddordeb yn Iaith a Llenyddiaeth Gymraeg' a sefydlwyd y gymdeithas gyda'r amcan o 'ddeffro gwladgarwch, noddi ein llenyddiaeth, symbylu ymchwiliad i'n hynafiaethau yn enwedig yn eu cysylltiadau lleol: a gwylio hyrwyddiad ein iaith a materion cenedlaethol'. Yng Nghaerdydd, lle y sefydlwyd cymdeithas y Cymrodorion yn 1885, yr oedd ymdeimlad siaradwyr Cymraeg a noddwyr ei diwylliant o fod yn ynysig yn gryfach nag yn y cymoedd, ond hyd yn oed yno y prif orchwyl oedd 'trefnu cyfarfodydd, yn areithiau, darlithiau a dadleuon, dyfnhau ymwybyddiaeth o Gymru trwy ymdrwytho yn nhraddodiadau gorau'r genedl,' a rhoid pwys ar yr elfen adloniadol, gymdeithasol (er nad anghofiwyd am faterion cyhoeddus a ymwnâi â'r Gymraeg).[7] Yn Abertawe y mae'n arwyddocaol mai yn sgil gwledd i ddathlu Gŵyl Ddewi y sefydlwyd cymdeithas y Cymrodorion yno yn 1887 a bod y dathliadau hynny wedi bod yn weithgarwch blynyddol pwysig. Cyfuniad o'r diwylliannol-hynafol a'r gwleidyddol ryddfrydol-Gymreig yw'r amcanion:

> a) Ymgais i gynyrchu cydweithrediad ac unoliaeth barn a threfn cydrhwng Cymrodorion Abertawy a'r Gymdogaeth, a hyny ar raddfa eangfryd a Chenedlaethol, heb un arwedd Enwadol na Gwleidyddol.
> b) Helaethu terfynau y Gymraeg, trwy ddadenhuddo a lledaenu ei thrysorau gwyddonol, llenyddol, a chelfol c) Ymegnio gwerthfawrogi y Gymraeg, yn ei holl gyflawnderau anhysbyddadwy; gan ddwyn ei godidogrwydd, ei hardduniant, a'i harucheledd, o anialwch llygredigaeth a difancoll.
> c) Dadmerth pob moddiant galluadwy i'r Gymdeithas, er diwyllio, derchafu, ac angerddoli yr anianawd a'r meddylfryd Cymreig, modd yr adenillom annybyniaeth, gwrolfrydedd, a dianwadalwch Cynfrodorion Ynys Prydain.[8]

Beth bynnag am ieithwedd yr amcanion hyn, y rhain a fyddai'n nodweddiadol o feddylfryd Cymreig y prif sylfaenwyr, oherwydd arweinwyr y bywyd cyhoeddus a gwŷr y sefydliad oedd dynion amlycaf Cymrodorion Caerdydd ac Abertawe. Nid oedd arweinwyr y bywyd dinesig mor amlwg yng nghyfarfod cychwynnol Cymrodorion Aberdâr ond y mae natur unffurf y dosbarth a gynrychiolir gan 'y cyfeillion' hyn yn eglur—athrawon ysgol, gweinidogion, y ficer, gwŷr busnes ond gydag ambell gynrychiolydd o'r hen gymdeithas farddol. Un o genadwrïau cyntaf y gymdeithas, fis Tachwedd 1907, oedd anfon gair i longyfarch Mr David Lloyd George 'ar derfyniad hapus yr Anghydfod ynghlyn a'r rheilffordd', a'r mis dilynol anfonwyd ato eto i gydymdeimlo ag ef 'yn ei brofedigaeth o golli ei anwyl ferch'. Yn 1915 yr oeddent yn cydymdeimlo 'â'r Anrhydeddus Fonesig A.L. Lewis y Mardy ar farwolaeth y gwron hynaws Yr Arglwydd Ferthyr'. Ymhlith y rhai a ddaeth at ei gilydd yn Ysgol Ganolraddol Aberdâr i sefydlu'r gymdeithas yr oedd prifathro'r ysgol, W.B. Cox, rhai o'i athrawon megis E. Ogwen Williams (a ddaeth maes o law yn gynghorydd tref ac yn gefn i'r gymdeithas), Aubrey Roberts, gweinidogion megis R.J. Jones yr Undodwr, John Morgan, Richard Williams, John Tudor, John Davies, athrawon ysgol (John Griffiths, W.T. Roberts), D. Tyssul Davies, gŵr busnes lleol, E.B. Morris (awdur *Enwogion Aber Dâr* (1910) ac ysgrifau eraill yn *Cymru*), a Henry

D. M. Richards (Myfyr Dâr).
(J. F. Mear)

Lloyd, 'Ab Hefin', argraffydd, bardd ac athro beirdd. Methodd C.A.H. Green, y ficer, a'r Parchg Cynog Williams fod yno ond anfonasant air o gefnogaeth. Dynion, a nifer o fenywod yn y man,[9] tebyg i'r rhain a fyddai'n llywio gweithgareddau'r gymdeithas ac i raddau helaeth delfrydau'r arweinwyr a fyddai'n cael eu hadlewyrchu'n bennaf yn yr aelodau ac yn y penderfyniadau.

Noddi a hyrwyddo'r diwylliant Cymraeg oedd prif amcanion y gymdeithas ond un nodwedd arbennig a welir yn yr Amcanion (a luniwyd gan is-bwyllgor rheolau 9 Hydref 1907 pan benderfynwyd ar yr enw Cym(m)rodorion Aberdâr) yw'r pwyslais a roddir ar hanes lleol a henebion. Cynullydd y cyfarfod cyntaf oedd D.M. Richards, 'Myfyr Dâr', newyddiadurwr lleol ac un a wyddai fwy am hanes Aberdâr ac am bob datblygiad cyfoes na neb yn y cylch:

> Symudiadau politicaidd, sefydliadau addysgol, gwaith cymdeithasol a gwaith crefyddol, cymdeithasau cenedlaethol, eisteddfodau a phwyllgorau o bob math—efe oedd eu cynllynnydd, eu cynullydd a'u cofnodydd.[10]

Ysgrifennodd beth o hanes y dref ac y mae ei gyfrol, *Rhestr eisteddfodau hyd y flwyddyn 1901* (1914), yn dal yn ddefnyddiol. Nid gormod yw tybio mai ef oedd prif symbylydd sefydlu'r Cymrodorion a'i ddiddordebau ef a ganfyddir yn y cyfeiriad at 'ymchwiliad i'n hynafiaethau, yn enwedig yn eu cysylltiadau lleol' yn yr Amcanion; yn y Moddion (a baratowyd gan yr is-bwyllgor rheolau) manylir:

> cynhal cyfarfodydd, neullduo dirprwyeithau, trefnu efrydiaethau, ymweld a lleoedd o ddiddordeb, casglu cynyrchion llenyddol, creiriau, llen gwerin a defion.[11]

Yr oedd y gwaith hynafiaethau maes eisoes yn un o ddiddordebau Cymdeithas Anianyddol Aberdâr (*The Aberdare Naturalist Society*) a sefydlwyd yn 1888 ond dyma roi gwedd Gymreig arno a'i gysylltu â hanes diwylliant Cymraeg y cwm.[12] Tarawyd y cywair hanesiol yn y cyfarfodydd cyntaf (yn ysgol newydd Y Gadlys, yr 'Higher Grade') ym misoedd Hydref (18 Hydref 1907 y cynhaliwyd y cyfarfod cyntaf oll) a Thachwedd: papurau ar 'Carw Coch', 'Gwilym Ddu o Glan Cynon', y Derwyddon, a D.M. Richards ei hun yn olrhain hynt y cymdeithasau Cymreigyddol, yn arbennig y rhai a sefydlwyd yng nghwm Cynon yn y 1830au. Ni chollwyd y diddordeb hwn yn hanes llenyddol y cwm trwy gydol hanes y gymdeithas ac y mae'n drawiadol cynifer o haneswyr cwm Cynon sydd wedi codi ymhob cenhedlaeth.

Sefydlwyd patrwm y cyfarfodydd o'r cychwyn cyntaf, patrwm a ddilynwyd am flynyddoedd lawer ac sy'n arwydd o ddiwylliant ac ymroddiad yr aelodau eu hunain. Ar y dechrau yr aelodau a fyddai'n gyfrifol am gynnal y cyfarfodydd pythefnosol (o Hydref hyd Fawrth) a mabwysiadwyd yr arfer o gael dau bapur ymhob cyfarfod, un yn lleol ei bwnc ac yn para am ddeng munud, yna bapur hwy, mwy cyffredinol neu letach ei faes. J.J. Williams, yn Ionor 1909, oedd y siaradwr cyntaf o'r tu allan i'r gymdeithas (Iolo Morganwg oedd ei destun) a deuai darlithwyr gwadd yn rheolaidd o hynny allan. Er hynny, ni fyddai gwestai ymhob cyfarfod a hyd yn oed yn 1914 penderfyniad y pwyllgor oedd mai dau 'ddieithryn' a ddylai fod pob tymor ynghyd â'r siaradwr yn y Swper Gŵyl Ddewi. Parheid i roi lle amlwg i'r aelodau ac ni ollyngwyd yr arfer o gael papur deng munud lleol gan aelod pwy bynnag fyddai'r prif siaradwr. Dichon fod ambell ddarlithydd gwadd wedi teimlo'n anniddig wrth orfod gwrando ar bapur lleol gan ŵr neu wraig anacademaidd eu cefndir ond mae'n anodd mesur pwysigrwydd yr arfer hwn i'r hunan-ddiwyllio a'r elfen o warchod gwreiddiau a oedd, y mae'n amlwg, yn rhan o ysbrydoliaeth y sylfaenwyr. Ym mlynyddoedd y mewnfudo mawr a'r newid a droes gymdogaeth bentrefol yn un fwy dinesig ei natur a chymysg ei hiaith, yr oedd rhywbeth amgenach na difyrrwch awr mewn papurau megis hanes y cymdeithasau Cymreigyddol lleol, 'hen gymeriadau Aberdâr' a thrafodaethau ar enwogion y diwylliant—Telynog, William Morgan y Bardd, Glanffrwd, Gwilym Harri, Alaw Goch, Edward Efan Ton-coch, Daniel Griffiths y cerddor, Jacob Traherne, a'u tebyg. Nid hwyrach eu bod wedi gwneud mwy i hybu'r ymwybyddiaeth Gymreig na darlithiau ar 'Cymru adeg y Rhufeiniaid' (Edward Anwyl) neu 'Y Mabinogion' (W.J. Gruffydd). Symbylodd y papurau deng munud lawer o ymchwil ac o hel atgofion fel y mae'n resyn na chadwyd copïau ohonynt, er ei bod yn fwriad yn 1917 osod papurau'r Cymrodorion yn y llyfrgell leol. O bryd i'w gilydd ceisiwyd hyrwyddo hanes diwylliant y cwm mewn ffyrdd mwy cyfundrefnol trwy 'drefnu efrydiaethau' (yng ngeiriau'r Moddion gwreiddiol) ond hyd y gellir casglu ni ddaeth dim o awgrymiadau buddiol a wnaed megis llunio rhestr o gyhoeddiadau (1908), casglu geiriau tafodieithol y cylch (1913), casglu enwau lleoedd yr ardal (1915).

Parhaodd yr ymwybyddiaeth hanesyddol a rhoid sylwedd ddaearyddol iddi trwy gyfrwng y wibdaith flynyddol i fannau arwyddocaol lleol, ac yn 1923, pan oedd darlithwyr ymweliadol yn elfen amlycach yn rhaglen y gymdeithas na phapurau gan aelodau, mynnai'r pwyllgor fod un noson bob tymor i'w neilltuo i ryw agwedd ar hanes a datblygiad Aberdâr. Deuai mawrion diwylliant y genedl i annerch y gymdeithas ac i fod yn westeion y Swper Gŵyl Ddewi, amryw ohonynt droeon ac yn ddi-dâl—Pedr Hir, Edward Anwyl, J.J. Williams, W.J. Gruffydd, Elphin, Gwili, Mary Williams, Ifor L. Evans, Ifan ab Owen Edwards, R. Williams Parry, Moelona, R.T. Jenkins, D. Vaughan Thomas, Ernest Hughes, Evan Isaac, Henry Lewis, Fred Jones (Treorci), Dyfed, Ifano, D. Rhys Phillips, Morgan Watkin, T. Gwynn Jones, R.S. Rogers, Ifor Williams, Bob Owen, G.J. Williams, a llawer o rai eraill. Ond ni ddibynnai ffyniant y Cymrodorion ar yr ymwelwyr hyn. Pan fethai darlithydd gyrraedd, nid oedd prinder adnoddau rhag cynnal cyfarfod difyr, yn noson o adloniant, yn ddadl neu'n drafodaeth, yn bapur llenyddol neu'n adroddiad ar ryw fater Cymreig cyfoes Ceir blas y cyfarfodydd cynnar yn y cofnod am gyfarfod 20 Rhagfyr 1907: 'Oherwydd y gwlaw amddifadwyd y cyfarfod o wasanaeth y delyn', ond cafwyd adroddiad digrif, canu cerddi, darllen baled leol 'gan Myfyr Dâr o lonaid dwrn oedd ganddo', sef Cerdd Hela Llwynog Cwmdâr, englynion a dychmygion gan Ab Hefin, a Dewi Aeron yn darllen englynion Dewi Havesb. Y flwyddyn ganlynol cafwyd dadl ar 'Pa un ai mantais ynte anfantais i Farddoniaeth Gymreig ydyw y Gynghanedd'; yr oedd Ab Hefin yn erbyn, Glan Cynon o blaid y gynghanedd ac yr oedd 'nifer luosog o feirdd' yn y cyfarfod. Ni ellir amau'r elfen adloniadol yn rhaglen flynyddol y gymdeithas. Neilltuid un noson felly o ganu ac adrodd bob blwyddyn—arfer cenhedlaeth ddiweddarach fyddai ei galw'n noson lawen—ac yr oedd cyfarfod y Nadolig a'r Swper Gŵyl Ddewi yn achlysuron pwysig, er iddynt dyfu'n fwy ffurfiol ac yn debycach i gyngherddau ysgol yn nes ymlaen. O'r cychwyn rhestrid ymhlith swyddogion y Cymrodorion ei bardd (swydd flynyddol) a'i thelynor (parhaol), y naill swyddogaeth a'r llall yn ddolen gyswllt â'r hen fywyd mwy gwerinol a thraddodiadol ac â'r cymdeithasau Cymreigyddol gynt. Yr oedd y telynor ynddo'i hun yn ddolen gyswllt fyw â'r hen gymdeithasau tafarn oherwydd Roger Thomas, tafarn y Mount

Henry Lloyd (Ab Hefin) yn eistedd ynghanol aelodau o'i Ysgol Farddol ym Mharc Aberdâr yn 1910.

(D. L. Davies)

Pleasant, Cwmaman, fu telynor y gymdeithas am flynyddoedd lawer, yn eisteddfodwr cystadleuol a nai iddo, Jackie Thomas, yn delynor Cymrodorion y Plant. Cyflwynwyd anerchiad lliwedig hardd o waith Iwan Goch, un o'r beirdd lleol, iddo yn 1924 i gydnabod dros 12 mlynedd o wasanaeth.[13]

Lleihaodd nifer y beirdd lleol erbyn y 1920au a pheidiodd y gymdeithas farddol. Yn ei blynyddoedd cynnar, er mai fel cymdeithas ddiwylliannol y'i gwelai'r Cymrodorion ei hun wrth fabwysiadu patrwm siaradwr a chynulleidfa ar gyfer y cyfarfodydd, arhosai elfen gref o gydgyfranogi, yn tarddu o'r sylfaen ddeublyg a oedd iddi yn yr ymwybyddiaeth 'Gymru-fydd' a'r cymdeithasau llenyddol ac eisteddfodol. Erbyn y 1920au daethai'r Cymreictod mwy hunanymwybodol a ddilornai Crwys fwyfwy i'r amlwg yn Aberdâr fel mewn cynifer o fannau wrth i ddiwylliant 'naturiol' y cymoedd ddihoeni gyda thrai'r iaith ac wrth i'r wasgfa ar y Gymraeg droi'n ffaith na ellid peidio â'i chydnabod bellach. Sylwodd Kate Roberts fod y seiadau llenorion wedi peidio erbyn iddi hi ddod i'r cylch yn 1917 ac mai unigolion oedd y beirdd bellach[14] (er bod nifer ohonynt—Afanydd, Eurfab, George Powell, Ogwen, Gwernantydd, Ioan Gruffydd, Dewi Aeron, Ab Hefin). Ond nid ymarferwyr na beirniaid llenyddol oedd aelodau'r Cymrodorion eithr cynulleidfa o wŷr a gwragedd y capeli a gefnogai weddau cyfarwydd, canolyffordd y diwylliant Cymraeg ac a dynnai lawer o ysbrydoliaeth o'r gorffennol. Dyna pam yr oedd Kate Roberts mor ddiamynedd â'r Cymrodorion ac mor feirniadol ohonynt. Dichon mai sylw digon teg, er mor anrasol y mynegiant, oedd honni eu bod yn 'dioddef oddiwrth Dyfeditis . . . edrych yn ol at yr oes aur honno a wna Aber Dâr byth, a dyna'r teip o feddwl sydd yma, teip Dyfed'.[15] Gwelai hwy yn gymdeithas gul, yn porthi canu sentimental, poblogaidd am y werin; 'rhyw ychydig iawn o bobl ag ynddynt reddf lenyddol ysydd yma', meddai hi wrth Saunders Lewis yn 1923.[16] A hithau'n chwilio am rywrai cydnaws a ddeallai ei hymdrech i greu cyfrwng llenyddol newydd i fynegi ei gweledigaeth o 'fyw', ni dderbyniai ddim maeth llenyddol yng nghymdeithas Aberdâr. Ffrwydrodd ei rhwystredigaeth yn 1927:

> Wel, dyma fi yn ol yn uffern ers wythnos ac yn teimlo yr hoffwn chwythu Aber Dar i'r cymylau. Pe cawn i rywun i wrando arnaf fe awn

> trwy res o regfeydd y munud yma . . . byddaf yn rhoi fy nhroed ynddi yn gynddeiriog weithiau wrth flino pobl a'm golygiadau ar fywyd. Neithiwr, er enghraifft, yn fy ysgol nos, mentrais ddywedyd na chawn ni na nofel na drama yng Nghymru am nad ydym yn meiddio byw. 'Beth ydach chi'n feddwl wrth fyw?' ebe hen ferch dduwiol wrthyf a llond ei llygad o lofruddiaeth. Mae'n debig pe dywedwn yn Aber Dâr beth a olygaf wrth fyw yr alltudid fi i ben draw byd . . . Ac mae'r Cymrodorion yn gulach na neb y gwn i amdanynt.[17]

Prin y gellid disgwyl i bâr a ystyriai Gymry ymdrechgar y cymoedd yng nghanol dirwasgiad a streic yn 'gynulleidfa o anwariaid syml', yn dioddef oherwydd eu 'pellter o gyfannedd gwareiddiad',[18] ddeall, lai fyth gydymdeimlo â chwmpas eu darllen a natur eu mwynhad llenyddol hwy. Ceisio ymfalchïo yn eu Cymreictod traddodiadol, dal gafael ynddo a'i warchod mewn cymdeithas gyfnewidiol yr oeddent hwy, nid profi dyfnderoedd llên a mentro'n flaengar. Prin y bodolai yn unman yng Nghymru y math o gymdeithas a chwenychai Kate Roberts: trwy ohebu y ceid y drafodaeth a fyddai'n ei meithrin a'i hysbrydoli.

Yr oedd y sefyllfa ieithyddol yn y cwm yn prysur ddirywio. Yr oedd poblogaeth y dref wedi chwyddo i 55,007 yn 1921, ac er mai canlyniad mewnfudo o Loegr yn bennaf oedd y tyfiant, yr oedd 49.3% o'r boblogaeth yn siarad Cymraeg. Yn 1931 yr oedd yn 54% pan oedd y boblogaeth wedi gostwng i 48,746, ond ystyr hynny yw mai Cymry hŷn oedd mwyafrif y 26,350 o siaradwyr Cymraeg a oedd ar ôl, nifer a oedd wedi disgyn o'r 29,942 a geid yn 1921. Yr hyn a ddengys yr ystadegau yw mai poblogaeth a oedd yn heneiddio oedd siaradwyr y Gymraeg a bod y wir sefyllfa i'w gweld nid yn y niferoedd amrwd nac yn y ganran gyffredinol ond yn hytrach yn ystadegau'r plant a siaradai'r iaith. Yn 1901 43.9% o'r boblogaeth Gymraeg oedd plant 3-15 oed; disgynnodd i 22% yn 1921 a 16.8% yn 1931. Yr oedd siaradwyr Cymraeg y gweithlu (15-45 oed) yn gostwng yn gyson o 1911 i 1931, ond yr oedd y gostyngiad yn niferoedd y plant Cymraeg eu hiaith yn y blynyddoedd hynny yn drychinebus: 3231 (1911), 2756 (1921), 1740 (1931)—plant 5-9 oed, 1114 (1911), 898 (1921), 303 (1931)—plant 3-4 oed. Trwy gydol y 1920au ceisiodd y Cymrodorion ymateb i'r sefyllfa a welent o'u cwmpas.

Nid oedd y gymdeithas erioed wedi bwriadu eu cyfyngu eu hunain i lenyddiaeth a hanes lleol. Ymhlith eu Hamcanion yn 1907 yr oedd 'deffro gwladgarwch' a 'gwylio hyrwyddiad ein iaith a materion cenedlaethol', ac ymroesant i'r agweddau hyn yn eu rhaglen, yn lleol ac yn genedlaethol, yn frwd. Yn 1908 traddododd John Tudor bapur ar gyhoeddi yn Aberdâr ac er nad esgorodd hyn ar restr o gyhoeddiadau lleol, galwodd y siaradwr sylw at ddiffygion y ddarpariaeth Gymraeg yn y llyfrgell gyhoeddus leol. Y canlyniad oedd anfon at y pwyllgor llyfrgell a gofyn iddynt 'ystyried y priodoldeb o ychwanegu at lyfrau yn dal cysylltiad a'r lle yn neillduol a'r wlad yn gyffredinol': cododd y Cymrodorion bwyllgor i argymell teitlau. Ni wn ba dderbyniad a gafodd y penderfyniad hwn ond parhaodd y diddordeb yn y llyfrgell leol. Yn 1925 galwyd ar Gyngor y dref i benodi 'un a fedr Gymraeg yn olynydd i Henstone Sturdy yn llyfrgellydd'; methiant fu'r cais hwnnw gan mai gweddw'r llyfrgellydd a fuasai farw a benodwyd, dros dro yn Ionor 1926 ond yn barhaol ymhen yrhawg. Arwyddion oedd cwynion fel y rhain o ofid y gymdeithas am ddiffyg cydnabod lle'r Gymraeg yn y bywyd cyhoeddus ar bob lefel. Fis Hydref 1908 cwynwyd wrth John Burns, Llywydd y Bwrdd Llywodrath Leol a David Lloyd George fod 'Saeson unieithog yn cael eu penodi yn swyddogion Tal yr Hen' ac yn 1913 am benodi ysgrifennydd uniaith Saesneg i ynadon Pontardawe; gwrthdystiwyd yn 1921 'i'r Awdurdodau Cyfrifol ynghylch Swyddogion y Llywodraeth nad ydynt mewn cydymdeimlad â'n hiaith'. Galwyd am Gymry Cymraeg yn swyddfa'r post leol yn 1927. Yr oedd cael clywed a gweld y Gymraeg yn bwysig. Yr oedd yn naturiol fod y gymdeithas am gael adroddiadau yn Gymraeg o'u cyfarfodydd yn *The Aberdare Leader* yn 1915 (gwnaed hynny'n gyson, yn ogystal â chynnal mwy nag un golofn Gymraeg am flynyddoedd), ond hi hefyd a fu'n gydwybod ieithyddol i'r cylch gan fynnu fod arysgrifau Cymraeg yn cael eu gosod ar gofgolofn Caradog, arweinydd y Côr Mawr, yng nghanol y dref yn 1923 ac ar y *Cenotaph* yr un flwddyn. Agwedd arall ar hyn oedd gwaith y gymdeithas, tan lywyddiaeth Kate Roberts, yn cynnal cyfarfod mawr o ganu, adrodd ac anerchiadau wrth ddadorchuddio cofeb ar dŷ Telynog yng Nghwm-bach, 29 Ebrill 1926.

Gellir ymglywed ag anfodlonrwydd pryderus y Cymrodorion yn yr adroddiad am gyfarfod 5 Ionor 1912. Gan fod y darlithydd gwadd wedi methu cyrraedd rhoes y llywydd, y Parchg Richard Williams, adroddiad am

> ymddygiad Cynhullwyr Cynhadledd ddiweddar Caerdydd lle y siaradai Mr Lloyd George, Deon Weldon ac eraill, yn cadw yr hen iaith allan o'r gynhadledd. Dylai fod cyfleustra i'r amrywiol gynrychiolwyr arfer yr iaith. Nid mater o deimlad ond o gyfiawnder ydoedd. Hawlia'r Gymraeg ei lle—yn yr Eisteddfod ac mewn cynadleddau.

Y mae'n amlwg fod y llywydd wedi cyffwrdd â nerf y Cymrodorion oherwydd cafwyd ymateb cefnogol a stormus—rhai'n cwyno am bregethau hanner Cymraeg a hanner Saesneg ac am arfer rhai pregethwyr o siarad Saesneg bob amser â boneddigion, rhai'n lladd ar Seisnigrwydd Cymrodorion Caerdydd ac eraill ar ddiffyg arweiniad y Canghellor (Lloyd George). Ond y Parchg John Morgan Jones a roes gyfeiriad i'r protestio pan feiodd 'yr ysgolion dyddiol am ladd yr iaith ac annog dysgu plant Cymry yn Gymraeg drwy y Gymraeg nes eu bod yn saith oed'. Nid oedd y diddordeb hwn yn addysg Gymraeg Aberdâr yn newydd i'r Cymrodorion. Yn 1908, o bosibl yn sgil anogaeth Deddf Addysg 1902 i'r awdurdodau lleol baratoi cynlluniau dysgu Cymraeg a'r datblygiadau a welid yng Nghaerdydd a mannau eraill yn sir Forgannwg, penderfynwyd fod y ddau ysgrifennyd, E. Ogwen Williams ac Ab Hefin, i ddwyn adroddiad 'o'r hyn a wneir yn ysgolion Aberdar tuag at ddysgu y Gymraeg'. Yn anffodus nid oes cofnod o'u hadroddiad ond yn 1912 yr oeddid yn llongyfarch aelodau Pwyllgor Addysg a'r Gymraeg y Cyngor lleol, a'r cyfarwyddwr addysg newydd, Thomas Botting (a benodwyd yn 1911), am eu cefnogaeth i'r Gymraeg.

Ni fodlonodd y Cymrodorion ar wrthdystio. Yn 1916 sefydlwyd Cymrodorion y Plant i hybu a gwarchod iaith plant ac ieuenctid y cylch a'u cael i ymrwymo a) i siarad Cymraeg ar yr Aelwyd, yn yr Ysgol, ac ar yr Heol, b) i ddarllen llyfrau Cymraeg, c) i wneud popeth er mwyn eu Hiaith a'u Gwlad. Cyfarfyddid bob pythefnos i ganu alawon Cymreig, dysgu adroddiadau, 'efrydu' barddoniaeth a rhyddiaith, cyflwyno dramâu a rhoi cynnig ar lunio penillion ac englynion, chwedlau a storïau, ac yr oedd y cyswllt â'r ysgolion lleol yn anhepgor pan aed ati i baratoi 'noson y plant' i'r fam-gymdeithas yn flynyddol ac i gynnal eisteddfod y plant. Y mae'r rhaglen yn un ddifrif a henaidd (i'n chwaeth ni) ond yr oedd yn ymdrech wirioneddol i ddal gafael ar y plant, ddeng mlynedd cyn i adroddiad *Y Gymraeg mewn addysg a bywyd* argymell yr un math o ddatblygiad ar waith y cymdeithasau

Cymraeg. Ymddengys fod Cymrodorion y Plant wedi dod i ben pan sefydlwyd cangen o Urdd Gobaith Cymru yn lleol. Ymgais arall i gefnogi ymdrechion ieuenctid oedd y penderfyniad yn 1919 i gyflwyno gwerth 10/6 yr un o lyfrau Cymraeg i'r bachgen a'r ferch 'fyddo wedi pasio uchaf gyda neulltuolrwydd ('distinction') mewn Cymraeg yn yr Arholiad Blynyddol (Senior)'. Y mae'n bosibl fod y Cymrodorion wedi bod yn or-lwyddiannus yn hybu ymwybyddiaeth Gymraeg rhai plant os yr ysbryd newydd hwn a oedd yn gyfrifol am y gŵyn (a gefnogwyd gan y gymdeithas) fod 'un o'r meistri wedi taflu amharch ar yr Iaith Gymraeg yng nghlyw y bechgyn'. Gwrthodwyd y cyhuddiad gan lywodraethwyr yr ysgol sir a'r cyfarwyddwr addysg 'am nad oedd yn eu tyb hwy seiliau digonol i hynny', ond prysurwyd i ddweud hefyd 'eu bod hwy wedi arfer cefnogi pob mudiad a wnelai a buddiannau gorau Cymru a Chymraeg'.

Yn y 1920au y rhoddwyd prawf ar frwdfrydedd ymarferol y Pwyllgor Addysg. Gwahoddwyd Tom Jones, Trealaw, i annerch y gymdeithas ar y mesur addysg newydd (1918) yn ei berthynas â Chymru. Atgoffodd ef y Cymrodorion o sefyllfa'r Gymraeg yn lleol a galwodd arnynt i helpu a symbylu'r Pwyllgor Addysg yn eu gwaith o baratoi cynllun o ddysgu Cymraeg yn yr ysgolion. Dyma waith wrth fodd eu calon a chynifer o athrawon yn eu plith, megis Timothy Davies o'r ysgol sir a oedd am i'r cynllun adeiladu ar gryfder iaith ei ddisgyblion o Gwmdâr a Chwmaman. Gwyddai'r athrawon, ac eraill yn ddiau, am fenter Is-gyfarwyddwr Addysg y Rhondda, R.R. Williams, a'i gynlluniau blaengar ef i ddysgu Cymraeg yn yr ysgolion[19] a phwysai'r Cymrodorion am efelychu'r Rhondda a gwneud gwybodaeth o'r Gymraeg yn amod penodi athrawon. Daliwyd i alw am le pwysig i'r Gymraeg yn y cynllun a oedd yn cael ei lunio gan y Cyngor ac aeth dirprwyaeth atynt i ddadlau'r achos. Cafwyd hwb cenedlaethol i'r ymdrechion lleol hyn pan gyhoeddwyd pwyllgor adrannol y Bwrdd Addysg i 'ymchwilio i le Iaith a Llenyddiaeth Gymraeg yng nghyfundrefn addysg Cymru ac i gynghori ynglŷn â'r modd gorau i hyrwyddo astudiaeth o'r pynciau hyn' yn 1925. Gofynnodd y Cymrodorion i Kate Roberts a D.O. Roberts wneud ymholiadau am sefyllfa'r Gymraeg yn yr ysgolion ac er na roes y gymdeithas dystiolaeth gerbron y Pwyllgor y mae'n werth sylwi i'r ddau hyn fod yn dystion a bod y Cymrodorion, felly, wedi cael cyfle i gyflwyno eu safbwynt. Gwaith y Pwyllgor, a sïon a godai am eu trafodaethau ac am y dystiolaeth a gyflwynid, yw cyd-destun y ffug senedd a gynhaliwyd fis Mawrth 1925:

> Dychmygwyd fod Cymru wedi cael Ymreolaeth a daeth Uchgwnstabl Miscin Uchaf (y Dr Arthur T. Jones) fel Arglwydd (? Arlywydd) Cyntaf Cymru. Wedi gorymdaith yr Arlywydd cafwyd difyrrwch mawr gydag adeg gofyniadau. Ar ôl hynny cyflwynwyd Mesur Addysg (Gorfodaeth) gan y Prif Weinidog (Mr. J. Cynog Jones) ac eiliwyd gan y Parch. Tywi Jones (Ysgrifennydd Cartref). Miss Kate Roberts, B.A. a Mr Tom Evans oeddynt arweinyddion y blaid wrthwynebus. Cefnogwyd y Mesur gan y Parch. E. Cadfan Jones, B.A.,B.D. (Ysgrifennydd y Bwrdd Addysg) a Cynghorydd D. Tyssul Davies. Rhannwyd y Tŷ a chafwyd mwyafrif mawr i fesur y llywodraeth.

Er mai adloniant oedd hyn,[20] yr oedd y 'Mesur', addysg Gymraeg orfodol, yn hollol amserol a byddai'r dadleuon eisoes wedi'u trafod gan yr aelodau yn eu hymwneud â natur addysg Gymraeg a'u diddordeb yn y Pwyllgor ymchwil i'r Gymraeg mewn addysg a bywyd. Hen arfer cymdeithasau dadlau yw cael rhai brwd o blaid cynigiad i siarad dros yr wrthblaid (megis y gwnaed yn Ionor 1925 mewn cyd-gyfarfod â Chymrodorion Pontypridd a Kate Roberts yn siarad yn erbyn 'A yw iaith yn hanfodol i Genedlaetholdeb?': yr oedd mwyafrif mawr dros y cadarnhaol). Amlygiad ysgafn-ddifrif tebyg o'r un pryder am y Gymraeg oedd ffug-brawf a gynhaliwyd fis Rhagfyr 1925. Y mis blaenorol yr oedd D.O. Roberts wedi cyfeirio at bolisi iaith y Rhondda a sôn am lyfr y Sais hwnnw, Caradar, a oedd wedi dysgu Cymraeg gan baratoi llyfr *Welsh made easy*. Fis Rhagfyr cyhuddwyd Saklatvala (E.J. Williams, glöwr a oedd wedi'i gymhwyso'i hun i fynd i goleg Caerlleon a derbyn tystysgrif athro, un o bileri'r Cymrodorion a'u cwmni drama) o 'ysgrifennu llyfr *English made easy* yn yr iaith fain ac efe yn aelod o'r Cymrodorion', ac Inkpin (John Rees, 'Glancynon') o'i werthu yn ei stondin lyfrau yn y farchnad. Nid anodd ymglywed â'r dychan a'r difrifoldeb sydd o dan yr adloniant hwn: gan fod Saklatvala yn brif ysgolfeistr Ysgol y Parc yr oedd yn offeryn i ddylanwadu'r plant o blaid iaith yr estron; tyst yn honni fod ei blant yn siarad Saesneg fel canlyniad i gymdeithasu â'r plant oedd yn ysgol y carcharor. Mynnai tyst arall fod plant yn ateb eu

Ffug Senedd Cymrodorion Aberdâr, Mawrth 1925.

(Llyfrgelloedd Rhondda Cynon Taf)

rhieni yn Saesneg gartref ar yr aelwyd. Digon hawdd oedd 'carcharu' Saklatvala druan ond ni fyddai hynny'n datrys y broblem wirioneddol.

Pan gyhoeddwyd yr adroddiad *Y Gymraeg mewn addysg a bywyd* yn 1927 cynhaliwyd dau gyfarfod cyhoeddus i'w gyflwyno a'i gefnogi, D.O. Roberts yn annerch y naill a Dyfnallt y llall. Yr oedd yr ymateb yn ôl y disgwyl: deisyf ar y Pwyllgor Addysg lleol i roddi urddas ar y Gymraeg yn ysgolion Aberdâr trwy sicrhau bod y Gymraeg yn cael ei dysgu gyda thrylwyredd; galw am apwyntio athrawon yn medru'r Gymraeg yn arbennig wrth apwyntio prifathrawes i'r ysgol ferched (Albanes ddi-Gymraeg a benodwyd); ac apelio ar lywydd y Bwrdd Addysg i weithredu argymhellion yr Adroddiad a rhoi ar ddeall i'r awdurdodau addysg lleol y disgwylid iddynt wneuthur yr Adroddiad yn sylfaen y gyfundrefn addysg ac i roddi cyfarwyddiadau pendant i arolygwyr ysgolion Ei Fawrhydi i weld y rhoddid urddas ar y Gymraeg yn yr ysgolion bob dydd—y cyfan yn arwydd amlwg eu bod yn amau'r ymateb yn yr awdurdodau a'r ysgolion. Cafwyd peth ymateb yn Aberdâr gan fod sôn am wneud 'cyfrif ieithegol' o blant ysgol a bod y Cymrodorion yn anfodlon ar y ffigurau ond ni welais na chynllun iaith nac ymateb ffurfiol y pwyllgor addysg lleol.[21]

Trwy'r 1920au ac ar ôl hynny yr oedd y gwrthdystiadau'n tyfu'n fwy amlwg wleidyddol ac yn genedlaethol eu hysbryd. Yn rhannol yr oedd hyn yn codi o'r ffaith fod y Cymrodorion yn aelodau o Undeb y

Cymdeithasau Cymreig Cenedlaethol er ei sefydlu yn 1913,[22] yn anfon cynrychiolwyr ac yn derbyn adroddiadau, yn·cefnogi'r Ysgol Haf ac yn awyddus i wahodd cyfarfod blynyddol yr Undeb i'r cylch. Y mae'r protestiadau lleol, e.e. galw am 'weinidog dros Gymru' yn 1919, yn erbyn boddi Glyn Ceiriog yn 1922, a'r ysgol fomio yn 1936, oll yn adleisio safbwynt ffurfiol yr Undeb. Ond mae'n dda cofio fod datblygiadau gwleidyddol lleol yn ogystal, neu o leiaf ymgais i symud Cymreictod diwylliannol y Cymrodorion i sianelau gwleidyddol. Paratowyd cyfres o gwestiynau i'w cyflwyno i bob un o'r ymgeiswyr seneddol lleol yn etholiad Rhagfyr 1923:

1. A ydych yn barod i wneuthur eich goreu i sicrhau mesur o ymreolaeth i Gymru?
2. . . . i gefnogi gwneuthur y Gymraeg yn gydradd a'r Saesneg fel iaith swyddogol yng nghylchoedd cyhoeddus bywyd Cymru?
3. . . . i arfer pob dylanwad y meddwch arno i wneuthur dysgu'r Gymraeg yn arferol yn ysgolion Cymru?
4. . . . i wrthwynebu dewis rhai na fedrant siarad Cymraeg i swyddau cyhoeddus yng Nghymru?

Yr oedd Plaid Cymru hithau wedi dechrau ei hymgyrchoedd yn y cymoedd ac ni fu'r Cymrodorion yn ôl o ddatgan eu cefnogaeth 'i'r mudiad cenedlaethol yn yr ardal' yn 1924 trwy gydweithio â chynrychiolwyr ar Hirwaun ym mhen uchaf y cwm a Chwmaman yn y pegwn arall. Yn Abercwmboi, pentref mwyaf deheuol Aberdâr, y sefydlwyd cangen gyntaf Plaid Cymru yn y de yn 1926. Bu Saunders Lewis yn annerch ar Hirwaun y flwyddyn ganlynol gyda'r bwriad o sefydlu cangen yno.[23] Nid oes amheuaeth nad oedd ysbryd cenedlaetholgar yn cyniwair ymhlith y Cymrodorion y blynyddoedd hyn.

Cynhaliwyd ffug etholiad yn 1928 pan ddaeth Kate Roberts, Plaid Genedlaethol, i'r brig â 56 o bleidleisiau a'i dilyn gan y Rhyddfrydwr ag 21, y Comiwnydd â 15, a'r Ceidwadwr ag 11. Er hynny, rhaid amau faint o wir sylfaen a oedd i'r math yma o gefnogaeth i faterion Cymreig na pha mor boblogaidd ydoedd y tu allan i gymdeithas gynnes y Cymrodorion. Yr oedd trwch y boblogaeth Gymraeg, yn arbennig Cymry'r gweithlu, y tu allan iddi, a hyd yn oed o'i mewn gwladgarwch, nid cenedlaetholdeb gwleidyddol, fyddai'r disgrifiad priodol o'r ysbryd twymgalon hwn. Dichon fod y modd y cofnodwyd diweddglo brwdfrydig cynhadledd a alwyd yn 1926 i drafod cadwraeth yr iaith yn taro nodyn cywirach a mwy dadlennol:

> Wedi canu'r Anthem Genedlaethol drwyddi gyda blas a hwyl aethom oll adref rwy'n gobeithio yn well Cymry ac yn barod i waith dros ein gwlad.

Tystiolaeth R. Wallis Evans[24] yw fod y 1920au yn gyfnod bywiog a llewyrchus yn hanes y Cymrodorion, 'a chyrchem yn heidiau i'w gyfarfodydd. . . i wrando ar hoelion wyth diwylliant y genedl'. Yr oedd yr aelodaeth wedi dal yn gyson trwy'r blynyddoedd (75-80 yn bresennol yn 1913, 60-70 yn 1916, 90 yn 1917-18, 71 yn 1918-19; yn y Swper Gŵyl Ddewi caed 100 (1908), 130 (1920), 220 (1924)). Yn ogystal â chefnogi'r Undeb Cymdeithasau Cymraeg yr oedd cryn gydweithio a chydgyfarfod â chymdeithasau yn Aberpennar, Penrhiw-ceibr, Pontypridd, Abertawe, a sefydlwyd cynrychiolwyr ym mhentrefi'r cwm a chymdeithasau yng Nghwmaman a Hirwaun. Mae Mr Wallis Evans yn disgrifio bwrlwm gweithgarwch tref a chwm Aberdâr yn y 1920au, yn y capeli a'r eglwysi, yr Urdd, yn y wasg, ym myd y ddrama, ac y mae cip ar golofnau *The Aberdare Leader* yn cadarnhau'r hyn a ddywed. Soniodd Dr John Davies am 'ymddangosiad ffenomen newydd, sef, Cymry Cymraeg dosbarth-canol, hyderus eu Cymreictod yn y dauddegau'.[25] Nid yng Nghaerdydd yn unig y gwelid hyn. Yr oedd adfywiad y Cymrodorion yn rhan o'r un ysbryd ond ni fyddai'n annheg awgrymu fod gan yr ysgrifennydd newydd, D.O. Roberts, ysgolfeistr lleol ac un o sylfaenwyr U.C.A.C., a'r aelod newydd, Kate Roberts, lawer i'w wneud â chyfeiriad mwy hyderus a phendant y gymdeithas yn y cyfnod hwn.

Pa faint bynnag oedd rhwystredigaeth Kate Roberts a'i hanfodlonrwydd hi ar fywyd llenyddol y gymdeithas nid ataliodd hynny hi rhag ymfwrw i weithgarwch y Cymrodorion ac ymegnïo i'w gael yn gyfrwng i ddatblygu bywyd Cymraeg y cylch. A hithau newydd gyrraedd yn athrawes Gymraeg yn ysgol ganolraddol y merched, bu'n annerch y gymdeithas fis Hydref 1918 ar 'Beirdd a Barddoniaeth ddiweddar'. Yr oedd hi'n ffyddlon ymhob cyfarfod a'i llais yn hyglyw yn y trafodaethau a ddilynai'r papurau. Daeth yn aelod o'r pwyllgor yn 1919-20 ac yn llywydd yn 1925-26. Efallai mai hi a oedd yn gyfrifol am newid trefn yr hen bapurau deng munud yn 1920 a rhoi yn eu lle ddarlleniad o un o glasuron rhyddiaith y Gymraeg yn agoriad pob cyfarfod. Mwy annisgwyl oedd ei phenodi'n fardd y gymdeithas yn 1920-21. Ymddangosodd ei henglyn i 'Cymru' ar y cerdyn aelodaeth:

Dy lennyrch rhwng dy lwyni—dy foelydd,
Dy filoedd clogwyni;
A hirllaes (sic) lleddf dy oerlli
Yw hafan deg f'enaid i.

awgrym go glir nad Cymru Aberdâr oedd ei Chymru hi. Ond y maes y cyfrannodd Kate Roberts fwyaf iddo yng ngweithgarwch y gymdeithas oedd y ddrama. Nid oedd byd drama'n ddieithr yn y cylch. Cyfeirir at gwmni lleol ar Hirwaun yn 1907 ac yn 1909 sefydlwyd cwmni drama Trecynon a fu'n un o'r cwmnïau mwyaf llwyddiannus a phroffesiynol eu hagwedd yn ne Cymru tan arweiniad eu cynhyrchydd E.R. Dennis (a chanddo ei Theatr Fach ei hun ar ôl 1930). Trwy gydol y 1920au a'r 1930au yr oedd cwmnïau drama Aberdâr, y pentrefi a'r capeli yn flaenllaw yn y mudiad drama a'r 'wythnosau drama', rhyw fath o eisteddfod ddramâu, yn adloniant hynod boblogaidd. Cydweithio â diddordeb a oedd eisoes yn bod a wnaeth y

Miss Elizabeth Llewellyn, chwaer Syr David Llewellyn, yn agor drws Y Theatr Fach ag allwedd aur yn 1931.

(Llyfrgelloedd Rhondda Cynon Taf)

Cymrodorion pan aeth Kate Roberts yn gyfrifol am drefnu noson o ddramâu yn neuadd Sefydliad y Gweithwyr, Trecynon, fis Chwefror 1921. Perfformiwyd tair drama un-act, *The Matchmaker* (yn Gymraeg) a dwy ddrama gan Kate Roberts a chyd-athrawes iddi, Betty Eynon Davies, *Y Fam* ac *Y Canpunt* ganddynt hwy a Margaret Price. O hynny ymlaen ac am nifer o flynyddoedd bu'r noson ddrama'n rhan bwysig o raglen flynyddol y Cymrodorion. Codwyd cwmni drama a fu'n cystadlu'n llwyddiannus[26] (enillodd yr ail wobr yn Eisteddfod Genedlaethol Pwllheli yn 1925) ac a gyflwynai ddramâu megis *Castell Martin* (1922), *Gwyntoedd Croesion* (1924), *Yr Alwad* (1926), *Ffordd yr holl ddaear* (1929). Mwy mentrus oedd cael rhai o ferched yr ysgol i gyflwyno un o anterliwtiau Twm o'r Nant yn y Swper Gŵyl Ddewi yn 1926, menter a gafodd dderbyniad cynnes yn ôl yr hanes.

Ymgais arall i feithrin doniau llenyddol aelodau'r Cymrodorion y bu gan Kate Roberts ran fawr ynddi oedd sefydlu 'noson gylchgrawn' yn rhan o'r rhaglen flynyddol. Penodid golygydd i baratoi rhifyn o gylchgrawn a gyflwynid ar lafar. Cynhwysai elfennau arferol cylchgrawn—cerddi, ysgrifau, storïau byrion, colofn olygyddol ddadleuol, colofn lythyrau crafog ynghyd ag atebion ffraeth y golygydd. Fis Chwefror 1926 yr 'ymddangosodd' rhifyn cyntaf *Y Garreg Ateb* dan olygyddiaeth Kate Roberts a chafwyd rhifynnau eraill yn Rhagfyr 1926, Tachwedd 1927, 1929 a phumed rhifyn (dan olygyddiaeth Lilian Jones, athrawes Gymraeg yr ysgol ferched,) yn 1931. Ymatebodd yr aelodau yn frwd i'r cyfrwng newydd. Yr oedd nifer o feirdd yn y gymdeithas, cafwyd ambell ysgrif ddiddorol (gan gynnwys un gan T. Picton Evans a ddychmygai ryw ddarllenydd yn y dyfodol yn darllen cofnodion y Cymrodorion yn y Llyfrgell Genedlaethol—coffa da am yr athro cerddorol a diwylliedig hwnnw), a bid a fo am farn Kate Roberts am allu'r Cymrodorion i ddeall ei gwaith, yn *Y Garreg Ateb* y dewisodd ailgyhoeddi rhai o'i storïau byrion cynharaf gorau a ymddangosodd yn *Rhigolau Bywyd*, megis 'Rhwng dau damaid o gyfleth' (1926: *Y Genedl*, 21 Rhagfyr 1925), 'Y Nadolig' (1926: *Y Genedl*, 20 Rhagfyr 1926), 'Y Golled' (1927: *Y Llenor*, 1926), 'Bywyd' (1929: *Y Llenor* 1925). Pan ddaeth T. Rowland Hughes yn athro i ysgol uwchradd y bechgyn yn 1926 bu yntau lawn mor gefnogol a chyhoeddi yn y cylchgrawn 'Diweddglo' (drama) yn 1926 a 'Baled' yn 1927.[27]

Ymweliad y Cymrodorion â Mynwent Aberdâr, 5 Awst 1938. Saif Syr Rhys Williams, ŵyr Alaw Goch, ynghanol y rhes flaen. Ar y chwith iddo saif Pen Dâr ac i'r dde, o'r tu ôl iddo, saif W.W. Price.

(Llyfrgelloedd Rhondda Cynon Taf)

Ysgol Gynradd Gymraeg Cwmdâr, y gyntaf o'i bath yng Nghwm Cynon. Fe'i hagorwyd, 6 Medi 1949, a symudodd i Ynys-lwyd yn 1960. Y mae yno o hyd, yn ymgorfforiad o obeithion Cymrodorion Aberdâr.

(Llyfrgelloedd Rhondda Cynon Taf)

Pan ddathlodd y gymdeithas ei phenblwydd yn 25 oed yn 1931-32 gallai edrych yn ôl ar y dauddegau yn oes aur ac ymfalchïo yn ei gwaith, ond ni allai osgoi'r pwysau a oedd arni:

> Gresyn fod angen Cymdeithasau Cymraeg yng Nghymru. Arwydd o ddirywiad cenedlaethol ydynt, ond gwnaeth CYMRODORION ABERDAR ei rhan yn y deffroad cenedlaethol, ac edrychwn ymlaen yn ffyddiog at y dydd pan fydd 'Pob Cymro'n Gymro pur' a Chymru'n Gymru Rydd.[28]

Erbyn canol y 1930au ni ellid anwybyddu cyni'r amseroedd na dirywiad safle'r Gymraeg yn y cwm. Yn ei anerchiad o'r gadair cymerodd llywydd y gymdeithas yn 1927, W.W. Price, 'Gogoniant Aberdâr' yn thema a darluniodd edwino'r bywyd Cymraeg. Hyd yn oed yn y Cymrodorion nid oedd ond Ab Hefin ac un neu ddau o feirdd lle gynt y bu gorymdaith ohonynt yn cyflwyno eu penillion. 'Beth a wnâi'r genhedlaeth bresennol i gadw'r diwylliant Cymraeg?' holodd. Gan daro hen dant sylwodd nad âi ond £2.18.0 o'r £400 a werid gan y llyfrgell gyhoeddus leol ar lyfrau newydd tuag at brynu llyfrau Cymraeg ac apeliodd am ddeffro cydwybod newydd.

Yr oedd yr hen ymdeimlad o falchder yn y traddodiad llenyddol lleol yn parhau er, efallai, yr oedd angen ei brocio. Ysgrifennodd 'Dai' lythyr at ei 'bartnar', Pen Dar, yn *The Aberdare Leader*, 25 Medi 1937[29] (John Davies, Pen Dar, oedd yr hanesydd lleol a fuasai'n cynnal colofn o hanesion a phytiau hanes yn y papur lleol ers blynydoedd a hynny ar ffurf sgyrsiau rhyngddo ef a 'Dai'). Clywsai 'Dai' am saer maen yn Nhrecynon a oedd yn cynnig ei wasanaeth yn ddi-dâl i lanhau beddau enwogion ym mynwent Aberdâr:

> Da iawn, Mr Jones, weta i, you have done what the Cymrodorion have failed to do . . . I am thinking, Pen Dar, if I were you, having been a big man with that lot, I would ask them to arrange an annual pilgrimage to the Aberdare Cemetery to visit the burial places of Alaw Goch, Caradog, Huw Tegai, Telynog, Gwladys merch Alaw Goch (gwraig Dafydd Rosser), Liza Caerfyrddin and James James, the author of 'Hen Wlad fy Nhadau'.

Nid Pen Dar oedd y cyntaf i sylwi gynifer o enwogion a gladdwyd yno, 'Macpelah y Deheudir' fel y galwyd y lle gan E.B. Morris yn ei ysgrif, 'Mynwent Aberdar', yn *Cymru*, 25 (1904), wrth roi hanes ei daith o gwmpas y beddau ond ymddengys fod llythyr 'Dai' wedi deffro cydwybod y gymdeithas a herio W.W. Price, yr hanesydd lleol iau. Trefnwyd 'Pilgrimage of Rememberance' 5 Awst 1938 a pharatowyd taflen goffa. Ymwelwyd â beddau Alaw Goch, Telynog, Dafydd Morganwg, Caradog a James James (gadawyd y lliaws o 'frodyr llai' a enwyd gan Ben Morris), areithiwyd a choffawyd gan grŵp dethol y tynnwyd eu llun a chyhoeddi'r hanes yn *The Aberdare Leader,* 13 Awst 1938. Yn eu plith yr oedd Pen Dar a W.W. Price, Syr Rhys Williams a'i fab David (ŵyr a gor-ŵyr Alaw Goch), D.O. Roberts a nifer o Gymry blaenllaw'r cylch gan gynnwys Tom Davies, 'Telynor Aman'.[30]

Os oedd gwarchod y gwreiddiau'n bwysig, ni ellid peidio ag ymateb i sefyllfa gyfoes yr iaith. Parhaodd y gymdeithas i fod yn llais cydwybod Cymry Cymraeg y cwm: ceisiodd ddwyn perswâd ar farchnatwyr y dref 'i sicrhau bod rhywrai yn eu masnachtai yn abl i drafod eu busnes a'u cwsmeriaid yn y Gymraeg' yn 1936, galwyd eto fyth am wella'r ddarpariaeth Gymraeg yn y llyfrgell yn 1938, ac yn Ionor 1939 ceisiwyd cael George Hall, yr aelod seneddol, i gefnogi deiseb genedlaethol i roi cydnabyddiaeth cyfraith i'r iaith. Yr oedd yr aelodaeth yn dal ei thir—90 o aelodau yn 1936, 67 yng nghyfarfod cyntaf 1941: yr oedd ganddynt delynor, 'Telynor Dâr', a tho newydd o feirdd i gynorthwyo'r bythol ifanc Ab Hefin—Edward Thomas, Dewi Aeron, Morgan Price, Glannant Jones. Yr oeddent mor awyddus ag erioed i wahodd yr Eisteddfod Genedlaethol i Aberdâr, fel y buwyd yn ceisio droeon o'r blaen yn 1911, 1915, 1922 ac 1926. Eu cymwynas fwyaf, er hynny, oedd parhau i gynnal cyfarfodydd cyson yn eu cartref newydd, y Café Mona, yng nghanol y dref a derbyn cefnogaeth darlithwyr megis D.J. Williams, T.H. Parry-Williams, Charles McLean, Wil Ifan, o bob cwr o Gymru. Buont yn ynys o Gymreictod llawen a chymdeithasgar i do newydd o Gymry ifainc a deimlai'n bur unig ar adegau gan roi i ddisgybl chweched dosbarth—y cyntaf i fentro'r Gymraeg yn bwnc 'Higher' ers tua chwe blynedd yn ysgol ramadeg Aberdâr—flas ar ddiwylliant Cymru a'r ymwybyddiaeth o gymuned Gymraeg. Ac y mae'n dda gwybod fod Cymrodorion Aberdâr yn dal i estyn y gymwynas honno heddiw.

NODIADAU

[1]Crwys Williams, *Pedair pennod* (Aberystwyth, 1950), 9-10; *Cerddi Crwys, y pedwerydd llyfr* (Aberystwyth, 1944), 38.

[2]Ar y cymdeithasau hyn, gw. E.O. Pugh, 'Cofnodion Cymdeithasau Cymreigyddol', *Yr Eurgawn*, 161 (1968-69), 20-7, 61-4, 133-40, 175-7, 162 (1969-70), 29-32, 70-3, 132-5, 163-5.

[3]D.M. Richards, 'Hen eisteddfodau Aberdar: araeth . . . o flaen Cymrodorion Aberdâr, 1902', *Rhestr eisteddfodau hyd y flwyddyn 1901*(Llandysul, 1914), xv-xxxii.

[4][Iwan Goch], 'Ysgol farddol Aberdar', *Cymru*, 39 (1910), 133-4 (gyda llun).

[5]Abercynon, 1965. Rhydd y gyfrol hon ac un Ben Morus, *Enwogion Aber Dâr* (Llanbedr-Pont-Stephan, 1910), lawer o hanes llenorion a chymdeithas lenyddol y cwm. Gw. hefyd E.B. Morris, 'Tro i Aberdar', *Cymru*, 24 (1903), 229-32, 267-8 ac ysgrif R.T. Jenkins yn *Rhestr Testunau Eisteddfod Genedlaethol Cymru, Aberpennar, 1940*, 9-16.

[6]Codir hanes y gymdeithas o'r llyfrau cofnodion 1907-1922 (Llyfrgell Genedlaethol Cymru, llsgr. 2860D) a 1922-34, ac yn ysbeidiol hyd 1942 (Llyfrgell Gyhoeddus Aberdâr, LHS 3/11, 12: mae deunydd perthnasol arall yn LHS3/1-9,13), ynghyd ag adroddiadau yn *The Aberdare Leader*.

[7]J.Gwynfor Jones, *Y ganrif gyntaf: hanes Cymrodorion Caerdydd, 1885-1985* (Caerdydd, 1987), 11.

[8]Dyfynnir o *Rheolau Cymrodorion Abertawy* [1890]. Ceir hanes y sefydlu yn James Jones, *Hanes dechreuad a gweithrediadau Cymrodorion Abertawy* (Abertawy, 1891).

[9]Yr oedd i fenywod le amlwg yn y gymdeithas o'r blynyddoedd cynnar, yn aelodau o'r pwyllgor ac yn siaradwyr. Yn 1918 penderfynwyd fod dau gyfarfod yn flynyddol 'i'w trefnu i sicrhau gwasanaeth y rhyw fenywaidd'.

[10]J.Morgan Jones, 'David Morgan Richards (1853-1913)', *Rhestr eisteddfodau* xi-xiv, gw. xi. Y mae papurau D.M. Richards yn Llyfrgell Genedlaethol Cymru.

[11]Yn ôl *Geiriadur Prifysgol Cymru* gair geiriadurwr yw *def, defion*, 'iawn, hawl, defod'. Y mae'n arwydd o Gymreictod ymwybodol a hynafiaethol ysgrifennydd ac efallai aelodau'r pwyllgor.

[12]Yr oedd D.M. Richards, R.J. Jones, John Griffiths, ac efallai eraill, yn aelodau o'r Gymdeithas Anianyddol. Cyhoeddwyd ysgrif John Griffiths, 'Mannau henafol Cwm Aberdar' yn *Y Geninen*, 34 (1916), 195-9.

[13]Y mae'r anerchiad i'w weld yn Llyfrgell Gyhoeddus Aberdâr (fel y dangoswyd imi gan D.L. Davies).

[14]Gw. R.T. Jenkins yn ei ysgrif yn *Rhestr Testunau Eisteddfod Genedlaethol Cymru, Aberpennar, 1940*, 14.

[15]Dafydd Ifans, gol., *Annwyl Kate, Annwyl Saunders*: *gohebiaeth 1923-1983* (Aberystwyth, 1992), 18.

[16]eto, 6.

[17]eto, 15.

[18]eto, 16, Saunders Lewis yn sôn am Flaendulais.

[19]Gw. ysgrif David Jenkins arno yn *Y Bywgraffiadur Cymreig 1951-1970* a'i sylwadau yn ei ysgrif 'Cyfaredd cof a chyfnod' yn Hywel Teifi Edwards, gol., *Cwm Rhondda* (Llandysul, 1995), 227-53, t.250.

[20]Cafwyd ffug senedd ar yr un testun gan Gymrodorion Clydach yr un adeg hon; gw. David Jenkins uchod, t.238. Ceir hanes Cymrodorion Clydach ganddo tau.237-9.

[21]Cefais wybod gan Mr Dilwyn Phillips, Aberystwyth, am gynllun addysg ddwyieithog llwyddiannus ei dad, John Phillips, yn 1930 pan oedd yn brifathro ysgol elfennol Cilfynydd.

[22]Ar waith yr Undeb gw. Marion Löffler, *"Iaith nas arferir, iaith i farw yw": ymgyrchu dros yr iaith Gymraeg rhwng y ddau ryfel byd* (Aberystwyth, 1995).

[23]*Annwyl Kate, Annwyl Saunders*, 20.

[24]'Aberdâr yn y dauddegau', *Taliesin*, 84 (1994), 94-7.

[25]John Davies, *Hanes Cymru* (London, 1990), 544.

[26]Ceisiodd John Davies, Pen Dar, gael y Cymrodorion i gynnig gwobr 'am ddrama'n ymdrin â'r bywyd Cymreig'. Ni wnaed hynny ond dyma gefndir cyfansoddi ei ddrama ei hun, *Pai Johnny Bach* (1914).

[27]Gw. ymhellach Edward Rees, *T. Rowland Hughes: cofiant* (Llandysul, 1968), 65.

[28]Rhaglen ddathlu'r Cymrodorion.

[29]Hoffwn ddiolch i Mr D.L. Davies am alw fy sylw at yr ysgrif hon.

[30]Dadorchuddiwyd carreg goffa i Dan Isaac Davies ar fur Ysgol y Comin, 14 Rhagfyr 1935, ar achlysur hanner canmlwyddiant sefydlu Cymdeithas yr Iaith Gymraeg. Er bod y Cymrodorion wedi estyn croeso, y gymdeithas a oedd yn gyfrifol am y dathlu. Bu'n farathon o gyfarfod. 'The tablet was unveiled in darkness . . . Sir J.E. Lloyd, after performing the ceremony, read the inscription with the aid of a match light'.

Kate yn y Cwm

Mihangel Morgan

> Wel, dyma fi yn ol [sic] yn uffern ers wythnos ac yn teimlo yr hoffwn chwythu Aber Dar [sic] i'r cymylau.[1]

> Nid oes arnaf awydd sgrifennu o gwbl ar hyn o bryd. Ysgrifennais y stori i'r *Llenor* oblegid imi addo, ac mae arnaf ofn imi ysgrifennu llawer stori arall am fy mod wedi addo, neu am y buasai bywyd yn Aber Dar [sic] yn annioddefol ar wahan [sic] i hynny. Rhyw ychydig iawn o bobl ag ynddynt reddf lenyddol ysydd yma. [2]

Pan symudodd Kate Roberts i Aberdâr ym 1917 i ddysgu yn Ysgol Sir y Merched nid oedd wedi cyhoeddi nemor ddim ac nid oedd wedi gwneud unrhyw farc ar fap llenyddol y Gymraeg. Erbyn iddi adael ym 1928 sefydlasai'i hunan fel un o ffigurau llenyddol a gwleidyddol amlycaf y genedl. Eto i gyd ni roddwyd fawr o sylw i'r cyfnod ffurfiannol a thyngedfennol hwn yn ei datblygiad ganddi hi na chan ei beirniaid. Dyfynna Eigra Lewis Roberts sylwadau Kate Roberts am Aberdâr gyda rhywbeth tebyg i hyfrydwch Gwyneddig.[3] Cyfeiria Bobi Jones at 'ei chyfnod cyntaf ac "Arfonaidd" o storia'.[4] Ond er ei bod yn wir taw rhyw fath o Arfon yw lleoliad y rhan fwyaf o storïau'i thri chasgliad cyntaf fe luniwyd cyfran uchel ohonynt pan oedd yr awdures yn byw yn y de. Oni ddylid sôn am ran gyntaf ei gyrfa fel cyfnod Morgannwg?

Yn y cyfweliad yn *Crefft y Stori Fer* gofynnodd Saunders Lewis:

> Ond yn awr beth yn union a'ch cynhyrfodd chi gyntaf i ddechrau sgrifennu o gwbl?

A rhan o ateb Kate Roberts oedd:

> Marw fy mrawd ieuengaf yn rhyfel 1914-18 . . .[5]

Ac ailadroddwyd y sylw hwn o'i heiddo nes i'r geiriau fynd yn rhan o fytholeg Brenhines ein Llên. Fe'i dyfynnwyd gan Gwilym R. Jones ar ddechrau'i gyfweliad yntau â'r llenor yn *Yr Arloeswr* ym 1958[6], mae Kate Roberts ei hun yn eu haralleirio ar ddechrau'i sgwrs â Caerwyn

Williams yn *Ysgrifau Beirniadol III*[7] ac mae Eigra Lewis Roberts yn dweud:

> Yr ydym oll yn hen gyfarwydd â'r rheswm a roes Kate Roberts dros iddi ddechrau ysgrifennu, sef colli ei brawd yn y rhyfel byd cyntaf[8]

Cymerwyd yr awdures ar ei gair, fe ymddengys, gan bawb, gan gynnwys hyhi ei hun. Ond yn arwyddocaol iawn, er i'w brawd farw ym 1917 ni chyhoeddodd y stori gyntaf iddi'i harddel, sef 'Prentisiad Huw' tan 1922—er bod 'Y Man Geni' yn dyddio yn ôl (yn benodol iawn) i Ebrill 1921. Ond yn *Y Darian* ym 1918 ymddangosodd stori gan Kate Roberts yn dwyn y teitl cyffrous 'Y Diafol yn 1960'. Dengys y gwaith byr hwn fwy o ymwybyddiaeth o'r rhyfel na dim yn *O Gors y Bryniau*.

Mae'r dechrau yn consurio awyrgylch stori werin ac mae'n nodweddiadol o'r storïau a gyhoeddid yn *Y Darian*, er bod y coegi yn pefrio o'r geiriau cyntaf:

> A mi yn eistedd un hwyrnos gaeaf yn y flwyddyn 1960 wrth dewyn o dân yn fy mwthyn ar ochr Moel Eilian, meddwl yr oeddwn i am yr amser gynt, pan oeddwn i'n athrawes yn Y___ ac A___.[9]

Afraid dweud, Ystalyfera ac Aberdâr yw'r llefydd nas enwir, sy'n profi bod y testun cynnar hwn yn perthyn i'w chyfnod yn Aberdâr.

Ar ôl oes o ddysgu mae'r athrawes yn dal i fod yn dlawd:

> Dyna lle'r oeddwn i wedi bod yn athrawes am dair blynedd a deugain, wedi dysgu to ar ol [sic] to o blant a'r rheiny'n dysgu to arall erbyn hyn, a dyna fi ar y plwy.[10]

Hyd yn oed ym 1918 nid oedd Kate Roberts yn teimlo'n rhyw optimistaidd iawn ynghylch ei gyrfa fel athrawes a barnu wrth y stori hon.

Yna, mae rhywbeth annisgwyl yn digwydd a gwelir yma enghraifft o'r ffraethineb wynebsyth sydd yn pelydru drwy'r naratif:

> Pan oeddwn i'n rhoi'r llestri ar y bwrdd—dyma gnoc, fel y gollyngais yr unig gwpan a oedd gennyf ar fy elw yn deilchion i'r llawr. Bu agos imi beidio a [sic] mynd i'r drws gan gymaint fy ofn—nerfs gwael sydd gan athrawon . . .[11]

A phwy yw'r ymwelydd sydd wrth y drws, yn ei chyfarch mewn Cymraeg sy'n taro'r athrawes fel mynegiant braidd yn glasurol i'r gymdogaeth, ond y Diafol neu'r Diawl ei hun. Esbonia'r Gŵr Drwg pam ei fod yn ddigartref:

> 'Wel', ebe yntau, 'mae hi'n bendramwnwgl yn Uffern heno. Fe dybiais er adeg y Rhyfel Mawr mai i hyn y deuai, a heno dyma fi'n ddigartre.[sic] 'Beth' [sic] ebe fi mewn syndod. 'Ie,' ebr yntau, 'nid eiddof fi y lle mawr a fu'n eiddo i mi unwaith. 'Pwll Diwaelod' [sic] y gelwid Uffern ar un adeg, eithr bu cymaint o lenwi ar y Pwll yn ddiweddar oni ddaeth ei waelod i'r golwg . . .'[12]

Rhestra'r Diafol yr holl fathau o bobl sydd wedi mynd i Uffern yn sgil y Rhyfel Mawr ac mae'n llechres gynhwysfawr iawn ac yn dwyn i gof y trigolion o bob gradd a geir yn Uffern Elis Wynne. Ond dyma un o'r ergydion mwyaf pellgyrhaeddol o gofio profedigaeth yr awdures:

> . . . Mae yno rai dynion a fu'n eistedd ar lysoedd tribunal y wlad yma, yn dwedyd, 'Dos' wrth fab y weddw dlawd; ac yn canfod digon o esgusion dros gadw rhai ereill, gwell eu gwedd a gwell eu hamgylchiadau adre . . . [13]

Mae'r Diafol wedyn yn gofyn i'r athrawes i weithio drosto i greu Uffern newydd, ond mae hi'n dadlau gydag ef ac yn ei wrthod nes iddi lewygu dan ei guwch:

> Ymhen rhywfaint o amser, ni wn i ba faint, clywn lais yn galw o bell, ac yn dyfod yn nes, nes. 'Wir os na chodi di, yr wyt ti'n siwr o golli'r tren.' [sic] Deffröais, edrychais ar fy watch [sic]. Yr oedd yn hanner awr wedi pump. Cofiais mai dyma'r diwrnod yr oeddwn i ddychwelyd i A___ ar ol [sic] gwyliau haf, 1918.[14]

Oherwydd iddi'i chyfyngu'i hunan i ddulliau realaidd ac i ddeunydd ei phrofiadau'i hun am weddill ei gyrfa (gydag eithriadau) mae'r stori hon yn ein taro ni fel un annodweddiadol o'r llenor. Ac eto mae'n glir fod Kate Roberts yma, mewn ffordd ysgafn, ddoniol a gwneuthuredig yn dweud pethau go bwysig, uniongyrchol, a gwleidyddol am ei theimladau ar y pryd. Dim ond trwy gyfrwng eironi y gallai ymdrin â phethau mor ddwys. Yn baradocsaidd, mae'r storïau sy'n dod ar ôl hon, er eu bod yn realaidd, yn fwy amwys, anuniongyrchol eu mynegiant o feddwl yr awdures. Yn wir, yn ei chreadigaeth o Rosgadfan ac Arfon, ei hen Arfon newydd mytholegol, ei Rhosgadfan adluniedig, sy'n edrych yn ôl at oes arall (er nad yw honno'n oes aur ddelfrydol o bell ffordd) gellid dadlau bod Kate Roberts yn osgoi darlunio'r byd o'i chwmpas. Mae'r stori hon, ar y llaw arall, yn ymateb ffyrnig i'r amserau. Mae'n edrych ymlaen i'r dyfodol mewn symbolau, ac yn y diwedd yn cysylltu'r dydd ac Aberdâr ag Uffern (ac nid am y tro olaf).

Ond diarddelwyd y cyfansoddiad hwn gan yr awdures, oblegid nid oedd i weld golau dydd eto yn yr un o'i chasgliadau. Fe ddichon na welai'r stori yn gydnaws â'i syniadau diweddarach (od ar brydiau) am ffurf y stori fer ac ar ôl iddi ddarllen gweithiau Katherine Mansfield a Tshechof a storïau llenyddol ffasiynol y cyfnod.

Sut bynnag, cyhoeddasai Kate Roberts destun arall cyn y storïau yn ei chasgliad cyntaf, sef y ddrama fer *Y Fam*, ar y cyd gyda Betty Eynon Davies. Dyma wir gychwynbwynt gwaith llenyddol Kate Roberts. Ond down yn ôl at y gweithiau cynnar hyn yn nes ymlaen.

Un peth sy'n hysbys am fywyd Kate Roberts yn Aberdâr yw'r ffaith nad oedd yn hapus yno o gwbl (ceir yr arwyddion yn 'Y Diafol yn 1960'). Gan iddi fynd yno i fyw ym 1917 y mae'n deg credu'i bod yn dal i alaru ar ôl ei brawd a'i bod yn cysylltu'r symud ohoni o Ystalyfera—lle bu'n ddigon bodlon—â'i phrofedigaeth.

Rheswm a ychwanegai at ei hanniddigrwydd yn ei blwyddyn gyntaf yn Ysgol Sir y Merched oedd y ffaith bod disgwyl iddi ddysgu daearyddiaeth a'r hyn a elwid yn French Section; er enghraifft:

1. Write a few lines in Welsh about Alun Mabon.
2. Write the story of 'Y Gath a'r Llwynog' in your own words in Welsh.
3. Quote any two verses from 'Gwenno Llwyd' and write the story in English.[15]

Un peth sy'n gyson am wersi yn ei French Section oedd nad oedd gair o Ffrangeg yn perthyn iddynt.

Gyda'r llythyrau mwyaf diddorol ymhlith Papurau Kate Roberts yn y Llyfrgell Genedlaethol ceir un oddi wrth 'Gwladys' sy'n taflu tipyn o oleuni ar gefndir Kate Roberts, ei phersonoliaeth a chyflwr ei meddwl ar ddechrau'i bywyd yn Aberdâr. Tachwedd 1917 (fe dybir) yw'r dyddiad a daeth y llythyr o Lundain yng nghanol y rhyfel. 'My Dear old Twm Sion Cati' yw'r cyfarchiad agoriadol, wedyn dechreua

Kate Roberts yn ystod ei chyfnod yn Aberdâr.
(Bro a Bywyd 2: Kate Roberts)

Gwladys drwy hel atgofion am ei dyddiau hi a Kate Roberts yn yr ysgol fel disgyblion yn y chweched dosbarth—a gwna hynny mewn Saesneg hynod o lifeiriog. Twm Sion Cati (chwarae ar yr enwau Catrin/ Katey?) oedd llysenw Kate Roberts (cyn iddi droi yn Frenhines ein Llên ac yn Enaid Clwyfus) ac yn ôl Gwladys doedd hi ddim yn blentyn da eithr yn ferch ddireidus:

> . . . we used to make everyone's life a misery in that Library, fighting and shouting and giggling . . .[16]

A chan fod Saesneg Gwladys mor arbennig o rugl yr ydym yn siŵr o ofyn ym mha iaith oedd y gweiddi? A oedd ieuenctid Kate Roberts mor uniaith ag yr honnai yn ei hatgofion?

Mae'n amlwg i Kate Roberts gwyno wrth ei hen ffrind am Aberdâr ac am Ysgol y Merched a'r gorchwyl o orfod dysgu daearyddiaeth a brysia honno i'w chysuro:

> . . . I am answering by return, for it really sounds as if you need comforting. You sound so overworked and downhearted. Poor old Twm

> Sion Catti.[sic] . . . I am quite sure, that before long, you will be appreciated + loved in Aberdare . . . It is too soon to judge Aberdare yet.[17]

Ar ddiwedd y llythyr dywed Gwladys: 'I append !!![sic] below that Lotion Recipe for spots . . .'[18] Un o'r unig bethau y cofiai un o gyn-ddisgyblion Miss Roberts yn Aberdâr oedd y manylyn annymunol ei bod yn dioddef o glewynnau ar ei gwar a'i bod yn arfer eu torri i fowlen o flaen y dosbarth ar ganol ei gwersi weithiau.[19] Gellid gweld y problemau hyn ynglŷn â'i chroen fel adlewyrchiad corfforol o'i hiselder ysbryd. Dioddefai Samuel Beckett o anhwylder seicosomatig cyffelyb yn ei ieuenctid yntau pan oedd yn bruddglwyfus.[20]

Ond os nad oedd Kate Roberts yn gwbl ddedwydd nid oedd ei disgyblion yn unfryd fodlon arni hi chwaith,[21] er gwaethaf tystiolaeth Olwen Samuel.[22] Ac nid yw'r gwrthwynebiad iddi yn hollol ddiystyr pan edrychir ar nodiadau Kate Roberts ar gyfer rhai o'i gwersi:

> Welsh VI (Lizzie Rees)
>
> 1. Translate into English :- Bardd Cwsg (p5) (9) G. Owen Cywydd y Farn Fawr. C. Hiraeth.[23]

Druan o Lizzie Rees. A dyma enghraifft o un o'i gwersi rhifyddeg:

> With 116 apples + 174 pears it is required to fill a no of baskets, each containing the same no of apples + the same no of pears. If the no in each basket is as small as possible find the no apples and pears in each basket.[24]

Bydd y sawl sydd wedi darllen *Deian a Loli* yn cofio gwrthwynebiad Loli i 'syms':

> Blinder mawr bywyd Loli yn yr ysgol oedd na allai wneud syms. Deuthai [sic] i gynefino'n weddol â syms yr ysgol bach [sic] cyn dyfod oddiyno, ond dyma hen syms newydd eto yn yr ysgol fawr.[25]

Athrawes ddisgybledig a chydwybodol oedd Kate Roberts, yn gaeth i ddulliau dysgu'r cyfnod, heb fawr o ysbrydoliaeth. Wedi dweud hynny ceir llythyr at Kate Roberts oddi wrth brifathrawes yr ysgol, M.S. Cooke, yn canmol ei gwaith a llwyddiant ei disgyblion mewn daearyddiaeth; bron nad oedd yn edifar iddi gyflogi athrawes daearyddiaeth.[26]

Defnyddiai Kate Roberts *Deian a Loli* yn ei gwersi ei hun:

Cymraeg IV a III

2 Traethawd 1. Cymeriadau Deian a Loli. 2. Yr ysgol bob Dydd yn Amser Deian a Loli.[27]

Yn ôl tystiolaeth Kate Roberts ei hun mewn llythyr at Saunders Lewis enynnodd ei defnydd o'i gwaith ei hun ymateb ffafriol yn y gwersi:

> Darllenaf *Deian a Loli* gydag un dosbarth yma. Rhoddais fy ngwyleidd-dra heibio wrth ei ddewis yn faes llafur iddynt. Ac nid yw'n edifar gennyf. Mwynha'r plant ef yn fawr. Ar hyd y ffordd, wrth ei ddarllen, clywch ryw ychydig yn rhoi rhyw ebwch o chwerthin, a gwelwch wên ysgafn dros eu hwynebau, a bob tro y daw Deian i'r adwy i amddiffyn Loli, clywch O! llawn o fynegiant o'u gwerthfawrogiad, ac nid yn unig o'u gwerthfawrogiad ond o'u gallu i adnabod cymeriad.[28]

Chwarae teg i hen blant Aberdâr, doedden nhw ddim i gyd yn dwp. Ac mae'n siŵr eu bod yn croesawu darllen storïau'r athrawes am newid o gyfieithu Goronwy Owen a'r posau rhifyddeg bondigrybwyll.

Ceir hefyd enghraifft o beth diddorol arall yn un o'i gwersi:

Staff Ysgol Sir y Merched, Aberdâr.

(Bro a Bywyd 2: Kate Roberts)

Kate Roberts gydag un o'i dosbarthiadau yn Aberdâr.
(Bro a Bywyd 2: Kate Roberts)

> 6. Ym mha fodd y gwahaniaetha nofel oddi wrth stori fer? Beth yw eich barn am "Wr Pen y Bryn" [sic]
> 7. Pan osodir nofel mewn cyfnod neilltuol sut dylai'r awdur ymdrin a'r [sic] cyfnod yn ei nofel. Gan mai yng nghyfnod Rhyfel y Degwm y gosodir 'Gwr pen y Bryn'[sic] a wnaeth Mr Davies chwarae teg a'r [sic] cyfnod ag a'r [sic] nofel yr un pryd.[sic][29]

Lliniarai'r athrawes beth o'i diflastod yn ei gwersi drwy rannu'i myfyrdodau llenyddol gyda'r plant.

Ar y dechrau gwnaeth Kate Roberts ymdrech i gymryd rhan ym mywyd cymdeithasol y dref. Ysgifennodd David George Williams ati o Ystalyfera gan sylwi'i bod yn cymryd lle amlwg yn *Y Darian* ac ym mywyd cyhoeddus Aberdâr.[30]

Talodd Kate Roberts deyrnged i un a fu'n gyfeillgar â hi yn ei dyddiau cynnar yn y cylch, sef y Parch Richard Williams, y dywedodd amdano:

> Peth amheuthun iawn i mi felly oedd dyfod i adnabod y Parch Richard Williams, un o'r ychydig bobl y cyfarfûm â hwynt â'i farn ei hun ganddo ar lenyddiaeth, a honno'n farn go sicr, debygwn i y pryd hwnnw beth bynnag.[31]

Peth amheuthun oherwydd roedd Richard Williams yn eithriad a'i gartref yn werddon ddiwylliannol i'w thyb hi yng nghanol diffeithdir llenyddol Aberdâr.

Daeth hi'n aelod pwysig mewn byr o dro o Gymrodorion y dref—un 'm' yn amlach na pheidio. Yn perthyn i'r gymdeithas hefyd roedd Ab Hefin, awdur yr emyn 'I bob un sy'n ffydlon'[32] a J. Tywi Jones,[33] golygydd *Y Darian*. Ymhlith yr aelodau eraill pan oedd Kate Roberts yn byw yn Aberdâr roedd nifer o Gymry Cymraeg diwylliedig y cwm. Un a ddaeth i gysylltiad â hi oedd D.O. Roberts. Fe'i ganed yn Llwydcoed, Aberdâr a chafodd ei addysg yn y dref ac yn y Coleg Normal, Bangor. Bu'n athro mewn sawl ysgol yn y dref ac yn brifathro ar Ysgol Ganolog Y Gadlys. Ymdynghedodd pan oedd yn ifanc iawn i wneud cymaint a fedrai i achub yr iaith Gymraeg. Ef a sefydlodd y gangen gyntaf o Blaid Cymru yn y de ym 1926, yn Abercwmboi, ac Undeb Athrawon Cymru ym 1925 a'r cylchgrawn *Yr Athro* ym 1928. Cyhoeddodd werslyfrau a darlithiau niferus ac amrywiol. Roedd yn eisteddfodwr brwd ac fe'i urddwyd gan yr Orsedd a derbyniodd radd M.A. er anrhydedd gan Brifysgol Cymru.[34]

Athro a chenedlaetholwr egnïol arall oedd Evan John Williams. Dywed Olwen Samuel:

> Yn nhref Aberdâr, tu allan i furiau'r ysgol, Miss Kate Roberts oedd un o gynheiliaid y Cymrodorion; hyhi a Mr D.O. Roberts a Mr E.J. Williams yn flaenllaw.[35]

Daeth E.J. Williams yn adnabyddus yn ddiweddarach ar y radio yn y gyfres 'Sam a Simon' gyda Jack Howells.[36]

Yn dysgu Cymraeg i ferched yn Ysgol Y Gadlys tua'r un pryd â Kate Roberts yn Ysgol Sir y Merched oedd Mariel Morgan. Cysylltid ei henw hi â'r efengylwr a'r diwygiwr Evan Roberts ar un adeg ac un o'r prif alarwyr yn ei hangladd pan fu farw yn 44 oed ym 1934 oedd y Parch Dan Roberts, brawd Evan Roberts. Bu hithau'n ysgrifennydd ac yn llywydd y Cymrodorion ac yn ddiacon ac yn drysorydd yn Bryn Seion, Aberdâr. Roedd hi'n hoff o actio a chymerodd ran yn y ddrama *Gwraig y Ffermwr* a lwyfanwyd gan Gwmni'r Cymrodorion.[37]

Aelod gweithgar arall pan oedd yntau yn byw yn Aberdâr oedd T. Rowland Hughes. Lluniodd ddrama-gerdd smala a'i hanfon at Kate Roberts i'w defnyddio yn un o gyfarfodydd y Cymrodorion.[38] Yn ôl ei gofiannydd, Edward Rees:

> Lletyai [T. Rowland Hughes] yn ystod yr amser hwn yn Gospel Hall Terrace. Trwy'r Dr Kate Roberts y cafodd hyd i'r lle. Yr oedd hi ar y pryd yn athrawes yn Ysgol Sir y Merched, Aberdâr, ac ysgrifennodd Rowland ati i ofyn a wyddai am le iddo i aros. Aethai hithau at E.J. Williams, athro ifanc a thrwyddo ef yr aeth Rowland i'r llety, a oedd ar draws y ffordd o'i dŷ ef. Gŵr hwyliog twymgalon ydoedd E.J. Williams. Daeth ef a Rowland yn gyfeillion mawr, ac yr oedd drws agored i Rowland bob amser yn ei gartref yn 6, Gospel Hall Terrace a'r teulu yno yn garedig dros ben wrth y gŵr ifanc o'r Gogledd.[39]

Un tro aeth Kate Roberts a Rowland Hughes i Lundain yn unswydd i weld drama Ibsen, *Rosmersholm*.[40]

Ym 1926 cychwynnodd y Cymrodorion 'gylchgrawn' yn dwyn yr enw *Y Garreg Ateb* a cheir y nodiadau golygyddol doniol iawn yn llaw Kate Roberts ymhlith ei phapurau yn y Llyfrgell Genedlaethol. Dyma enghraifft o'r rhifyn cyntaf:

> Yn y byd llenyddol mae argoelion y bydd y flwyddyn 1926 yn un doreithiog iawn. Mae yma ddegau o lyfrau yn y swyddfa yma yn disgwyl adolygiad. Nid oes gofod i adolygu yn y rhifyn hwn ond disgwyliwn gael nifer o adolygiadau i mewn i'r rhifyn nesaf. Ymhlith llyfrau a dderbyniwyd y mae:
> Y Gelfyddyd o Chwerthin gan Mr.J.B. James
> Bwyd heb Gig gan T.E.D
> Yr Ochr Arall i'r Walddiadlam gan Syr Alfred Mond
> Saesneg—Iaith Gwareiddiad y Byd gan Mr.D.O. Roberts.[41]

Ac yn y blaen yn yr un cywair. Beth bynnag oedd natur *Y Garreg Ateb* (ai cylchgrawn papur ydoedd ynteu gyfres o berfformiadau a darlleniadau llafar ar noson gyfarfod y gymdeithas?) fe ymddengys taw dyma gychwyn gwaith Kate Roberts y golygydd.

Er gwaethaf y gweithgarwch hwn nid oedd aelodau'r Cymrodorion yn cyrraedd safonau uchel Miss Roberts. Mewn llythyr at Saunders Lewis dywed:

> Dioddef oddiwrth [sic] Dyfeditis [sic] y maent yn Aber Dâr [sic]. Bu Dyfed yn gweithio yn y pwll glo yma ar un adeg, ac mae'n debig [sic] bod yma rywbeth tebig [sic] i gylch llenyddol yma'r pryd hynny. Ac edrych yn ol [sic] at yr oes aur honno a wna Aber Dar [sic] byth, a dyna'r teip o feddwl sydd yma, teip Dyfed.[42].

Dichon bod peth gwir yma ond mae Kate Roberts yn dod drosodd yn ei llythyron at Saunders Lewis fel hen snob dihiwmor, weithiau. Mewn llythyr arall, er enghraifft, dywed:

> Twn [sic] i ddim sut bydd hi tua nos wener [sic] yma. Yr wyf i siarad yng Nghymrodorion Aber Dâr [sic] yma ar y nofel . . . Ac mae'r Cymrodorion yma yn gulach na neb y gwn i amdanynt.[43]

Culach na neb y gwyddai amdanynt? Culach na neb yn Rhosgadfan ac Abertawe? Tybed.

Ceir ffotograff o gylch Cymrodorion Aberdâr a dynnwyd yn 1925 ar achlysur un o'u dramâu. Yn arwyddocaol—efallai—nid yw Kate Roberts yn y llun, eithr gwelir D.O. Roberts, E.J. Williams a Mariel Morgan (wedi'i gwisgo fel barnwr).[44]

Dyna, felly, rai o aelodau 'cul' y Cymrodorion a thrigolion Aberdâr y buasai Kate Roberts wedi'u chwythu i'r cymylau. Ond doedd hi ddim yn amlwg iddyn nhw fod awdures *Prentisiad Huw*, *Y Fam* ac *Ysgolfeistr y Bwlch* ar fin cael ei thrawsffurfio'n Frenhines Ein Llên, neu, fel arall buasent yn barotach i swcro'r Enaid Clwyfus, mae'n siŵr.

* * *

Dyna'r cefndir i fywyd Kate Roberts yn Aberdâr. Gormod o waith ysgol neu beidio ac er gwaethaf ei diflastod ynghylch diffygion diwylliannol yr ardal roedd hi'n cyfansoddi drwy'r amser.

Y gwaith cyntaf i gael ei gyhoeddi (ar wahân i bytiau bach o erthyglau, ambell gerdd, juvenilia[45] a'r stori eithriadol 'Y Diafol yn 1960') oedd *Y Fam* a luniwyd ar y cyd gyda Betty Eynon Davies.

Yn yr un flwyddyn (1920) cyhoeddodd Betty Eynon Davies ddrama fer yn dwyn y teitl *The Four Leaved Clover* a'r un wasg fu'n gyfrifol am y ddwy gyfrol, sef The Educational Publishing Co. Ltd., Caerdydd. Rhwng *Y Fam* a drama fer nesaf y ddwy awdures, sef *Y Canpunt* (1923, gydag enw awdures arall arni, sef Margaret Price), ymddangosodd *The Matchmaker* gan Betty Eynon Davies. Ac ym 1925 cyhoeddodd ddrama arall o'r enw *Home* cyn i *Wel! Wel!* gan y triawd eto ddod o'r wasg ym 1926.

Mae naws y chwe drama fer hyn—y gymeriadaeth, y lleoliadau a'r ddigwyddiadaeth yn debyg i'w gilydd. O gymharu'r tair drama

Gymraeg â gweithiau unigol Betty Eynon Davies fe welir bod yr un sefyllfaoedd yn codi dro ar ôl tro yn y chwech—carwriaethau a'r troeon trwstan sydd yn eu rhwystro ac/neu yn eu hyrwyddo. 'Kitchen in a farmhouse on a mountain in South Wales' yw golygfa agoriadol *The Four Leaved Clover*.[46] 'Cegin mewn ffarm unig, Ty'n Mynydd' yw golygfa agoriadol *Y Fam*.[47] Golygfa agoriadol *Home* yw 'Kitchen in the "Gwyn Arms" a small mountain inn'.[48] Yn *The Matchmaker* yr olygfa gyflwyniadol yw 'Kitchen at the Mill House in a South Wales village'.[49] Gellid cymysgu cymeriadau'r chwe drama heb greu fawr o newid. Cysylltir tair drama Saesneg Betty Eynon Davies gan bentre o'r enw Llanilid. Yn y dramâu Cymraeg ceir tafodiaith ogleddol yn *Y Fam*, ond yn *Y Canpunt* sydd â'r is-deitl 'Comedi o Gwm Tawe' ceir tafodiaith ddeheuol, ac eto yn *Wel! Wel!*. Y cwestiwn yw faint o Kate Roberts sydd yn y testunau Cymraeg? Mae lle i gredu taw ei chyfieithiad hi o waith Betty Eynon Davies oedd *Y Fam*, ond mae'n anodd gweld unrhyw ddylanwad o'i heiddo hi ar y ddwy ddrama arall gan fod y Gymraeg yn siprys iawn a dyma, er enghraifft, y cyfarwyddiadau llwyfan ar ddechrau *Y Canpunt*:

> Scene.-Drawing room yn nhy [sic] Mrs Davies, wedi ei dodrefnu yn wych gyda chlustogau, lampshades paintings ar y mur dau fwrdd bychan wedi eu hulio ag ornaments, sofa. Ar y mur mae darlun o ddyn sydd ymlaen mewn dyddiau.[50]

Mae'n rhyfedd credu y buasai Kate Roberts wedi derbyn Cymraeg fel hyn dan unrhyw amodau heb sôn am roi ei henw wrthi. Mae cyfraniad Kate Roberts mor ddirgel â'i chydawduresau.

Ceir llythyr anghyflawn at Kate Roberts yn Aberdâr oddi wrth David George Williams (tad Islwyn Williams) o Ystalyfera sydd yn diolch iddi am gael y fraint o ddarllen stori ganddi (mae teitl y stori wedi mynd ar goll) ac sy'n cyfeirio at Betty Eynon Davies a'r ddrama *Y Fam* gan ei hannog i'w chyhoeddi.[51] Fe ymddengys, felly, fod *Y Fam* wedi cael ei llunio pan oedd Kate Roberts yn byw yn Ystalyfera.

Mewn nodyn ar Betty Eynon Davies dywed Dafydd Ifans:

> . . . cydathrawes â KR yn Aberdâr. Ysgrifennodd ddramau [sic] ar y cyd gyda KR, sef *Y Canpunt*, *Y Fam*, *Wel! Wel!* Cyhoeddodd nifer o ddramâu Saesneg hefyd.[52]

Ni lwyddais i gadarnhau bod Betty Eynon Davies wedi gweithio yn Ysgol Sir y Merched, Aberdâr ar yr un pryd â Kate Roberts nac erioed. Serch hynny mewn llythyr at Kate Roberts oddi wrth Margaret Price (cydawdures *Y Canpunt* ac *Wel! Wel!*) ar achlysur marwolaeth Betty Eynon Davies ceir y sylwadau hyn:

> Yes, as you say this sad occurrence takes us back many years when we spent such a happy time in Ystalyfera—Betty's conversation was almost entirely about the old days.[53]

Ceir llythyr arall at Kate Roberts oddi wrth Betty Eynon Davies ar achlysur marwolaeth Islwyn Williams y bu'r ddwy yn ei ddysgu yn Ystalyfera.[54] Yn Ysgol Sir Ystalyfera, felly, y cyfarfu Kate Roberts â'i chydathrawesau creadigol Betty Eynon Davies a Margaret Price. Ategir hynny hefyd gan *Y Canpunt* sydd, fel y nodwyd eisoes, yn '[G]omedi o Gwm Tawe' ac sydd yn sôn am 'Ystalyfera Rock' (ond hefyd am waith Glo Gors y Byrniau).[55]

Cafodd Kate Roberts 'bobl ag ynddynt reddf lenyddol' yn Ystalyfera (a sylwer bod Margaret Price yn cyfeirio at yr amser hapus) peth nas cafodd yn Aberdâr, a'r rhain oedd y rhai cyntaf i feithrin ynddi yr awydd i ysgrifennu o ddifri. Betty Eynon Davies yn anad neb, mae'n debyg, a fagodd ei hyder i gyhoeddi wrth iddynt weithio gyda'i gilydd ar *Y Fam*. Mewn llythyr at Kate Roberts yn Aberdâr mae Betty Eynon Davies yn cymeradwyo llyfr Arnold Bennett, *How to Become an Author*.[56]

Symudodd Betty Eynon Davies i Lundain ac a barnu wrth ei llythyrau mynych at Kate Roberts roedd hi'n llenor uchelgeisiol ar un adeg. Sonia am ei chynnyrch llenyddol, am arian sy'n ddyledus iddi am storïau a gafodd eu derbyn ond heb eu cyhoeddi eto, am syniadau ar gyfer dramâu. Un tro collodd lyfr poced yn Llundain, yn llawn syniadau ar gyfer storïau (stori ynddi'i hun). Yna, yn y tridegau, ysgrifennodd ddrama arall yn dwyn y teitl 'Gold and Silver' a droswyd i'r Gymraeg dan y teitl *Aur ac Arian* ac a gyhoeddwyd ym 1937 gan Wasg Aberystwyth. Mewn 'nodiad' ar ddechrau'r llyfr dywed y dramodydd:

> Dymunwn ddiolch i Miss Kate Roberts am ei chymorth gwerthfawr yn Cymreigio'r ddrama hon.[57]

Er nad yw enw Kate Roberts ar y ddrama hon fel cydawdures dengys llythyron Betty Eynon Davies mai hi a'i cyfieithodd i'r Gymraeg.[58]

Yn y pumdegau ysgrifennodd i ddweud bod Cassell wedi gwrthod cyhoeddi llyfr a gynigiwyd iddynt ganddi, ond yn yr un llythyr mae'n anfon tâl am *Wel! Wel!* sy'n awgrymu bod y dramâu Cymraeg yn dal i werthu.[59]

Ym 1946 ysgrifennodd Betty Eynon Davies at Kate Roberts:

> . . . but you have wonderful gifts and opportunities. . . It is a great resource to have a talent. Even a small one like mine was a great comfort when I was going through a time of black misery. . . [60]

Parodd y cyfeillgarwch llenyddol hwn dros ddeugain mlynedd. Er i Kate Roberts ddweud wrth Saunders Lewis fod Betty Eynon Davies 'yn prysur ddysgu Cymraeg'[61] nid ymddengys iddi lwyddo yn ei bwriad i wneud hynny gan fod ei llythyron i gyd yn Saesneg a chwyna am y drafferth a gafodd i gael copi o'r cyfieithiadau Saesneg o'i gwaith yn *A Summer's Day* ym 1946.[62]

Yr hyn sy'n rhyfedd yw nad yw Kate Roberts yn ei holl ysgrifeniadau yn dweud dim am y ffrind ffyddlon a'r gydawdures hon. Cafodd gyfle i lunio ysgrif goffa neu deyrnged iddi pan fu farw yn y chwedegau, ond wnaeth hi ddim. A oedd gan Kate Roberts rywbeth tebyg i gywilydd o'r berthynas hon gydag awdures ddi-Gymraeg a—gwaeth na hynny—di-nod?

Mae Margaret Price hyd yn oed yn fwy o ddirgelwch (hwyrach am ei bod hyd yn oed yn fwy di-nod). A barnu wrth lythyr oddi wrthi hi at Kate Roberts roedd ganddi fwy o grap ar y Gymraeg na Betty Eynon Davies gan ei bod wedi darllen adolygiad Saunders Lewis ar *Rhigolau Bywyd* ac wedi darllen y llyfr yn ofalus ei hun ac mae'i sylwadau yn graff a threiddgar a heb arlliw o'r weniaith sy'n nodweddu llythyron Saunders Lewis pan fai hwnnw yn trafod ei gweithiau.[63]

Beth bynnag, yn Ystalyfera y sefydlwyd y cysylltiadau tyngedfennol hyn â chydeneidiau cynnar Kate Roberts. Er y buasai wedi ysgrifennu yn hwyr neu'n hwyrach mae'n eithaf posibl y buasai wedi bod yn hwyrach oni bai am weithgarwch ac anogaeth Betty Eynon Davies. Tua deg ar hugain oed oedd Kate Roberts pan ymddangosodd *Y Fam* ym 1920. Cyhoeddodd 'Prentisiad Huw' yn *Cymru* ym 1922, yna'r storïau 'Y Chwarel yn Galw'n Ôl' ac 'Y Man

Geni' yn yr un cyfnodolyn. Yn ei hunigrwydd a'i halltudiaeth yn Aberdâr, heb gyfeillion 'ag ynddynt reddf lenyddol' roedd y storïau yn dechrau llifo. Gweithiodd ar y cyd gyda Betty Eynon Davies a Margaret Price ar y dramâu byrion a chyhoeddodd benodau I-XI o *Deian a Loli* yn *Y Winllan*.

Ond pan ymddangosodd 'Newid Byd' yn *Yr Efrydydd* fe newidiwyd byd Kate Roberts yn llythrennol pan ysgrifennodd Saunders Lewis ei lythyr cyntaf o edmygedd ati a'i galw yn 'artist mewn difri' a'i hannog i gyhoeddi mwy 'a llyfr ohonynt yn ddigon buan.'[64] Mae'n amhosibl dweud yn awr be fuasai wedi digwydd pe na fuasai Saunders Lewis wedi sylwi ar storïau cynnar Kate Roberts, er i W.J. Gruffydd wobrwyo 'Y Chwarel yn Galw'n Ôl' a 'Prentisiad Huw' yn Eisteddfod Manceinion. Yn ei hateb i Saunders Lewis dywedodd Kate Roberts:

> Fe roiswn fy ffidil yn y to onibae[sic] am y calondid yna. Bu'r feirniadaeth honno'n fwy o spardun[sic] imi na dim arall.[65]

Ni ellir credu y buasai Kate Roberts wedi cael ei llorio mor hawdd. Yr hyn a wnaeth Saunders Lewis oedd egluro ei chyfeiriad iddi a'i hysgogi i gymryd ei gwaith llenyddol o ddifri ac i synio amdani hi ei hun fel llenor. Llyncwyd yr abwyd. Buasai Kate Roberts yn sicr o fod wedi ysgrifennu a chyhoeddi ond pa bryd y buasai wedi meddwl am lunio casgliad o storïau heb awgrym Saunders Lewis tybed? A fuasai wedi ysgrifennu mwy i blant pe na bai Saunders Lewis wedi'i chynghori fel hyn:

> Ond—nac ysgrifennwch ddim mwy i blant. Nid dyma eich gwir elfen. Y mae ôl un yn mynnu, yn ceisio, ac felly yn treisio arni hi ei hun wrth ysgrifennu, yn eglur i mi yn y gwaith . . . Y gwaith nesaf yw casglu eich straeon byr yn llyfr, a bydd hwnnw'n llyfr pwysig.[66]

Dilynodd Kate Roberts ei gyfarwyddiadau a daeth *O Gors y Bryniau* o'r wasg ym 1925. Cyhoeddasai *Deian a Loli* a 'Loli' (*Laura Jones* wedyn), penodau I-XII yn *Y Winllan* yn yr un flwyddyn a gwelwyd storïau newydd ganddi yn *Y Llenor* ac *Y Genedl*. Ond doedd y bartneriaeth â Betty Eynon Davies a Margaret Price ddim wedi dod i ben eto gan iddynt lunio *Wel! Wel!* a argraffwyd ym 1926. Yna aeth

Kate Roberts ati yn syth i lunio rhagor o storïau ac roedd hi'n meddwl am eu cywain ynghyd erbyn 1928:

> Mae gennyf yn awr chwech o storïau byrion yn barod i'r wasg ac mae yn fy mryd ysgrifennu un arall i'w gwneud yn saith a'u cyhoeddi yn llyfr bychan. Sgrifennais un newydd yr wythnos dwaetha [sic]—a medraf sgrifennu un arall yr wythnos nesaf.[67]

Dengys y sylwadau hyn nid yn unig i Kate Roberts gyfansoddi'r rhan fwyaf o'r gyfrol *Rhigolau Bywyd* yn Aberdâr ond hefyd fod y storïau yn llifo'n rhwydd.

Heb os nac oni bai Saunders Lewis oedd y catalydd i weithgarwch llenyddol Kate Roberts yn y cyfnod hwn ond therapi ydoedd hefyd; modd i ddygymod â'i methiant llwyr i ymgartrefu ymhlith trigolion Aberdâr.

Ond hwyrach nad oedd Kate Roberts yn cyfrinachol ymhyfrydu yn yr arwahanrwydd a deimlai yn y cwm a'i bod wrth ei bodd yn derbyn gwersi mewn snobyddiaeth drwy'r post oddi wrth Saunders Lewis. Os nad oedd y bobl o'i chwmpas yn ei deall (nac yn ei hoffi, efallai) onid oedd hynny yn gwbl ddealladwy gan ei bod mor wahanol iddynt? Tanlinellai Saunders Lewis y syniadau rhamantaidd a goleddai:

> . . . ni ddywedwn air yn dragywydd dros genedlaetholdeb na Chymraeg pedfai modd cadw'n fyw rywsut arall gwmni bach aristocrataidd Cymreig a gadwai lên a chelf yn ddiogel heb falio botwm am y werin daeogion. Ond gan nad oes digon ohonom eto, rhaid i ninnau beryglu ein celfyddyd a byw fel y gallom 'sous l'oeil des barbares'[68]

Yn y darnau ffroenuchel a dirmygus hyn o'u gohebiaeth ni ellir osgoi'r argraff taw efryddion ysbrydol oedd Saunders Lewis a Kate Roberts ill dau. A gallai'r aristocrat o Rosgadfan eilio'r Pab o Lerpwl gan ei bod wedi'i hamgylchynu ar bob tu gan farbariaid Aberdâr, druan ohoni. Doedd dim byd amdani ond ymroi i lenydda a byw fel y gallai a chadw ei chelfyddyd.

Ond weithiau doedd cefnogaeth Saunders Lewis ddim yn ddigon twymgalon. Dyma hi'n mynegi'i hiselder ysbryd mewn ateb i'r llythyr lle nad yw Saunders Lewis yn canmol *Deian a Loli* i'r cymylau:

> A dywedyd y gwir, credaf fy mod yn anonest gyda phob ysgrifennu o f'eiddof. I mi, mae ol [sic] ymdrech ar bob stori a sgrifennais, ac maent yn fylchog iawn oherwydd f'anallu i ddisgrifio manylion . . .[69]

Brysiodd Saunders Lewis i godi'i chalon:

> Felly, mi obeithiaf na freuddwydiwch chi ddim am roi heibio sgrifennu am resymau mor ffôl. Dyma i chwi gymhellion ddigon—bod dwsin a mwy ohonom ni yn darllen popeth o'ch gwaith ac yn gwybod amdanoch, a bod y cydymdeimlad a'r cyfeillgarwch a enillasoch drwy eich gwaith yn creu byd ehangach nag Aber Dar [sic] i chi; a'ch chwiorydd chwi yw, nid y merched eraill yn yr ysgol a'r dre, ond Katherine Mansfield a Jane Barlow . . . Drwy'r meddwl yn unig y gellir dianc ar fychander amgylchedd. Ac felly y mae ambell ddyn doeth yn meddwi ac ambell arall fel ninnau yn ceisio sgrifennu. A phan beidiwn â cheisio, fe fyddwn mor fychan â gweddill pobl Aber Dar [sic] ac Aber Tawe [sic] a phob man arall.[70]

Gyda'r llythyr hwn y mae Saunders Lewis yn rhoi ei thrwydded lenyddol i Kate Roberts—wedi'r cyfan cais am fendith Saunders Lewis oedd ei llythyr hithau. Ar y pryd (1923) ei hunig waith oedd

Kate Roberts yn Aberdâr.
(Bro a Bywyd 2: Kate Roberts)

Saunders Lewis yn Abertawe.
(Bro a Bywyd 9: Saunders Lewis)

dyrnaid o storïau, dramâu byrion gwell peidio â sôn amdanyn nhw a *Deian a Loli*.

Ym 1924 dywedodd Kate Roberts:

> Mae'n garedig iawn ynoch fynd i'r drafferth i sgrifennu ar fy storïau i. Heb ragrithio mae'n rhaid imi ddweyd bod yn dda gennyf, oblegid eich bod yn feirniad mor graff ac yn feirniad mor onest.[71]

Hynny yw, yn ddigon o feirniad i ddyrchafu'i gwaith o'r dim yr oedd ar y pryd. Pan mae Kate Roberts a Saunders Lewis yn cydanwesu egos ei gilydd fel hyn mae'n ddigon i godi pwys ar y darllenydd. Nid oedd Kate Roberts wedi ychwanegu nemor ddim at ei chanon ym 1924. Ond oni bai am y maldod a'r mwytho a'r rhwbio llenyddol hyn efallai na chawsem 'annus mirabilis' 1925, pan ymddangosodd *O Gors y Bryniau* a storïau cyntaf *Rhigolau Bywyd* a 'Loli'. Ond am yr olaf dywed Derec Llwyd Morgan:

> I dare say that had it been written by someone other than Kate Roberts it would have been forgotten long ago.[72]

Ym 1926 dechreuodd Kate Roberts ei nofel gyntaf i oedolion, sef 'Ysgolfeistr y Bwlch'. Ceir adlewyrchiad arall o gyflwr ei hysbryd yn Aberdâr yn y nofel anorffen hon sy'n galw i gof rai o elfennau 'Y Diafol yn 1960'; yr athrawes ar ei gwyliau yn arswydo rhag dychwelyd at ei gwaith, y syniad o flynyddoedd hirion o ddysgu plant. Mae'r bennod gyntaf yn dramateiddio sefyllfa athrawes gymharol ifanc sy'n byw oddi cartref:

> Wrth synfyfyrio ar bethau fel hyn gresynai ar un wedd na pharhai[sic] y gwyliau byth. Ond byddai'n rhaid dychwelyd i Lyn Derwydd i'r ysgol ar ganol yr amser melysaf. Athrawes anrhwyddedig[sic] ydoedd, ond ei bod yn feistres arni ei hun ac ar bump ar hugain o blant. Ond O, âi'r blynyddoedd heibio yn undonog . . .
>
> Ni allai ddioddef y dyddiau cyntaf ar ôl y gwyliau fel hyn . . . Ni ddigwyddai dim yng Nghwm Derwydd o'r naill ben blwyddyn i'r llall ond cyfarfodydd y capel ac ambell gyngerdd.[73]

Dichon bod yr awdures yn chwarae ar y gyfatebiaeth ieithyddol rhwng Dâr a Derwydd yma. Beth bynnag, yn yr ail bennod, dywedir am Jennat:

> Yr oedd yn wyth ar hugain oed, oed mawr i fod heb briodi ynddo yn 1896. Iddi hi yr un fath ag i bawb arall yn ei dydd yr oedd deg ar hugain yn oed i'w wadu i ferch sengl, ac yr oedd hithau yn nesu at yr oed hwnnw. Ond nid am hynny y poenai Jennat. Poeni ynghylch y dyfodol yr oedd hi, gweld blynyddoedd o ddysgu plant o'i blaen a gweld y byddai hi ei hun ryw ddiwrnod yn hen ac yn fusgrell, fel yr hen Fiss Huws . . .[74]

Wrth gwrs, yn wahanol i Jennat, roedd Kate Roberts wedi croesi'i deg ar hugain ac yn ystyried priodi pan luniodd y geiriau hyn, er ei bod wedi datgan ei pharodrwydd i fyw tali pe caniatâi gymdeithas hynny mewn llythyr at Saunders Lewis.[75] Yn wir roedd Kate Roberts yn agosach at oedran Miss Huws ('Yr oedd yn rhywle rhwng deg ar hugain a hanner cant'[76]) ac ar ben ei hanniddigrwydd ynglŷn â phriodi neu beidio a'i gwaith fel athrawes, ei hanallu neu'i hamharodrwydd i fwrw'i gwreiddiau yn Aberdâr, roedd ganddi broblem arall, problem fawr sy'n ei hamlygu'i hunan yn natur anghyflawn 'Ysgolfeistr y Bwlch'—sef ei thrafferth i lunio gwaith llenyddol, sylweddol, aeddfed; gwaith i oedolion gan oedolyn. Soniodd Saunders Lewis am ei nofelau ym 1927 ('. . . yn cadw'ch llaw dde i'ch straeon a'ch nofelau . . .')[77] ond ei hunig nofelau hyd at y pwynt hwnnw yn ei gyrfa fel y gwelsom oedd *Deian a Loli* a fersiwn cynnar o *Laura Jones*. Roedd ei bri llenyddol fel petai'n achub y blaen ar ei chynnyrch.

Ei chwyn oedd nad oedd ganddi'r amser i hogi arfau'i chrefft, fel y dengys y nodyn digalon yn *Y Llenor* ar ddiwedd pennod gyntaf 'Ysgolfeistr y Bwlch'—'Fe orffennir y nofel hon pan gaiff yr awdur gymaint â hynny o hamdden oddiwrth waith ysgol'[78]—a llythyr arall at Saunders Lewis—'Fe orffennir "Ysgolfeistr y Bwlch" pan fyddaf yn 86—pennod bob blwyddyn'.[79]Yn y stori'i hun, yn yr ail bennod, mae'r 'Scwl' yn gofyn i Jennat, 'Ydach chi'n licio dysgu plant?' a hithau'n ateb, 'Nac ydw, ar ei ben'.[80]

Ym 1926, hefyd, ymunodd Kate Roberts â Phlaid Cymru a chyfarfu â llenor arall, ar y ffordd i'r Ysgol Haf, yng ngorsaf Y Groeslon, sef Morris T. Williams. Ai dramateiddiad o un o'u sgyrsiau cyntaf a geir yn ail bennod 'Ysgolfeistr y Bwlch' tybed?

Wrth sôn am ei rhwystredigaeth ynghylch y nofel dywedodd wrth Saunders Lewis:

> Yr wyf innau yn ysu am fynd ymlaen gydag "Ysgolfeistr y Bwlch" ac un arall y medrwn ei hysgrifennu—nofel am chwarelwr y dyddiau hyn a dwyn i mewn yn annuniongyrchol [sic] dipyn o fywyd chwarelwyr y dyddiau a fu—fel y gwnaeth Arnold Bennett yn *Clayhanger* sef dyfod a [sic] bywyd tad Clayhanger i mewn hefyd.[81]

Onid dyma hedyn 'Suntur a Chlai'/*Traed Mewn Cyffion*? Ni chyhoeddodd y nofel honno tan 1936 ond cafodd y syniad cychwynnol yn Aberdâr. Ac yn y nofel honno fe geir cipolwg yn ôl i'r de a chymeriad deheuol hynod o ddymunol yn Poli, gwraig Wiliam.

Yn ei chasgliad nesaf, *Ffair Gaeaf a Storïau Eraill* (1937) ceir o leiaf tair stori wedi'u lleoli yn y de ac yn defnyddio tafodiaith ddeheuol, sef 'Buddugoliaeth Alaw Jim', 'Diwrnod i'r Brenin' a 'Gorymdaith'; er engrhaifft:

> 'Mae'r taloedd yn ddigon uchel,' ebr Rachel, 'a pe ta ni'n ffaelu â'u talu nhw, wnele'r Council ddim aros llawer a chelech chi neb i roi mentig ar hen dŷ fel hwn 'nawr.'
> 'Cweit reit, ond 'rych chi'n gallu gwneud ticyn bach ar y gwnïo, Rachel.'
> 'Odw, a mae'n [sic] nhw wedi tynnu dôl nhad i lawr o achos hynny . . .'[82]

Yn 'Gorymdaith' ceir defnydd o'r tuedd i galedu cytseiniaid ('sgitshe', 'rhwpath') sydd mor nodweddiadol o iaith blaenau'r cymoedd. Mae'r storïau hyn gyda goreuon Kate Roberts ac yn llawn realaeth gymdeithasol.

Awgryma tystiolaeth y testunau hyn i Kate Roberts ddod yn gyfarwydd â'r cymoedd, hyd yn oed os na ddysgodd sut i ddeall—heb sôn am garu—pobl Aberdâr. Ar y cyfan caeodd ei llygaid ar y cwm a'r deunydd crai llenyddol a oedd yno o'i chwmpas—colledd iddi hi ac i'n llên—a breuddwydiodd yn ei halltudiaeth am Arfon. Ond Arfon y gorffennol, Arfon ei mytholeg, nid Arfon fel yr oedd ar y pryd pan oedd hi'n gweithio fel athrawes yn y de. Creadigaeth dychymyg hiraethus Kate Roberts a geir yn ei storïau a'i nofelau cynnar, nid Arfon go-iawn a oedd yn newid fel pob man arall ar ôl y Rhyfel Mawr.

Teimlai Kate Roberts hiraeth am fro ei phlentyndod a theimlai fel alltud ym Morgannwg, ond ei hanapusrwydd ysgogodd ei llên. Roedd y rhwyg oddi wrth ei chartref yn hanfodol iddi. Pe buasai wedi aros yn ei milltir sgwâr ar hyd ei hoes mae'n amheus iawn y buasai wedi bod yn hapusach. Hwyrach y cawsai'i dadrithio yno ac y breuddwydiasai am lefydd eraill—er gwaeth neu er gwell i'w llên, pwy all ddweud? Wrth lwc (efallai) ni chawsai'i datgysylltu oddi wrth Gymru yn gyfan gwbl; roedd de Cymru yn ddigon pell iddi—yn wahanol i gynifer o'i chyfoedion o athrawesau. Aeth Gwladys a Betty Eynon Davies a Margaret Price i Loegr.

Felly, pan adawodd Kate Roberts Aberdâr ym 1928 roedd arni ddyled i'r dref er gwaethaf y problemau a gawsai yno. Dyna ei chyfnod yn yr anialwch, ac eto dyna'r cyfnod pwysicaf un yn ei datblygiad fel awdures. Ysgrifennodd *O Gors y Bryniau*, *Deian a Loli*, *Laura Jones*, 'Ysgolfeistr y Bwlch', a chyhoeddodd *Y Fam* a luniwyd yn Ystalyfera, *Y Canpunt*, *Wel! Wel!* a'r rhan fwyaf o *Rhigolau Bywyd* i gyd yn Aberdâr. Ymunodd â Phlaid Cymru a chyfarfod ei gŵr. Yn Aberdâr, hefyd, y cychwynnodd ac y tyfodd ei chysylltiad hollbwysig â Saunders Lewis. Ac, afraid dweud, ar ddiwedd y bennod hon yn nofel ei bywyd ei hun ysgrifennodd ato:

> Nid oedd priodi hanner yr hyn oedd ymadael a'r [sic] ysgol. Nid anghofiaf byth y dydd Gwener hwnnw. Meddyliwch am fy mhrifathrawes yn cyhoeddi o flaen yr ysgol na ellid byth lenwi fy lle, nac yn eu serch nac yn y gwaith, a minnau yn cofio am bob gair cas a ddywedais mewn un mlynedd ar ddeg o amser, ac am bob awr ddiog a fu yn fy hanes erioed. Ni welais gymaint caredigrwydd erioed.[83]

NODIADAU

[1]*Annwyl Kate, Annwyl Saunders [:] Gohebiaeth 1923-1983*, gol. Dafydd Ifans, (Llyfrgell Genedlaethol Cymru, Aberystwyth, 1992), 15.

[2]ibid,6.

[3]Eigra Lewis Roberts, *Kate Roberts* (Caernarfon, 1994), 3.

[4]Bobi Jones, 'Storïau Cynnar Kate Roberts', *Kate Roberts [:] Ei Meddwl a'i Gwaith*, gol. Rhydwen Williams (Llandybïe, 1983), 98.

[5]*Crefft y Stori Fer*, gol. Saunders Lewis (Llandysul, 1949), 11.

[6]'Gwraig Wadd: Gwilym R.Jones yn Holi Kate Roberts', *Erthyglau ac Ysgrifau Llenyddol Kate Roberts*, gol. David Jenkins (Abertawe, 1978), 117.

[7]'Kate Roberts yn Ateb J.E. Caerwyn Williams', *Erthyglau ac Ysgrifau Llenyddol Kate Roberts*, 130.

[8]Eigra Roberts Lewis, op cit, 8.

[9]Kate Roberts, 'Y Diafol yn 1960', *Y Darian*, Tachwedd 21, 1918, 3.

[10]ibid.

[11]ibid.

[12]ibid

[13]ibid

[14]ibid.

[15]Papurau Kate Roberts, Llyfrgell Genedlaethol Cymru, 2805.

[16]Papurau Kate Roberts, 45.

[17]Papurau Kate Roberts, 45.

[18]Papurau Kate Roberts, 45.

[19]Y ddiweddar Miss A. Powell, Aberdâr.

[20]Deirdre Bair, *Samuel Beckett* (London, 1978), 184.

[21]Y ddiweddar Miss A. Powell a chyn-ddisgybl arall i KR a roes wybodaeth i awdur yr erthygl hon na ddymuna i'w henw gael ei gyhoeddi.

[22]Olwen Samuel, 'Atgofion Cyn-ddisgybl', *Kate Roberts [:] Cyfrol Deyrnged*, gol. Bobi Jones (Dinbych, 1969), 182-8.

[23]Papurau Kate Roberts, 2805.

[24]Papurau Kate Roberts, 2805.

[25]Kate Roberts, *Deian a Loli* (Caerdydd, d.d.), 80-1.

[26]Papurau Kate Roberts, 49.

[27]Papurau Kate Roberts, 2805.

[28]*Annwyl Kate, Annwyl Saunders*, 40.

[29]Papurau Kate Roberts, 2805.

[30]Papurau Kate Roberts, 47.

[31]Kate Roberts, 'Y Parch Richard Williams, Aberdâr', *Erthyglau ac Ysgrifau Llenyddol Kate Roberts*, 196.

[32]Gw. R. Brynley Roberts, 'Argraffu yn Aberdâr', *The Journal of the Bibliographical Society*, XI, 1-53.

[33]Gw. Noel Gibbard, 'Tywi yng Nghwm Tawe', *Cwm Tawe*, gol. Hywel Teifi Edwards (Llandysul, 1993), 240-65.

[34]Gw. *Y Ddraig Goch*, Ionawr 1959, 3.

[35]Olwen Samuel, op cit, 187.

[36]Gw. *Aberdare Leader*, [Mehefin] 19, 1965, 8.

[37]W.W. Price, *Biographical Index*,XIX, 298.

[38]Papurau Kate Roberts, 98.

[39]Edward Rees, *T.Rowland Hughes* (Llandysul, 1968), 62.

[40]ibid, 65.

[41]Papurau Kate Roberts, 2840.

[42]*Annwyl Kate, Annwyl Saunders*, 18.

[43]ibid, 15.

[44]*Aberdare [:] Pictures from the Past* (Cynon Valley History Society, 1986), pl.87.

[45]Gw. 'Glasynys', *The Arvonian*, X, Dec. 1909, 12-14; 'Y Cymro gwlatgar', *Y Wawr*, Cyf.1., Rhif 3, 1914, 13-15. Dafydd Ifans, 'Kate Roberts—Bardd?', *Barddas*, Gorffennaf/Awst, 1986, 17-18. Gw. hefyd erthygl Bruce Griffiths, 'Llyfrynnau Bychain', *Y Casglwr*, Nadolig 1977, 12; '. . . syndod imi, flynyddoedd lawer yn ôl, oedd taro ar gopi o'i gwaith cyntaf, *Y Botel*, drama heb arni ddyddiad nac enw gwasg; mi dybiwn mai yn y cyfnod 1910-1913 y cyfieithwyd hi o'r Saesneg gwreiddiol, beth bynnag oedd, ac mai mewn swyddfa papur newydd yng Nghaernarfon yr argraffwyd hi, a barnu yn ôl dull y cysodi. Fe'i rhestrir yn *Hanes y Ddrama yng Nghymru*, O. Llew Owain . . .'

[46]Betty Eynon Davies, *The Four-Leaved Clover* (Cardiff, 1920), 5.

[47]Betty Eynon Davies a Kate Roberts, *Y Fam* (Cardiff, [1920]), 9.

[48]Betty Eynon Davies, *Home* (Newtown, [1925]), 5

[49]Betty Eynon Davies, *The Matchmaker* (Newtown, [1922]), 5.

[50]Betty Eynon Davies, Margaret Price a Kate Roberts, *Y Canpunt [:] Comedi o Gwm Tawe* (Drefnewydd [sic], [1923]), 6.

[51]Papurau Kate Roberts, 47.

[52]*Annwyl Kate, Annwyl Saunders*, 29. 'We have looked at our series of Central Welsh Board reports for the period 1916-1929. A Mrs Davies is recorded as teaching at the school on 1 October 1916 and 1 October 1917, Kate Roberts herself is recorded for the period from 1 October 1918 to 1 October 1928. We have been unable to find any reference to a Margaret (or Miss) Price over this period.' Archifdy Morgannwg, 18 Tachwedd 1996. Ni phriododd Betty Eynon Davies; Davies oedd ei henw morwynol. Yn ei lythyr at Kate Roberts (gw. y nodyn blaenorol) cyfeiria David George Williams ati fel Miss Davies.

[53]Papurau Kate Roberts, 1198.

[54]Papurau Kate Roberts, 1103. 'Our new minister here, Mr Cambell, spent years of his early life in Ystalyfera—isn't that odd? But he was years after our time . . . Did you see the notice in the *Radio Times* about the death of Islwyn Williams . . . Do you remeber our doings in Jerusalem vestry?' Beth bynnag, ymgynghorais â Gwasanaeth Archifau Gorllewin Morgannwg ac yno cefais edrych ar hen gofrestr o benodiadau staff Ysgol Sir Ystalyfera 1896- 1961 (cyf. E/Yst Sec 108). Codais y manylion hyn o'r llyfrau: Margaret Price (1.12.1887), penodwyd 1.1.1912, gadawodd 31.12.1917; Betty Eveline Davies (12.2.1883), penodwyd 1.1.1913, gadawodd 31.7.1918; Katherine Roberts (13.2.1891), penodwyd 10.2.1915, gadawodd 23.7.1917. Dengys y cofnodion hefyd fod Margaret Price wedi graddio o Goleg Prifysgol Cymru Aberystwyth ym 1910 a bod Betty Eveline Davies wedi graddio o Brifysgol Llundain ym 1905.

[55]*Y Canpunt*, 15+14.

[56]Papurau Kate Roberts, 142.

[57]Betty Eynon Davies, *Arian ac Aur* (Aberystwyth, 1937), dim rhif i'r tud.

[58]Papurau Kate Roberts, 235+238.

[59]Papurau Kate Roberts, 932.

[60]Papurau Kate Roberts, 724.

[61]*Annwyl Kate, Annwyl Saunders*,29.

[62]Papurau Kate Roberts, 724.

[63]Papurau Kate Roberts, 163.
[64]*Annwyl Kate, Annwyl Saunders*, 1.
[65]ibid, 2.
[66]ibid, 4-5.
[67]ibid, 37.
[68]ibid, 4.
[69]ibid, 5.
[70]ibid, 8.
[71]ibid.
[72]Derec Llwyd Morgan, *Kate Roberts* (Cardiff, 1974), 26-7.
[73]Kate Roberts, 'Ysgolfeistr y Bwlch', *Y Llenor*,V, 1926, 166.
[74]Kate Roberts, 'Ysgolfeistr Bwlch, II', *Y Llenor*, VI, 1927, 159.
[75]*Annwyl Kate, Annwyl Saunders*, 49+72.
[76]*Y Llenor*, VI, 159.
[77]*Annwyl Kate, Annwyl Saunders*, 16.
[78]*Y Llenor*, V, 168.
[79]*Annwyl Kate, Annwyl Saunders*, 29.
[80]*Y Llenor*, VI, 163.
[81]*Annwyl Kate, Annwyl Saunders*, 47.
[82]Kate Roberts, 'Diwrnod i'r Brenin', *Ffair Gaeaf a Storïau Eraill* (Dinbych, 1981), 27.
[83]*Annwyl Kate, Annwyl Saunders*, 52.

Yr efrydd a'r almonwydden: Pennar Davies, y llenor o Lyn Cynon

M. Wynn Thomas

Ar lethrau llwyd Cwm Rhymni,
   Yn oriau'r gwynt a'r glaw,
Trist oeddwn yn breuddwydio
   Am ryw binaclau draw.

Pinaclau'r oesoedd euraidd
   Tu hwnt i'r dydd a'r nos,
Breuddwydion ffôl y galon
   A'u gwreiddiau yn y rhos.[1]

Pam dechrau â darn o delyneg am Gwm Rhymni, a hon yn gyfrol am ddiwylliant Cwm Cynon? Oherwydd mae cerdd Idris Davies yn ein hatgoffa fod ffigwr y breuddwydiwr yn frith drwy'r farddoniaeth a gynhyrchwyd y ganrif hon yng nghymoedd diwydiannol de-ddwyrain Cymru. At hynny, fe welwn yng ngwaith Idris Davies pa mor gyfoethog amlweddog y gallai'r ffigwr hwnnw fod. Fe allai arwyddo'r awydd gau am gael dianc i arallfyd cyfforddus, glwys, fel y dengys cerdd arall gan Idris Davies:

Come out of your Methodist dream, boy bach,
And fight your sorrow in the sun,
And grip the sunlit flail;
Out of your wool come you, boy bach,
With shoulders of steel and brow of brass,
Into the iron vale. (*CP*, 186)

Ond medrai hefyd fynegi gallu'r dychymyg i rymuso'r penderfyniad i frwydro dros gyfiawnder cymdeithasol, drwy ddarlunio byd amgen. Yn wir, dyna 'The Poet's Job', chwedl Idris Davies eto:

O rouse the people to rapture
And stir their senses five,
Show them the shining mountains
And keep their souls alive!

Sing them the isles of wonder
And the garden of desire,
Rouse them to burn their hovels,
And set their hearts on fire! (*CP*, 210)

Ac yn ei gerdd 'The Triumph' (*CP*, 182) y mae Idris Davies eto fyth yn herio'r syniad mai dim ond wrth gefnu ar ei freuddwydion y bydd dyn yn tyfu ac yn aeddfedu. Ar gychwyn y gerdd mae'n cerdded yn chwerw-brudd drwy ddüwch y cwm, 'And smiled at my dead romantic dreams,/ The dreams I dreamed when I was under twenty,/ When Shelley was my music and my wonder.' Eithr nid ceiniogau'r byd cyfalafol yw diwedd y gân hon, ond adferiad ffydd ei ieuenctid yng ngwirioneddau breuddwyd a'i grym: 'And I saw Shelley upon a wisp of cloud/ High over the mining town.'

Cam cymharol fyr yw hi o Gwm Rhymni i Gwm Cynon. Yno, yng nghilfach Cwmaman, y ganed Alun Lewis, bardd arall yr hudwyd ei ddychymyg gan freuddwydwyr a breuddwydion. Sylwyd droeon ar ei ddull o drin y thema yn ei gerdd gyfarwydd 'The Mountain over Aberdare', ond ni chraffwyd yn ddigon manwl efallai ar ei ymdriniaeth â'r un testun yn y fersiwn gwreiddiol o'r gerdd, sef 'On the Welsh Mountains'.[2] Yn honno yr ymgydnabyddir orau â'r gwrthdaro oddi fewn i Alun Lewis rhwng yr awydd i ffoi o Gwmaman er mwyn ehangu a chyfoethogi ei brofiad fel person ac fel bardd, a'r sylweddoliad fod arno gyfrifoldeb i'w gwm genedigol yn ogystal, a bod gan hwnnw, hefyd, wers bwysig i'w dysgu iddo. Wrth nodi manylion y cwm tlawd oddi tano, sylweddola Alun Lewis eu bod yn magu ynddo gariad tuag atynt: 'All moving me more, oh much more,/ Than the pigeons cleaving and furling/ And all traditional beauty . . .' Ond yna mae'n ymollwng i freuddwydio nes bod ymchwydd y gwynt yn y cwm yn ymrithio yn llanw y môr, a'r môr-forynion synhwyrus yn ei hudo i'r dyfnderoedd. A ddylai ef lynu, felly, wrth ei gariad cymwys at y dyffryn, neu a ddylai fentro i'r dwfn, gan ymddiried yn ei freuddwyd am ryddid nwydus, cythryblus? Holi yn unig a wna'r gerdd. Ni cheir ateb ganddi.

Bron na ellir awgrymu, felly, fod traddodiad yn llên cymoedd glofaol de-ddwyrain Cymru (traddodiad a amlygir mewn nofelau yn ogystal ag mewn cerddi) o drafod sawl agwedd ganolog ar brofiad y gymdeithas yn yr ardaloedd hynny drwy gyfrwng ffigwr y breuddwydiwr. Ac i'r traddodiad hwnnw, ar un olwg bwysig beth bynnag, y perthyn cerdd Pennar Davies, 'Yr Efrydd o Lyn Cynon'.[3] Y mae'n gerdd hir, a'i tharddle yw'r hen faled enwog am y modd y difrodwyd coedwig Glyn Cynon er mwyn i Saeson barus allu elwa o gynhyrchu haearn du. Y mae'r Oes Haearn hon yn llwyr ddisodli'r hen Oes Aur. Wrth i'r noddfa dlos gael ei sarnu'n lân, cilia'r eos friwlon a'r ewig, y wiwer a'r iwrch, y ceirw cochion a'r cariadon a fyddai yno'n cadw oed. At hyn oll fe ychwanega Pennar—a ddeuai 'o'r un hen fro/ Â'r glaslanc o Lyn Cynon' (*ELC*, 18)—ei felltith ef ei hun o weld yr iaith yn cael ei baeddu a hen ddiwylliant yn cael ei ddryllio.

Dyna ddiwedd rhan gyntaf cerdd Pennar, a hawdd gweld sut y mynegir drwyddi y dicter hwnnw, ynghyd â'r teimlad o rwystredigaeth, sydd i'w clywed yng ngwaith llenorion gwlatgar Cymru yn ystod y pumdegau—degawd rhyfel Korea a'r bom niwclear, y coedwigo mawr a'r bygythiad i foddi Cwm Celyn. Wedi'r cyfan, onid dyma gyfnod gwrthdystiad enwog Waldo, a cherdd Gwenallt am Rydcymerau?: 'Plannwyd egin coed y trydydd rhyfel/ Ar dir Esgair-ceir a meysydd Tir-Bach.'[4] Ychydig yn ddiweddarach, yn ystod degawd y deffro cenedlaethol, cyfieithodd Harri Webb, a oedd erbyn hynny'n llyfrgellydd yn Aberpennar, yr hen gerdd am Goed Glyn Cynon i'r Saesneg:

> For cutting down and making bare
> The wild birds' resting place
> May confusion be the share
> Of the false English race.[5]

Rai blynyddoedd ynghynt ysgrifennodd yr un bardd gerdd am goed arall yn yr un glyn—'Dyffryn Woods', 'Last of the spreading woods of Cynon'—a'i chyflwyno hi i Robert Morgan, gŵr a arferai fod yn löwr ym Mhenrhiw-ceibr ond a oedd bellach yn awdur alltud.

Pe bai'r 'Efrydd o Lyn Cynon' yn gorffen, felly, ar ddiwedd y rhan gyntaf, yna perthynai'n dwt i linach y cerddi protest cenedlaetholaidd hyn. Ond y mae iddi dair rhan arall sy'n bur wahanol, a rheini'n ein harwain ni'n gyntaf i bellteroedd byd ac yna i barth breuddwydion wrth i Bennar ddilyn hynt ddychmygol y llanc o Gwm Cynon a gefnodd ar ei fro wedi i'r coed gael eu torri i gyd. Mynd yn forwr a

Pennar Davies.

(John Harris)

wnâi'r bachgen i gychwyn, a chael amser bendigedig wrth i'r llong hwylio dros y Cyhydedd. Yr adeg honno, ymserchai'r morwyr yng nghwmni ei gilydd, mewn 'undod cariad prydferth', ac ymddangosai fod byd mawr natur yntau'n cynganeddu: 'Cytgord oedd rhwng entrych têr/ A dyfnder Môr Iwerydd;/ Cytgord oedd rhwng hwyl a chwa,/ Rhwng dynion da a'i gilydd.' (*ELC*, 21) Ond fel yn achos 'The

Ancient Mariner' daeth newid mawr ar fyd, a hynny'n sydyn, pan ddiflannodd y gwynt gan adael y llong yn nofio yn ei hunfan 'Dan lygaid tân yr wybren.' (*ELC*, 23) Buasai'r crwt yn gannwyll llygad y capten, ond ar ôl i hwnnw farw gwnaeth y criw dicllon fwch dihangol o'r llanc, gan ei ollwng wrtho'i hunan 'Ar y cefnfor mawr mewn bad/ Er taered nâd a sgrechian.'(*ELC*, 24)

Yn y drydedd ran ceir yr hanes am y modd y llwyddodd i oroesi. Hyrddiwyd ei gorff ar draeth, a'i 'lwyr lurgunio'n ffiaidd.' Ond yn waeth na hynny, fe glwyfwyd ei feddwl, a'i enaid, gan freuddwyd am ddyffryn hardd yr un ffunud â'i 'enedigol fro'; dyffryn prydferth 'A choed oddeutu'r afon.' Gafaelodd y weledigaeth honno ynddo gan fagu blys 'di-ball,/ Anniwall ac anhydyn.' (*ELC*, 25) O hynny ymlaen fe'i gyrrwyd o'i gof, ac fe aeth ar daith. Crwydrai'r byd yn chwilio am y fangre anghaffaeladwy dlos, ond fe'i siomwyd gan bob rhyfeddod yn ei dro, hyd yn oed gan Iorddonen ddofn a gwlad Palesteina. O'r diwedd, ac yntau bellach yn hen, 'daeth yn ôl yn llesg/ At gyrs a hesg Glyn Cynon.'(*ELC*, 29) Ysywaeth, doedd bellach ddim i'w gael y fan honno ond anialdir anghyfannedd. Ni welai'r dychwelydd neb ond hen wreigen grom a fuasai'n gariad iddo pan oedd yn llanc. Ond ac yntau'n anobeithio ac yn 'ymlesgáu,' wele'r 'dyffryn hardda 'rioed' yn ymddangos ger ei fron, 'A'r coed oddeutu'r afon—/ Yn eu mysg y pren di-ail/ Ei ddail a'i wraidd a'i aeron.' (*ELC*, 30) A dyna'r rhan hon o'r gerdd yn gorffen wrth i'r efrydd neidio 'oddi ar y lan/ A suddo dan yr afon.'(*ELC*, 30)

Yn y rhan olaf fe'n tywysir ni yng nghwmni'r breuddwydiwr i entrychion nef ac, fel yr esbonia Pennar mewn nodyn, 'defnyddir hen sumboliaeth y Nefoedd a gysylltir â'r planedau a'r haul a'r lloer. Cymharer cynllun *Paradiso* Dante.' (*ELC*, 17) Wrth esgyn fry a ehedeg drwy'r gwagle, 'hyd wynfyd gweledigaeth', cred 'y llwchyn taer' ei fod yn rhoi 'ei ynni oll/ Yn ddigoll dros Dduw Celi.' (*ELC*, 32) Ond er 'mor odidog oedd ei daith/ Trwy baith yr eangderau,/ Ac mor ddwys ei fenter ef/ Dros dangnef y gwacterau' (*ELC*, 33) fe ddiflanna'r weledigaeth yn ddisymwth, gan fynd 'Ar goll fel breuddwyd alltud.'(*ELC*, 33) Ac wrth iddo gydnabod am y tro cyntaf werth cariad yr hen wreigen cyfaddefa'r efrydd ei fod wedi ei bradychu hi, a bradychu ei wlad a Glyn Cynon pan gefnodd ar ei fro enedigol. Eglurir y foeswers yn y pennill olaf:

Rhaid oedd, wedi'r crwydro ffôl,
Ddod 'n ôl i'm mun oleulon,
Rhaid oedd, wedi teithio'r byd,
Ddychwelyd i'r hen afon.
Rhaid oedd, wedi dringo'r nef,
Gael cartref yng Nglyn Cynon. (*ELC*, 34)

* * *

Hyd y deallaf i, nid alegori mo'r 'Efrydd o Lyn Cynon', gan na welaf fod pob manylyn yn y gerdd yn cyfateb i ryw wrthrych safadwy, penodol. Yn hytrach, maentumiwn i ei bod hi'n ymdrin ag amryw o weddau ar natur amwys delfryd-iaeth, a'i bod yn gwneud hynny drwy bendroni uwchben anian breuddwydiwr. Ac awgrymwn ymhellach mai ymchwilio i berfeddion ei gymeriad ef ei hun y mae Pennar yn y bôn. Yn wir, os yw'n wir fod Dylan Thomas, yn 'The Hunchback in the Park', yn darlunio agwedd bwysig ar ei fod ef ei hunan fel bardd, yna teg awgrymu fod y bardd o Aberpennar yntau'n gwneud rhywbeth tebyg yn ei gerdd am y cripl emosiynol o Lyn Cynon.[6] A hwyrach bod lle i ddyfalu ymhellach fod rhyw adlais o'r gair 'efrydydd' yn y gair hynafiaethol a barddonllyd 'efrydd' a ddefnyddir yn y gerdd hon. Oni fu Pennar, ar un ystyr, yn efrydydd gydol ei oes?

Yn ôl Gwenallt, 'Bydd dyn wedi troi'r hanner-cant yn gweld yn lled glir/ Y bobl a'r cynefin a foldiodd ei fywyd e',[7] ac yr oedd Pennar yn ŵr a dynnai at ei hanner cant yn 1959, pryd y cyhoeddwyd 'Yr Efrydd o Lyn Cynon.' Wrth gwrs, erbyn hynny yr oedd er tro byd wedi bwrw heibio'r enwau bedydd a oedd wedi eu rhoi arno (William Thomas), ac wedi mabwysiadu yn eu lle enw'r dref 'a foldiodd ei fywyd e'.' Eithr yr oedd hefyd wedi ymadael â'i fro ers blynyddoedd maith, gan deithio ymhell yn gorfforol ac yn feddyliol; ac onid oes o leiaf awgrym yn ei gerdd o'r teimladau croes oddi fewn iddo o'r herwydd? Hawdd deall sut y gallai Pennar uniaethu â'r llanc ar y cychwyn pan yw'n dyheu am fedru ymryddhau a hwylio fel rhyw Fadog tuag at dir newydd. Ond yn y diwedd mae'r condemniad ohono yn gwbl ddiamwys, am iddo ddilyn ei drywydd hunanol ef ei hun ar draul câr, a chymdeithas, a phob cyfrifoldeb.

Hwyrach y gwyddai Pennar, yn ifanc, am demtasiwn o'r fath, a hwyrach mai dyna paham y bu mor hallt ei feirniadaeth arno yn y llythyr pwysig hwnnw a gyhoeddwyd yn y cylchgrawn *Tir Newydd*. Yno, mynnodd mai 'cynnyrch cymdeithas yw celfyddyd, nid cynnyrch celfyddydwr yn unig. A rhaid wrth gyfathrach fywiog rhwng dyn a'i gymdeithas cyn y gall dyn wneud gwaith pwysig yn y celfyddydau.' Eithr ar yr un gwynt pwysleisiodd nad ymwneud â'r gymdeithas gyfan a wnâi'r llenor, eithr ymwneud 'â'r rhan honno o'r gymdeithas sy'n cyfrif, sef y bobl y mae ganddynt wir ddiddordeb ym mhroblemau'r gymdeithas (sy'n cynnwys problemau dynoliaeth a phroblemau llenyddiaeth).'[8] Safbwynt amwys iawn yw hwn, gan y gallai, er enghraifft, olygu ffarwelio â chymuned fach fel Aberpennar er mwyn chwilio am gwmni cyflawn o'r iawn ryw mewn 'metropolis' megis Caerdydd. Dyheai Pennar am gwmnïaeth eneidiau dethol cytûn, ac onid y dyhead hwnnw a wireddir dros dro yn hanes yr efrydd ar fwrdd y llong? Bryd hynny, 'mwyn oedd y gwmnïaeth lân/ Yn oriau diddan hwyrnos.'(*ELC*, 21)

Fe dybiwn i fod llawer agwedd ar brofiad, ac ar bersonoliaeth, Pennar ei hun ynghudd yn 'Yr Efrydd o Lyn Cynon'. Yn wir, mae'n ddiddorol sylwi ar y darlun ohono'n grwt a geir yn yr ysgrif hunangofiannol a gyhoeddwyd yn *Artists in Wales*. Er enghraifft, mae'n sôn am y breuddwydion a gyniweiriai yn ei feddwl pan oedd yn fachgen, breuddwydion a oedd yn drech hyd yn oed nag apêl y sinema:

> But I had my own private keyhole glimpses of paradise and my own private mythologies. One of my constant experiences, extending back, so it seems to me, beyond my earliest personal memories, is the feeling that any loveliness I have seen is a veil through which a finer and rarer and more lasting loveliness can be fleetingly discerned. This helped me to weave fantasies out of remarks I heard without fully understanding them. Unbrothered, I made brothers for myself in my own otherworld, giving them names I had heard my mother say; and later, after I had learnt to read and to lose myself in reading, came to daydream that my true home was a royal court in an enchanted land and that my mother and father were devoted fosterparents whom one day I would lavishly reward. Later still, the urges of adolescence led me to provide my paradise with a princess destined for me. And yet the raw material of these by no means unique imaginings was the dirty Cynon valley with its tips, mean terrace houses and polluted river, but with finely shaped hills suggesting sometimes that it was the next valley that was my heaven.[9]

Ymdeimlir eisoes yn y darn hwn â'r tyndra oddi fewn iddo, y tynnu croes rhwng ei gariad at y cwm—ac yn wir at Gymru gyfan, fel yr esbonia yn y paragraff sy'n dilyn y dyfyniad uchod—a'i ramantu am fyd amgen. Ac fel yr oedd i'w ddisgwyl, y rhamantu a orfu yn ystod cyfnod ei laslencyndod:

> The influences then were predominantly but not exclusively romantic. My already teeming world of imagination was invaded by wraiths emanating from Keats and Tennyson and Williams Parry; but I never entirely lost the awareness that there is a credible scale of values which puts Swift above Shelley and Elis Wyn above Gwynn Jones. Still, it was the poetry of feeling and self-expression and exploration in nature and supernature that intoxicated me in my late teens and committed me to literature. (*AW*, 122)

Yn wir, mae'r hanes am y llanc o Gwm Cynon wedi ei batrymu, a hynny'n fwriadus, debygwn i, ar lun patrwm cerddi megis 'The Ancient Mariner', gan Coleridge, ac *Alastor*, gan Shelley. Ymhellach, ceir yng ngherdd Pennar feirniadaeth ar ramantiaeth Gymreig, beirniadaeth debyg i honno sy'n ymhlyg yn *Cerddi'r Gaeaf* ac *Y Dwymyn*, dyweder. Yn y tridegau, newidiodd R. Williams Parry a T. Gwynn Jones ill dau gywair rhamantus eu cân yn rhannol oherwydd digwyddiadau gwleidyddol y cyfnod, gan gynnwys Penyberth, ac awgrymir yn ddigon pendant yn 'Yr Efrydd o Lyn Cynon' mai'r gwrthwyneb sy'n digwydd yn hanes y llanc. Dianc rhag her gymdeithasol a gwleidyddol a wna pan yw'n ffarwelio â'r dyffryn a reibiwyd ac yn hwylio i hawddfyd y dychymyg, ac mae'r awydd hwn am ddihangfa yn amlwg iawn yn y diwylliant Cymreig, fel y noda Pennar yn *Cudd fy Meiau*:

> 'Man gwyn fan draw': nid oes dim sydd yn fwy nodweddiadol Gymreig. Hiraeth; 'gobeithiaw a ddaw ydd wyf': Caer Siddi, Annwn, Cantre'r Gwaelod, Afallon; 'tros y môr mae 'nghariad innau'; 'draw dros y don'; y Ganaan fry, tŷ fy Nhad, pomgranadau'r tir, bryniau Caersalem; y peregrini; ynys Enlli; darogan; coron yr ynys; coronau'r nef; 'dyrchafiad arall i Gymro', troi'n eog neu'n eryr; 'gloywach nen'; llyncu Gwion Bach ac esgor ar Daliesin; B.A. (byth adre); 'A ninnau'n ddihangol o'u cyrraedd/Yn nofio mewn cariad a hedd.'
>
> Yr hiraeth am ddihangfa, hiraeth y caethwas, fel y dengys caneuon ysbrydol y Negro Americanaidd: ymhle cawn ddianc rhag hwn?[10]

Hynny yw, ymhle cawn ddianc rhag y dianc hwn? Cwestiwn anodd iawn i'w ateb yn y cyd-destun Cymreig, canys, fel y dengys y dyfyniad uchod, yr oedd Pennar yn ymwybodol fod Cymru yn genedl ddarostyngedig, a bod ei diwylliant, o'r herwydd, yn gyforiog o'r awydd am ollyngdod. Gwelai arwyddion o hynny mewn sawl lle, gan gynnwys byd crefydd. Yn wir, fel y cawn weld yn y man, y mae 'Yr Efrydd o Lyn Cynon' yn cynnwys beirniadaeth ar grefydd swcwr o bob math, ac ym mha le bynnag, neu ym mha enwad bynnag, y bydd hi'n ymddangos. Ac wrth gwrs yr agweddau hynny ar grefydda y mae Pennar yn fwyaf llawdrwm arnynt yw'r rheini y mae'n eu hofni am eu bod yn cyfateb i dueddiadau cryfion yn ei natur ef ei hun. Felly, fe gollfernir y dyhead angerddol am ddyrchafiad ysbrydol am fod Pennar yntau yn barod iawn i ymgolli mewn perlesmair:

> Mwy ei flys na blys y sant
> Am foliant yr angylion,
> Mwy na hiraeth marchog blin
> Am brofi rhin Afallon,
> Mwy na syched llosg yr hydd,
> Y nawnfyd am yr afon. (*ELC*, 31)

Yr un modd, medr Pennar rannu chwerwder siom y llanc pan wêl hwnnw '[demlau] glân/ Byd anian yn adfeilion' (*ELC*, 19) er fod y bardd yn mynd yn ei flaen i ddangos sut y gall dicter a digalondid lygru'r enaid yn llwyr. Fel y nododd yn ei ddyddiadur 29 Fehefin 1955: 'Methiant, siom, oferdeb, chwerwedd—ni allaf ddianc rhagddynt.' (*CM*, 101)

Gwendidau moesol yw'r rhain, wrth gwrs, ond awgrymir yn y gerdd mai oherwydd ei fethiant i ddatblygu'n emosiynol ac yn seicolegol y mae'r llanc yn ymrithio'n efrydd. Yn lle tyfu'n ddyn y mae'n troi'n gripl, a hynny am nad yw ei gymeriad yn aeddfedu. Ni all dderbyn mai gogoniant bywyd yw'r modd y mae'r da a'r drwg, y prydferth a'r hagr yn cydblethu. Yn hytrach, y mae'n parhau ar hyd ei fywyd i syllu ar y byd drwy lygaid glaslencynnaidd, llygaid sy'n pegynu profiadau ac yn gweld gwahaniaeth sylfaenol, anorchfygol, rhwng y gwych a'r gwachul. Yn hynny o arfer, mae ar un ystyr yn ymdebygu i'r rheini sy'n hiraethu am gael dychwelyd o afael y byd cymhleth, cymysgryw i wynfyd coll plentyndod. Yn *Meibion Darogan* cyhuddir Henry

Vaughan a William Wordsworth o goleddu syniadau felly, ond fe ŵyr y cyfansoddwr Edryd Simon yn well na hwy: 'Rhyw Blatoniaeth arallfydol oedd y tu ôl i'r hiraethu galarus hyn am baradwys goll . . . Yr oedd dedwyddyd y plentyn—neu'r ansawdd honno a edrychai fel dedwyddyd yng ngolwg dyn mewn oed—yn hanfodi yn y ffaith fod ffynnon bywyd yn llifo'n rhydd ac yn fyrlymus o obeithiol, a'i ffrwd heb ei chyfyngu i gamlas a ffos a rhigol. Erbyn yr ugain oed yr oedd y dyfroedd wedi eu dofi: trasiedi sylfaenol pobun. Ac yr oedd y dynion mwyaf hydeiml yn ymwybodol o'r golled.'[11]

Ar un olwg, felly, y mae'r llanc o Lyn Cynon yn cyfranogi o 'drasiedi sylfaenol pobun', ond yn gwrthod wynebu hynny. Un canlyniad, neu fynegiant, pwysig o'r methiant hwnnw yw ei anallu hefyd i garu yn null aeddfed pobl mewn oed. Wrth gefnu ar y cwm a sarnwyd y mae hefyd yn ffarwelio â'r ferch a'i carai, a thrwy hynny y mae'n ei bradychu hi. Bron na ellir awgrymu, felly, mai cân serch wyrdynedig yw'r 'Efrydd o Lyn Cynon', gan ei bod hi'n ymdrin â chariad afiach, gwyrdroëdig at yr hunan. Neu, a defnyddio iaith seicoddadansoddiad, y mae holl nwyd y corff, y synhwyrau a'r dychymyg—y nwydau hynny sy'n naturiol yn achos llanc—yn cael eu hatal a'u cyfeirio tuag yn ôl.

Cynnyrch yr ataliad hwn yw'r byd y mae'r llanc yn byw ynddo ar ôl ymadael â Chwm Cynon, ac wrth reswm fe welir ym mhatrwm ac yng ngwneuthuriad y byd hwnnw olion y symbyliad i begynu profiadau a theimladau, sef y symbyliad sy'n nodweddu meddylfryd dihangol y llanc. Wedi iddo ymfoethuso, er enghraifft, yn y profiad o gydgwmnïa â'r morwyr wrth i'r llong hwylio'n esmwyth dros y tonnau, fe welir newid dreng ar ôl iddynt droi arno a'i gamdrin mewn ffordd mor ysgeler. A'r un yw ei ymateb i'r weithred hon ag y buasai ei ymateb gynt i golli coed Glyn Cynon. Hynny yw, mae'n chwerwi ac yn suro ac yn ymroi i deithio'r byd i chwilio am fan gwyn arall fan draw. Mae ynddo ysfa drosgynnol barhaus i godi uwchlaw byd natur, a'r natur ddynol ei hun yn ogystal. Ac o'r herwydd y mae'n methu'n lân ag integreiddio'r greddfau a'r grymusterau hynny sy'n rhan mor hanfodol—er hefyd yn rhan mor amwys—o'i fod. Am ei fod yn dyheu am gyrraedd cyflwr 'uwchddyndod', mae'n 'gwrthod ymgnawdoli' (*CM*, 175): ceir yn yr hanes amdano ryw barodi o'r *Imitatio Christi*, y patrwm hwnnw o fywyd y dyn ysbrydol y credai Pennar mor angerddol ynddo. O'r herwydd, enaid clwyfus yw'r efrydd, ac ni all 'gadw cydbwysedd gallu rhwng tueddiadau a allai fod yn llwyr ddinistriol.' (*CM*, 78) Nid yw'n medru amgyffred Y Crist fel 'y Swper-Ego Goruchaf' (*CM*, 78) a ddylai fod 'yn Enaid i Gorff afreolus yr hollfyd.'

*   *   *

Fe welwyd eisoes y modd amlweddog yr ymdrinnir â ffigwr y breuddwydiwr yn 'Yr Efrydd o Lyn Cynon', a dangoswyd sut yr ymwneir â phynciau personol, seicolegol, cymdeithasol a diwylliannol drwy gyfrwng y gwrthrych hwnnw. Ond hwyrach mai'r wedd ysbrydol ar y testun yw'r wedd bwysicaf oll, ac yn wir priodol fyddai awgrymu fod Pennar yn defnyddio'r gerdd hon i drin nifer o'r agweddau pwysicaf ar ei argyhoeddiadau crefyddol dyfnaf ef ei hun.

Ystyrier, er enghraifft, daith yr efrydd 'Fel saeth trwy'r gwagle uchod,/ Canys 'roedd ei enaid glân/ Yn fflam o dân y Duwdod':

> Llamodd ef, fel mab i'r Tad,
> Trwy'r cread tua'i bigwrn
> Nes trywanu megis cledd
> Fodrwyau rhyfedd Sadwrn . . .
> O mor wych y gwibiai'r dyn,
> Y llwchyn taer, trwy'r gwagle
> I fod yn un o osgordd Nêr
> Ac ymdaith Sêr y Bore. (*ELC*, 33)

Fel yr esboniwyd eisoes, defnyddia Pennar hen ddarlun yr Oesau Canol o'r bydysawd yn y fan hon, a dyma'r darlun a chwalwyd, wrth gwrs, gan Copernicus pan ddarganfu ef fod y ddaear yn cylchdroi o amgylch yr haul. Ergyd y penillion hyn, felly, yw bod angen 'chwyldro Copernicaidd' ar yr efrydd, chwyldro a fyddai'n peri iddo sylweddoli nad ef, ac nad y ddynoliaeth chwaith, yw man canol y bydysawd. Y mae'r efrydd yn ysglyfaeth i bechod balchder a chariad at hunan, ac o'r herwydd mae'n ymddwyn fel rhyw Icarws o Gristion. Cyferbynier ei ymagweddiad ef â sylwadau Pennar amdano'i hun yn *Cudd fy Meiau*:

> Y mae rhywbeth yn fy ngorfodi i archwilio fy malchder, er bod fy enaid yn ymladd yn ffyrnig yn erbyn y fath boendod.

> Fy mhechod tostaf i yw teimlo mai Myfi yw canolbwynt y cyfanfyd. Fy angen pennaf yw rhyw chwyldro Copernicaidd yn fy nghalon, rhyw brawf mai myfi sydd yn cylchdroi o gwmpas Duw ac nid Duw yn cylchdroi o'm cwmpas i. (*CM*, 175)

Ymhellach, fe sylwir fod Pennar, yn y penillion a ddyfynnwyd, yn awgrymu wrthym fod ehediad yr efrydd tuag at y Duwdod yn barodi rhyfygus o berthynas Iesu Grist â'i Dad: 'Llamodd ef, fel mab i'r Tad . . .' Ac yn *Cudd fy Meiau* ceir darn diddorol iawn sy'n cychwyn drwy fyfyrio uwchben natur gnawdol dyn ac yn gorffen drwy ryfeddu at ymgnawdoliad Crist:

> Yn y tywydd tesog ardderchog hwn y mae dyn yn ymdeimlo'n aelod o deulu enfawr y Natura Creatrix. Saim, sug, gewyn, braster, llam a lludded—dyna yw ei gynefin. Hoff gan feirdd yr haf ddisgrifio lliwiau a lluniau'r tymor fel pe baent hwy eu hunain, y beirdd, yn edrychwyr breintiedig o'r tu allan, yn synhwyro'r rhyfeddodau fel ymwelwyr o fyd arall. Ond fe'm gorfodir gan y gwres i'm synhwyro fy hunan ac i'm hadnabod fy hunan fel creadur byr ei anadl a pharod ei chwys ymhlith y myrdd myrddiynau o blant Natur. Mae'n debyg bod yr haul tanbaid yn cael cymaint o foddhad wrth dywynnu ar fesen neu asgell siani faglog neu gynffon gwiwer lwyd ag ar fy ngwegil amyneddgar i.
>
> Creadur bach chwyslyd mewn tŷ cwrdd mewn gwlad fach ar ddaearen ddisylw ymhlith eangderau'r hollfyd yn dweud bod y Bod Goruchel, Anfeidrol, Aruthrol wedi ymweld â'i blaned ac wedi gwisgo ei gnawd! Creadur bach blewog, fforchog, boliog, na fyddai'n bod onibai am wres un o'r heuliau dirifedi, yn beiddio sôn am Haul y Cyfiawnder a Goleuni'r Byd! Dyma haerllugrwydd—ond y mae bywyd ei hun yn haerllugrwydd—ac yn wyrth. (*CM*, 123-124)

Ystumiad o'r haerllugrwydd hwn yw haerllugrwydd yr efrydd, oherwydd y mae am ymddihatru o afael y paradocs bendigaid—paradocs yr Ymgnawdoliad ei hun a ddatgelodd fod pob agwedd ar fywyd dyn a'r cread yn sanctaidd yn ei hanfod, a hynny'n gwbl ddiwahân. Droeon a thro fe bwysleisiwyd hynny gan Bennar, ac fe fynnai fod byd y cnawd cyn bwysiced, yn ei hanfod, â byd yr enaid, gan eu bod ill dau yn fynegiannau o rymuster rhyfedd a gorfoleddus yr ysbryd. Cofier, er enghraifft, am sylweddoliad Edryd yn *Meibion Darogan*. Yn yr achos hwn, hefyd, mae'n ddiwrnod poeth, ac y mae Edryd yn chwys domen:

> Sychodd ei dalcen. Ni ddymunai ddringo hyd yn oed corrach o fynydd fel hwn bob dydd. Ond profiad hyfryd ydoedd, er hynny: nid oedd modd peidio â theimlo fod ei fywyd ef yn rhan o fywyd y ddaear. Tybed a oedd Hugo'n iawn yn ei gred fod bodau byw wedi eu carcharu yn y creigiau? Ni allai Edryd gredu yn yr hen syniadau am drawsfudiad eneidiau, yn enwedig y gwrthuni fod enaid euog yn cael ei drosgwlyddo i gorff anifail neu blanhigyn fel rhyw fath o gosb, cred a oedd wedi troi'n ormes mewn cryn lawer o grefydd y dwyrain ac wedi gadael ei hôl yng Nghymru gynt, megis yng nghosb Gwydion a Gilfaethwy a chosb Blodeuwedd. Os cofiai'n iawn nid oedd Hugo ei hunan yn gwbl rydd o'r llygredd hwn. Ond yr oedd gwirionedd iachusol yn y sythwelediad bendigedig mai'r un Bywyd sydd ymhopeth byw a bod y Bywyd anorchfygol hwn yn ymdreiddio ac yn ymgyrchu ac yn ymchwyddo ymhob man: ie, hyd yn oed yn y pridd a'r cerrig dan ein traed. Edrychodd Edryd o'r newydd ar y clogfaen a phlygodd i'w anwesu â'i law.
>
> 'Fy mrawd wyt ti', meddai, 'fy mrawd, yr hen garreg styfnig!' (*MD*, 32)

Pan yw'n llanc mae'r efrydd yntau yn medru rhannu peth o'r weledigaeth hon, ond pan dorrir y coed, a phan lygrir harddwch y cwm, metha ef â chynnal ei weledigaeth, ac fe â fwyfwy ar gyfeiliorn. Ni all ddeall nad ym mhrydferthwch byd natur yn unig yr amlygir y Duwdod. Ac nid yw'n fodlon cyd-ddioddef â'r cwm, er mwyn ceisio ei fawrygu, ei amddiffyn, a'i adfer. Eithr Duw sy'n 'cyd-ddioddef â'i greaduriaid' yw Duw Pennar.[12]

Serch hynny, nid yw cyd-ddioddef yn gyfystyr â bod yn oddefgar. Yn wir, hwyrach mai gwendid sylfaenol y llanc, a'i wendid pennaf, yw ei amharodrwydd, neu ei anallu, i frwydro yn erbyn y drwg. Fel yr esboniwyd eisoes, fe gredai Pennar yn angerddol fod yn rhaid i'r Cristion ymgyrchu'n barhaus er mwyn achub y da rhag y drwg, a chredai ymhellach mai'r un oedd y frwydr honno boed hi'n cael ei hymladd ar faes brwydr y galon neu ar faes diwylliant neu ar faes gwleidyddiaeth. Yn wir, roedd yn argyhoeddedig fod y brwydrau yma'n ymblethu'n un, ac nad oedd modd gwahanu'r naill ohonynt oddi wrth y lleill. Fel y dywed yn fachog yn *Cudd fy Meiau*, 'Y mae brwydr drystiog yn mynd ymlaen rhwng uchelderau a dyfnderau'r hollfyd, ac y mae dafnau Gwaed ar y Llwybr Llaethog . . . Mae'r frwydr yn fy nghalon hefyd. Ni ellir osgoi'r ddeuoliaeth rhwng da a drwg, ac ni ddylid ceisio.' (*CM*, 160)

Y drwg yw fod yr efrydd yn methu â gweld gwaed yn ystod ei daith heibio i'r planedau am na fedrai weld olion Y Gwaed—gwaed cyd-ddioddefaint heriol Crist—drwy'r greadigaeth. Unwaith iddo yn llanc fethu mynd i'r afael â'r grymoedd economaidd, cymdeithasol a gwleidyddol a ddifrodai goed Glyn Cynon, fe lygrwyd ei ddeall yn gyfan gwbl. O hynny 'mlaen y mae ei hanes yn enghreifftio sylw trist Pennar yn *Gwas y Gwaredwr*, sef y 'gall llygredd y meddwl dynol droi pob addoliad yn gabledd.' (*GG*, 141) Ar yr un pryd, mae'r hanes hwnnw hefyd yn enghreifftio dwy wedd ar hanes Anghydffurfiaeth yng Nghymru, sef y duedd ar y naill law i ymwrthod â'r cyfrifoldeb i herio cymdeithas a brwydro am gyfiawnder, gan osod y pwyslais yn gyfan gwbl ar fywyd gwell yn y byd a ddaw; a'r ymwybyddiaeth ar y llaw arall â'r cyfrifoldeb i weithredu mewn dulliau cymdeithasol a gwleidyddol am nad oes gan y Cristion hawl i anwybyddu'r frwydr dyngedfennol rhwng y da a'r drwg, brwydr i adennill y cread drwy amlygu'r harddwch sydd ynghudd ynddo.

Trafodir y gweddau hyn ar hanes Anghydffurfiaeth Gymreig yn olau mewn darn o'r nofel *Gwas y Gwaredwr*. Fe gofir mai enghraifft berffaith o *Imitatio Christi* yw cymeriad Arthur Morgan yn y llyfr hwnnw, a'i fod felly yn arwyddo bywyd a gweledigaeth Crist ei hun yn yr oes fodern sydd ohoni. Cyfeirir at adroddiad papur newydd am lwyddiant mudiad efengylaidd Arthur:

> [A]eth yr erthyglwr ymlaen i ddweud mai cyfrinydd oedd Arthur Morgan ei hunan yn bennaf, a'i brofiad ysbrydol y tu hwnt i gyraeddiadau y mwyafrif o grefyddwyr. Arloesi'r ffordd i'r nef drosgynnol dros holl grefyddwyr y llawr—dyna oedd gwaith arbennig Arthur Morgan. Y pennaf o'r cyfrinwyr ydoedd. Unigeddwyr ysbrydol oedd y lleill bron i gyd, pobl yr oedd eu hehediadau ysbrydol yn rhy uchel i neb arall eu dilyn; ond yr oedd gan Arthur Morgan y ddawn amhrisiadwy i ddwyn eneidiau eraill gydag ef trwy'r orawen ogoneddus at y profiad o fod ar goll yn y Duwdod—ar goll yn y Duwdod ac eto wedi cyrraedd yr hafan a'r cartref a'r aelwyd ym mynwes y Fam a'r Tad annherfynol eu tosturi. Ond yn y fawlgan orawenus yr oedd rhyw awgrym anymwthgar ond cyson mai rhyw fwnglera trychinebus fyddai llychwino hawddgarwch dedwyddwch nefolaidd yr orchest ysbrydol yma â baweidd-dra 'gwleidyddiaeth'. (*GG*, 112-113)

Afraid dweud fod yr erthyglwr wedi camddeall neges Arthur Morgan yn llwyr drwy fabwysiadu'r un agwedd gyferbyniol ag un yr efrydd at y berthynas rhwng byd yr ysbryd a 'baweidd-dra gwleidyddiaeth.' Ac o sylwi ar hynny, fe sylweddolwn hefyd mai'r hyn a geir yn y bôn yn 'Yr Efrydd o Lyn Cynon' yw dehongliad diddorol iawn o hanes diwydiannu cymoedd y de, dehongliad sy'n awgrymu fod llawer o'r bai ar yr eglwysi Anghydffurfiol am yr hyn a ddigwyddodd—colli'r Gymraeg, annhegwch cymdeithasol, llygredigaeth foesol, dioddefaint ingol, goruchafiaeth y 'Bunt a Mamon'. Mae'n amlwg ddigon fod yr hen wreigen sy'n ymddangos ar ddiwedd y gerdd—y ferch a fu'n gariad i'r llanc pan oedd yn ifanc—yn cynrychioli Cymru, fel y gwna'r butain yng ngherddi Gwenallt, er enghraifft. Fe'i bradychwyd hi gan yr efrydd, a hynny mewn rhyw barodi o'r 'eneth gadd ei gwrthod', neu o'r merched truain hynny ym maledi'r ganrif ddiwethaf a 'ddifethwyd' drwy ystrywiau cnawdol dynion. Ac erbyn i'r llanc, sydd bellach yn efrydd mewn gwth o oedran, ddychwelyd ati a dod at ei goed y mae'n rhy hwyr i achub ei harddwch gwreiddiol. Fel y dywed Pennar ar gychwyn y gerdd, gan ymuno yn y gân a genir gan y llanc:

> Trist wyf innau am a fu
> I'r coed oddeutu'r afon,
> Ac nid i'r coed yn unig 'chwaith:
> Fe faeddwyd iaith Glyn Cynon —
> Iaith a gwerin erbyn hyn:
> Daeth chwyn diwylliant estron,
> Castiau gwasaidd, moesau crach
> A sothach yn yr afon.
>
> Och o'i fod! Can's dyma bla
> O bethau gwaetha'r Saeson.
> Collwyd ceinder bywyd bro
> A chofio hen arferion. (*ELC*, 17)

Ydy, mae'n rhy hwyr, ond o leiaf fe sylweddola'r efrydd trist ar ddiwedd y gerdd werth yr hyn a fradychwyd, ac am y tro cyntaf y mae'n ymwybod ag ystyr cariad ac yn ymdynghedu i fod yn ffyddlon iddo. Ac y mae'r diweddglo hwnnw yn arwyddocaol, o gofio'r brwydrau y gwyddai Pennar oedd i'w hymladd yn ei gyfnod ef ei hun. Yr hyn a geir ar ddiwedd y gerdd yw rhybudd i'w gyd-Anghydffurfwyr, a'i gyd-Gymry, beidio â chymryd yr un cam gwag yr eildro, a her iddynt adnabod eu hunain, a'u cyfrifoldebau fel Cristnogion yn well yn yr oes sydd ohoni.

* * *

Hyd yn hyn, fe ganolbwyntiwyd yn gyfan gwbl ar un gerdd, ond priodol sylwi cyn gorffen mai'r gerdd honno a roes ei theitl i'r gyfrol gyfan a cheisio gwerthfawrogi arwyddocâd hynny. Yn fyr, gellir awgrymu mai'r themâu y sylwyd arnynt wrth ddehongli'r gerdd yw'r rhai sy'n treiddio'r gyfrol ar ei hyd. Er enghraifft, mae'r ofn caru sy'n nodweddu bywyd y llanc yn cael ei fynegi eto yn y gerdd 'Byth Mwy', lle mae'r traethydd yn cyhoeddi 'O, rwy'n dy garu, 'nghariad lân', ac yntau ar yr un gwynt yn ymbil arni i beidio 'â'm caru'n ôl' am fod y 'byd yn llawn o heintiau blin,/ Gwallgofrwydd, pla a newyn,/ A'th groth yn esgor ar bob math/ O erthyl a phenwannyn.' (*ELC*, 57) Mae'r gerdd hon yn atgoffa dyn am gerddi serch adeg rhyfel, ac felly yn dwyn sylw at y ffaith fod y rhyfel oer yn ei anterth pryd y cyhoeddwyd y gerdd, a bod bygythiad rhyfel niwclear yn fygythiad go iawn. Mae hynny'n taflu goleuni newydd diddorol ar y gerdd am 'Yr Efrydd o Lyn Cynon' yn ogystal, a hithau'n gerdd am yr awydd i ffoi o fyd dinistr i arallfyd diogel.

Yn wir, medrai Pennar ei hun gyfranogi o'r awydd hwnnw ar brydiau, fel yr ymddengys yn ei soned i 'Gymru', lle y dethlir harddwch y wlad ac y dyheir am wlad yr harddwch arhosol: 'Mawl yw dy geinder, gwyrth dy hanes, wlad./ Ond wele drais, caethiwed, malltod, loes./ I wlad sydd well y trôdd dy saint i fyw:/ Y Gymru yn y Nef lle nad oes frad' (*ELC*, 11). Fe sylwir, felly, fod y temtasiwn a orfu yn achos y llanc o Lyn Cynon yn demtasiwn yr oedd Pennar ei hun yn ymglywed ag ef. Ond fe eir i'r afael a'r temtasiwn hwnnw yn 'Caneuon Li, Bardd a Merthyr', cadwyn o gerddi am fardd llys dychmygol yn 'Sina' gynt. Y mae hwnnw'n cychwyn drwy 'ymdeimlo â'r hud sydd yn hanfodi ymhob hyfrydwch ac eto'n ei orlifo ac, heb yn wybod inni ond ar brydiau o oleuo anghyffredin, yn ymgyfannu yn yr hollfyd.' (*ELC*, 12) Eithr pen draw dwysaf ei weledigaeth yw'r sylweddoliad erbyn diwedd ei gân 'na all prydferthwch a llawenydd osgoi herio gormes ac anghyfiawnder heb fod yn fradwyr iddynt eu hunain.' (*ELC*, 12) Felly mae'r gadwyn yn cloi â cherdd am ei brofiad 'fel dioddefydd dros y da', cerdd lle y mae'n gorfod dioddef gwaradwydd dirmygus rhyw elyn sydd, mae'n debyg, y tu allan iddo a'r tu mewn iddo yr un pryd:

> Ond mae dy arogli di dipyn yn waeth,
> Y fflwcsyn dienaid, y pidyn bach caeth!
> —*Bendigaid y Lleufer a garodd y Llaid:*
> *Molianner ef byth yn ddi-goll, yn ddi-baid.* (*ELC*, 16)

Y gerdd fwyaf uchelgeisiol yn y casgliad yw'r bryddest am 'Heilyn ap Gwyn' 'a ysgrifennwyd yn 1952 i'w darlledu gan y Gorfforaeth Ddarlledu Brydeinig.' (*ELC*, *Rhagair*) Rhoi'r hanes y mae'r gerdd am un a deithiodd i Iwerddon yng nghwmni Bendigeidfran a'i lu i achub cam Branwen, a cheir ynddi esboniad paham y mae'n rhaid i Heilyn, erbyn diwedd y gân, ddioddef 'Melltith fy mrodyr cu,/ melltith fy hen/ Gymdeithion dewr,/ fy melltith i fy hun.' (*ELC*, 35) Yr hyn a wnaeth i ennyn y fath ddicter oedd 'agor/ Y drws ac edrych parth â Chernyw' (*ELC*, 49) a thrwy hynny dorri'r hud a ddeilliai o ben toredig Bendigeidfran, y swyngyfaredd warchodol, waredol, a gadwasai'r cwmni ynghyd yn un gymdeithas ddiddig, lon. Bu Heilyn yn gyfrifol, felly, am goll gwynfyd, ac y mae'r gerdd yn ymdrin â'r golled honno mewn modd amwys sy'n cyfateb i ddiwinyddiaeth y Cwymp Ffodus. Ar y naill law, cyfaddefa Heilyn mai 'chwant anniwall, awydd gweld a phrofi,/ Cael gwybod holl ddirgelion bywyd byd,/ Cael blasu cyfrinachau bod a byw' (*ELC*, 48) a fu'n gyfrifol am y fath weithred anfad. Ond ar y llaw arall dadleua hefyd fod y drwg yn yr achos hwn wedi esgor ar y da:

> Gan honni'n groch mai llwfr yw gwrthod gweld
> Yr hollfyd fel y mae o'n hamgylch ni
> Ac oddi mewn i'n henaid. Onid gwell
> Y gwir diorchudd na chysuron twyll? (*ELC*, 51)

A'r awgrym a gawn ar y diwedd gan yr Heilyn hwn sydd, meddai wrthym, yn 'byw yn eich canrif chwi', yw y gall da dyfu yn wir o'r golled ddrwg wreiddiol, ond dim ond os ceir hyd i'r Gwaredwr a phrofi'r 'chwys a'r gwaed/ A gollwyd gynt dros bawb ohonom ni.' (*ELC*, 53)

Y weledigaeth y mae gweithred Heilyn yn agor y drws tuag ati yw'r weledigaeth a fynegir orau yn y gerdd 'Cathl i'r Almonwydden'. Yno, fe eir i'r afael â'r modd y mae harddwch a hagrwch, pleser a phoen yn ymblethu yn ei gilydd drwy'r cread mawr i gyd, ac fe wneir hynny drwy ddarganfod gwir arwyddocâd aberth yr Iesu: 'Och, Iesu, daw pob atgof am dy boenau/ Fel alaw lawen i sirioli 'mryd,/ A'r drewdod erch a gododd at dy ffroenau/ Fel peraroglau godidoca'r byd.' (*ELC*, 10) Defnyddir y pren almon i arwyddo'r gweddau paradocsaidd ar fywyd a ymgorfforir yn yr Iesu ac a fynegir drwy ei aberth. Yn fwyaf arbennig, fe ddethlir gallu'r Iesu i harddu dioddefaint ac i drawsnewid ing a loes y byd yn fuddugoliaethus. Felly, yn y pennill olaf ond un fe welir yr almonwydden 'A'i brig ymwthgar, braf a'i choron wen,/ Y goeden eofn, lew, y pêr, balchwlythog bren.' (*ELC*, 10) Ac yna, fe ffarwelir â hi yn y pennill olaf drwy fawrygu'r paradocsau sy'n ei nodweddu hi:

Hawddamor, almonwydden:
Dyrchafa'r fflur i drechu gwawd a sen,
Y goeden 'guddia'i chraith, y byrbwyll, bywiol bren. (*ELC*, 10)

Y pren hwn, wrth gwrs, yw'r pren sy'n eisiau yn hanes bywyd y llanc a drodd yn efrydd o Lyn Cynon. Neu, a siarad ar ffurf delweddau, dyma'r pren y methodd y llanc yn lân â'i weld yng nghanol Coed Glyn Cynon.

* * *

Hwyrach fod Pennar yn rhoi cip i ni ar y berthynas gymhleth rhyngddo ef a'i gwm genedigol yn y nofel *Meibion Darogan* pan yw Edryd yn sefyll ar ben y mynydd ac yn syllu'n freuddwydiol ar y cwm oddi tano:

> O'r diwedd yr oedd wedi cyrraedd pen y mynydd, a gallai weld Trewalwyn yr ochr draw heb golli golwg ar Flaenalun y tu cefn iddo. Yr oedd rhyw dynfa anghyffredin yn yr olwg ar y ddau gwm a'r rhesi mynyddoedd a warchaeai arnynt a hefyd, yr un mor bwerus, ar y strydoedd anwych a'r tipiau glo. Yr oedd copaon y mynyddoedd a ymestynnai y tu hwnt i'r rhesi agosaf yn ymguddio yn y tes hafaidd; gorweddai Cefn Coch a Thwyn Bola a Mynydd yr Adwy yn ddiog dan

blancedi'r heulwen; ymdreiglai pentrefi Cwm Berw mewn olyniaeth ddidor a diwahân i fyny ac i lawr o Drewalwyn; ac ar yr ochr arall fe ymlwybrai dilyniant tebyg o dreflannau tlawd a methiannus o Flaenalun i lawr hyd at Ynys Deg a Baileyville a'r tu hwnt. Yr oedd diwydiant wedi trin Cwm Berw dipyn yn arwach na Chwm Alun. Siaradai ambell un o bobl flaenllaw Berw braidd yn ddirmygus am gulni a dinodedd diarffordd Cwm Alun, ond cadwasai'r cwm llai dipyn o'i wyrddlesni cysefin. Ni allai Edryd lai na thybio fod rhyw glefyd marwol wedi cydio yn y llethrau a godai o hynt yr afon Berw: y clytiau o ddaear anial, garegog, ddifywyd, ynghanol hydoedd o laswellt melynaidd a golwg bron mor afiach arno ag ar y glaswellt a geisiai'n ofer oresgyn ambell dip glo. Nid oedd modd osgoi'r teimlad fod cymdeithas dyn yn y ddau gwm dan ddedfryd o farwolaeth hefyd. Ac eto cynhesai calon Edryd at y bryniau a'u cilfachau ac at y werin bobl a'u plant. Cynhesrwydd hiraethus ydoedd. Ag yntau'n syllu fe ymchwyddodd yn ei fynwes ryw newyn am gofleidio'r fro a'i brodorion, a rhyddhau a bywhau'r cyfan. Yn sydyn daeth syndod iddo o deimlo lleithder yn ei lygaid. Rhoes ei fysedd arnynt a cheisio gwenu ei hiraeth ymaith. Ai fel hyn y collasai Crist ddagrau wrth syllu ar Jerwsalem? A chwarddai Edryd am ei ben ei hun drachefn. (*MD*, 35)

'Edryd' ac 'efrydd': mae'r ddau air yn lled-odli, ac eto mae gwahaniaeth y byd rhyngddynt—neu'n hytrach y gwahaniaeth rhwng dwy ffordd o ymateb i'r byd. A hwyrach mai yn sŵn y gynghanedd wamal, amherffaith, awgrymog hon y dylid ceisio darllen, a deall, bywyd a gwaith Pennar Davies, y crwt hynod, yr efrydydd athrylithgar a'r breuddwydiwr rhyfedd o Lyn Cynon.

NODIADAU

[1]'Cwm Rhymni', yn Dafydd Johnston, ed., *The Complete Poems of Idris Davies* (Cardiff: University of Wales Press, 1994), 213. Cyfeirir at y gyfrol fel *CP* o hyn ymlaen.

[2]'On The Welsh Mountains', yn Cary Archard, ed., *Alun Lewis: Collected Poems* (Bridgend: Seren Books, 1994), 178-179.

[3]Pennar Davies, 'Yr Efrydd o Lyn Cynon', yn *Yr Efrydd o Lyn Cynon a cherddi eraill* (Llandybie: Llyfrau'r Dryw, 1961), 17-34. Cyfeirir at y gyfrol fel *ELC* o hyn ymlaen.

[4]D. Gwenallt Jones, 'Rhydcymerau', yn *Eples* (Llandysul: Gwasg Gomer, 1951), 20-21.

[5]'The Cynon Woods', yn Meic Stephens, ed., *Harri Webb: Collected Poems* (Llandysul: Gomer Press, 1995), 213-214.

[6]Am driniaeth ddiddorol o ddelwedd yr artist clwyfedig yn llên Eingl-Gymreig gweler John Pikoulis, 'The Wounded Bard: the Welsh novel in English; Lewis Jones, Glyn Jones, Emyr Humphreys', *New Welsh Review* 26 (1994), 22-34.

[7]'Y Meirwon', *Eples*, 9-10.

[8]*Tir Newydd* 17 (Awst, 1939), 6-7.

[9]Meic Stephens, ed., *Artists in Wales* (Llandysul: Gwasg Gomer, 1971), 122.

[10]Pennar Davies, *Cudd Fy Meiau: Dyddlyfr y Brawd o Radd Isel trwy'r flwyddyn* (Abertawe: Undeb yr Annibynwyr Cymraeg, 1955).

[11]Pennar Davies, *Meibion Darogan* (Llandybie: Llyfrau'r Dryw, 1968).

[12]Pennar Davies, *Gwas y Gwaredwr* (Abertawe: Tŷ John Penry, 1991). Cyfeirir ato fel *GG* o hyn ymlaen.

Rhian Samuel (1944-)
Cyfansoddwraig o'r Cwm

Lyn Davies

Prism y dychymyg yn hollti,
plygu, a rhyddhau.[1]

Wrth ysgrifennu at ffrind agos iddi, dywedodd y diweddar Grace Williams, 'I've grown to believe that it's against nature for a woman to have talent for anything except what's set down in the last chapter of the Book of Proverbs'[2] Roedd hynny yn 1948 ac fe aeth hithau ymlaen i wrthbrofi'r hyn a ysgrifennwyd ganddi ar sail techneg gadarn, ymwybyddiaeth o fynegiant ac arddull, ynghyd â disgyblaeth lem y gwir artist creadigol, boed wryw neu fenyw. Yn wir, un o'r elfennau mwyaf trawiadol yn eu gwaith yw'r modd y mae'r gerddoriaeth yn styfnig ymatal rhag bradychu rhyw y sawl a'i cyfansoddodd. Yr oedd Grace Williams yn hynod hunanfeirniadol a'i bywyd a'i gwaith yn gymhleth o baradocsau, megis ei pharodrwydd i anwesu elfennau Celtaidd a Chymreig yn ei gwaith ochr-yn-ochr â'r acen Seisnig addysgedig a oedd mor nodweddiadol o'i siarad bob dydd[3]; yr heddychwraig a oedd hefyd yn medru ysgrifennu cerddoriaeth filitaraidd, ymwthiol, ac yna'r llythyrwraig doreithiog[4] a fu mewn cyswllt cyson â chynifer o'i ffrindiau cerddorol bron yn wythnosol, ond a oedd yn byw'n feudwyol yn unol â'r hyn a ddisgrifiwyd ganddi fel 'bed-sit mentality'. Yn ei bywyd a'i gwaith hi, roedd sicrwydd y gwaith gorffenedig yn gymar anniddig i'r math o ansicrwydd personol a drechodd nifer o gyfansoddwyr llai talentog, er ei bod yn perthyn i genhedlaeth a fynnai gan ferch fod yn fud fodlon ar ei stad ym myd dynion.[5]

Teg nodi fod rôl greadigol y ferch wedi ei derbyn yn ddigon parod mewn rhai canghennau o'r celfyddydau—llenyddiaeth, er enghraifft—ond hyd at yn gymharol ddiweddar roedd y gyfansoddwraig yn ffenomenon anghyffredin. Y mae rhesymau amlwg dros hyn. Hyd yn oed ym maes perfformio cerddoriaeth, yn gymharol hwyr y daeth merched i'r amlwg. Agwedd yr Eglwys sefydledig ar hyd a lled Ewrop o'r Oesoedd Canol hyd at y Dadeni oedd mai bodau i'w gweld ac nid i'w clywed oedd merched. Ni ddaeth prif nodwedd a photensial y ferch yn gerddorol, sef ei llais canu traw uchel, i ddefnydd helaethach hyd at yr ail ganrif ar bymtheg. Yn dilyn twf a datblygiad opera fel celfyddyd boblogaidd, ynghyd â'r holl ffurfiau cysylltiedig, megis yr oratorio a'r gantawd seciwlar, cyrhaeddodd potensial llais merch ei briod le, er nad oedd yr Eglwys yn gwbl hapus â'r datblygiad ac yn para am gyfnod helaeth i ddefnyddio'r creadur anffodus hwnnw, y castrato.[6]

Y mae'n werth aros gyda hanes y ferch mewn cerddoriaeth am ychydig oherwydd dyma'r unig ffordd y gellir deall yn iawn holl safle'r ferch mewn cerddoriaeth heddiw, yn arbennig felly swyddogaeth a safle'r ferch fel cyfansoddwraig. Erbyn dechrau'r ddeunawfed ganrif roedd y 'prima donna' yn fwyfwy amlwg, a chantoresau megis Francesca Cuzzoni, Faustina Borodoni ac eraill, megis Annamaria Strada, ymhlith cyfoethogion y byd cerdd. Ond fel offerynwyr, fel arall y bu pethau ar ferched am gyfnod helaeth iawn. Yn y cartref clywid lleisiau merched i gyfeiliant yr harpsicord, y liwt, gitâr a'r mandolin. Yr arfer cyffredinol oedd gweld a chlywed dynion fel aelodau o gerddorfa yn perfformio offerynnau 'cyhoeddus'. Yr oedd Clara Schumann, gwraig a gweddw'r cyfansoddwr enwog, gyda'r gyntaf i ennill ei bara menyn fel perfformwraig ar y piano. Ond tan ddiwedd y ganrif hon, hyd yn oed, bu amryw o gerddorfeydd byd-enwog yn gyndyn i gyflogi merched.[7]

Gweithred gymdeithasol yn ei hanfod yw perfformio cerddoriaeth ar y lefel uchaf oll, ac o'r herwydd ni ddylem synnu nad oedd merched mor barod i ymgymryd â pherfformio cerddoriaeth ag oeddynt i ymgymryd â chelf weledol. (Dylid nodi ar yr un pryd fod arferion y dydd yn gwahardd merched rhag mynychu dosbarthiadau 'still life' yn y bedwaredd ganrif ar bymtheg). Ganrifoedd yn ôl, yr oedd gan Gymru ei Lleucu Grythores,[8] ond y mae'n debyg mai Barbara Strozzi (ganed tua 1625) o Fenis, merch y bardd Guilio Strozzi, oedd y gyfansoddwraig gyntaf o unrhyw safon gydnabyddedig. Cyhoeddwyd ei gweithiau lleisiol hi rhwng 1644 a 1664, ac arwydd pellach o safle'r ferch yw'r ffaith mai gweithiau lleisiol ydynt. Er gwaethaf ymdrechion clodwiw Fanny Mendelssohn yn ystod y ganrif ddiwethaf, rhaid oedd aros tan y ganrif bresennol cyn gweld cyfansoddwragedd yn torri tir newydd.[9] Fel yr ysgrifennodd gwrthrych yr astudiaeth hon, Rhian Samuel, '. . . in the past, to compose, let alone to be heard, a woman has needed to conquer social restriction and taboo'.[10]

Cafwyd prawf o hynny yng ngwaith Cecile Chaminade (1857-1944), Ethel Smyth (1858-1944) ac Amy Beach (1867-1944) ymhlith eraill. Nid oedd Morfydd (Llwyn) Owen hithau yn rhydd o'r tyndra emosiynol a'r ymladd cyson rhwng rôl y ferch fel gwraig gonfensiynol, a'i rôl 'arall' fel artist creadigol. Y mae tyndra o'r fath yn medru dinistrio bywyd priodasol, ac yn achos Morfydd Owen roedd y tyndra priodasol a brofodd hi yn rhyfeddach fyth o gofio ei bod am gyfnod cyn ei marw cynnar trasig yn wraig i'r seicdreiddiwr 'rhyddfrydol' byd-enwog, Ernest Jones, cofiannydd Freud ac un o feddyliau mwyaf disglair ei gyfnod.[11] Yr oedd marw sydyn Morfydd Owen yn drasiedi i genedl gyfan. Felly, hefyd, farwolaeth gynnar Lili Boulanger (1893-1918) yn Ffrainc. Hi oedd chwaer yr enwog Nadia Boulanger, athrawes gerdd a chyfansoddi fwyaf dylanwadol ein canrif, ac un a fu'n dysgu Aaron Copland ymhlith eraill.

Fel yn achos Morfydd (Llwyn) Owen, tuedd nifer o gyfansoddwragedd oedd ysgrifennu bychanweithiau, yn arbennig caneuon (meddylier, er enghraifft, am Liza Lehmann a Maude Valerie White) a chaneuon poblogaidd megis 'Bless this House' gan May Brabe.[12] Ni welodd Cymru gyfansoddwraig debyg i Ethel Smyth, un o'r 'suffragettes' cynnar a merch a fynnodd ei hunaniaeth greadigol yn nannedd pob math o anawsterau.[13] Ceir yr union dynfa at y bychanwaith yng nghyfansoddiadau y Gymraes, Dilys Elwyn Edwards, lle gellir dadlau fod ei ffordd hi o feddwl mewn seiniau, ei sensitifrwydd a'i chywreinrwydd yn sylfaenol 'fenywaidd', fel petai cyfansoddi yn cyfateb i frodweithio cywrain. Yn achos Dilys Elwyn Edwards y mae'r duedd i ganolbwyntio'n hir, hir ar eiriau barddoniaeth cyn eu gosod, yn nodwedd y mae hithau'n ei rhannu gyda nifer o ferched eraill. (Teg nodi fod hyn, hefyd, yn nodwedd ar ddynion, megis Ravel, er enghraifft.)

Yn dilyn esiampl Smyth, datblygodd amryw o gyfansoddwragedd mewn modd radical. Gwrthododd rhai'r disgrifiad ohonynt fel merched sy'n cyfansoddi, h.y. 'woman composer', tra bod eraill yn hapusach i siarad fel merch ac i fynegi safbwynt merch, er enghraifft, yn y geiriau a osodir ganddynt mewn cyfanweithiau lleisiol a chorawl.

Rhian Samuel

Erbyn heddiw, nid oes gwadu nad yw merched ymhlith ein cyfansoddwyr mwyaf dylanwadol a thoreithiog. Meddylier am Sofia Gubaydulina a Judith Weir, er enghraifft. Fe welodd Cymru, hithau, nifer o ferched yn amlygu eu hunain yn y maes, megis Lynne Plowman, Hilary Tann a gwrthrych yr astudiaeth hon, Rhian Samuel, y Gymraes o Aberdâr sydd ar hyn o bryd yn Ddarllenydd yn Adran Gerdd Prifysgol y Ddinas, Llundain.

Ganed Rhian Samuel ar 3 Chwefror 1944.[14] Cymraeg oedd iaith y cartref ac fe amlygwyd ar yr aelwyd honno nifer o elfennau'r diwylliant traddodiadol, cartrefol. Roedd ei mam-gu yn meddu ar lais contralto cyfoethog a'r sol-ffa a'r 'repertoire' Cymreig arferol, yr emyn-dôn a'r anthem, alawon gwerin amrywiol, Handel a Mendelssohn i'w clywed yn aml yn y cartref. Graddiodd ei mam, Gwenllian (1912-1980), mewn Bywydeg yng Ngholeg Prifysgol Caerdydd cyn symud i ddysgu am gyfnod yn Ysgol Ramadeg Towyn. Yr oedd ei thad, David Samuel (1913-1975), yn un o gyn-fyfyrwyr y Coleg Normal ym Mangor a'r Coleg Cerdd Brenhinol yn Llundain lle bu'n astudio gyda'r enwog Gordon Jacob. Fe'i penodwyd yn athro cerdd yn Ysgol Ramadeg Aberaman ac yna'n brifathro Ysgol Gynradd Cwmdâr lle bu'n gyfrwng i hybu diddordeb mewn cerddoriaeth. Perthyn Rhian Samuel i genhedlaeth a ddaeth i arfer â chlywed cerddoriaeth ar raglenni'r BBC ar gyfer ysgolion ac ychydig yn ddiweddarach ar y 'Third Programme'.

Bu'n ddisgybl yn Ysgol Gynradd Aber-nant ac Ysgol Ramadeg y Merched, Aberdâr. Ei hathrawes oedd Margaret Ryan ond cymharol ychydig o hyfforddiant cerdd a gafodd mewn gwirionedd. Wedi dweud hynny, bu'r gyfansoddwraig yn aelod o gerddorfa Dwyrain Morgannwg am gyfnod helaeth o'r deuddeg oed ymlaen. Yn wir, un o brif atyniadau'r addysg a dderbyniodd yn y cyfnod cynnar oedd y cyrsiau cerddorfaol ynghyd â'r cyrsiau preswyl a noddwyd gan Bwyllgor Addysg goleuedig y sir. Roedd cerddorfa wedi'i ffurfio ar y cyd ag Ysgol y Bechgyn gerllaw ond prif ddiddordeb Rhian Samuel yn y cyfnod hwn oedd y gwyddorau. Fel ym mhrofiad llawer unigolyn, roedd dod ar draws y gred nad oedd cerddoriaeth yn bwnc 'difrifol' yn beth digon cyffredin mewn cymdeithas, ond hybwyd ei diddordeb yn y pwnc mewn corau ysgol, gwersi piano gan Walter Ryan a gwersi obo gan Tex Hannaby, y sacsoffonydd adnabyddus. Y mae'r cyfan yn awgrymu proses o hunanddarganfyddiad creadigol a hunan-ddysg, neu o leiaf broses o gymathiad sydd i'w weld ym mhrofiad nifer o gyfansoddwyr o'r un genhedlaeth ynghyd â'r genhedlaeth flaenorol. Y cyfnod wedi'r rhyfel oedd cyfnod y deffroad mawr yn hanes cerddoriaeth yng Nghymru. Deffroad graddol ydoedd yn hytrach na dadeni, pan welwyd gwahanol awdurdodau sirol yn adlewyrchu ethos y wladwriaeth les ac yn cefnogi sefydlu nid yn unig Gerddorfa Ieuenctid Genedlaethol Cymru,[15] y gerddorfa gyntaf o'i bath yn y byd, ond hefyd y cerddorfeydd sirol ynghyd â'r timoedd proffesiynol o wŷr a gwragedd teithiol a fu'n hyfforddi unigolion—un o'r cyfundrefnau mwyaf gwareiddiedig a welwyd ar ynysoedd Prydain, a chyfundrefn a aberthwyd flynyddoedd yn ddiweddarach ar allor Thatcheriaeth.

Ymhlith cyd-aelodau'r gyfansoddwraig yng Nghôr a Cherddorfa Ieuenctid Morgannwg a Cherddorfa Dwyrain Morgannwg yr oedd unigolion a ddaeth yn fyd-enwog ymhen tipyn—Della Jones, Denis O'Neill a Beverly Humphreys. Yno, hefyd, roedd unigolion fel Margaret Llwchwr a'r gyfansoddwraig Hilary Tann.[16] Bu'n aelod o Gerddorfa Ieuenctid Cymru (cwrs 1961). Breuddwyd Irwyn Walters oedd sefydlu'r gerddorfa a fu'n gyfrwng i gyflwyno darnau cerddorfaol Cymreig gan Hoddinott, Grace Williams, David Wynne ac eraill i gynulleidfaoedd ehangach yng Nghymru a thu hwnt i'r ffin. Un feirniadaeth amlwg ar y gyfundrefn oedd nad oeddynt yn hybu gweithgaredd creadigol ymhlith cyfansoddwyr ifanc, gyda'r canlyniad fod ambell ddarpar gyfansoddwraig yn cadw cyfansoddi yn gyfrinach iddi ei hun. Yng ngeiriau Rhian Samuel, 'I didn't make a big thing of it, I didn't even say I composed. I didn't tell anyone I composed at home'.

Wedi dyddiau ysgol penderfynodd fynychu Prifysgol Reading. Prin iawn fod yr ysfa i astudio y tu hwnt i ffiniau Cymru yn beth anghyffredin yn y cyfnod hwnnw, yn arbennig o gofio, er enghraifft, nad oedd Alun Hoddinott wedi cychwyn ar ei yrfa ddisglair fel pennaeth un o'r adrannau cerdd mwyaf blaengar ym Mhrydain. Fel nifer o adrannau cerdd prifysgolion eraill, yr oedd natur yr addysg a ddarperid ar gyfer y myfyrwyr yn geidwadol. Defnyddid llyfr Hindemith, 'Crefft Cyfansoddi Cerddoriaeth'[17] a chyfrennid addysg ffurfiol gan yr Athro Ronald Woodham, Eric Taylor a Harry Diack Johnstone (ac yn ddiweddarach Peter Stadlen ac Andrew Byrne, athro cyfansoddi yn ystod ei thrydedd flwyddyn)—profiad sy'n adleisio profiad Grace Williams yng Nghaerdydd flynyddoedd lawer yn gynt.[18] Ond cafodd gyfle i arwain cantorion y coleg ac i ddechrau ymddiddori yng ngherddoriaeth yr unfed ganrif ar bymtheg, ynghyd â'r cyfle i gyfansoddi ar gyfer cantorion y coleg—profiad gwerthfawr, ymarferol bwysig i unrhyw ddarpar gyfansoddwr.

Wedi iddi raddio yn Reading (B.A. a B.Mus.), daeth cyfle i brofi'r byd newydd pan symudodd i'r Unol Daleithiau ac i Brifysgol Washington, St. Louis. Fel nifer o gyfansoddwyr Cymru a Phrydain, cyn ac wedi hynny, roedd y cyfle i brofi diwylliant arall yn rhy dda i'w golli. At hynny, roedd yn gyfle, hefyd, i syllu'n fanylach ar y gwahaniaethau rhwng y naill ddiwylliant a'r llall. Gall profiad o'r fath lethu'r cryfaf ohonom, ac yn achos Rhian Samuel bu'n rhaid iddi ddechrau o'r dechrau gydag athrawon newydd. O dan gyfarwyddyd Robert Wykes bu'n gwrando ar weithiau blaengar Elliott Carter ac yn cyfansoddi cerddoriaeth ar gyfer arholiadau,[19] a'i gael yn brofiad dieithr. Cafodd radd M.A. yn 1970 ar sail ffolio o gyfansoddiadau na fyddai'r gyfansoddwraig yn eu harddel bellach. Ond cyfnod ansicr iawn ydoedd, a pheidiodd ei hawydd i gyfansoddi. Bu'n dysgu mewn swydd ran-amser yn Ysgol Cor Jesu i ferched. Yn ystod 1974 dychwelodd i Brifysgol Washington, St. Louis ar gyfer cwblhau traethawd Ph.D. ar donyddiaeth, 'modality' a 'Musica Ficta' yn 'Chanson' cyfnod y Dadeni. Roedd y testun dyrys yn dwyn ei hamser i'r fath raddau fel nad oedd modd cyfansoddi. (Yn ddiddorol ddigon, fe ddioddefodd Rhian Samuel fel Grace Williams o ansicrwydd ei sefyllfa fel cyfansoddwraig. Mewn un cyfweliad fe soniodd am '. . . hunanhyder y ferch, yn arbennig y rhai hynny a dyfodd i fyny yn ystod fy nghyfnod i. Hyd yn oed yn yr Ysgol i Raddedigion, ni fuaswn byth wedi galw fy hun yn gyfansoddwr. Dywedais fy mod yn ysgrifennu cerddoriaeth ond roedd pob dyn o'm hamgylch yn dweud, "Rwy'n gyfansoddwr".')[20]

Yn 1977, ailgydiodd yn ei gwir alwedigaeth fel cyfansoddwraig ac athrawes cyfansoddi yn ogystal. Gwnaeth hynny heb fod pwysau arni ac eithrio'r pwysau i ddarganfod drosti hi ei hun pa elfennau cerddorol a pha brofiadau perthnasol eraill a fyddai'n mynd â'i bryd. Un o'r gweithiau cyntaf ganddi o'r cyfnod hwn yw 'The Hare in the Moon', gosodiad ar gyfer llais soprano a phiano o waith Ryokan, gwaith a enillodd iddi gystadleuaeth fforwm cyfansoddwyr colegau cymunedol Forest Park, gwaith effeithiol a gyfansoddwyd ganddi mewn cwta wythnos. Yn 1981 dychwelodd i Brydain yng nghwmni ei hail ŵr, Curtis Price, yr ysgolhaig a ddaeth i Brydain gyda chymorth Ysgoloriaeth Guggenheim er mwyn cwblhau astudiaeth o waith Purcell. Tra oedd ef yn ymgymryd â'i waith, bu hithau'n dysgu yn y Colchester Institute (1981-1982). Yn y pen draw, ymsefydlodd y ddau yn Llundain, ef yn aelod o'r staff yng Ngholeg y Brenin (lle dyrchafwyd ef yn Athro ychydig yn ddiweddarach, cyn symud i'w swydd bresennol yn Brifathro yr Academi Gerdd Frenhinol), a hithau'n athrawes cyn iddi ddychwelyd i Brifysgol Reading yn ddarlithwraig a chyfansoddwraig. Wedi cyfnod yn bennaeth adran, symudodd i'w swydd bresennol. Dylid nodi pa mor anodd oedd ymsefydlu o'r newydd fel cyfansoddwraig ar ôl ei chyfnod yn America ac oni bai am y ffydd a ddangoswyd yn ei gwaith gan SPNM ('Society for the Promotion of New Music') ac eraill, gwahanol iawn fuasai hynt a helynt ei gyrfa.

Dyna'n fras gefndir y gyfansoddwraig. Beth am ei cherddoriaeth? Ym mha fodd y mae'r cefndir yn dylanwadu ar y corff sylweddol o weithiau creadigol o'i heiddo sy'n tystio i'w hymwybyddiaeth o dueddiadau blaengar a cheidwadol y byd cerdd, yn ogystal â'i hysfa gyson i adlewyrchu rhyw gymaint o'i safle fel merch, boed hynny'n wleidyddol neu beidio. Gellir disgrifio'i thuedd i ddewis a dethol barddoniaeth ar gyfer gosod, ynghyd â'r duedd i ysgrifennu ar gyfer y llais, fel elfen sy'n adlewyrchu ei chefndir 'Cymreig'. Ond mewn gwirionedd mae'r tueddiadau hyn yn fyd-eang ac yn nodweddu cyfansoddwyr o bob lliw a llun. Gall fod dylanwad anymwybodol y duedd Geltaidd i symud tuag at fynegiant lleisiol a rhethreg mynegiant mewn cerddoriaeth yn rhan o'i phrosesau meddyliol, neu ei fod yn deillio o'r isymwybod, ond ar yr un pryd dylid nodi fod pethau tebyg yn nodweddu sawl cenedl. Digon, efallai, yw nodi cymariaethau posibl heb fanylu'n ormodol ar faterion sy'n ddyrys ar brydiau.

Os yw'r gyfansoddwraig yn dewis barddoniaeth oherwydd apêl esthetig ar y naill law, y mae hefyd yn dewis oherwydd ei safle fel merch, fel y gwelwn maes o law. Nid ar ddamwain y gosodwyd gweithiau gan Emily Dickinson (1830-1886), Elizabeth Bishop (1911-1979) a May Sarton (1912-1995),[21] tair awdures wahanol a dorrodd gwysi newydd. Fel Bishop, y mae Rhian Samuel wedi dysgu mewn prifysgolion ac fe dalodd sylw hefyd i faterion a theori ffeministaidd ei chyfnod. Nid yn yr isymwybod y dewiswyd geiriau i'w gosod o waith Sarton, gwraig a wnaeth gymaint i amlinellu sefyllfa'r awdures mewn cerdd megis 'My Sisters, O My Sisters'. Ond ynghyd â'r apêl amlwg (arwynebol hyd yn oed) a geir mewn barddoniaeth, y mae'r gyfansoddwraig hefyd yn ymateb i'r strwythurau, i'r bensaernïaeth ac i'r agwedd fyfyrgar. Fel y gyfansoddwraig, roedd Sarton hithau'n parchu strwythur. Y mae'r ddwy wedi amlygu profiadau personol yn eu celfyddyd. Yn y cyfanwaith, 'The White Amaryllis', sef gosodiadau o waith Sarton ar gyfer llais merch a cherddorfa, ceir themâu megis y ferch yn gwrthsefyll cymdeithas, y ferch sy'n profi llawer ac sy'n ceisio plesio pawb cyn iddi ddihuno i'r realiti fod modd iddi afael yn ei datblygiad hi ei hunan ('Now I become myself/It's taken time,many years and places; I have been disolved and shaken/Worn other people's faces'). Yn yr ail gân, 'The Snow Light', ceir disgrifiad iasol o wahanu ac arwahanrwydd cyn cloi'r cylch trwy ddathlu'r broses greadigol. Y mae'r cylch o ganeuon yn gwbl nodweddiadol o gyfansoddwraig sy'n gwybod yn union sut i ysgrifennu ar gyfer y llais, a gwneud hynny mewn idiom gyfoes geidwadol a thelynegol. Ceir gwead o fotifau strwythurol mewn cyfeiliant sydd bob amser yn caniatáu i'r llais fynegi'r gair.

Fe welir mewn amryw o'r gosodiadau o waith May Sarton fod y gyfansoddwraig yn ymateb i wir hanfod y cerddi. Mewn darn arall, 'Memory of Swans', ceir ymwybyddiaeth o berthynas yn dirwyn i ben wrth i'r bardd ddefnyddio metafforau o fyd natur a'r awyr agored. Mewn cerddi eraill o eiddo Sarton a osodwyd gan Rhian Samuel, fe geir ymwybyddiaeth o'r modd y mae dynion wedi rheoli gwragedd, ddoe a heddiw, ac yfory? Natur, cydraddoldeb, cariad a chaneuon serch—dathlu a defod myfyrio sydd wrth wraidd llawer o'r gosodiadau hyn, a'r cyfan o fewn terfynau iaith gerddorol hyblyg-gyfoes sy'n caniatáu i'r bardd gyfathrebu'n haws ac yn ehangach.

Rywsut, byddai rhywun yn disgwyl themâu ffeministaidd mewn corff o waith creadigol gan gyfansoddwraig a brofodd ryddfrydiaeth y chwedegau yr ochr hon i'r Iwerydd, heb sôn am Unol Daleithiau America. Dichon mai yn 'The Witch's Manuscript' y daeth hi agosaf at fynegi safbwynt o'r fath. Yma, ceir stori protest benyw o fardd ifanc o'r Oesoedd Canol, protest yn erbyn y ffaith ei bod wedi ei chondemnio i farwolaeth yn y fflamau oherwydd iddi droseddu trwy gyfansoddi cerddi. (Tanlinellwyd thema hanesyddol y gwryw yn erbyn y fenyw yn y perfformiad cyntaf gan y gwrthdaro rhwng yr unawdydd benywaidd a'r pumawd pres gwrywaidd.) Wrth drafod natur gogwydd merch fe soniodd Rhian Samuel am y modd y mae cyfansoddwragedd yn dewis barddoniaeth: 'Most of us have always appreciated that our female outlook affects our choice of poetry, as well as our attitudes to forms and modes of expression established by men.And I also suspect that, when pressed, most of us admit that the difference of outlook goes far deeper into the realms of the subconcious'.[22]

Ymhlith y merched eraill sydd i'w gweld yn ei gweithiau mae

Clytemnestra a'r enwog 'La Belle Dame sans Merci' gan Keats. Fe ddenwyd y gyfansoddwraig gan y gwrthdaro rhwng dyn a menyw fwy nag unwaith, mewn dull dramatig ddigon ar brydiau, megis yn 'Clytemnestra', gosodiad dramatig a berfformiwyd am y tro cyntaf yn Neuadd Dewi Sant gan Della Jones a Cherddorfa Genedlaethol BBC Cymru. Yn y gwaith hwn mae'r elfen weledol yn bwysig, a'r gwrthdaro symbolaidd rhwng yr unawdydd a'r gerddorfa yn ddrych o'r berthynas rhwng Clytemnestra a'i chymar, Agamenon.

Un elfen bwysig yng ngwaith Rhian Samuel yw ei pharodrwydd i ysgrifennu ar gyfer ei myfyrwyr, neu mewn ambell achos myfyrwyr eraill. Gweithiau felly yw 'Intimations of Immortality', 'Song for the Divine Miss C', 'Brass Express', 'Encounters', 'Lovesongs and Observations', 'Lycidas' a 'Shadow Dance'. Astudiaeth ddifyr o anatomi rhythmau dawns ynghyd â'r berthynas rhwng y chwaraewyr yw'r olaf o'r darnau bywiog hyn, darn lle mae'r gerddoriaeth yn ymddatod ac ailglymu'n gywrain. Y mae'r parodrwydd hwn i ysgrifennu ar gyfer ei myfyrwyr ynddo'i hun yn ddrych o sefyllfa 'ghetto' rhai cyfansoddwragedd ar hyd y ganrif.

Beth yw nodweddion yr iaith gerddorol a fabwysiadwyd ganddi? Pwysleisiodd y gyfansoddwraig ryddid—rhyddid i ddilyn ei thrywydd yn ôl y galw boed o fewn fframwaith tonyddiaeth neu beidio. Ceir elfennau yn ei gwaith sy'n adleisio ei hastudiaeth fanwl o gerddoriaeth a pholiffoni'r Dadeni. Y mae ei defnydd o batrymau melodig esgynnol-ddisgynnol yn reddfol grefftus. Y mae pwrpas strwythurol a dramatig i'w defnydd bwriadol o gyweirnodau amwys. Amlygir y gau berthynas mewn mannau. Clywir adlais o'r moddau eglwysig ac fe geir graddio tensiwn gofalus. Yn ei defnydd o seibiannau a thawelwch achlysurol ceir awgrym o botensial operatig. Cyfuniad annisgwyl o nifer o'r elfennau hyn sy'n creu'r arddull y gellir ei hadnabod megis ôl bys. Byddai modd dadlau fod ei defnydd o symud melodig pendilaidd yn adlais anymwybodol o ambell alaw werin Gymreig—'Y Gelynnen', er enghraifft. Felly, hefyd, ei defnydd o'r 'snap' rhythmig sydd mor gyffredin yng ngwaith cyfansoddwyr Cymreig y cyfnod diweddar.

Bu Rhian Samuel yn barod iawn i fynegi barn gytbwys ar nifer o faterion sy'n ymwneud â rôl y ferch mewn cerddoriaeth. Bu'n barod i ysgrifennu am broblemau'r ferch mewn cerddoriaeth mewn modd sy'n adlewyrchu'r newid aruthrol a welwyd ers i Grace Williams a'i chyfoedion gychwyn ar eu gyrfaoedd yn ystod y dauddegau hwyr a'r tridegau cynnar. Mewn ysgrif gynhwysfawr fe soniodd y gyfansoddwraig am ragfarn yn erbyn merched a'i fod megis 'Catch 22'. Gall cwyno nad yw gweithiau gan gyfansoddwragedd yn cael eu perfformio ddwyn cyhuddiad o hunanhysbysebu gan eraill. Wedi'r cyfan, y mae cyfansoddwyr gwrywaidd yn aml yn dioddef am na pherfformir eu gweithiau. Soniodd Rhian Samuel am rôl dosbarthiadau cyfansoddi yn ein prifysgolion a'r ysfa i ddenu mwy a mwy o ferched i ymuno â'r dosbarthiadau hynny. Yn draddodiadol, dynion yw mwyafrif mawr y darpar gyfansoddwy er gwaetha'r ffaith fod mwy o ferched yn astudio cerddoriaeth bron ar bob lefel addysgiadol. Cyfoethogwyd ei hymwybyddiaeth o broblemau tebyg tra oedd yn fyfyrwraig yn yr Unol Daleithiau: 'But there, as here, the pyramid system has not been put into operation as far as women composers are concerned.When so many men compose, much of worth must emerge and receive recognition. We need a broad base for women composers, too'. Dichon fod. Byddai unrhyw un goleuedig yn cytuno â'r safbwynt hwn. Dylai tegwch a chyfartaledd fod yn norm ac nid yn nod.

Fel cynifer o gerddorion Cymru ar hyd yr oesoedd mae Rhian Samuel wedi treulio'i bywyd gwaith y tu allan i Gymru. Y mae hyn wedi bod yn wir am gyfansoddwyr a pherfformwyr cerdd Cymru ers yr Oesoedd Canol, ac yn arbennig o gyfnod y Tuduriaid ymlaen. Nid i'r gyfansoddwraig alltud, nac i'r perfformwyr lu sy'n diddanu cynulleidfaoedd ar lwyfannau'r byd y mae gofyn pam fod cenedl fach yn allforio'i thalentau disglair. Yn hytrach, fe ddylem ofyn pam nad yw Cymru yn parchu doniau'r unigolion creadigol hyn trwy hybu eu gwaith a thrwy feithrin ymwybyddiaeth o'r gwaith hwnnw mewn ysgolion a cholegau. Un peth sy'n waeth nag anwybodaeth, sef difaterwch. Does dim byd difater am ddawn y ferch o Aberdâr. Nid oes unrhyw reswm pam na ddylai fod yn enw cyfarwydd yn ei mam wlad. Yn wir, y famwlad honno a fyddai'n elwa o'r ymwybyddiaeth ac o'r sylweddoliad fod ganddi yn Rhian Samuel artist creadigol o safon—un sy'n adlewyrchu'r gorau o'i phrofiad fel merch a Chymraes ryngwladol.

NODIADAU

(Carwn nodi fy niolch i staff Adran Gerdd CPGC Bangor am ganiatáu imi weld traethawd is-raddedig Anwen Guile ar Rhian Samuel)

[1]Geiriau Einir Jones. Gweler *Cyfansoddiadau a Beirniadaethau Eisteddfod Genedlaethol, Bro Delyn 1991*, 30.

[2]Gweler astudiaeth Malcolm Boyd, *Grace Williams* (Caerdydd, 1980), 9.

[3]Ceir amlinelliad o'r paradocsau yng nghymeriad Grace Williams yn erthygl A.J. Heward Rees, 'Ail Gloriannu Grace Williams', *Y Faner*, 30 Gorffennaf 1984.

[4]Gweler, er enghraifft, Malcolm Boyd, 'Benjamin Britten and Grace Williams: Chronicle of a Friendship', *Cerddoriaeth Cymru*, Cyf.6, Rhif 6 (1980-81), 7-38.

[5]Am sylwadau treiddgar ar bersonoliaeth Grace Williams gan Daniel Jones, gweler *Cerddoriaeth Cymru*, Cyf. 5, Rhif 7 (1977-78), 41-5.

[6]Gweler, er enghraifft, Patrick Barbier, *The World of the Castrati* (Llundain, 1996).

[7]Y mae'r enwog Ffilharmonig yn Fienna ynghyd â nifer o gerddorfeydd Ewropeaidd eraill wedi aros yn ddi-ferched hyd at yn gymharol ddiweddar.

[8]Un o'r cymeriadau difyr odiaeth sy'n ymddangos yn nhraethawd ymchwil (M.A., 1983) Bethan Miles, Aberystwyth—un o'r traethodau ymchwil pwysicaf ym maes cerddoriaeth Geltaidd ac un a ddylai weld golau dydd ar ffurf llyfr yn ddiymdroi.

[9]Gweler traethawd Rhian Samuel yn *The New Grove Dictionary of Women Composers* (Llundain, 1994).

[10]Rhagarweiniad Rhian Samuel yn *The New Grove Dictionary of Women Composers*.

[11]Gweler astudiaeth Rhian Davies, 'Morfydd Owen', *Journal of the British Music Society*, Cyf.13 (1991), 38-58. Hefyd, *'Yr Eneth Ddisglair Annwyl', Morfydd Owen 1891-1918, Ei bywyd mewn Lluniau* (Llandysul, 1994).

[12]Rhian Samuel, op cit.

[13]Cafwyd hunangofiant hynod ganddi, sef *Impressions that Remained*, Cyf.1 a 2 (Llundain, 1919).

[14]Yr wyf wedi pwyso ar draethawd ymchwil gradd B.Mus. Anwen Mair Guile, *Lovesongs and Observations* (Bangor, 1996) am lawer o'r cefndir ond rwyf hefyd yn dra dyledus i'r gyfansoddwraig am hwyluso'r gwaith. Bu Mr Wyn Thomas, Adran Gerdd CPGC Bangor, hefyd yn hael ei gymwynas.

[15]Amlinellir cefndir y gerddorfa yn Beryl Bowen James a David Ian Allsobrook, *First in the World, The Story of the National Youth Orchestra of Wales* (Caerdydd, 1995).

[16]Fel gwrthrych yr astudiaeth hon y mae Hilary Tann, hefyd, yn gyfansoddwraig o fri rhyngwladol sy'n byw y tu allan i Gymru. Gweler Sophie Fuller, *The Pandora Guide to Women Composers. Britain and the United States 1629-the Present* (Llundain 1994), 305-306.

[17]Dyma un o'r gwerslyfrau mwyaf dylanwadol a gyhoeddwyd yn ystod y ganrif hon.

[18]Gweler Grace Williams mewn sgwrs â A.J .Heward Rees, *Cerddoriaeth Cymru*, Cyf. 5, Rhif 4 (Gaeaf 1976-77), 7-18.

[19]Rhian Samuel mewn sgwrs ag Anwen Guile, op.cit.

[20]Cyfweliad rhwng Rhian Samuel ac Anwen Guile, 12 Gorffennaf, 1995.

[21]Gweler, er enghraifft, Eugene Ehrlich a Gorton Carruth , *The Illustrated Guide to the United States* (Rhydychen, 1982), 16,40, 440; G. Perkins a B. Perkins, gol., *Benet's Readers' Encyclopedia of American Literature*, 946-7; V. Blain, P. Clements ac I. Grundy, *The Feminist Companion to Literature in English* (Llundain, 1990), 947-8.

[22]'Women in Music', *Secret Chamber Seasons*, Sianel 4 (Prydain), 19. Taflen yn cydredeg â'r rhaglen deledu.

Rhestr o weithiau Rhian Samuel hyd at fis Ebrill, 1997:

Gweithiau ar gyfer cerddorfa lawn: 'Brass Express' (1995); 'Encounters: Concerto ar gyfer Piano a Cherddorfa' (1991); 'Elegy-Symphony' (1981); 'Clytemnestra' (1994); 'The White Amaryllis' (1991); 'La Belle Dame sans Merci' (1982: adolygwyd: 1987).

Cerddorfa Siambr: 'Scenes from an Aria' (1996); 'Daughter's Letters' (1996); 'Path' (1995); 'Intimations of Immortality' (1978); 'A Song of the Divine Miss C' (1986).

'Ensemble' siambr: 'Preludes and Dances' (1997); 'Fantasy' (1995); 'Variations' (1988); 'Midwinter Spring' (1984: adolygwyd 1989); 'Caprice 2 (1986); 'Shadow Dance' (1984: adolygwyd 1985); Cerddoriaeth incidental ar gyfer 'Pasquinade' (1984); 'Encounter' (1983); 'Rondo pizzicato' (1982); 'Winter Cantata'(1980).

'Ensemble' siambr ynghyd â llais: 'The Cool Heart' (1992: adolygwyd 1995); 'Of Swans, Snails and Geese' (1990); 'The Witch's Manuscript' (1985); 'The Hare in the Moon' (1978: adolygwyd 1979); 'Rondeau' (1979).

Unawdau/Deuawdau: 'Blythswood' (1996); 'Stepping Out' (1996: adolygwyd 1997); 'La Roca Blanca' (1996, Cyhoeddiadau Curiad [c. 5 munud]); 'Weeping Trellises' (1995); 'Whenever I go' (1995); 'Fel Blodeuyn' (1992: adolygwyd 1993); 'To become the song' (1990); 'Traquair Music' (1989); '. . . et lamentable joye' (1988); 'Ariel' (1988); 'Mosaics' (1988); 'In blue' (1986: adolygwyd 1987); 'Caprice 1' (1986).

Llais a phiano neu gitâr: 'The Cool Heart' (1992); 'The White Amaryllis' (1991); 'Three Songs with Guitar' (1985); 'In the Hall of Mirrors'(1984); 'The Hare in the Moon' (1978); 'Songs of Earth and Air' (1983).

Côr SATB: 'Opposites' (1980: adolygwyd 1992); 'Lovesongs and Observations' (1989); 'Lycidas' (1988); 'So long ago' (1979); 'Jacobean Lyrics' (1979); 'Changes' (1973: adolygwyd 1978); 'Two English Carols' (1977).

(Nodyn: cyhoeddir yr uchod gan gyhoeddiadau Raindrop hyd at 1997, Stainer a Bell wedi hynny oni nodir yn wahanol. Gellir gweld a chlywed nifer o'r gweithiau uchod yn y British Music Information Centre, 10 Stratford Place, Llundain).

Detholiad o erthyglau a gwaith golygu:

Cyd-olygydd â Julie Anne Sadie, *The New Grove Dictionary of Women Composers* (Llundain, 1994). (Rhian Samuel sy'n gyfrifol am y rhagarweiniad, 'Women's Music: A Twentieth Century Perspective').

'Reclaiming the Muse' yn *Contemporary Music Review*, 11, (1994) gol., Nicola LeFanu.

'Women Composers Today: A Personal View', *Contact*, 32 (1988), 53-4.

Ymyl Aur y Geiniog: Agwedd ar Waith Mihangel Morgan

John Rowlands

I

Crafangio ar ymyl dibyn y mae Cymro Cymraeg, crafangio am draed rhywun sydd ar ymyl dibyn y mae Cymro Cymraeg yn un o gymoedd y De, a chrafangio am draed hwnnw y mae Cymro Cymraeg hoyw o'r Cymoedd. Fe ddylai llenyddiaeth Mihangel Morgan felly fod yn un waedd uchel hyglyw. Ond does dim fel bod ar ymyl i finiogi'r ymwybyddiaeth. Yn sicr does dim byd yn ddiffrwyth ynglŷn â bod yn hoyw. Yn wir ymddengys yn gyflwr anghyffredin o greadigol. Dwn i ddim a oes unrhyw un wedi mynd ati i ogrwn tystiolaeth, a bwrw bod tystiolaeth ddibynadwy, am ogwydd rhywiol llenorion a chyfansoddwyr ac arlunwyr a phobl greadigol eraill. Yr argraff a geir yw fod cyfartaledd uchel o bobl o'r fath yn hoyw, ac nid y crewyr yn unig, ond perfformwyr hefyd—yn actorion a dawnswyr a chantorion. Mae gan garfan sydd wedi cynhyrchu llenorion fel Proust, Gide, Walt Whitman, E. M. Forster, A. E. Housman, W. H. Auden, Christopher Isherwood, Tennessee Williams, James Baldwin a Gore Vidal gryn dipyn i ymhyfrydu ynddo. Mae'n bosib fod carfan uchel o bobl lawchwith yn llenorion hefyd, ond go brin yr honnid bod a wnelo hynny ddim â'u creadigrwydd. Fe awgrymwyd fod gogwydd hoyw, ar y llaw arall, yn tueddbennu pobl at fod yn greadigol.

Dyma faes sy'n llawn amwysedd, wrth gwrs. Ai *un* peth yw hoywder? Ai ochr arall i geiniog gwrywgydiaeth yw lesbiaeth? Ai sôn yr ydym am gyflwr genynnol, etifeddol, ynteu ai disgwrs yw gwrywgydiaeth fel y myn Foucault a rhai o'r ôl-strwythurwyr? A oes mewn gwrywgydiaeth elfen fenywaidd sy'n awgrymu sensitifrwydd neu hydeimledd dwysach na'r cyffredin? Ond wedyn pam felly na fyddai menywod yn fwy creadigol na dynion? Beth bynnag, fe ymddengys fod i wrywgydiaeth amrediad eang iawn, ac nid yw termau dilornus megis 'cadi-ffan' ond yn seiliedig ar fyth sy'n ymylu. Ceisiwch alw crymffastia bariau lledr Earls Court yn 'bansis' ac fe gewch chi weld! Neu beth am filwyr cyhyrog yr SAS?[1]

Fe ddywedai rhai mai cwbl amherthnasol i feirniadaeth lenyddol yw gogwydd rhywiol awdur. Ond y mae greddfau heterorywiol Dafydd ap Gwilym yn ganolog i'w waith, a thipyn o siom oedd hi i glywed ysgolheigion yn awgrymu mai ffrwyth ei ddychymyg oedd Morfudd a Dyddgu. Rhyddhad oedd cael Thomas Parry i'w troi'n gig a gwaed unwaith eto. Mae serch a rhyw a rhwystredigaeth yn bendant yn rhan o gêm lenyddol Dafydd. Wrth gwrs, mae'n amhosib gwybod y cyfan am arferion rhywiol awdur. Anos byth yw darganfod ei ogwydd neu ogwyddau, oherwydd nid yw arferion o raid yn ddrych i ogwydd. Faint o bobl sydd wedi'u cyflyru i fygu'u tueddiadau gan ddisgwyliadau cymdeithasol? Fe wyddom fod cymdeithasau mewn mannau gwahanol ar wahanol adegau wedi bod yn llawer mwy goddefgar o arferion rhywiol tipyn mwy lliwgar nag eiddo cymdeithas gul y Gorllewin yn ein canrif ni: tyst o'r ymadrodd 'Gwraig o ran dyletswydd, gwryw er mwyn pleser'. Gall rhywbeth sy'n annaturiol a ffiaidd mewn un man ar adeg arbennig fod yn naturiol a deniadol mewn man arall ar adeg wahanol. Ac a yw person yn gorfod gwisgo bathodyn un math o rywioldeb fel petai'n gwbl ddigyfnewid? Onid oes potensial ym mhawb i fod yn ddeurywiol ac onid yw'n tueddiadau yn hylifol beth bynnag? Un peth y dylai unrhyw un sy'n sôn am arferion annaturiol ei gofio yw nad oes dim mor annaturiol â bod yn rhywiol ffyddlon i un person! Strwythur cymdeithasol yw unwreiciaeth. Yn yr un modd gair gwneud yw 'gwrywgydiaeth' fel pob gair arall. Yn yr Almaen yn 1869 y defnyddiwyd y gair am wryw-gydiaeth gyntaf fel term meddygol-cyfreithiol, ac ni ddyfeisiwyd y term 'heterorywiol' am un flynedd ar ddeg arall, felly ni ddaeth heterorywiaeth i fod nes i wrywgydiaeth gael ei chrisialu! Cael ei ddyfeisio'n ddiwylliannol a wnaeth gwryw-gydiwr felly, er ei fod yn bod erioed.

Os pwysleisiwn y modd y dyfeisir strwythurau cymdeithasol/diwylliannol gallwn ymryddhau oddi wrth yr hanfodaeth a gysylltid â'r pwnc gynt. Nid hanfod mohono, ond gorwel y gellir ei symud yn ddi-baid. Mae ymagweddu felly yn gallu esgor ar y syniad ôl-fodernaidd nad rhywbeth wedi'i wreiddio fel coeden yw hunaniaeth, ond yn hytrach rhywbeth sy'n newid yn barhaus, yn neidio din-dros-ben, yn clownio, gan archwilio amrywiaeth o bosibiliadau.

Mihangel Morgan.

(Keith Morris)

Daw hyn â ni at y dadadeiladu sy'n digwydd mewn ôl strwythuraeth. Un o'r pethau a ddatgymalwyd oedd y gwrthwyn-ebiadau deuol (*binary oppositions*). Mewn parau megis dyn/merch, golau/tywyllwch, llafar/ysgrifenedig fe geir elfen hierarchaidd, gyda'r cyntaf ymhob pâr yn cael blaenoriaeth. Ond tröer hwy â'u hwyneb i waered, a dyna wyrdroi'r drefn gonfensiynol. Mae ffeministiaid yn rhoi blaenoriaeth i'r ferch. Felly hefyd y mae rhai theorïwyr hoyw yn cwestiynu'r hierarchiaeth heterorywiol/gwrywgydiol, gan freinio'r ail ar draul y cyntaf. Fe ellid gofyn pam ar y ddaear y gwnânt y fath beth? Onid yw'n berygl bywyd yn llythrennol? Nid yn oes y chwyldroadau genynnol, yn sicr. Yr hyn sy'n bwysig yma yw'r modd y mae'r meddylfryd hwn yn tanseilio dulliau ffosileiddiedig o ymddwyn. Os mynner mae'n esgor ar garnifal. O gyfleu'r peth yn y ffordd fwyaf amrwd, fe ellid dweud y dylai pawb eiddigeddu at hoywon, oherwydd nhw sy'n mwynhau'r parti gorau, ac mae'r holl gamp a rhemp a gysylltir â gorymdeithiau'r Balchder Hoyw yn adlewyrchu'r hwyl a'r sbri. A chofier am amrywiol ystyron y gair '*camp*'. Nid yw geiriau fel 'mursennaidd' yn cyfleu holl gyfoeth ei ystyr. Oes, mae yna elfen o oractio ynddo'n sicr, ac y mae'r duedd Ddafydd ap Gwilymaidd i wisgo 'wyneb mursen / A gwallt ei chwaer am ei ben' yn cyfleu'r rhemp, ond mi wyddom fod dynion ar wahanol adegau wedi gwisgo'n beunaidd beth bynnag. Y mae rolau'r rhywiau'n ymdoddi, ac mewn ffordd mae hoywon yn chwyldroi bywydau pobl sydd ynghlwm wrth heterorywiaeth hefyd. Hyrwyddir mathau arbrofol o rywioldeb, gan gynnwys sado-fasochistiaeth, chwarae rolau, neu ryw lluosog. Os mynner, mae 'hoywder' yn arwydd llithrig sy'n derbyn hunaniaeth fel rhywbeth amryfath, symudliw yn hytrach na pheth solet a dinewid, ac os gwir hynny am hoywder, y mae'n wir hefyd am 'heterorywiaeth'. Yn yr hylifedd hwn mae posibiliadau trawsffurfiol yn lleng. Mor gyffrous yn wir â gweddnewidiad Gwydion a Gilfaethwy yn y Bedwaredd Gainc neu Gwion Bach yn chwedl Taliesin.

Mewn ffordd, felly, llenyddiaeth hoyw yw llenyddiaeth ôl-fodernaidd *par excellence*. Mae'n tanseilio'r categoreiddio haearnaidd, honedig wyddonol, a ddigwyddodd i rywioldeb o gyfnod y Goleuad ymlaen. Mae'n adfer peth o'r hwyliogrwydd anarchaidd a fodolai cyn Oes Rheswm. Syniadau'r oes honno am gynnydd a sicrwydd epistemolegol a esgorodd ar y dosbarthu ar rywioldeb a nodweddai

Oes Fictoria yn arbennig. Mae'r ysbryd ôl-fodernaidd yn ymwrthod â'r rhigoli rhagfarnllyd hwnnw ac yn agor drysau led y pen, neu'n croesi ffiniau, gan gwestiynu categori mor awdurdodol â'r 'normal'.

Ar y llaw arall, wrth gwrs, mae beirniaid ôl-foderniaeth yn pwysleisio perygl y cysyniad o luosogedd dilyffethair, ac yn rhybuddio y gall y mynd-dros-ben-llestri hwn fod yn hunanol ac unigolyddol iawn, gyda'i bwyslais ar *jouissance* ar draul cyfrifoldeb gwleidyddol neu gymdeithasol. Diau fod yna ffactorau cudd yn y rhyddid a'r ansicrwydd ôl-fodernaidd y bydd raid eu cwestiynu o dro i dro. Ond ar y cyfan mae'r modd y mae llenorion, beirniaid, haneswyr a theorïwyr hoyw wedi peri inni edrych o'r newydd ar holl enfys amryliw rhywioldeb wedi bod yn iachus a rhyddhaol iawn. Bellach ceir cyrsiau ar feirniadaeth hoyw yn y Prifysgolion, gan gynnwys cwrs MA ym Mhrifysgol Sussex. Gobeithio y gwelir cyn hir astudiaeth feirniadol o'r elfen hoyw mewn llenyddiaeth Gymraeg—ac fe ddylai cyfrol o'r fath fod o ddiddordeb i bawb ohonom, nid i hoywon yn unig.

Digon tebyg y bydd rhai'n amheus iawn o drafod hyn yn y cyd-destun Cymraeg. Oes raid i hoywon hongian wrth draed diwylliant sydd eisoes ar ymyl y dibyn? Fe godwyd cwestiwn tebyg wrth drafod ôl-foderniaeth a'r diwylliant Cymraeg.[2] Onid yw ôl-foderniaeth ac ôl-strwythuraeth yn herio cysyniadau megis traddodiad sydd mor ganolog yn ein meddylfryd ni fel Cymry Cymraeg?[2] Fe allai rhoi troedle i ôl-foderniaeth yn ein llenyddiaeth beryglu ei hunaniaeth. Mae fel camu ar wyneb rhewedig llyn o ddŵr, a theimlo'r rhew yn cracio dan ein traed. Yr awgrym yw mai meddylfryd estron yw ôl-foderniaeth, a'r ymateb stoc Cymraeg arferol i awgrym o'r fath yw y dylem ymwrthod â'r anarchiaeth sydd yn ymhlyg yn y fath feddylfryd. Ond nid yw ôl-foderniaeth yn cynnig ideoleg derfynol; cynnig posibiliadau a wna, a bydd y rheini'n esgor ar bosibiliadau pellach. Un peth sy'n sicr, nid *cul-de-sac* yw ôl-foderniaeth.

Fe ddywedai'r deillion yn ein plith mai dyna'n union yw hoywder, ac o ganlyniad, llenyddiaeth hoyw, ac mai moethusrwydd yw i ddiwylliant lleiafrifol feithrin dim byd o'r fath. Ar y lefel fwyaf naïf, y ddadl yw fod hoywder wrth ei natur yn mynd yn groes i'r gorchymyn y dylai dyn ffrwythloni'r ddaear, a thrwy dwyll-resymeg, awgrymir wedyn fod llenyddiaeth hoyw yn meithrin hoywder, ac felly ei fod yn crebachu Cymreictod i raddau. Onid dyletswydd pob Cymro yw codi tyaid o blant er mwyn sicrhau na fydd y genedl yn cael ei herthylu? Hwyrach y dylem ddynwared y Tsieciaid a gynhaliodd ymgyrch yn ddiweddar i annog pobl i gael mwy o blant trwy blastro posteri ar hyd y lle gyda lluniau o Bach efo'i ugain o blant o'i gwmpas! Wrth gwrs, dadl ryfedd yw hon, gan y byddai'r tri chefnder, R. Williams Parry, T. H. Parry-Williams a Thomas Parry yn cael eu cyfri'n euog o dlodi'r genedl trwy beidio â chael plant. A ddylid arwain rhywun fel John Gwilym Jones fel stalwyn sioe i fwrw'i had ledled Cymru nes bod ganddo gae ŷd o ddisgynyddion? Gellid dadlau ar dir gwleidyddol y dylai hoywon gael yr hawl i gael eu plant eu hunain neu i fabwysiadu rhai.

Dadl arall y mae'n rhaid ei hwynebu yw fod hoywder yn gul a mewnblyg ac yn unffurfiol yn ei hanfod. Yr ateb i hynny, wrth gwrs, yw fod hoywder yn ffenomen gymysgryw ac amryfal, ac fel yr awgrymwyd eisoes, yn herio cysyniadau confensiynol o rywioldeb, sydd beth bynnag yn llai hyblyg. Ni ddylid tybio fod trafod rhywioldeb amgen, a llenyddiaeth am rywioldeb amgen, yn anaddas yn y byd Cymraeg. I'r gwrthwyneb, y mae'n ehangu'n hamgyffrediad o Gymreictod, ac felly'n gytûn â bwriad Cyfres y Cymoedd, yn yr ystyr fod cyfrolau'r gyfres hon yn aredig tir newydd trwy danlinellu amrywiaeth Cymreictod a dinistrio'r ddelwedd o'n diwylliant fel rhywbeth gwledig a gwrth-ddiwydiannol. Mewn ffordd y mae trafod gwaith Mihangel Morgan, llenor hoyw o Aberdâr, yn fodd i bwysleisio amrywiaeth ein diwylliant ac i danseilio'r traddodiad monolithig, sy'n gelwydd beth bynnag. Diddorol sylwi fod Rhosier Watcyn, un o gymeriadau *Tair Ochr y Geiniog*, yn ddysgwr hoyw sy'n ysgrifennu traethawd ymchwil ar 'De Cymru yn Nofelau a Storïau Cymraeg yr Ugeinfed Ganrif': y mae ef, fel Mihangel Morgan, yn groesffordd i sawl nodwedd a dylanwad, ac ar groesffyrdd y mae llawer o bethau mwyaf diddorol a mwyaf arwyddocaol bywyd yn digwydd.

II

Mae'n debyg y dywedir wrthyf nad llenor hoyw *yn unig* mo Mihangel Morgan, ac mi gydnabyddaf innau mai ychydig iawn o ddisgrifiadau synhwyrus o ryw rhwng dynion sydd yn ei waith. Ond gwiriondeb fyddai disgwyl yn wahanol. Byddai hynny bron yr un fath â thybio mai rhyw sydd ar feddwl pob llenor hoyw, boed yn effro neu ynghwsg, ac yn wir mai rhyw fath o bornograffydd ydyw. A yw hoywder yn diffinio llenor hoyw i lawer mwy graddau nag yw heterorywiaeth yn diffinio llenor heterorywiol? Wrth gwrs ei bod yn amhosib cyffredinoli, ond mae'n amlwg fod sefyllfa ymylol llenor hoyw yn debyg o ddwysáu'i ymwybyddiaeth i lawer mwy graddau na chyda llenor heterorywiol. Ac nid sôn yn syml am ryw fel gweithred a wneir yma, ond am dueddfryd neu ogwydd, a holl haenau ymwybodol ac isymwybodol y bersonoliaeth. Er na ellir diffinio'n union ym mha fodd yr amlygir y cymhlethdod yn llenyddol, gellir awgrymu fod y cysyniad o realiti ynddo'i hun yn cael ei ansefydlogi. Llenor *camp*, campus a mabolgampus yw Mihangel Morgan, sy'n chwarae gêm â'r darllenydd, ac yn cyfleu byd sydd yn rhemp i gyd—byd ôl-fodernaidd nad yw'n ddynwarediad fel-mewn-drych o fyd cydlynol, amhroblematig.

Y mae dull yr ôl-strwythurwyr o synio am iaith wedi taflu amheuaeth fawr ar realaeth fel dull llenyddol. Gan fod realiti wedi'i greu o fewn iaith, nid yw cogio-bach fod ffuglen yn ffenest i edrych drwyddi ar realiti go-iawn y tu hwnt i iaith yn gwneud synnwyr. Rydym wedi'n dal yng ngwe iaith, ac y mae ffuglen fel pe'n we o fewn gwe. Wrth gwrs, mae'r un sy'n dal i gymryd agwedd synnwyr-cyffredin at iaith yn cymryd fod geiriau megis 'blacs', 'conshi' neu 'pwffta' yn ddiniwed, a ffwlbri gwleidyddiaeth gywir yw ceisio'u claddu, ond fe deimla'r du eu crwyn a'r gwrthwynebwyr cydwybodol a'r hoywon fin y geiriau hyn yn tynnu gwaed, ac fe wyddant eu bod yn drymlwythog o orthrwm a chasineb. Fawr ryfedd fod pobl felly yn cwestiynu realiti, ac yn cwestiynu'r ymdrech i'w adlewyrchu yn fwy fyth. Yng ngeiriau Mihangel Morgan ei hun:

> Beth bynnag, beth yw 'realiti'? Mae'n fy nharo fi'n arwyddocaol nad oes gennym ni'n gair Cymraeg ein hunain am 'realiti', ac mae'n debyg taw bathiad eithaf diweddar, 1935, yw 'dirwedd'. Beth oedd yr hen Gymry yn ei wneud heb 'realiti'? Wel yn syml doedd y cysyniad ddim yn bod.[3]

Wrth gwrs, nid yw Mihangel Morgan yn gwrthwynebu realaeth fel modd llenyddol—o leiaf ar gyfer eraill. Y mae'n hael ei ganmoliaeth i realaeth Jane Edwards, ond cofier nad amgyffrediad naïf o'r term sydd ganddo yno, oherwydd y mae'n ei danseilio i raddau trwy ddweud:

> . . . ni cheir dim byd mwy celfydd neu artiffisial na'r llenor mimetig. Y cwestiwn bob amser yw pa mor realaidd yw'r nofel realaidd?[4]

Yn hollol. Cymryd arni fod yn realaidd y mae'r nofel realaidd, wedi'r cwbl. Ond nid yw Mihangel Morgan ei hun yn ymdrafferthu i gogio sgwennu am 'fywyd go-iawn'.

Os felly, a ellir disgwyl iddo fod yn storïwr amser a lle o gwbl? Ai awdur cwbl ffantasïol sydd wedi dadfachu'i storïau oddi ar golyn bywyd y dwthwn hwn ydyw? Nid yn hollol chwaith. Er ei fod yn chwarae gemau, ac yn dychmygu yn hytrach na chofnodi, mae'i waith—fel popeth arall—wedi'i angori mewn amser a lle. Sut y gallai beidio â bod? Ond oherwydd ei osgo sgeptig at wirionedd iaith, ac oherwydd ei ddychymyg chwareus, a'i bersonoliaeth fetamorffig sy'n gwrthod cael ei chaethiwo yn siaced gaeth unrhyw 'realiti' honedig, nid yw'n llenor Cwm Cynon fel y mae Kate Roberts yn llenor Rhosgadfan neu D. J. Williams yn llenor y filltir sgwâr. Er iddo gael ei eni a'i fagu a'i addysgu mewn cymdeithas ddwyieithog yn Aberdâr, nid yw'n ymddangos ar yr olwg gyntaf fel llenor y llwyth neu fel llais ei bobl. Ni olyga hynny, fel y tybiai rhai efallai, fod ei hoywder wedi'i alltudio o'i gymdeithas ei hun, ac na allai llenor hoyw fod yn lladmerydd cymdeithas ddiwydiannol neu ôl-ddiwydiannol. Mae gweld bechgyn y cymodd yn tyrru i dafarn y King's Cross yng Nghaerdydd ar nos Sadwrn, ac yn symud ymlaen i glwb Exit ar ôl hynny, ac yna i glwb X tan yr oriau mân yn ddigon i roi'r farwol i'r myth yna. Fel yr awgrymwyd o'r blaen, ei hydeimledd arbennig sy'n peri nad yw'n gallu bod yn gamera. Nid llygad i weld yn unig sydd ganddo ond llygad i ddychmygu.

Does dim amheuaeth, fodd bynnag, nad yn y Cymoedd y mae'r 'Hen Lwybr' a roes deitl i'w stori fer hir gyntaf.[5] Y mae'r daith ddwy awr a hanner ar y bws yn mynd dros y mynydd o un cwm i'r llall, a cheir sôn am bwll glo, a chip ar derasau diwydiannol. Sonnir am Edwart, brawd y prif gymeriad, yn crwydro o'i gartref i Ferthyr a Phontypridd, a hyd yn oed i Gastell-nedd. Roedd Gwen wedi byw ei glaslencyndod trwy'r dirwasgiad, ac y mae'n priodi Robert sy'n ymuno â'r fyddin adeg yr Ail Ryfel Byd. Yn y bws ceir golwg ar gapeli a ffatri wedi cau. Ond nid cronicl sydd yma. Nid nofel ddiwydiannol mo hon o bell ffordd, ond yn hytrach fyfyrdod uwch diddymdra ac anghydlynedd bywyd. Does dim arlliw o gynhesrwydd cymdeithasol y Cymoedd yma. Na fawr o ddathlu bywyd teuluol. Taith glonciog bywyd a geir, gyda'r daith adref ar y bws yn gyfeiliant i atgofion Gwen am ei thaith ei hun trwy fywyd. Plethwyd y ddwy daith i'w gilydd yn hynod gelfydd, gyda'r bws yn aros tua hanner y siwrnai, a hynny'n cyfateb i ganol oed y prif gymeriad, ac yna wrth i'r daith ddirwyn ymlaen, a hithau'n tywyllu, graddol dywyllu a wna'r atgofion hefyd. A phan yw'r hen wraig yn cyrraedd adref ac yn cael paned o de mewn cadair freichiau yn ymyl y tân trydan, ceir yr argraff mai eistedd i farw y mae.

Argraff o ddiffyg cyfathrebu affwysol rhwng pobl a geir yn y stori rymus o undonog hon. Cysgod yw crefydd—cysgod sy'n lloches ac yn fygythiad yr un pryd. Nid yw priodas ond yn cloi dau efo'i gilydd mewn carchar na ellir dianc rhagddo. Yn lle dathlu grym creadigol rhyw a serch, fe'u gwelir fel agweddau abswrd ar yr hunllef ddynol:

> Cyfrwng hollol afresymol a thwp ac anhrefnus o ddod â phobl at ei gilydd yw rhyw a serch. (53)

Gwireddir hynny ym mherthynas Gwen â'i gŵr. Ar eu mis mêl yn Weston-super-Mare ânt i'w stafell yn y gwesty, ac mae'r gŵr yn cloi'r drws ac yn troi'n fygythiol a'i gorchymyn i ddiosg ei dillad. Caiff hithau ei phrofiad cyntaf o ryw fel trais gan anifail o ddyn blewog. Artaith a gormes yw bywyd, ac nid yw marwolaeth, hyd yn oed, ddim yn gwir gyffwrdd â neb, gan nad yw galar ei hun yn ddim ond disgwrs.

> Ar achlysur marwolaeth y mae pawb yn actio; y mae gan bawb ei sgript hyd yn oed. (65)

A yw 'Hen Lwybr' yn stori hoyw? Dim ond yn anuniongyrchol iawn. Mae'n bosib fod yna awgrym fod Edwart, brawd y prif gymeriad, yn sgitsoffrenig sy'n sianelu'i deimladau tuag at ddoliau. Ond hyd y gwn i does dim mwy o sgitsoffreniaid ymysg hoywon nag ymysg y boblogaeth yn gyffredinol, ac nid yw'r rhan fwyaf o hoywon yn chwarae gyda doliau yn ddeg ar hugain oed am wn i. Mwy pendant o dipyn yw fod mab Gwen, sef Trevor, yn cyd-fyw â'i gariad Tony yn Llundain. Mae yna ryw embaras cynnil ynglyn â hynny gan nad yw Gwen ond yn synhwyro eu bod yn gariadon. Does ganddyn nhw mo'r rhyddid i fynegi'u teimladau at ei gilydd trwy air, cusan neu anwes. Y cyfan a awgrymir yw fod mam Trevor yn teimlo ychydig yn annifyr, ond bod yr annifyrrwch yn cael ei fygu trwy i Trevor a Tony ei chadw ar fynd trwy'r amser.

> . . . drwy fynd â hi o le i le a'i chadw hi'n brysur, fel petai, doedd dim amser i gael siarad a gofyn cwestiynau. (69)

Am wn i na ellid beirniadu Mihangel Morgan am ddewis enwau mor ystrydebol ar y cymeriadau hyn, fel y gwnaeth Islwyn Ffowc Elis gyda Cecil yn *Ffenestri Tua'r Gwyll*. Ond yn y stori hon nid oedd efallai wedi cael ei draed dano fel llenor hoyw, ac mae rhyw betruster yma wrth gyflwyno'r pwnc. Efallai'n wir mai'r feirniadaeth ar wrywdod *macho* sydd amlycaf yma, gyda Robert, gŵr Gwen, yn cynrychioli'r math gwaethaf o wrywaeth dreisgar. Yr eironi yw fod creadur gormesol o'r fath yn dad i fab na allai ac na fynnai actio'r un *rôle*. Ni fyddai'n amhosib chwaith gweld potensial chwaeroliaeth, os nad lesbiaeth, yn Gwen ei hun. Os yw'n diwylliant yn esgor ar ddynion fel haearn Sbaen, does ryfedd bod y rhai sy'n cyd-fyw â hwy yn chwilio am loches mewn dulliau mwyneiddiach o ymddwyn. Sy'n atgoffa rhywun am y seren ffilm Rock Hudson a addolid fel duw heterorywiol gan ferched, ond a oedd mewn gwirionedd yn hoyw. Efallai'n wir mai ei nodweddion hoyw a ddenai ferched heb yn wybod iddynt, a'i fod yn cyfleu delwedd lai bygythiol na'r un wrywaidd arferol, ac ar y llaw arall roedd yn rhyddhad hefyd i ddynion weld y gallai dyn fod yn olygus ac yn ddeniadol i ferched heb ymddangos yn filwriaethus.

Mae 'Hen Lwybr' ymysg storïau mwyaf realaidd Mihangel Morgan, er bod plethu taith bywyd i daith bws yn creu persbectif gwahanol i'r arfer. Gwelir mwy o arbrofi yn y ddwy stori arall a gynhwyswyd yn yr un gyfrol. Dameg yw 'Y Dewin' am y modd y mae cymdeithas yn adeiladu strwythurau sy'n mynnu cydymffurfiaeth. Crëir dulliau o gyfreithloni'r strwythurau hynny trwy ddefodau a chrefydd, ac ni chaniateir i'r unigryw a'r gwahanol oroesi. Ond y mae barbariaeth yr ymdriniaeth ag ef yn cael ei chuddio dan gochl y mymbo-jymbo defodol. Fe ellid gweld yn y stori hon ddarlun o'r hoyw dirmygedig a erlidiwyd gan gymdeithasau honedig wâr ar wahanol gyfnodau, megis dan lywodraeth y Natsïaid yn yr Almaen, ond nid dyna ydyw'n benodol. Gallasai fod yn ddarlun o Iddewon, neu unrhyw grŵp erlidiedig arall. Ac y mae llach y stori'n bendant iawn ar grefydd sy'n darian i'r mwyafrif, er nad yw fymryn yn fwy rhesymegol na safbwynt y lleiafrif, ond fod hwnnw'n ddiamddiffyn. Yng ngeiriau Prys:

> Pan fo dyn yn siarad ag ef ei hun mewn eglwys dywedir ei fod yn siarad â Duw a'i fod yn ddyn da; ond pan fo dyn yn siarad ag ef ei hun yn ei dŷ ei hun dywedir ei fod e'n siarad â'r Diafol a'i fod o'i go'. (83)

Unigrwydd sy'n peri i'r hen ŵr siarad ag ef ei hun, ond dyna sy'n peri i ddyn weddïo hefyd. Mae sylwadau gwrth-grefyddol Mihangel Morgan yn gyrhaeddgar iawn trwy'i waith i gyd. Gellir ymdeimlo â chwerwder y feirniadaeth yn y stori hon wrth ddisgrifio marwolaeth y Dewin wrth y stanc a mwynhad glafoeriog ei erlidwyr.

> Yno yng nghanol y sgwâr yr oedd swyddogion y Chwilys a'r Eglwys yn eu gwisgoedd crand gyda'u beiblau a'u croesau aur . . . Ac yno yng nghanol y sgwâr roedd y goelcerth a'r fflamau wedi'i meddiannu'n llwyr erbyn hyn . . . syrthiodd swyddogion y Chwilys ar eu gliniau gan ddiolch i'w duw. (86)

Stori dipyn yn fwy anarferol yw'r drydedd yn y gyfrol, 'Nid yw pawb yn gwirioni'r un fath'. Y tro hwn mae'r cymeriadau a'r sefyllfaoedd yn fwy *bizarre*. Dyna Ann Gruffydd-Jones wyth a phedwar ugain oed yn bwriadu arddywedyd darn erotig hunangofiannol wrth ei hysgrifenyddes. Yna'i hysgrifenyddes, Marged Cadwaladr, yn canolbwyntio'i diddordeb yn llwyr ar hedbethau annabyddedig ac yn hanner gobeithio y caiff ei chipio gan un ohonynt er mwyn y profiad. A Marc, mab Ann Gruffydd-Jones, yn fridiwr cŵn ac yn wrywgydiwr sy wedi gadael ei bartner Roger ar ôl dod o hyd i hwnnw yn y gwely gyda llanc arall. Ceir un olygfa led-erotig lle mae Marc yn gloddesta ar luniau pornograffig ac yn ffantaseiddio am gael ei gofleidio gan ddyn arall yn y gawod.

Nid dyma'r unig un o storïau Mihangel Morgan lle ceir llenor yn un o'r prif gymeriadau. Rhydd hynny gyfle i gwestiynu natur llenyddiaeth. Yma mae Ann Gruffydd-Jones yn nodi elfennau sylfaenol stori dda, sef 'dechrau trawiadol', 'uchafbwynt dramatig erotig', a 'datrysiad' (90). Rhoddir cryn sylw i'r elfen olaf.

> Doedd hi ddim yn licio storïau fel'na â llawer o ddarnau heb eu datrys ynddynt. Yn ei storïau teimlai'i bod hi'n ddyletswydd i glymu popeth yn y diwedd. Ni châi neb ei chyhuddo o ddrysu a chamarwain ei darllenwyr yn fwriadol. (105)

Ond wrth gwrs go brin fod bywyd go-iawn mor daclus â hynny. Darlunio stori fel peth celfyddydol, gwneuthuriedig ac artiffisial y mae Ann Gruffydd-Jones, er ei bod yn ffasiwn ymysg rhai llenorion i ddilyn yr egwyddor *ars celarem artem*, sef bod celfyddyd yn cuddio celfyddyd. Yn y stori hon gan Mihangel Morgan fe geir rhywbeth cwbl groes i hynny—sef diweddglo dramatig ac anhygoel. Fe geir yn wir y datrysiad y soniai Ann amdano, ond ei fod yn dangos ôl dyfeisgarwch llenor yn fwy na'r achos-ac-effaith bondigrybwyll. Mae'r tri chymeriad sy wedi gwirioni ar wahanol bethau—Marged ar hedbethau annabyddedig, Ann ar lenydda, a Marc ar gŵn a dynion—yn dod i ben eu rhawd yn y paragraff olaf, pan yw'r dyn llaeth yn darganfod corff Marc yn hanner noeth mewn pwll o waed ar y lawnt, corff ei fam yn eistedd wrth ei bwrdd â darn o bapur yn ei llaw, a char Marged yn cael ei ddarganfod yn wag ar yr heol wledig. Prin bod y datrysiad yn rhesymegol o gwbl. Ac eto mae'n cyd-fynd â rhesymeg fewnol y stori. Onid ei marwolaeth ei hun fel llenor yw marwolaeth Ann? Roedd hi'n methu llenydda, yn cael hunllefau, ac yn ofni'r beirniaid sbeitlyd. Onid ensynir mai'r dyn a welsai Marc ar lan yr afon a'i lladdodd? Roedd y ddau wedi troi'n ôl i edrych ar ei gilydd, a 'Gwyddai Marc beth oedd hyn yn ei olygu' (100), sef bod y ddau'n nabod ei gilydd fel hoywon. Disgwylir i'r darllenydd ddyfalu i'r dieithryn ddod adre gyda Marc ac iddo'i lofruddio. Mae llofruddio hoywon yn thema gyson gan Mihangel Morgan. Wedyn mae car gwag Marged yn gliw amlwg i'r darllenydd ei bod wedi'i chipio gan hedbeth annabyddedig. Mae'r hyn y gwirionodd y tri arno wedi arwain at eu tranc. Fe sgrifennwyd y stori hon yn y fath fodd ag i beri inni ddisgwyl diweddglo twt, a dyna'n union a gafwyd, ond diweddglo *gwneud* ydyw, ac rydym yn ymwybodol iawn ohono fel datrysiad yr awdur. Wrth gwrs, artiffisial yw pob diweddglo, ond mae'r stori hon yn *italeiddio* hynny. Dyma Mihangel bellach yn symud i gyfeiriad plotiau sy'n bell o fod yn ddirweddol, sy'n bell o fod yn cogio gafael mewn cowlaid o fywyd a dweud 'Peth fel hyn ydi gwead byw a bod'. Ddylai neb eto ddisgwyl gweld cymeriadau o gig a gwaed yn ei waith.

III

Daw hynny'n gwbl amlwg yn nofel fuddugol medal ryddiaith Eisteddfod Genedlaethol De Powys: Llanelwedd yn 1993. 'Cyfrinachau' oedd y thema a osodwyd ar gyfer y gystadleuaeth, ac mae *Dirgel Ddyn*[6] yn berwi ohonynt. Fel yr awgryma'r teitl, nofel ddirgelwch yng ngwir ystyr y gair yw hon—ond bod y dirgelwch yn ddyfnach nag y gallai unrhyw dditectif ei ddatrys, gan mai dirgelwch bywyd ydyw, a dirgelwch llenyddiaeth a chelfyddyd, a dirgelwch y cysylltiad neu'r diffyg cysylltiad rhwng iaith a realiti. Mae 'rhith' yn chwarae rhan bwysig yn y nofel. Gwneir ni'n ymwybodol iawn mai rhith yw celfyddyd, a phwysleisir hynny yn arbennig trwy sôn am y ffilmiau y mae'r prif gymeriad wedi gwirioni arnynt. Ffilm am nerth rhith y dychymyg yw *Kiss of the Spider Woman*, a hefyd *King Kong* lle mae maint y gorila a'r bobl o'i gwmpas yn newid yn anghyson. Wrth gwrs, fel athro llenyddiaeth, ac fel un sy'n treulio'r rhan fwyaf o'i amser mewn llyfrgelloedd a sinemâu, mae Mr Cadwaladr yn rhith ymysg rhithiau. Isfyd o gysgodion sydd yma mewn ffordd. Dirgelwch y ferch ar y cei yn Rio sy'n gwneud i gerdd ryfedd Parry-Williams fod y fath destun swyngyfareddol ar gyfer un o'r dosbarthiadau nos. Cerdd ydyw sy'n pingad yn nychymyg Mr Cadwaladr. A go brin mai llithriad ar ran yr awdur sy'n gyfrifol fod cymdoges fusneslyd y prif gymeriad yn cael ei henwi fel Mrs Vaughan weithiau a Mrs Evans dro arall.

'Fersiwn gwahanol o'r gorffennol diweddar' sydd yma yn ôl nodyn ar y dechrau. Oes yna fersiwn go-iawn ar gael tybed? Onid ffuglen yw hanes beth bynnag? A throi i'r byd 'ffeithiol' am funud, fe gyfeirir at bobl 'go-iawn' megis Mrs Thatcher, er enghraifft, ond mae'u teyrnasiad hwy drosodd erbyn cyfnod y nofel, ond hen seren ffilm fel Reagan sy'n Arlywydd yr Unol Daleithiau unwaith eto. Efallai mai ffilm yw hanes, felly. Cyfeirir at sêr pop y chwedegau a'r saithdegau ac at fodrabedd ing y newyddiaduron megis Marjorie Proops a Claire Rayner, sydd fel petai'n rhoi cip brysiog ar fyd sy'n bodoli mewn amser, ond sglefr o fyd llithrig a ddarlunnir serch hynny, fel trwy ddrych mewn dameg.

Pwy, tybed, yw 'dirgel ddyn' y teitl? Mae nifer o'r cymeriadau'n ddirgel ddynion, yn yr ystyr eu bod yn wahanol iawn i'r modd yr ymddangosant ar yr wyneb. Actorion mewn drama neu ffilm, neu'n wir actorion mewn nofel, ydynt—pob un â'i fwgwd ei hun. Mae Mr Schloss y landlord yn ymhonni'n ffasgydd hitleraidd:

> Yr Iddewon, y gwrywgydwyr, y sipsiwn, ffanatigiaid Tystion Jehofa—eu llosgi nhw i gyd—a'r di-waith diog hefyd. (15)

Ond y gwir amdano yn ôl ei gyfaddefiad ei hun yw mai Iddew ar ffo ydyw sydd wedi penderfynu cuddio'r ffaith er mwyn achub ei groen.

> Dw i wedi cogio casáu Iddewon ar hyd f'oes. Ond pob tro dw i'n dweud y pethau 'na, am syniadau da Hitler ac ati, dw i'n cofio yn fy nghalon a dw i'n casáu fy hun yn ffyrnig, ffieiddio fy hun . . . Ond does dim byd wedi newid. Yfory fe fydda i'n canmol Hitler eto. Mae'n rhy hwyr i newid. (83)

Dirgel ddyn arall yw Ffloyd, sy'n unllygeidiog yn llythrennol a throsiadol. Ef yw'r un sy'n ymhonni'n fabolgampwr rhywiol ond sy'n cyfaddef ar funud wan nad yw wedi cysgu gyda merch erioed, a'i fod yn y bôn yn ofni merched byth er pan drywanwyd ef yn ei lygad gan ferch fach.

Serch y dirgelwch sydd ynglŷn â nifer o'r cymeriadau (Siriol yr ysgrifenyddes surbwch nad oes sirioldeb ar ei chyfyl, Cyril List-Norbert/Cyril Llysnafedd sy'n bwriadu cyfieithu holl weithiau Kafka i'r Gymraeg, a Gary'r bachgen tal a thywyll a golygus mewn siaced ddenim y byddai'n haws ei ddychmygu mewn dosbarth ar drin ceir nag yn tywyllu dosbarth nos ar lenyddiaeth Gymraeg, ac o ran hynny mae'n tybio mai 'Y Ferch ar y Ceir yn Rio' yw teitl cerdd Parry-Williams!), mae'n amlwg mai cyfeirio at Ann Griffiths y mae'r teitl. Hynny yw, teitl ar aelodau ffug a gofrestrid trwy dwyll yn aelodau o ddosbarthiadau nos ydyw. Ni ddisgwylid i ryfeddod prin y fath gymeriadau rhithiol ymlwybro i'r dosbarthiadau fel y gwnaeth Ann Griffiths, felly mae hi'n ddirgel yng ngwir ystyr y gair. Ond dirgel ddynes yw hi yn hytrach na dirgel ddyn. Er efallai'n wir ei bod yn ddyn yn y dirgel! Gall hynny fod yn fwy dichonadwy nag y gellid tybio ar yr olwg gyntaf. Nid menyw 'fenywaidd' yw hon o gwbl. Gwraig tua'r hanner cant oed yw hi sy'n ymddangos 'fel Iarlles o Rwsia', ac er nad yw'n dweud dim yn y dosbarth (sy'n awgrymu nad yw hi'n ganfyddadwy ond i Mr Cadwaladr ei hun, ac mai ffrwyth ei ddychymyg ef yn unig yw hi), mae'n rhaselog iawn ei thafod pan yw'n sgwrsio â'r athro y tu allan i'r dosbarth. Ac yn wir yn yr olygfa garu fwrlésg ar ddechrau'r ail ran daw ei natur awdurdodol i'r amlwg. Hi sy'n chwarae *rôle* y dyn bellach, a Mr Cadwaladr druan yn edrych 'fel hen ddafad newydd ei chneifio' (107). Mae Ann Griffiths yn gymaint o ddyn ag ydoedd Mrs Thatcher hithau yn ystod ei theyrnasiad rhyfygus. Erbyn diwedd y nofel mae hi'n aelod seneddol Torïaidd dros un o seddau'r cymoedd o bob man, yn dal swydd yn y Cabinet, a'r darogan yw y daw'n Brif Weinidog. Dirgel fab darogan yn wir.

Fe all mai ffantasi Mr Cadwaladr yw Ann Griffiths, a'i fod yntau'n wrywgydiwr cudd. Yn ôl Petroc ap Seisyllt mae ef yn gymeriad hoyw 'amlwg',[7] er na nodir ar ba sail y dywedir hynny. Yn sicr y mae'n greadur gwrthodedig a methedig mewn ffordd ac mae'n teimlo'n 'ddieithr ac yn ysgaredig oddi wrth bawb a phopeth arall' (16) ac yn cael 'pyliau athronyddol, argyfwng-gwacter-ystyraidd' (17). Y mae hefyd yn fardd *manqué* ac yn ei gynnal ei hun ar fwyd y dychymyg. Daw Ann Griffiths, ffrwyth y dychymyg hwnnw, i gynnal ei ddosbarth nos, i achub Mr Owen rhag tlodi, ac fe sylweddola Mr Cadwaladr mai hi fydd yn ei gynnal yn y dyfodol hefyd. Mewn breuddwyd mae'n gweld Ann Griffiths wedi'i gwisgo fel Humphrey Bogart ac yntau'n noethlymun o'i flaen (123).

Mae yna eironi mawr yn hyn i gyd, oherwydd nid yn ddamweiniol y cafodd Ann Griffiths ei henwi ar ôl yr emynyddes. Yr oedd gan honno frawd o'r enw Edward, a hwnnw hefyd yn llofrudd honedig. Er nad oes arlliw o grefydd ar gyfyl y nofel, ni ellir peidio â'i gweld ar un lefel fel dychan ar un o eiconau Anghydffurfiaeth Gymraeg. Roedd yr Ann wreiddiol hefyd wedi cael cyfnod brwysg a phenchwiban yn ôl y dyb gyffredin, a dyma Ann Griffiths y nofel yn adrodd storïau lliwgar am ei chyfnod hithau yn Llundain oddefgar y chwedegau. Ac eto datblyga'r ailymgorfforiad hwn o'r emynyddes yn ddraig haerllug o gelwyddog a thrahaus, ac yn lladmerydd yr adain dde wleidyddol. Gellid darllen hyn fel arwydd fod hadau ffasgaidd yn perthyn i'r grefydd yr oedd yr Ann lariaidd wreiddiol yn lladmerydd mor ysbrydoledig iddi. Mae Ann Griffiths y nofel yn datgan yn huawdl:

> . . . mae hynna yn dangos pa mor annatod yw crefydd a chreulondeb. Y chwaer yn santes, y brawd yn anghenfil. (89)

Y mae Ann Griffiths yn cael lleisio rhai o syniadau mwyaf gwaelodol *Dirgel Ddyn*. Hi sy'n datgan yr awydd am lenyddiaeth ddyfeisgar a dychmygus:

> Er fy mod i'n licio gwastadrwydd Kate Roberts, hoffwn ddarllen rhywbeth yn y Gymraeg sydd yn fwy amlochrog, anystywallt, yn llawn o fanylion a dirgelion. Dwi'n licio llenorion twyllodrus na ellwch chi ddim dibynnu arnyn nhw bob amser. Wedi'r cyfan, twyll yw llenyddiaeth, on'd-e-fe? (50)

Hi sy'n newid ei storïau am ei gorffennol ei hun, ac yn ansefydlogi hygrededd Mr Cadwaladr a'r darllenydd trwy honni'n dalog:

> Storïau oedd y rheina. Storïau o'm pen a'm pastwn. Chi'n gwybod, Mr Beirniad Llenyddol, ffuglen. Celwyddau . . . Fues i erioed yn byw yn Llundain. Mae 'Nhad a Mam yn fyw ac yn iach. A nace 'mrawd oedd y dyn hwnnw a welsoch chi gyda fi yn y ddinas ond fy nghariad i.' (113/114)

Fel yr â'r nofel rhagddi, newidia'r storïau'n gamelionaidd eto.

Mae sylweddoliad Mr Cadwaladr ar y diwedd mai ei ddyfais ef ei hun yw Ann Griffiths yn sydyn yn tanlinellu'r ffaith mai dyfais Mihangel Morgan yw yntau, ac mai dyfais eiriol gymdeithasol neu ddiwylliannol yw Mihangel Morgan ei hun. Mae'r awdur fel petai'n cyflawni hunanladdiad ar dudalennau ei nofel ei hun. Dirgel ddyn yw Mr Cadwaladr y dyfeisiwr, a Mihangel Morgan ei ddyfeisiwr yntau—a ninnau ddarllenwyr oll ac un.

IV

Fe welir bellach fod Mihangel yn llenor cryn dipyn yn fwy radical nag yr ymddangosai yn ei gyfrol gyntaf, ac mewn un gyfrol ar ôl y llall mae'n gwthio'r ffiniau ymhellach o hyd ac o hyd, gan fwrw'i ddarllenwyr oddi ar eu hechel. Teitl pryfoclyd yw *Saith Pechod Marwol*[8] ar gyfrol o storïau gan lenor ôl-grefyddol. Gan gogio dal wyneb syth, dyfynna Mihangel restr o'r pechodau marwol o *Yny lhyvyr hwnn*, yn ogystal â siars Saunders Lewis y dylem 'wneud yn fawr o bechod' a honiad John Gwilym Jones, 'Heb bechodau fyddai 'na ddim llenyddiaeth'. Mae'n debyg fod Saunders Lewis a John Gwilym Jones ill dau'n gwneud ati i boenydio'u cynulleidfaoedd gyda'u geiriau. Roedd pechod yn realiti i Saunders y Pabydd, ac roedd am i lenyddiaeth fynd i'r afael ag ef yn ei noethni. I John Gwilym Jones y dyneiddiwr dirfodol, nid realiti moesol oedd i bechod, ond dyma yn hytrach adlewyrchiad o'r domen sbwriel ddynol a oedd yn dragwyddol ddiddorol, gymysglyd, anesboniadwy ac weithiau'n ddoniol. Ond does dim pechodau yn yr ystyr arferol yng ngwaith Mihangel.Yr hyn sydd yna yw rhyfeddodau dynol nad ydyn nhw nac yn dda nac yn ddrwg, dim ond yn destunau syndod. Fel y dywedodd Simon Brooks yn ei 'Wythfed Bennod *Saith Pechod Marwol*' y gwrthodwyd ei chynnwys yn y gyfrol gan wasg y Lolfa:

> Rhaid darllen y teitl mewn modd ôl-oleuedig sy'n gwadu bodolaeth pechod ac yn gweu moes newydd. Defnyddia Mihangel Morgan y dosraniad o saith pechod er mwyn nodi nad yw dosraniad felly yn bosibl.[9]

Y pwynt yw fod Cristnogaeth yr Oesoedd Canol wedi diffinio pechod yn gyfewin fanwl, ac wrth eu galw'n rhai 'marwol' fe gondemniwyd pechaduriaid i dân a brwmstan tragwyddol. Ymylwyd carfannau o bobl a'u troi'n wahangleifion cymdeithasol. Dyma greu cymdeithas o ddefaid a geifr, os mynner, a rhoi marc du gweladwy ar dalcen y geifr. Dyna dacteg pob cymdeithas dotalitaraidd neu ffasgaidd—creu canol ac ymyl, a'r berthynas bŵer rhyngddynt yn anghyfartal. Diffinio sydd yma, a hynny yn creu ffin ddiamwys, a'r hyn a wna Mihangel yn ei storïau yw di-ffinio, neu gwestiynu'r diffiniadau traddodiadol. Da y dywedodd Simon Brooks eto ei fod yn gweld *Saith Pechod Marwol* fel cyfrol wleidyddol sy'n brotest yn erbyn gormes Oes Rheswm:

> Dyma reswm, epil Oes y Goleuni, yn diffinio ac yn ffinio'r byd. Ond beth am y sawl sydd y tu hwnt i'r ffin? Synia pobl a fedd 'reswm' am arferion pobl eraill fel rhai nad ydynt yn wrthun yn gymaint ag yn afresymol. Dyma'r math gwaethaf o ormes.[10]

Byd peiriannol a bortreedir yn 'Pwy Fyth a Fyddai'n Fetel?', a does dim yn fwy rhesymegol na byd felly. Mae'r llywodraeth yn bwriadu dileu yr hen a'r digartref, a'r efengylwr ar y sianel grefyddol yn gweddïo am gryfhau'r heddlu a'r milwyr. Nid yw *Keflusker X* y robot ond dwrn dur Joe, gŵr Non, sy'n ei chadw'n gaeth yn ei thy a'i phriodas, ac yn dial arni am ei godineb gydag Andy. Gwyrdroi a wna'r stori y syniad fod godineb yn bechod. Syniad a wasgwyd ar gymdeithas er mwyn cyfundrefnu pobl a'u carcharu mewn strwythurau set ydyw.

Yn 'Derfydd Aur' mae Elen Rowlands-Niang yn dewis cybydd-dod ynghanol dinas fasnachol gyfalafol sy'n llawn pobl fusnes, a cherflun o Margaret Thatcher yn llywodraethu drosti. Mae'n dewis ymddwyn yn afresymol, ac yn cael ei thrin fel cardotwraig esgymun.

Diogi yw pwnc y stori nesaf, 'Mi Godaf. Mi Gerddaf', ac yn ôl yr etheg Brotestannaidd y mae'n un o'r pechodau gwaethaf. 'Trwy chwys dy wyneb y bwytei fara,' a dyna pam, mae'n debyg, y mae cymaint o stigma ynglŷn â bod yn ddi-waith yng nghymdeithasau'r Gorllewin. Ond mae yma isleisiau eraill yn y stori hon sy'n awgrymu fod yna achos dros awydd Wil i dreulio'i amser yn y gwely. Pam y cur pen? Mae Wil yn mynd drwy strydoedd gemog Caerdydd ac mae menyw groenddu yn gofyn i ble mae'n mynd. Mae'n cael pwl o 'fadrondod'—gair T. H. Parry-Williams a chyfeiriad at ei ysgrif 'Pendraphendod' lle mae'n mynd drwy'r strydoedd gemog ac yn gweld 'geneth fach . . . dywyll iawn ei phryd' sy'n gofyn yn siriol 'Where 'yo goin', bud?' Awgrym yn unig a geir fod Wil yn hoyw, ac felly'n wrthodedig, a'i fod yn methu â chydymffurfio â chonfensiynau cymdeithas. Pan yw'n mynd i weld sgerbwd 'Gwraig Goch' Pafiland yn yr amgueddfa, mae'n myfyrio uwch y ffaith mai'r Fictoriaid a feddyliodd mai merch oedd y sgerbwd, a hynny oherwydd ei fod yn gwisgo breichledi, a thorch fach bert o gregyn am ei wddf, ond dyn ydoedd mewn gwirionedd. Y stereodeipio rhesymegol unwaith eto, gyda'r awgrym o gategoreiddio a stampio. Ac ar y ffordd adre o'r amgueddfa ar y bws, mae Wil yn clywed dwy fenyw'n siarad, ac un ohonyn nhw'n cael trafferth â'i hanifail uncorn: 'Ffaelu'i gael o i ddod mas o'r cwpwrdd.' (41) Awgrym ei fod 'yn y closet'. Fawr ryfedd, gan fod ei uncorn yn ei osod ar wahân. Ar ddiwedd y stori, mae Wil yn penderfynu'i grogi'i hun â'i wregys yn y bore 'pe codai'n ddigon cynnar' (41). Dim gwahaniaeth ai diogyn neu ddyn hoyw neu'r ddau yw Wil, mae ergyd y stori'n ddigon eglur.

'Y Chwilen' yw un o storïau mwyaf diddorol Mihangel Morgan, ac mae'i hafrealaeth yn sicr o anniddigo'r darllenydd. Trempyn gyda phen anffurfiedig yw'r Chwilen, ac er mai anffurfiad *naturiol* oedd arno (megis y mae hoywder yn naturiol, yn yr ystyr fod carfan o'r boblogaeth wedi cael ei denu at yr un rhyw erioed, fel petai 'Duw' yn mwynhau tipyn o amrywiaeth), mae'n ymguddio dan ei siôl a'i ddillad am ei fod yn ddirmygus gan gymdeithas. Mae diddordeb obsesiynol Vic yn 'y Chwilen' yn peri ei fod yntau'n mabwysiadu rhywfaint o'i arwahanrwydd, oherwydd barn y mwyafrif (a Christ ei hun) yw fod y tlodion gyda ni bob amser ac nad oes dim y gellir ei wneud i wella'r sefyllfa. Wrth fynd i gaffe a rhannu bwrdd â Mihangel Morgan mae'n sylweddoli mai cymeriad mewn stori ydyw. Dyma'r *mise-en-abyme* sy'n un o nodweddion ffuglen ôl-fodernaidd, gan dynnu sylw at ei ffuglenoldeb hi ei hun. Tybia Vic mai 'syniad a blannwyd yn ei ben gan y llenor' oedd y Chwilen (71). Yn sicr, peth gwneuthuriedig yw pob cysyniad o'r fath, a gwneuthuriedig oedd y syniad fod y Chwilen naturiol mewn gwirionedd yn annaturiol. A phan â Vic yn ôl i'w swyddfa gwêl bawb wedi'u trawsffurfio yn adar ac anifeiliaid gwyllt. Bellach mae *pawb* yn rhyfedd, ac mae normalrwydd wedi peidio â bod. Ac eto fyth, 'roedd pob un ohonyn nhw'n edrych arno fel petasai rhywbeth yn bod arno ef yn hytrach nag arnyn nhw' (73). Sŵn crechwen y lleill yw hwn, a Vic bellach yn cael ei ddirmygu gymaint nes ei fod yn cael ei orfodi i deimlo'n od. Ef yw'r Chwilen erbyn hyn.

Mae'n wir fod traethu *am* y storïau hyn yn eu gorsymleiddio ac yn peri iddynt ymddangos fel moeswersi neu ddamhegion. Byddai dibynnu ar y sylwadau hyn heb droi'n ôl at y gwreiddiol fel bodloni ar ddisgrifiad o *Missa Solemnis* Beethoven heb drafferthu i wrando ar y gerddoriaeth, neu gasglu gwybodaeth oddi ar gloriau nofelau heb eu darllen yn eu crynswth. Pe dywedid mai portreadu glythineb fel afiechyd a wneir yn 'Pe Bai'r Wyddfa i Gyd yn Gaws' fe gollid grym y digriflun grotésg o Robyn fel '[g]wadd anferth â'i lygaid gwan, ei ddwylo tew pinc a'i ewinedd hir brwnt, crafanglyd' (78), a chanibaleiddiwch echrydus y frawddeg olaf lle mae Robyn wedi colli pob rheswm ac yn ysu am flasu cnawd ei fam heb ei goginio. Braf fuasai gallu edrych ar ei lythineb fel cyflwr pechadurus a dim arall.

Mae'r stori nesaf, 'Tra Bo Dau', am genfigen dyn hoyw at gariadon ei bartner. Bodola cenfigen o'r dechrau cyntaf, cyn bod sôn am anffyddlondeb:

> Cymerer unrhyw berthynas rhwng dau ac mae'n amlwg bod un yn ormod. (93)

Yna daw'r arwyddion fod y berthynas yn dechrau cracio, ond fod y prif gymeriad—fel Kafka yn un o'i straeon—yn methu â'u darllen ar unwaith. Hylifol ddiffiniau yw teimladau, cyn iddynt gael eu crebachu gan '[d]ermau wedi'u sancteiddio gan y clinig' (98/99). Daw'r stori i ben mewn llyn o waed. Byddai stori realaidd ar yr un pwnc wedi codi'n storm o deimladau, ond adroddwyd yr hanes hwn yn ffeithiol oer, fel petai'r cymeriadau'n robotiaid, yn ymlwybro trwy fyd o arwyddion. Crynhowyd emosiwn cenfigen yn gyfres o gamau awtomatig.

Er mai dicter yw pwnc stori olaf y gyfrol, 'Câr dy Gymydog', go brin fod yma fawr o ymgais i gyfleu'r teimlad hwnnw yn y dull arferol, a pheri i'r darllenydd ymuniaethu â'r profiad. Yn wir mae'r stori'n fwriadol ddiangerdd. Yn y byd ôl-Lawrencaidd nid yw rhyw, hyd yn oed, yn ecstasi perlesmeiriol.

> Yna ar ôl i Iolo fynd i'r gwely dyma nhw'n cael cnychwest. Roedd eu stafell nhw yn union uwchben ei stafell ef a gallai glywed y gwely a'r ddau yn cwyno dan ergydion yr angerdd nwydwyllt, chwyslyd. Ond swniai'r cyfan yn debycach i hen arferiad straenllyd, yn hytrach nag i brofiad angerddol. (107)

Ni allai—neu ni fynnai—Mihangel Morgan sgrifennu'n bornograffaidd. Dyna sy'n gwylltio'r rhai sy'n siomedig na fyddai'n gallu cyfleu gwefr perthynas gorfforol dau ddyn. Ond nid Edmund White mohono, nac Alan Hollingsworth, na'r 'Cymro' Adam Mars-Jones chwaith. Gêm yw'r un y mae Iolo'n ei chwarae, a gêm ôl-fodernaidd yw'r stori drwyddi draw. Does dim disgwyl inni ddychryn wrth i Iolo, sy'n dioddef o AIDS, saethu'r bobl y mae'n eu casáu, na llawenhau pan ddadsaethir eraill. Yn wir, chwerthin a wnawn wrth weld Monica a Bob o nofel Saunders Lewis yn cael eu saethu, a'r cathod yn cael eu taflu ar goncrid yr iard gefn 'yn siwps fel tomatos ar y llawr caled' (109). Sbri yw gweld *alter ego* Robin Llywelyn yn cael ei saethu am sgwennu'r nofel 'ddisylwedd', *Chwilen Ddu ar Fwrdd*

Du. Ceir elfen fwy crafog yn y disgrifiad o'r efengyl barfog 'a honnai fod Cristnogion yn llawn o gariad a llawenydd duwiol' (120) ond a fu'n gyfrifol am ddiarddel Iolo o'r eglwys am fod yn hoyw. Eto doedd yr eglwys byth yn diarddel neb am unrhyw un o'r pechodau honedig farwol. Dialedd sydd yn y stori hon—dialedd dioddefwr AIDS yn erbyn cymdeithas sy'n gweld yr afiechyd hwnnw fel un o blâu'r Aifft fodern, ac sy'n ei ddefnyddio'n wleidyddol i dduo ac alltudio'r ymylon anystywallt. Na, go brin fod dicter Iolo'r stori ddychanol hon yn un o'r saith pechod marwol wedi'r cwbl.

V

Mae yna gamp a champ. A'r pencampwr o bosib yw Sant Genet. Jean-Paul Sartre a'i galwodd felly yn ei astudiaeth *Saint-Genet, comédien et martyr* (1952), lle mynnai mai *dewis* hoywder a wnaethai'r dramodydd a'r nofelydd Ffrengig, i herio'r byd, ac fel iawn am ei fagwraeth ddifreintiedig. I hoywon yr wythdegau a'r nawdegau, nid sant mo Genet o gwbl, oherwydd mabwysiadu hoywder fel masg i roi ysgytwad i'r byd bwrdais parchus a wnaeth ef, a chwarae *rôle* satanaidd, gan danlinellu drygioni ymwybodol y *rôle* honno. Ffurf ar hunangasineb yr herwr oedd ei wrywgydiaeth ef, ei gelwydd yn erbyn y byd. Pwysleisiai ochr fenywaidd, oddefol, israddol gwrywgydwyr, nad yw wrth gwrs ond rhan fechan o'r stori—er yn weladwy iawn. Mae ganddo nifer o gymeriadau sy'n drawswisgwyr. Carfan fechan o hoywon sy'n drawswisgwyr, ac nid yw pob trawswisgwr yn hoyw o angenrheidrwydd, ac yn sicr ddim yn dymuno cael ei sbaddu a newid ei ryw. Beth bynnag, nid yr un peth yw trawsrywioldeb â hoywder. Mae yna sbectrwm eang o rywioldeb, wedi'r cwbl, a chofier nad yr un peth chwaith yw rhywioldeb â chael rhyw. Natur yw'r naill, gweithred yw'r llall.

Mae yna gryn dipyn o gampio yng ngwaith Genet, ond fel y dywedais mae yna gamp a champ, ac mae camp Genet yn ddiraddiol a gwarthruddol. Byddai'r gri Gristnogol 'Humiliez-moi!' yn siwtio'i gymeriadau ef i'r dim—sy'n codi cwestiwn ynglŷn â'r modd y mae urddau eglwysig, a'r urddau mynachaidd yn enwedig, yn denu rhai mathau o hoywon. Mae'r ysfa fasochistaidd i chwarae *rôle* merch yn ddwfn mewn rhai dynion, er bod hynny wrth gwrs yn wrthun i ffeministiaid.

Ond does dim rhaid i'r gair *camp* gyfleu cywilydd o bell ffordd. Fe all fod yn ddathliad, yn arddangosfa *rococo* lawn triliau ac addurniadau brwysg. Gall ymhonni'n fwy merchetaidd na merch fod yn act o feiddgarwch gwrywaidd. Dyma gynneddf Dafydd ap Gwilym petai yntau'n hoyw. Dyma reddf y breninesau cyhyrog sy'n gymaint o ffefrynnau gan bobl gyfunrywiol ac anghyfunrywiol mewn clybiau nos. Mi wyddom fod traddodiad hir i'r fath gampio mewn arferion gwerin yn ogystal ag yn y theatr a'r syrcas. A rhywbeth tebyg i hyn sydd yng ngwaith Mihangel Morgan, mi dybiaf i. Mae'n hoff o sgandal yn yr inc.[11] Herio confensiynau llenyddol a chymdeithasol a wna, gan birwetio'n osgeiddig fel brenhines ddrag.

Mae yna wahaniaeth, wedi'r cwbl, rhwng chwarae rhan y forwyn fach ac actio brenhines, a *Te Gyda'r Frenhines*[12] yw teitl cyfrol nesaf Mihangel Morgan o storïau byrion. (Cofier hefyd mai'r person y mae'n ei edmygu fwyaf yw Quentin Crisp, ac yr hoffai fod yn Marilyn Monroe neu Lucrezia Borgia.[13]) Mae'r stori deitl yn hyfryd o abswrd. Byw mewn sied mewn ardal adfeiliedig y mae'r frenhines, neu'r person sy'n ei galw'i hun yn 'Eich mawrhydihydi'. Geilw'i thŷ yn Ianto, sy'n awgrym isymwybodol o'i huniad â rhyw wryw o'r enw hwnnw. Mae'n cogio gwneud te yn y gath, ond does dim te yn y debotgath na llaeth yn y siwg. Caiff Sam ei wadd i de i gael arlwy o straeon—neu'n hytrach ffantasïau—ganddi. Ond efallai nad 'hi' yw hi wedi'r cwbl, oherwydd fe ddywed ei bod yn *fachgen* ar ddiwedd yr ugeinfed ganrif, ac yn wir mai Ianto oedd ei chariad. Brenhines gamp yw hi wedi'r cwbl—dyn yn gwisgo dillad a oedd yn ffasiynol yn nhridegau'r unfed ganrif ar hugain, i arddangos ei fenyweidd-dra ffug. Rhaid mai dyn yw hi, oherwydd mae'n hoffi 'sgriwio' iaith. Fel storïwraig ddychmygus, mae hi mewn gwirionedd yn llenor tan gamp hefyd, sy'n treisio iaith, ac yn ei phlygu'n bob siâp a llun:

> —Achos mae iaith yn hen ast, hen gnawes sy'n licio cael ei defnyddio . . . Pan ddihunais y bore 'ma fe sylweddolais fod iaith yn yr ystafell gyda mi cyn i mi agor fy llygaid hyd yn oed. Roedd iaith ar fy ngwely, roedd hi yn y gwely gyda fi, roedd hi ym mhobman . . . Rwy'n cael y teimlad mai

> iaith yw deunydd popeth sy'n bod. Rydw i'n cael y teimlad weithiau, credwch neu beidio, rydw i'n cael y teimlad nad ydw i fy hun yn ddim byd ond iaith—dim byd ond geiriau a brawddegau. Fyddwn i ddim yn bod oni bai am iaith. (108)

Ac wrth gwrs, mae hi yn llygad ei lle, oherwydd gwead o eiriau yw pob ffuglen, a phob llyfr arall o ran hynny. Yn ddyfnach na hynny, ffuglen ydym ninnau hefyd, pob dyn a dynes ar y ddaear hon. Heb iaith, anifeiliaid fyddem. Iaith yw hanfod ein dynoliaeth—deunydd ein sgyrsiau, ein meddyliau, ein teimladau, ein strwythurau cymdeithasol, ein gwleidyddiaeth, ein breuddwydion hyd yn oed. Ac wrth gwrs mai iaith yw'n dillad, steil ein gwalltiau, ein dull o fwyta. Dyna ddarganfyddiad mawr y stori hon, ac wrth gwrs un sy'n amlwg yn actores ac yn storïwraig—brenhines wrywaidd y stori fer , os mynner—sy'n gwneud y darganfyddiad. Sythwelediad ôl-fodernaidd cymeriad hoyw ydyw.

'Y Ffrogiau [:] Maint Camp' yw'r stori sy'n cyfleu orau natur y breninesau drag: 'Tri Chymro Cymraeg. Tair Drag Cwin. Tri o wŷr o Sodom a Chaerdydd.' (127) Dadansoddir seicoleg trawswisgwyr yma hefyd, gan ymwrthod â'r dyb gamarweiniol mai 'ceisio bod yn fenywod oedd eu hamcan' (128). Ond mae'r tair brenhines yn y stori hon mor eiddigeddus o'i gilydd â chathod, a golygfa ddoniol yw honno o Gloria'n rhwygo dillad Elfed a Wynn, ac o'i ffrog hithau'n cael ei malurio oddi amdani nes dadorchuddio Tecwyn 'yn ddyn bach penfoel, boldew, yn borcyn ar ganol y llwyfan' (136). Ond ar ei thaith yng nghar yr heddlu mae'n teimlo 'fel Gloria Swanson ar ddiwedd *Sunset Boulevard* . . . fel Brenhines go-iawn' (136).

Ymhlith y themâu eraill sydd yn y stori 'Te Gyda'r Frenhines' y mae'r dychan ar grefydd neu'n wir y pastynu ar grefydd. Un o'r pethau digrifaf yw honiad y frenhines eu bod nhw wedi darganfod corff Duw mewn arch ar ben tomen sbwriel ym Mrasil—syniad sy'n deillio o stori gan Phillip K. Dick. Nid yw Mihangel Morgan am ddilyn y ffeministiaid hynny sydd am weddïo 'Ein Mam yr hon wyt yn y nefoedd' a throi Duw yn ddyn hoyw. Nid am weld Iesu Grist o'n hochr ni y mae, ond am ei fwrdro (ond go brin fod hynny'n beth newydd!), ac am sicrhau na threiglir y maen oddi ar ei fedd y tro nesaf. Sonia'r frenhines am 'Gymdeithas Er Hybu'r Syniad Fod Duw yn Bod'. Roedd cymdeithas gyda'r enw hwn yn bod yn America, ac mae digon o rai eraill *heb* yr enw i'w cael ledled y byd, am wn i, er mai gwan yw'r gefnogaeth iddynt. Ond yr eironi yw fod yr union ddyn sy'n perthyn i'r gymdeithas wedi cloi'i ferch am ugain mlynedd mewn stafell dywyll oherwydd ei bod yn feichiog. Mae crefydd yn waeth nag anathema i Mihangel Morgan. 'Beth yw eich ofn mwyaf?' gofynnodd *Y Cymro* iddo.[14] 'Ffanatigiaeth grefyddol,' atebodd yntau. 'Sut ydych chi'n treulio'ch Sul?' 'Yn osgoi crefyddwyr.' 'Beth yw'r felltith fwyaf erioed?' 'Crefydd.' Dim petruster nerfus! Mae crefydd—prif gynheilydd ein llên yn ôl llawer—yn ffasgiaeth ronc yn ei olwg ef. Eto i gyd, mae gweld blychau crefydddol y Cymoedd bellach yn neuaddau bingo yn ei dristáu am mai hwy oedd cynheiliaid y diwylliant Cymraeg. Efallai mai ef yw'r unig Gymro Cymraeg i ymweld â chapel Charing Cross pan oedd yn gapel ac wedyn mewn parti hoyw ar ôl i'r capel hwnnw gael ei weddnewid yn glwb nos!

Y stori sy'n darlunio'i gasineb orau yw 'Wedi Bod ym Mlodau'n Dyddiau'. Yma mae Morfudd wedi torri i mewn i hen adfail o gapel ac ymgartrefu yno. Pistyllia'r dŵr drwy'r to, a phydra'r seddau. Fel y ferch ar y cei yn Rio, mae Morfudd yn anwesu llygoden ar ei hysgwydd, ac yn ei galw'n Iesu Grist. Â atgofion am y capel fel llifeiriant o ddŵr oer i lawr ei chefn. Daeth y cortyn llipa a hongiai uwchben y pregethwr yn y festri i gynrychioli Duw iddi. Cysylltai'r lle ag euogrwydd. Crasfa a gawsai am flasu'r bara a'r gwin yn y sêt fawr, ac yno'n ddiweddarach y treisiwyd hi gan y blaenor ifanc. Daw brân drwy'r to dan grawcian. Yna daw peiriannau i fwrw'r adeilad i lawr, a phan yw Iesu Grist y llygoden yn cnoi'i bys bach mae Morfudd yn ei thaflu yn erbyn y wal, ac yn croesawu'r dadfeilwyr gyda'r waedd 'Deued y bomiau!' (83) Mae yna ryw ffyrnigrwydd tanbaid at gapel a chrefydd yn y stori hon, a briga'r un teimlad i'r wyneb yn eithaf aml yng ngwaith yr awdur. Nid rhyfedd iddo dreulio pennod gyfan yn ei draethawd ymchwil ar John Gwilym Jones yn trafod anghrediniaeth fel thema yn ei waith.[15] Dadleuodd yn argyhoeddiadol iawn yn y fan honno fod yr hyn y bu rhai yn ei weld fel amheuaeth agnostig yn troi'n anghrediniaeth ronc ar adegau.

Trwy ddrych mewn dameg y mynegir gwrthryfel Mihangel Morgan yn ei storïau, wrth gwrs, fel y gwnaethai John Gwilym Jones yntau yn ei ddull mwy llariaidd. Ac y mae Mihangel yn troi tu min at ei ragflaenwyr llenyddol hefyd. Mae'i ôl-foderniaeth ef, nid yn unig yn dod ar ôl moderniaeth, ond hefyd yn llyffant blwydd sy'n lladd y dwyflwydd modernaidd. Mae'i waith yn llawn *pastiche*, y dull nodweddiadol ôl-fodernaidd hwnnw. Fel y dywedodd Simon Brooks:

> Diben y llenor 'ôl-fodern' yw codi ieithwedd a fydd yn adleisio cynnyrch cyfnodau cynharach gan ei siglo a'i hanniddigo wrth ei gosod mewn cyd-destun hanesyddol gwahanol.[16]

Dyna'n union a wneir yn 'Stryd Amos', sy'n sgit ar *Stryd y Glep* Kate Roberts. Parodiir rhannau o waith brenhines ein llên mewn modd digri iawn. Adleisir, er enghraifft, tudalen cyntaf *Traed Mewn Cyffion*, y stori 'Rhwng Dau Damaid o Gyflath', a *Tywyll Heno* ymhlith gweithiau eraill. Awdures oedd hon a glodforwyd am ei sylw i fanylion, ond tynnir blewyn o'i thrwyn yma trwy ddangos mor ddi-ddim yw llawer o'r manion honedig gyfoethog. Gorliwir i bwrpas. Geini sy wedi rhoi gwth i'r ysgol i beri i Ffebi syrthio ar ei chefn, ac yn y diwedd mae Ffebi'n rhoi pen ar ei bywyd trwy dorri'i garddyrnau â chyllell. Gorffennir y 'stori fer fer hir' hon ar nodyn *dead-pan*. 'Beth oedd yn bod arni ys gwn i? Anobaith mae'n debyg.' (22)

Hwyrach mai'r stori sy'n colbio'r sgwennu atgofus, tafodieithol, gwerinol ffasiynol fwyaf yw 'Meri a Mwy (ar Sado-Masocistiaeth) nag Ambell Chwip Din' a gyhoeddwyd yn *Tu Chwith*.[17] Ac ysgolheictod torri-glo-mân-yn-glapiau sydd dan y lach yn 'Prologomena i Ddadansoddiad o ddarn o Sacriaeg Canol, gan y Diweddar Athro Emeritws Ceirwy Léwys MA, DLitt (honoris causa), FBA'.[18] Geilw'r math hwn o ysgrifennu am glust fain iawn ac am wybodaeth helaeth o lenyddiaeth Gymraeg ac estron (gan fod Kafka ac Italo Calvino ymysg yr awduron a adleisir gan Mihangel Morgan). Agwedd ar *intertextualité* neu ryngdestunoldeb sydd yma, wrth gwrs, lle'r ysbeilir coffrau llenyddol y gorffennol—nid gyda rhyw *piétas* parchus, ond mewn modd gwyrdroadol. Fel y dywedodd Jane Aaron:

> Cynigiwyd y term gan Julia Kristeva i gyfleu y modd y mae testunau llenyddol yn gwledda ar ei gilydd yn ddi-baid, yn atgynhyrchu hen destun mewn cyswllt testunol newydd, a thrwy wneud hynny yn aml yn gwrth-droi safbwynt y testun gwreiddiol.[19]

Estyniad ar hyn sydd mewn tair stori arall yn *Te Gyda'r Frenhines*. Mae 'Cyfansoddiadau a Beirniadaethau' yn stori ddychan sy'n fom lythyr ardderchog 'i blancton ein llenyddiaeth sef yr adolygwyr'.[20] Am wn i nad yw Mihangel am i naw deg naw y cant o feirniaid Cymru grebachu dan y lach. Hyd yn oed pe caent stori megis 'Metamorffosis' Kafka i'w beirniadu, y tebyg yw yr ymunent yng nghytgan Arianwen Lewis-Parry a dweud: '. . . roedd peth fel hyn yn anobeithiol' (59). Mae Arianwen yn methu adnabod hefyd ddarnau gan James Joyce, William Burroughs, a Kate Roberts (y darn gan 'Catrin'). Stori go wahanol yw 'Salem a Saunders (y gwirionedd am y llun adnabyddus *Salem*)' gan mai archwiliad clyfar iawn sydd yma o'r 'labrinth o *doppelgängers* a phobl ffug, rhithiau a thriciau' sydd yn narlun Curnow Vosper. Y darlun *Salem* yw prif eicon Cymru, a Saunders Lewis yw eicon y genedl, a dyma asio'r ddau ynghyd. Er bod y stori'n *ymddangos* yn ganmoliaethus o Saunders, tanseilio'i hygrededd fel arwr a wna mewn gwirionedd oherwydd hurtrwydd yr holl ddamcaniaeth a gynigir. *Joie-de-vivre* o stori yw hon. Gwahanol iawn eto yw'r stori 'Nodyn ar un o ysgrifau Syr T. H. Parry-Williams', sy'n ymchwil dditectyddol i'r darlun a aethai'n 'fwrn' ar Parry-Williams yn ei ysgrif yn *Olion*. Nid yw'r storïau hyn ond arwydd o'r gwynfyd neu'r *jouissance* a gaiff Mihangel Morgan mewn llenyddiaeth a chelfyddyd o bob math. Mae'n gloddesta'n farus arnynt, ond mae'i ddychymyg byrlymus yn eu trawsnewid yn gyson a pheri inni eu gweld trwy lygaid newydd sbon.

Y mae gweddill y storïau yn *Te Gyda'r Frenhines* yn amrywiol iawn, o afrealedd *mise-en-abyme* 'Brân Heb Frân', i serch seithug 'Y Ferch yn y Tŵr a'r Llanc â'r Milgwn' lle mae'r llanc hoyw yn troi'r ferch yn filgi, i annormalrwydd obsesiynol 'Y Dyddiadur Ffug', i hanes Nia'n marw o ganser mewn ysbyty meddwl am iddi wrthod cydymffurfio â disgwyliadau cymdeithas, i feirniadaeth ddeifiol 'Cnau Celyd' ar ddiddanwch teuluaidd, i ddadansoddiad fferyllol o domen dail AIDS yn 'Yr Heiasinth'. Fel y dywedodd Gayle Rubin:

> During a moral panic . . . fears attach to some unfortunate sexual activity or population. The media become ablaze with indignation, the public behaves like a rabid mob, the police are activated, and the state enacts new laws and regulations.[21]

Gwelsom ninnau'r un math o ymateb yn y Gymru Gymraeg, boed yng ngolygyddol *Barn* dan olygyddiaeth Robert Rhys, neu yng ngherdd Alan Llwyd 'Yr Hebog Uwch Felindre'. Ymateb yn chwerw dost i'r myth torfol am AIDS y mae 'Yr Heiasinth'. Cafodd y blodyn ei enwi ar ôl tywysog Spartaidd ifanc, *Hyacinthus*, sef y dyn cyntaf i ennyn serch dyn arall, a hynny nid unwaith, ond dwywaith a theirgwaith, ac a laddwyd mewn llid o eiddigedd, nes i flodau'r heiasinth dyfu o'i waed. Stori nid annhebyg i stori Narcisws. Defnyddiwyd darn o 'Sonata Ddrychiolaeth' Strindberg wrth ddisgrifio'r blodyn. Naturiol yw i'r claf yn y stori fynnu cael y blodyn wrth ochr ei wely. Ac nid yw'r cymeriad hwn yn cyfateb i gymeriadau'r ffilmiau ystrydebol. Nid yw'n gymysgar—am na all fod, oherwydd nad yw'n olygus na deniadol. Does dim cyfeillion yn tyrru at erchwyn ei wely. Mae'i gorff yntau'n dirywio a'i groen yn grach. Dyfynnir o gerdd Waldo, 'O Bridd', cerdd a gamddehonglwyd gan rai fel cerdd am y pechod gwreiddiol. A dyfynnir o gerdd Williams Parry, 'Hitleriaeth', lle disgrifir anoddefgarwch pobl at y gwahanol a'r gwrthodedig fel 'etheg blaidd, estheteg ieir'. Ychwanegir 'addysg brain'. Hwy yw adar angau, ac wrth i'r claf fyfyrio ar ei oriau olaf, heb neb yn gwmni iddo ond yr heiasinth dideimlad, mae'n canolbwyntio ar y blodyn:

> Dim ond y fi a'r blodyn. Y blodyn a fi. Y blodyn a dim. Dim ond y blodyn. (31)

Ac mae'r stori'n gorffen gyda gwaedd uwch adwaedd: 'Gorfoledded y brain!' (31)—ymadrodd sy'n adleisio Gwenallt. Y waedd homoffobaidd honno sy'n atseinio trwy'r gorllewin gwyllt.

VI

Tair Ochr y Geiniog[22] yw cyfrol gyfan gwbl hoyw gyntaf Mihangel Morgan, a derbyniad cymysg a gafodd.[23] Ni welwyd ymateb uniongyrchol homoffobaidd, fodd bynnag. Yn wir protestiai ambell un ei eangfrydedd. Pryderu a wnâi Gwyn Erfyl fod y darluniau a gyflwynwyd o fywyd hoyw yn rhai anffafriol, gyda'r awgrym nad oedd y storïau hyn yn gwneud dim dros hoywon. Gwir nad yw'r awdur wedi loetran yn delynegol uwch golygfeydd erotig sy'n cyfleu cariad a rhamant serch hoyw. Efallai fod hynny'n siom i hoywon yn gyffredinol. Hwyrach y buasai disgrifiad perlewygol o ddau ddyn ifanc golygus a chariadus yn cusanu ac anwesu'i gilydd mewn gwely moethus yn temtio mwy i roi cynnig arni, gan ymuno â'r garfan *bi* neu ddeurywiol gynyddol. I rai, felly, fe gollodd Mihangel gyfle i genhadu a phroselytio.

Ond mewn difri calon, pa ddisgwyl sydd iddo sgwennu rhyw lyfrau ceiniog-a-dimai am serch hoyw Mills-a-Boonaidd? Ni sgwennodd Mihangel air siwgwraidd erioed. Nid yw hybu hoywder yn rhan o'i raglen chwaith, na goglais na thitileiddio neb yn rhywiol. Fe gafwyd sgit eisoes ar ffilmiau hoyw cadarnhaol ond ystrydebol yn y stori 'Yr Heiasinth' yn *Te Gyda'r Frenhines*. Dylai honno fod wedi rhagrybuddio unrhyw ddarllenydd i beidio â disgwyl llyfr rhad o ddwylo Mihangel. Yno ailadroddir senario ffilm am ddioddefwr AIDS, gan ychwanegu'r sylwadau hyn:

> Mae'n stori hawdd sy'n ceisio torri drwy'r rhagfarnau. Yn ceisio gwneud pethau'n dderbyniol. Does dim hylltra, ac mae hen ddigon o gariad i bawb. Mae'n hawdd fel'na gyda'r holl gefnogaeth. Ond dyw hi ddim yn wir. Does dim byd yn newid rhagfarnau a thwpdra beth bynnag. Mae'r ffilmiau yna'n gelwyddog. (27)

Anghyfrifol ac anfoesol oedd i Rhiannon Ifans awgrymu mai trafod rhywioldeb am ei fod *de rigueur* a wnâi Mihangel Morgan, a'i fod yn crynhoi'i egnïon o gylch pwnc ffasiynol. Ymwrthod â ffasiwn a wna, poeri ar ystrydebau, chwydu pob awgrym stereodeipaidd allan o'i enau.

Problem arall *Tair Ochr y Geiniog*, wrth gwrs, oedd fod rhai'n teimlo'i bod yn hwylio'n rhy agos at greigiau miniog ffeithiau. Diffyg dealltwriaeth o natur y dychymyg a barai'r fath adwaith arwynebol. Un o jôcs Mihangel yw ailadrodd brawddeg megis 'Dychmygol yw holl gymeriadau a sefyllfaoedd y storïau hyn' o gyfrol i gyfrol. Brawddeg yw hi sydd i'w gweld ar ddechrau'r rhan fwyaf o nofelau Cymraeg, felly dyma enghraifft arall o *intertextualité* cyfrwys anghyfrwys Mihangel, oherwydd blodeua ystyr newydd i'r frawddeg yn ei waith ef, fel rhosyn yn blodeuo o goncrid ar un o gynfasau'r swrrealydd Paul Delvaux. Pwy yw person cyntaf dychmygol stori gynta'r gyfrol hon? Gan ei fod yn sôn am 'yr Adran Gymraeg yn y

Coleg hwn yn y ddinas hon (lle dwi'n gweithio)' (13), fe *ellid* tybio mai Mihangel Morgan ydyw, er mai naïf fuasai synio felly. A phwy yw'r Morgan sy'n fyfyriwr ymchwil yn Aberystwyth ac yn mynd i weld llawysgrifau Wncwl Jimi yn yr ail stori? Mihangel dychmygol wrth gwrs. Oes angen dyfalu pwy yw'r 'M' y mae Wolfi yn y drydedd stori yn anfon ei lythyrau ato? Unwaith y mae'r ditectif ynom wedi dechrau prowla, gallwn ofyn lleng o gwestiynau eraill. Pwy yw 'un o swyddogion uchel-puchel y Castell Llyfrau Cymraeg (sydd hefyd yn aelod o Ford yr Iaith)' (13)? Pwy yw Wncwl Jimi yn yr ail stori? A phwy yw Wolfi yn y stori olaf? Nid hen gariad Mihangel er gwaetha'r ensyniad. Mae yna ddoniolwch mewn llithro'n lledrithiol o ffug i ffaith fel hyn, mae yna dynnu coes, mae yna ddychan. Ac wrth gwrs fod plu rhai adar gosgeiddig yn cael eu garwhau. Ond mae yna hefyd ddwyster mawr, oherwydd dweud a wneir, yn floesg a chwerw, fod rhagfarnau'n rhemp yn y Gymru Gymraeg hefyd, dan ein trwynau, yn y byd y mae Mihangel ac Wncwl Jimi a ninnau'n anadlu ynddo'n ddyddiol, ond heb synhwyro'r mwg yn ein ffroenau.

Pwy feddyliodd fod *tair* ochr i geiniog? Pen a chynffon, ie, ynghyd â'r elfen o hap a damwain sy'n gysylltiedig â nhw, ond ymyl hefyd, sy'n denau, denau, gyda neb bron yn sylwi arni. Stori Wncwl Jimi sydd ar yr ymyl y tro hwn, ac er mor weladwy oedd y cymeriad hoffus hwn a oedd yn ewyrth i gynifer yng Nghymru, yr oedd ei wir anian wedi'i hymylu, a dyna pam na sylwodd hyd yn oed y bobl agosaf ato arni. Ni sylwais fod yr un o'r adolygwyr wedi dweud pwy oedd Wncwl Jimi. Taflu cwestiwn rhethregol a wnaeth Rhiannon Ifans:

> Pwy hefyd, os creadur o gig a gwaed, yw Wncwl Jimi? Efallai y dylid llyncu'n llythrennol y datganiad agoriadol fod holl gymeriadau a sefyllfaoedd y straeon yn rhai dychmygol, ond nid cyn gofyn y cwestiwn: os yw dyn, byw neu farw, yn dymuno cadw'i fywyd preifat dan glo, pwy yw dyn arall i nacáu'r cysur hwnnw iddo?[24]

Mae yna ensyniadau cwbl groes i'w gilydd yma. Awgrymir yn y frawddeg gyntaf fod Wncwl Jimi yn cynrychioli person go-iawn (er gwaetha'r 'os'). Eir ymlaen wedyn i dderbyn efallai fod yr holl gymeriadau'n rhai dychmygol, ond tanseilir hynny gan y cwestiwn terfynol sy'n cymryd yn ganiataol fod y stori'n datgelu bywyd preifat rhywun o gig a gwaed. Ond pam yr holl gyfrinachedd? Fe ŵyr pawb llengar yn y Gymru Gymraeg mai cyfeirio at John Gwilym Jones y mae'r stori. Nid dirgelwch i rai ei ddeall ac i eraill i'w watwar mo hwn. Mae'n bôs sy'n cynnwys yr ateb. Wncwl Jimi yw gwrthrych ymchwil myfyriwr o Aberystwyth gyda'r enw 'Mr Morgan'. Gan mai gwaith John Gwilym Jones oedd pwnc ymchwil doethuriaeth Mihangel ei hun, mae'r ateb mor olau â'r dydd. Tipyn o hwyl a sbri yw'r chwarae mig yma, ac mae'r stori yn ei chrynswth yn dipyn o *tour de force* yn y cyfeiriad hwn. Ond fe ŵyr unrhyw un sydd ag unrhyw grap ar dechneg lenyddol Mihangel Morgan mai dychmygol yng ngwir a dyfnaf ystyr y gair yw ei holl storïau. Nid y John Gwilym Jones go-iawn mo'i Wncwl Jimi ef, mwy nag y gellir dweud mai'r John Gwilym Jones go-iawn sydd ym mhortread enigmatig Kyffin Williams o lenor y Groeslon. Fe wyddom o'r gorau mai yng nghapel Bryn-rhos yn y Groeslon y trawyd John Gwilym gan ei salwch olaf, ac nad yn Amsterdam y bu farw fel Carwyn James. Pan drosglwyddir ei lawysgrifau a'i bapurau i'r Llyfrgell Genedlaethol lle mae eu priod le, fe welir hefyd na adawodd gymynrodd o ddyddiaduron preifat i'r genedl. Nid Hywel Harris mohono. Ond gwell inni wrando ar siars Williams Parry yn ei soned 'Gwae Awdur Dyddiaduron', lle y mae'n sôn am ddyddiadur Harris:

> Ba fendigedig ddogfen! Bydd dy natur
> Yn llyfr agored, Hywel, i'r holl fyd.
> Beth waeth gan Hanes am na sant na satyr?
> Hi draetha'r gwir, a'r gwir i gyd. I gyd?
> Nês (sic) na'r hanesydd at y gwir di-goll
> Ydyw'r dramodydd, sydd yn gelwydd oll.[25]

Na, nid oes dyddiaduron i wneud natur John Gwilym Jones yn llyfr agored, ond mae yna 'ddramodydd', sef Mihangel Morgan, sydd wedi treiddio'n nes at y gwir amdano nag a feiddiai neb arall. Ond mae'r gwirionedd y sonia Mihangel amdano yn ddyfnach o dipyn na'r ffaith ei fod o natur hoyw. Fe fyddai unrhyw ddarllenwr craff wedi dyfalu'r ffaith honno'n ddidrafferth wrth ddarllen ei waith. Mae'n syllu arnom yn drist a heriol o'i eiriau fel y llygaid tywyll sydd â thrwbwl yn eu trem ym mhortread Kyffin Williams ohono. Craffwn unwaith eto ar gwestiwn Rhiannon Ifans: 'os yw dyn . . . yn dymuno cadw'i fywyd preifat dan glo, pwy yw dyn arall i nacáu'r cysur hwnnw iddo?' Yn rhyfedd iawn, dyma ensynio wedi'r cwbwl *fod* oJohn Gwilym Jones yn hoyw, ond na ddylid cyhoeddi hynny gerbron y byd. Pam yn enw rheswm? Ers pryd y mae bedd wedi'i wyngalchu yn dderbyniol gan Gristion? Nid oedd gwyngalch ar gyfyl gweithiau llenyddol John Gwilym ei hun, er ei fod yn cydnabod rheidrwydd rhagrith yn ein bywydau, a hawdd gweld pam bellach. A ddylid gwahardd pob cofiannydd a hanesydd rhag chwilio a chwalu ymhlith dogfennau personol a chyhoeddus y gorffennol er mwyn darlunio bywydau a chyfnodau? Ond petaem yn dilyn rhesymeg Rhiannon Ifans byddem yn gwahardd unrhyw ymchwil i fywydau preifat pobl rhag creu anghysur iddynt. Hyd yn oed pe darganfyddid fod rhywun yn lleidr, neu'n ferchetwr, neu'n gelwyddgi, neu'n llofrudd, dylid cuddio'r ffaith.

Ond howld am funud! Nid oedd Wncwl Jimi ddiniwed yn lleidr na llofrudd. Gwrywgydiwr ydoedd. A dyma ni'n dod yn nes at y gwir di-goll y soniodd Williams Parry amdano. Mae gwirionedd y stori hon yn ddyfnach o dipyn na'r ffaith fod John Gwilym Jones yn ddyn hoyw. Nid dyna'r pwynt, ond yn hytrach ei fod wedi gorfod mygu'i dueddiadau i raddau helaeth oherwydd rhagfarn cymdeithas. Mae'r ffaith fod Rhiannon Ifans yn mynnu mai cysur oedd cadw'i fywyd preifat dan glo yn cadarnhau hynny yn oleuach na'r awyr. Fel y dywedodd Petroc ap Seisyllt:

> Dymuno neu gael ei orfodi? A chysur i bwy yn union? Yn Dirgel Ddyn mae Mr Schloss, yr hen Almaenwr, yn cuddio'r ffaith ei fod yn Iddew trwy ymddangos yn wrth-Semitaidd.[26]

Yr hyn sydd wedi peri i rai pobl yng Nghymru luchio'u cylchau ar ôl darllen y stori hon yw'r union reswm pam y sgwennwyd hi. Dyna eironi llenyddiaeth anesmwythol bob amser. 'Bydd yr ail stori yn sicr yn anesmwytho rhai yn y Gymru Gymraeg, ac os dyna'n unig yw'r bwriad, y mae'n anodd iawn ei gyfiawnhau,' meddai Rhiannon Ifans.[27] A fyddai'n well felly inni i gyd ymddwyn yn wrth-Semitaidd fel Mr Schloss, a pheidio â malurio'n rhagfarnau? Wrth gwrs, ofni yr oedd Rhiannon Ifans i enw da John Gwilym Jones gael ei bardduo, ond dangos a wna'r stori nad parddu yw gwrywgydiaeth, mwy nag yw düwch croen yn barddu, neu fod gwaed Iddewig yn ddu fel parddu. Peth pitw iawn *ynddi'i hun* yw'r ffaith fod John Gwilym Jones yn hoyw. Fe ddylai unrhyw Gristion weld hynny fel rhodd Duw iddo; wedi'r cyfan roedd gan 'Dduw' gryn athrylith os nad obsesiwn pan ddyfeisiodd ryw, ac mae'n hawdd ei ddychmygu'n chwerthin i fyny'i lawes wrth feddwl y fath smonach a wnâi pobl o'i rodd. Diolch byth a ddylem fod John Gwilym Jones yn hoyw, fel cynifer o artistiaid eraill, oherwydd mae'n debyg i'w hydeimledd arbennig ef ddeillio o hynny. Ond tristáu a ddylem iddo orfod cuddio'i natur neu fygu greddf mor sylfaenol dim ond er mwyn plygu i ragfarn cymdeithas gul.

Daliodd Mihangel Morgan naws y gymdeithas honno yn ardderchog yn y stori hon, yn arbennig yn llais Sioned, nith Wncwl Jimi, ac awdur y dyddiadur. Nid yw'n ymwybodol siofinistaidd o gwbl, nac yn coleddu rhyw gasineb ciaidd at neb. Yn hytrach mae hi'n ymgorfforiad perffaith o'r Gymraes annwyl, rinweddol, ddiwylliedig. Fe'n trewir yn syth mor dda y dysgodd chwarae'i *rôle*, wrth ddysgu gwisgo lliain diwylliant a sidanau dysg yn gyfewin amdani. Does dim tolc arni o gwbl. Nid person go-iawn mohoni, ond bod diwylliannol, strwythur geiriol. Gall gysgu'n dawel ar ôl llosgi tomen o ddyddiaduron Wncwl Jimi. Mae'i syniad ystrydebol hi am eu cynnwys—sef 'Stori bywyd y llenor encilgar James Tomos Powel, yn olrhain hanes a datblygiad ei nofel, ei storïau, ei yrfa academaidd' (53)—yn gwarantu eu llosgi mewn ffordd, ond dim ond ufuddhau'n ddiniwed a wna hi i orchymyn Wncwl Jimi. Petai ganddi fwy o iau fe allasai fod wedi achub y llawysgrifau o'r gynnau dân fel y gwnaethai Max Brod gyda gweithiau Kafka. Sut y gall gweithred o'r fath fod yn frad?

Fawr ryfedd i Sioned gael ei brawychu gan y pecyn a gyrhaeddodd o'r gwesty hoyw, yr *Hotel Mystique* yn Amsterdam. Wrth ddarllen y dyddiadur sydd yn y pecyn hwnnw, mae'n ceisio dianc rhag y gwir trwy ddyfalu 'Ai ffuglen oedd hi, efallai, ar ffurf dyddiadur? Ond pam trafod pwnc mor wrthun?' (64) Haws iddi hi dybio fod Wncwl Jimi yn dechrau ffwndro a cholli arno yn ei henaint, ac mae'n argyhoeddedig na allasai byth fod wedi gallu cuddio'i hoywder, gan nad oedd 'Dim ffrogiau yn y wardrob, dim sgidiau sodlau uchel dan y gwely, dim *lingerie* . . .' (70)! Mae'i rhagfarnau naïf yn lleng. 'Alla i ddim meddwl amdano fel anghenfil gwyrdröedig (*sic*) yn llygadu fy mrawd . . .' (71) Ei chenhadaeth bellach yw 'amddiffyn ei enw da' (72), a llunio'i gofiant 'gan adlewyrchu holl rinweddau ei bersonoliaeth ardderchog' (73). Y rhyfeddod yw fod sawl darllenwr yn gallu ymuniaethu â Sioned heb droi blewyn, heb sylweddoli mai nhw yw'r union rai sydd dan y lach. Mae'n rhaid fod ganddynt groen fel eliffant a hydeimledd fel celffant. Pam na allasai Sioned fod wedi cael gwefr o ddarllen dyddiadur Amsterdam Wncwl Jimi? Oni fuasai'r dadleniadau ynddo wedi dangos fod mwy o sbonc yn ei hwncwl nag a dybiasai? Buasent wedi ychwanegu at ei enw da. Ond wrth gwrs llaid ar farch gwyn ydynt i Sioned, ac i lawer o feirniaid Mihangel Morgan. Er gwaetha'r stori hon, aros yn denau ac anweledig bron a wna'r ymyl.

Erys y pen a'r gynffon. Mae'r stori gyntaf yn cynnig dadansoddiad diddorol a ffres o Gymreictod fel enfys—yr amgyffrediad o ddiwylliant fel rhywbeth amrywiol ac amlochrog sy'n hydreiddio gwaith Mihangel Morgan drwodd a thro. Y paradocs, mewn ffordd, yw fod ymwybyddiaeth hoyw yn cyfrannu at weledigaeth o'r fath. (Cofier y dyfyniad o waith Ivy Compton-Burnett sydd ar ddechrau'r gyfrol hon: 'There is more difference within the sexes than between them.') Fel y sylwyd eisoes, gellid tybio mai Mihangel yw lladmerydd y stori, ac mae'i rhannau dechreuol yn swnio fel cyflwyniad gweddol ddi-lol o rai o'i agweddau ef:

> Anghofiwch yr hen ddiffiniadau saff a'r hen ystrydebau a derbyniwch y rhychwant eang, y croestoriad amlhaenog, amlochrog deinamig a newydd, neu ewch i fyw mewn amgueddfa lle cewch chi wrando ar dapiau o 'werinwyr' yn enwi rhannau gêr trol hyd Ddydd y Farn. (12)

Daeth ymwybyddiaeth hoyw hefyd yn llinell binc ar ymyl enfys Cymreictod yn ddiweddar gyda ffurfio cymdeithas Cylch yn Aberystwyth yn 1990, a chyhoeddi pethau megis y cylchgrawn, *Y Ddraig Binc*, a llyfrynnau megis *Y Gusan Gyntaf* a *Mewn a Mas* o ddechrau'r nawdegau ymlaen.[28] Yn 1989 cyhoeddwyd cyfrol o storïau byrion dan olygyddiaeth Aled Islwyn er budd dioddefwyr AIDS, gyda'r teitl *A sydd am Afal.*[29] Iwan Llwyd a ddywedodd yn *Golwg* yn 1992:

> Ar hyd y blynyddoedd cyfrannodd unigolion hoyw yn fawr i'r diwylliant. Mae'n hen bryd i'n delwedd ni ohonom ein hunain fel pobl ehangu i'w harddel yn agored.

Dyma safbwynt stori gyntaf *Tair Ochr y Geiniog* hefyd. Hwyrach wedi'r cwbl fod cyfraniad hoywon i lenyddiaeth Gymraeg yn llawer mwy nag a dybir fel arfer. Y broblem yw fod ymylon yn anweledig o'r canol. I rai Cymry Cymraeg nid yw hoywon yn bod ond fel burgynnod i'w taflu o'r neilltu, heb gofio nad yw agwedd rhai Saeson at y Cymry Cymraeg fawr mwy goleuedig. Fel y dywed Rhosier Watcyn yn y stori hon:

> Petasai dwylo gwyrdd gyda phob person hoyw buasai'n haws inni i gyd—ond yn haws i'n herlidwyr hefyd—ond buasai rhai o'r rheina'n gorfod gwisgo menig. (17)

Digri yw ensyniad cyhuddgar y cymal olaf!

Enghraifft yw Rhosier Watcyn o'r elfen gosmopolitanaidd gref sydd gymaint yn amlycach mewn Cymreictod erbyn hyn. Pam y mynnai aelod o leiafrif ymuno â lleiafrif arall sy'n ddirgelwch efallai, ond mae Cymreictod yn rhoi cyfeiriad i fywyd Rhosier. Eto mae'n byw bywyd hoyw garw a diedifar. Bwriodd ei brentisiaeth i'r eithaf ym Merlin Christopher Isherwood, a magu blas at ryw amhersonol a diemosiwn a ddisgrifir ganddo fel rhyw 'democrataidd'! Yn ôl yn Lloegr, mae'n dysgu Cymraeg, ond hefyd yn cael cyfathrach â dyn a'i gwahoddai ar adegau arbennig i brofi rhyw dieiriau, disentiment, a digusan mewn stafell dywyll. Adrodd yr hanes a wna Rhosier fel y gwna Monica yn nofel Saunders Lewis, ac yn wir mae Rhosier a'i gydymaith yn ymroi i'w pleser fel y gwnâi Monica a Bob Maciwan gynt. Nid yw Mihangel Morgan yn cymeradwyo nac yn anghymeradwyo hyn mwy nag y gwnâi Saunders chwaith. Ar ôl i'w gydymaith amhersonol gael ei lofruddio y mae Rhosier yn dianc i Gymru ac yn ymdrwytho yn y diwylliant Cymraeg. Lloches yw Cymreictod iddo. Eto mae'n diflannu ar ôl cael ei ddal *in flagrante delicto* gyda dyn arall gan wraig ei lety. Ni wyddys beth a ddigwyddodd iddo wedyn, ac fe'n gadewir gyda diwedd amlddewis. Dyfelir beth a ddigwyddodd i'r nofel Gymraeg yr oedd Rhosier wrthi'n ei sgwennu. Un arall o destunau coll ein llenyddiaeth?

Un o bwyntiau'r stori yw fod llofruddiaeth gwrywgydwyr yn cael llai o sylw na llofruddiaethau eraill, fel petai gwrywgydiwr yn haeddu cael ei ladd. A gwneir yr un pwynt yn y stori wir, 'Y Corff yn y Parc', a gyhoeddwyd yn *Taliesin*.[30] Hanes llofruddiaeth Pwyliad hoyw ym mharc Aberdâr sydd yma.

A'i lofruddio a gaiff yr Awstriad Wolfi yn stori gynffon y gyfrol hon. Criw o neo-Natsïaid yn Awstria geidwadol Waldheim sy'n ymosod arno ef ac eraill wrth iddynt ddod allan o glwb hoyw un noson. Yn ystod y stori hon, sydd ar ffurf llythyrau, cawsom gip ar Wolfi fel person cyfoethog ei ddeallusrwydd, radical ei agweddau ac ymchwilgar ei dueddiadau. Y cwestiwn sy'n crafu fel gewin ar waelod yr ymennydd yw sut fyd yw hwnnw a all fforddio aberthu pobl o'r fath. Yn wir y mae llid cymdeithas yn erbyn hoywon yn thema gyson yng ngwaith Mihangel Morgan. Cânt eu dirmygu, eu hanwybyddu, eu llofruddio, heb i fawr neb falio dam. A chynnil o arwyddocaol yw cyflwyniad y gyfrol hon 'Er cof am B.B., A.M., M.S.' Mae marc cwestiwn yn hofran yn y meddwl wrth ddarllen y cyflwyniad.

VII

'Gwae awdur gwyddoniadur', meddai nofel ddiweddaraf Mihangel Morgan, *Melog*.[31] Siawns na wna i feirniaid stori ymyl y geiniog wrido, ond wrth gwrs wnân nhw ddim, oherwydd unwaith eto, dirgelwch i rai i'w ddeall ac i eraill i'w watwar sydd yma. Mae prif gymeriad *Melog* yn gwneud astudiaeth o'r *Gwyddoniadur Cymreig* a cheir dyfyniadau o'r gwaith hwnnw ar ddechrau pob pennod yn y nofel, ar wahân i'r olaf lle ceir dyfyniad o Salm. Roedd y *Gwyddoniadur* yn glamp o enseiclopedia deg cyfrol a gyhoeddwyd gan Thomas Gee rhwng 1854 a 1879, ac y cafwyd ail argraffiad ohono yn nes ymlaen. Cydweddai'n ardderchog ag uchelgais cyfnod yr Oleuedigaeth i ddod o hyd i'r holl wirionedd am y bydysawd. Ar ddechrau nofel Mihangel Morgan, dyfynnir diffiniad y *Gwyddoniadur* o wirionedd, gan gynnwys y cymal 'yr hyn sydd yn cyfateb i'r peth fel y mae'. Dyfynnir hefyd sylw Diderot: 'dis la chose comme elle est'. Tebyg yw siars Daniel Owen yn *Rhys Lewis*: 'Cofia ddeud y gwir.' Dyna uchelgais realaeth. Ond mae yna ddirnadaeth wahanol o'r gwirionedd ar gael hefyd. Dyfynna Mihangel frawddeg o *Moby Dick* Herman Melville: 'It is not on any map; true places never are.' Dyma wirionedd 'nes na'r hanesydd'. A'r dyfyniad arall ar ddechrau *Melog* yw hwn o eiddo Erasmus:

> Mae gwirionedd pethau yn dibynnu ar farn yn unig . . . Mae popeth mewn bywyd mor amlochrog, mor wrthgyferbyniol, mor dywyll, nes nad oes sicrwydd o unrhyw wirionedd.

Ar yr olwg gyntaf, mae *Melog* yn troedio tir digon cyfarwydd. Lwc mul i gyfrannwr i Gyfres y Cymoedd yw ei bod wedi ei lleoli yn un o gymoedd y De. Ond go brin ei bod yn ffrwythlon iawn i un sy'n chwilio am ddata cymdeithasegol chwaith. Mae'r dechneg adroddiadol mor ddisgwyliedig nes peri i rywun gredu ei fod yn darllen gwaith realaidd, ond wedyn dyma gael ein hyrddio oddi ar yr echel yn annisgwyl nes colli crap ar y llythrennau. Dau gymeriad canolog sydd yma. Mae Dr Jones wedi llyncu'r *Gwyddoniadur* yn ei grynswth—'dirprwy Feibl y bedwaredd-ganrif-ar-bymtheg oleuedig', ys dywedodd Angharad Price.[32] Ond ar draws ei fyd brown a llwyd ef daw 'dychymyg powld'[33] cymeriad cwbl wrthgyferbyniol Melog, un o greadigaethau mwyaf hynod ffuglen Gymraeg. Mae Dr Jones yn swil a thywyll ac anweladwy bron, a Melog yn gymdeithasgar, llachar a llygatlas. Dymuna'r ddau fod yn llyfrau, a syniant amdanynt eu hunain fel cyfrol un a chyfrol dau: 'Argraffiad cyfyngedig i ddau yn unig.' (33)

Os yw Dr Jones yn ymrithio fel un y gellid cwrdd ag ef yn un o drefi'r De, cymeriad anodd ei sodro yn y byd real yw Melog. Pan ofynnir iddo ymhle y mae'i wreiddiau, mae'n gwrthod y ddelwedd sâff honno:

> . . . mae'n well gen i siarad am gamau neu am risiau. (30)

Pethau llithrig o symudol yw'r rheini, a chymeriad felly yw Melog ei hun. Pererin ydyw yng Nghymru, yn crwydro yma a thraw, ac nid yw'n gallu llwyr amgyffred bodolaeth Cymru, hyd yn oed ar ôl i Dr Jones ei dangos yn yr atlas. Nid yw'n gallu derbyn fod gan fap unrhyw *vraisemblance*:

> I fod yn ddisgrifiad y gallwn ei ddeall yn iawn byddai'n rhaid i'r map fod yr un mor fawr â Chymru . . . (30)

Hynny yw, byddai'n rhaid i'r map fod yn Gymru ei hun, neu o leiaf yn efaill-Gymru. Felly, efallai nad yw Cymru yn bod wedi'r cwbl, ond yn y dychymyg.

Yn sicr nid yw'r wlad y mae Melog yn hanu ohoni i'w chael yn *Yr Atlas Cymraeg* nac mewn unrhyw atlas arall. O Lascaria y daw, a Lascariaeg yw ei dadiaith. Fe lyncwyd Lascaria gan Sacria, ac fe waharddwyd ei hiaith a'i llyfrau, a dienyddiwyd llawer o'i phobl. Fe ddaeth Melog i Gymru ar drywydd yr Imalic, sef yr unig gopi sy'n bodoli o chwedlau'i wlad. Ewythr i Melog a lwyddodd i ddianc â'r llawysgrif rhag y Sacriaid, a thybia Melog ei bod wedi'i chuddio yn rhywle yn nhref Dr Jones yn y De.

Mae hanes y modd y dysgodd Melog Gymraeg yn ddoniol. Athro o'r enw Mr Cadwaladr oedd wedi mynd i'w wlad i ddysgu Saesneg, a lleibiodd y plant yr iaith i'w cyfansoddiad gydag afiaith. Doedd neb wedi sylwi ar y pryd mai'r Gymraeg oedd yr iaith a ddysgwyd iddynt wedi'r cwbl, a phan ddarganfuwyd y twyll, fe ddiflannodd yr athro'n ddisymwth. Mae'n ddifyr clywed fod arwr *Dirgel Ddyn* wedi chwarae'r fath dric ysbrydoledig. I Gymry Cymraeg mae yna ryw ystyr hud yn y peth hefyd, am ei fod yn dangos y *gallasai*'r Gymraeg fod yr un mor ddeniadol trwy gyrrau'r byd â'r Saesneg petai'r amodau'n ffafriol, ac nad oes dim byd *cynhenid* fach neu israddol ynglyn â hi. 'Daw dydd y bydd mawr y rhai bychain,' yn wir.

A dyna a wna Melog yn y nofel hon drwyddi draw—malurio'n deilchion y byd sydd wedi'i fapio'n ddiogel mewn atlas, herio disgwyliadau, peri i'r dychymyg fod yn drech na byd diflas ffeithiau, a defnyddio hudlath i greu posibiliadau newydd. Mae'i safbwynt yn ddigon amlwg:

> Dwi ddim yn licio llefydd penodol mewn nofelau. Ffuglen yw ffuglen. Gorchwyl y nofelydd yw llunio'i fyd ei hun, byd newydd, byd amgen; dyna'i nofel. (76)

Barn hollol wahanol sydd gan Dr Jones:

> . . . mae enwi pethau a llefydd go-iawn yn rhoi teimlad o realiti. Mae pob nofelydd yn adlewyrchu realiti yn y pen-draw. (76)

Ond wrth gwrs nid yw Melog yn rhannu'r un cysyniad o realiti â Dr Jones, am nad yw ei amgyffrediad o iaith yr un peth ag eiddo hwnnw. Rhywbeth solet, amhroblematig ydyw i Dr Jones, ond y mae'n llithrig fel eira llaith yr Imalic i Melog, a dyna pam y mae ystyr yn rhywbeth symudliw a chaleidosgopig. Yng ngeiriau Melog unwaith eto:

> Mae pob darlleniad yn ddelwedd o fywyd . . . Mae darlleniadau'n newid nid yn unig o unigolyn i unigolyn ond o ddarlleniad i ddarlleniad o fewn profiad yr un unigolyn hyd yn oed. (95)

Sut felly y mae adrodd gwirionedd heb sôn am Wirionedd? Gwae awdur gwyddoniadur yn wir!

VIII

Einioes ar ei hanner yw un Mihangel Morgan, *pace* Alan Llwyd, ac i lenor metamorffig fel ef go brin y bydd yr ail hanner yr un fath â'r cyntaf. Mi ddechreuais yr erthygl hon trwy ganolbwyntio arno fel awdur hoyw, ac eto ychydig o ysgrifennu hoyw yn ystyr arferol y term sydd ganddo. Fel llenor sy'n gwrthod realaeth, mae hynny'n anorfod. Hoyw mewn modd dyfnach yw ei waith. Nid llenor y *weithred* wrywgydiol mohono, ond llenor *queer*—ac mae hwnnw'n air sy'n cael ei ffafrio gan rai beirniaid hoyw. Ond fel mae'n digwydd, mae'r gair 'hoyw' ynddo'i hun yn gyforiog o ystyr. Rhydd *Geiriadur yr Academi* yr holl gyfystyron hyn am y Saesneg *gay*: 'siriol, llawen, llon, hoenus, ysgafnfryd, ysgafala, diofal, hoyw'. Fe gwynodd rhai fod hoywon wedi herwgipio un o allweddeiriau Dafydd ap Gwilym, ond y gwir yw fod llenor megis Mihangel yn meddu ar dipyn o hwyliogrwydd Dafydd. Ond fel gyda Dafydd hefyd mae yna ochr dduach. Ynghanol yr ôl-foderniaeth anghyfrifol mae yna gryn dipyn o chwerwedd. Nid ymgyrchwr dros hawliau hoyw yn unig yw Mihangel, ond ymgyrchwr dros unrhyw leiafrif gormesedig, a lambastiwr unrhyw fath o dotalitariaeth wleidyddol neu syniadol.

Canolbwyntiwyd ar ei ffuglen yn yr erthygl hon, ond llewyrcha ei holl bryderon trwy'i farddoniaeth hefyd fel mellt fforchog ar gefndir o gymylau bygythiol.[34] Bruce y dyn hoyw yw'r ffigysbren ddiffrwyth mewn un gerdd:

> . . . fy anffawd i oedd bod yn ffigysbren
> Yn tyfu'n ddiniwed . . .
> Yn gwneud yr hyn oedd yn naturiol
> I ffigysbren . . . (58)

A Duw yn dod heibio mewn natur ddrwg

> Ac yn pwdu ac yn ffromi
> Ac yn fy melltithio . . . (58)

Duw yw'r bwgan o hyd, yn arbennig yn y gyfrol *Beth Yw Rhif Ffôn Duw?*, lle yn dyfynnir geiriau Arthur Koestler:

> God seems to have left the receiver off the hook and time is running out. (7)

Nid dyma'r lle i drafod y farddoniaeth, ond nid syndod oedd i John Pikoulis sylwi ar ddisgleirdeb y cerddi o eiddo Mihangel y cyhoeddwyd cyfieithiad ohonynt yn y gyfrol *Modern Poetry in Translation*,[35] gan ddweud: 'His range of effects is brilliant and they would take an essay to explore fully.'[36] Nid dyma'r erthygl honno, ac nid dyma'r lle chwaith i drafod Mihangel Morgan y beirniad, yn ei erthyglau, ei lyfryn ar Jane Edwards, a'i draethawd ar John Gwilym Jones. Gadawn ei einioes ar ei hanner.

NODIADAU

[1]Trafodir yr elfen hoyw yn y fyddin arbennig hon yn y gyfrol *Secret Warfare* gan Adrian Weale sydd ar fin ymddangos.

[2]Gw. Greg Hill, 'Drowned Voices', *Planet*, cyf. 92, Ebrill/Mai 1992.

[3]J Rowlands, 'Hold Mihangel Morgan', *Taliesin*, cyf. 83, Gaeaf 1993, 14.

[4]*Jane Edwards* (cyfres 'Llên y Llenor'), (Caernarfon, 1997), 14.

[5]*Hen Lwybr a Storïau Eraill* (Llandysul, 1992).

[6]Llandysul, 1993.

[7]Llythyr yn *Taliesin*, cyf. 98, Haf 1997, 97.

[8]Talybont, 1993.

[9]'Wythfed Bennod *Saith Pechod Marwol*', *Tu Chwith*, cyf. 2, Haf 1994, 84.

[10]ibid., 86.

[11]Ymadrodd o eiddo Yves Navarre a fabwysiadwyd yn deitl ar astudiaeth o hoywder yn llenyddiaeth Ffrangeg yr ugeinfed ganrif, *Scandal in the Ink* gan Christopher Robinson, Llundain, 1995.

[12]Llandysul, 1994. Defnyddiwyd *Tee mit der Konigin* yn deitl ar gasgliad o storïau byrion Cymraeg a gyfieithwyd i'r Almaeneg gan Angharad Price a Frank Meyer, ac a gyhoeddwyd yn 1996. Cynhwysir stori deitl Mihangel Morgan yn y gyfrol honno wrth gwrs.

[13]*Y Cymro*, 1 ix 93.

[14]ibid. .

[15]'Rhai Themau, Motiffau a Chymeriadau yng Ngwaith John Gwilym Jones', traethawd Ph D (Cymru: Aberystwyth, 1995).

[16]art. cit., 84.

[17]Cyf. 3 1995, 36-45.

[18]*Tu Chwith*, cyf. 4. 1996, 68-71.

[19]'Cyn y Geni', *Tu Chwith*, cyf. 5, Haf 1996, 105.

[20]Gweler y cyflwyniad

[21]'Thinking sex: Notes for a Radical Theory of the Politics of Sexuality' yn Abelove, Barale a Halperin (goln), *The Lesbian and Gay Studies Reader* (Efrog Newydd, 1993), 25.

[22]Llandysul, 1996.

[23]Gw. yn arbennig adolygiadau Rhiannon Ifans, *Taliesin*, cyf. 97, Gwanwyn 1997 a Gwyn Erfyl yn *Golwg*.

[24]art. cit., 127.

[25]*Cerddi'r Gaeaf* (Dinbych, 1952), 66.

[26]art. cit., 97.

[27]art. cit., 127.

[28]Cylch, Blwch SP 23, Aberystwyth SY23 1AA.

[29]Caernarfon, 1989.

[30]Cyf. 98, Haf 1997, 12-36.

[31]Llandysul, 1997

[32]'Gwybodaeth y Gwyddoniadur', adolygiad yn *Barn*, 414-415, Gorffennaf/Awst 1997, 81.

[33]ibid., 80 ac 81.

[34]Cyhoeddodd ddwy gyfrol o farddoniaeth, sef *Diflaniad Fy Fi* (Llandybïe, 1988) a *Beth Yw Rhif Ffôn Duw?* (Caernarfon, 1991).

[35]Cyfres newydd, rhif 7, Gwanwyn 1995, gol. Dafydd Johnston, (Llundain, 1995), 119-125.

[36]John Pikoulis, 'Carcassians, Clancyisms and Fans of Elizabeth Taylor (Woof! Woof!)', *The New Welsh Review*, rhif 32, Gwanwyn 1996.